1·25

PAVILLON
DE FEMMES

PAVILLON
DE FEMMES

(PAVILION OF WOMEN)

PAR

PEARL BUCK

TRADUIT DE L'ANGLAIS
PAR
GERMAINE DELAMAIN

collection marabout

**La Collection Marabout est
éditée et imprimée par**
G E R A R D & Co
65, rue de Limbourg, 65,
VERVIERS — (Belgique)

*Les mots Collection Marabout, l'emblème et la présentation des
volumes de la collection sont déposés conformément à la loi.*
Correspondant général à **Paris :** L'INTER, 228-230, Boule-
vard Raspail. - Gérant exclusif et Distributeur général
pour les **Amériques :** D. KASAN, 26, Dorchester, Québec-
Canada. - Distribution en **Suisse :** Editions SPES, Riponne,
4. Lausanne. - **Allemagne :** TRANSATLANTIK, Hamburg 4.

I

C'était son quarantième anniversaire. Madame Wu,
devant le miroir incliné de sa coiffeuse, examinait son
calme visage. Elle le comparait à celui qui lui était
apparu dans ce même miroir lorsqu'elle avait seize ans.
Ce jour-là, elle s'était levée de son lit de noces de
bonne heure, car elle avait toujours été matineuse ;
enfilant sa nouvelle robe de chambre, elle était venue
dans cette même pièce s'asseoir devant la coiffeuse.
De son air paisible, facilement impassible, elle avait
regardé ses traits.

« Comment se peut-il que ce soient les mêmes
qu'hier ? » s'était-elle demandé ce premier matin-là,
après son mariage.

Elle les avait inspectés minutieusement : large front
bas, dépouillé depuis la veille de sa frange de jeune
fille, yeux en amande, nez délicat, et l'ovale des joues,
le menton et la petite bouche rouge, très rouge ce
matin-là. Ying, sa nouvelle bonne, était entrée à la
hâte.

« Oh ! Mademoiselle, oh ! Madame, avait-elle balbutié, je ne croyais pas que, ce matin, vous seriez
levée de si bonne heure ? »

Les joues de Ying étaient toutes rougissantes.

Celles de sa maîtresse gardaient, au-dessus des lèvres rouges, la même blancheur de perle que de coutume.

« J'aime à me lever de bonne heure », répondit-elle de sa voix douce, cette voix que, dans la nuit, le jeune homme, jusqu'alors inconnu d'elle, comparait à celle d'un oiseau chanteur.

...A ce moment, vingt-quatre ans plus tard, Ying parut deviner les pensées de Madame Wu ; ses mains actives derrière la lourde chaise de bois enroulaient les coques de cheveux noirs, raides et lisses, mais elle les avait coiffés si souvent qu'elle pouvait détourner les yeux de son travail et regarder le beau visage dans la glace.

« Madame, dit-elle, vous n'avez pas changé pendant ces vingt-quatre ans.

— Vous songiez à ce matin-là, vous aussi », répondit Madame Wu.

Elle rencontra avec affection le regard de Ying dans la glace. Ying s'était épaissie après vingt ans de mariage avec le cuisinier en chef, mais Madame Wu restait plus svelte que jamais.

Ying rit tout haut : « J'étais plus intimidée que vous ce matin-là, Madame. *Aï-ya !* que j'étais donc intimidée — sans cause, car, n'est-ce pas, Madame, ce qui se passe entre hommes et femmes est tout naturel, mais, dans ce temps-là, cela me semblait une sorte de magie. »

Madame Wu sourit sans répondre. Elle permettait à Ying la plus grande liberté de langage, mais, lorsqu'elle ne désirait pas poursuivre la conversation, son sourire s'effaçait aussitôt et elle gardait le silence. Ying se tut elle aussi ; affectant d'être mécontente de la forme que prenait, entre ses doigts, la coque tout

unie de cheveux noirs, elle la laissa retomber en pinçant les lèvres et la releva ensuite. Quand elle eut
terminé, elle glissa deux épingles de jade dans le chignon, humecta ses mains d'une huile parfumée et les
passa sur la tête déjà bien lisse de Madame Wu.

« Mes boucles d'oreilles de jade, demanda Madame
Wu, de sa jolie voix claire, une voix dont l'extrême
féminité ne laissait rien paraître.

— Je savais que vous voudriez les mettre aujour·
d'hui, s'écria Ying. Elles sont là, toutes prêtes. »

Elle ouvrit un petit écrin recouvert de soie à fleurs
et en tira les boucles qu'elle fixa soigneusement aux
petites oreilles de Madame Wu. Vingt-quatre ans
plus tôt, le jeune Mr. Wu était entré dans cette pièce
au moment précis où Ying venait de passer à sa maîtresse une veste à larges manches, en satin rouge très
doux, sur une jupe de satin noir, plissée, dont les pans
de devant et de derrière étaient ornés d'oiseaux et de
fleurs brodés. Mr. Wu, tenait dans sa main ce même
écrin. Ses beaux yeux étaient pleins d'un somnolent
contentement. Trop bien élevé pour parler à sa femme
devant une servante, il tendait l'écrin à Ying : « Mettez-les aux oreilles de votre maîtresse », disait-il.

Ying s'était récriée devant la pureté du jade sans
tache qu'elle posa devant la jeune femme. Celle-ci
avait levé un instant les yeux sur son mari, pour les
abaisser aussitôt avec une timidité pleine de grâce,
murmurant : « Merci. »

Il faisait un petit geste de la tête et restait à regarder Madame Wu pendant que la servante lui
mettait ses boucles d'oreilles, et Madame Wu voyait
dans la glace le visage décidé et fier du jeune homme.

« *Ai* », disait-il avec un soupir de satisfaction.

Leurs yeux s'étaient rencontrés dans le miroir et
ils avaient constaté mutuellement leur beauté.

« Allez me chercher du thé chaud », disait-il à Ying d'un ton brusque, et, au son de cette voix, la bonne se retirait toute saisie.

Ils étaient seuls de nouveau, comme la nuit, et, penché sur elle, il avait appuyé ses deux mains sur les épaules de Madame Wu, regardant le visage reflété dans la glace.

« Si vous aviez été laide, disait-il, je vous aurais tuée cette nuit. J'ai horreur des femmes laides. »

Elle avait souri, sans bouger sous le poids des mains sur ses épaules, et elle avait répondu de sa jolie voix : « Mais pourquoi me tuer ? me renvoyer chez moi aurait suffi. »

Ce matin-là, elle s'était sentie très agitée. Ce mari serait-il aussi intelligent que beau ? Elle demandait peut-être trop, mais cependant s'il en était ainsi ?

Aujourd'hui, vingt-quatre ans plus tard, Ying lui disait :

« Le jade fait mieux que jamais sur votre peau. Il n'y a pas de femme de quarante ans dont on puisse dire ça. Je ne suis pas étonnée que le maître n'ait jamais voulu d'autre femme.

— Ne parlez pas si fort, dit Madame Wu, il dort encore.

— Il pourrait se lever plus tôt, le jour de votre quarantième anniversaire, Madame. »

Ying se frotta le nez du revers de sa main. Après tant d'années, elle croyait connaître Mr. Wu et elle ne trouvait pas qu'il appréciât suffisamment sa ravissante femme, que tout le monde adorait dans la maison. Oui, des soixante âmes qu'abritait ce toit, qui n'eût aimé Madame Wu, depuis Vieille-Dame jusqu'au plus jeune de ses petits-enfants ou de la plus infime des servantes ? Si, dans le quartier des domestiques, une nouvelle bonne osait grogner parce que la

maîtresse découvrait la poussière derrière une porte,
Ying la bousculait :

« C'est ici la maison Wu, disait-elle de sa voix forte.
Ce n'est pas une maison vulgaire comme celle des
Wang ou des Hua. »

Le cuisinier en chef s'en amusait. Pendant toute sa
vie conjugale, il avait senti qu'aux yeux de Ying il
comptait peu à côté de sa maîtresse. Mais vraiment,
dans cette maison même, les deux brus ne pouvaient
dire du mal de celle-ci, car les mains fluettes que Madame Wu tenait si légèrement sur ses genoux étaient
fermes et bonnes, tout en imposant la loi.

« A présent, je voudrais déjeuner, dit Madame Wu
à Ying. Ensuite, je m'entretiendrai avec mon fils aîné.
Vous viendrez m'habiller à midi pour la fête. Mais
guettez et prévenez-moi lorsque votre maître s'éveil-
lera.

— Bien entendu », répondit Ying.

Elle se baissa pour ramasser le peigne qu'elle avait
laissé tomber. Il était en bois de santal odorant, le
parfum dont Madame Wu se servait pour ses cheveux. Ying en retira quelques longs cheveux, les enroula autour de son doigt et les mit dans un petit pot
de porcelaine bleue, en prévision du jour où sa maîtresse, atteignant un grand âge, aurait besoin d'une
mèche pour épaissir son chignon.

Madame Wu se leva, elle se sentait prête pour
cette journée. Le quarantième anniversaire d'une
femme dans une famille riche et de coutumes anciennes est un jour plein de solennité. Elle se souvenait fort bien de celui de sa belle-mère, vingt-deux
ans plus tôt. Ce jour-là, Vieille-Dame avait solennellement passé à son fils le gouvernement de la
maison et de tous ses occupants. Pendant ces vingt-
deux ans, Madame Wu avait gardé cette direction

entre ses mains, conservant avec adresse les habitudes
extérieures, ce qui permettait d'apporter de nombreux
changements sans que Vieille-Dame pût s'en apercevoir. Ainsi, lorsque Madame Wu voulut se débarrasser des touffes de pivoines qui envahissaient le
jardin de l'Est, dans cette même cour, elle les laissa
périr en hiver. Quand leurs vigoureuses pousses rouges ne parurent pas le printemps suivant, Madame
Wu attira là-dessus l'attention de sa belle-mère, lui
suggéra que les pivoines avaient dû appauvrir le terrain, enlever de l'air au jardin, si bien qu'il vaudrait
mieux planter autre chose pendant une génération ou
deux.

Madame Wu, alors âgée de dix-huit ans, avait dit
doucement : « Des narcisses, des orchidées, des buis-
sons à fleurs. Mon seul désir est de vous plaire. »

Mais elle avait nommé en second les orchidées, ses
fleurs préférées. Ainsi Vieille-Dame penserait qu'elle
n'y tenait pas.

« Des orchidées », avait cédé la douairière.

Malgré son affection pour sa belle-fille, elle aimait
faire preuve d'autorité.

« Des orchidées », répéta Madame Wu.

En cinq ans, elle créa le plus beau jardin d'orchidées de la ville. Elle y passait beaucoup de son temps.
En ce moment, au début du sixième mois de l'année,
les exquises fleurs argentées des orchidées précoces
commençaient à fleurir. Au huitième mois, les pourpres
foncés seraient dans tout leur éclat, puis, au neuvième mois, les jaunes.

Madame Wu sortit de son petit salon, alla au jardin et cueillit deux de ces fleurs grises, sans parfum,
qu'elle rapporta avec elle dans le pavillon où son déjeuner l'attendait. C'était un repas léger, car elle avait
peu d'appétit le matin. Du thé, de l'eau de riz dans un

petit baril de bois cerclé d'argent, et deux ou trois petits plats de viandes salées se trouvaient sur la table au milieu de la pièce. Elle s'assit et prit ses baguettes d'ivoire reliées au sommet par une mince chaîne d'argent.

Une servante entra en souriant. Elle tenait à deux mains une assiettée de pains de longue vie, cuits à la vapeur et très chauds. Ils avaient été pétris en forme de pêches, symbole d'immortalité, et colorés en rouge.

« Longue vie, longue vie ! s'écria la servante d'une voix vulgaire et joyeuse. Notre maîtresse, je le sais, n'aime pas les douceurs le matin, mais nous, ses servantes, devons lui donner celles-ci pour lui porter bonheur. Le cuisinier a fait ces gâteaux lui-même.

— Merci, dit doucement Madame Wu. Merci à tous. »

Par courtoisie, elle prit un des pains fumants et le sépara en deux. Il était fourré d'une pâte foncée, faite de purée et de sucre roux.

« C'est délicieux », dit-elle en le goûtant.

La femme se sentit encouragée et se pencha.

« Je ne devrais pas vous le dire, fit-elle dans un murmure assez distinct, mais c'est pour le bien de la maison. Ce vieux cuisinier en chef fait payer à notre maîtresse, pour le chauffage du four, trois fois ce que coûtent les herbes. Hier, au marché, j'en ai entendu le prix — il est élevé, bien sûr, car l'herbe nouvelle n'est pas encore rentrée, — mais à quatre-vingts piécettes la botte, vous aurez la meilleure qualité. Lui, il la compte à quatre cents. Il se croit tout permis parce que Ying est votre servante. »

Les yeux noirs et limpides de Madame Wu prirent un air distant.

« Quand il m'apportera les comptes, je m'en souviendrai », dit-elle.

Le ton était assez froid. La femme s'attarda un instant, puis sortit.

Madame Wu posa immédiatement le gâteau et, à l'aide de ses baguettes, prit un peu de poisson salé. Elle se replongea dans ses pensées. Elle n'avait aucune intention, ce jour-là, de passer la direction à Meng, la femme de son fils aîné. Tout d'abord elle avait trois fils, dont deux déjà mariés. Vieille-Dame n'en avait eu qu'un, circonstance qui supprime la jalousie entre jeunes femmes. Celle de son fils aîné était très jeune.

Le mariage de Liangmo avait eu lieu selon les anciennes coutumes. Madame Wu lui avait choisi sa femme, la fille de sa plus vieille amie, Madame Kang. Elle n'aurait pas voulu conclure ce mariage si vite, Liangmo n'ayant que dix-neuf ans, mais le second, Tsemo, poursuivant ses études à l'école de Shanghaï, s'était épris d'une jeune fille plus âgée que lui de deux ans, et, à dix-huit ans, avait voulu se marier. Rulan était donc plus âgée que sa belle-sœur, dont cependant la position dans la maison dominait la sienne.

Pour se tirer d'embarras, Madame Wu devait conserver sa place quelques années de plus et laisser faire le temps.

Aujourd'hui donc, elle n'annoncerait aucun changement dans la maisonnée. Elle accepterait les présents et la grande fête qu'on lui préparait. Elle se montrerait bienveillante envers ses petits-enfants qu'elle chérissait et s'en référerait en toutes choses à Vieille-Dame, qui, pour assister à cette fête, comptait sortir de son lit à midi.

Pour Madame Wu elle-même, c'était une journée à laquelle elle songeait depuis longtemps, avec un mélange de soulagement et de calme tristesse. La première partie de sa vie serait close, la seconde sur le point de s'ouvrir. Elle ne redoutait pas la vieillesse, car la vieillesse lui apporterait des honneurs. Chaque année, sa dignité, le respect que lui témoignerait sa famille grandiraient. Elle ne craignait pas non plus de perdre ses attraits, car elle s'était accommodée des changements d'une manière si subtile qu'on remarquait encore son âge moins que sa beauté. Elle n'offrait plus les couleurs fleuries de sa jeunesse, mais la délicatesse de ses traits, de son teint, demeurait aussi pure que jamais, associée au doux bleu argenté et au gris vert de ses costumes. Les années ne faisaient qu'exalter sa beauté, lui donner plus de raffinement, au lieu de la diminuer. Et, se sentant encore belle, Madame Wu était prête à suivre aujourd'hui ses plans. Une femme moins jolie eût hésité, crainte de capituler, ou même par jalousie. Mais elle n'avait aucune raison d'être jalouse et ce qu'elle se proposait de faire émanait de sa paisible et claire volonté.

Elle termina son repas. Tous dormaient encore dans la famille, à part les petits-enfants que les nourrices amusaient dans la vaste enceinte, en attendant le réveil des parents. Mais, comme on ne lui amenait ces enfants que sur sa demande, elle s'étonna d'entendre du bruit dans la cour qui communiquait avec la sienne, puis elle reconnut une voix.

« Ce n'est pas tous les jours que ma meilleure amie a quarante ans. Qu'est-ce que ça peut faire si je viens trop tôt ? »

C'était la voix de Madame Kang, la mère de Meng, l'aînée des brus ; Madame Wu accourut à la porte de la cour.

« Entrez, je vous en prie. »

Et elle lui tendit les deux mains dont l'une conservait encore les orchidées gris argent qu'elle avait reprises sur la table.

Madame Kang avançait pesamment vers son amie.
Elle avait épaissi pendant ces mêmes années où Madame Wu était demeurée exquise, néanmoins elle
avait trop de générosité pour ne pas continuer à aimer son amie.

« Ailien ! s'écria-t-elle. Suis-je la première à vous
souhaiter longue vie et immortalité ?

— La première, répondit en souriant Madame Wu.

Les servantes, bien entendu, ne comptaient pas.

— Alors, je ne suis pas venue trop tôt », dit Madame Kang, lançant un regard de reproche à Ying,
qui avait tenté de lui faire faire antichambre.

C'était la règle de la maison, personne ne devait
déranger Madame Wu pendant son déjeuner ; sinon
elle s'arrêtait de manger. Ying ne se laissa pas démonter. Personne ne craignait Madame Kang, et Ying
eût bravé le magistrat lui-même pour laisser à sa maîtresse une heure de paix le matin.

« C'est vous que je préfère voir à toute autre », dit
Madame Wu.

Elle joignit ses doigts fluets aux doigts épais de
son amie et l'attira dans le jardin des orchidées, vers
deux sièges de bambou disposés sous un saule pleureur. Un petit miroir d'eau, ovale, s'étalait à leurs
pieds. Au fond, une touffe de nymphéas avait pris
racine. Deux fleurs bleues flottaient à la surface.
Madame Wu n'aimait pas les nymphéas. Elle trouvait les fleurs grossières et leur parfum lourd. De
minuscules poissons rouges s'élançaient en tous sens
parmi les corolles bleues, puis s'immobilisaient à la
surface, leurs museaux frémissants. Lorsqu'ils n'y
trouvaient pas de miettes de pain, ils repartaient en
une fuite oblique, leurs queues brumeuses se balançant derrière eux en longues ombres blanches.

« Comment va le fils de votre fils aîné ? » demanda Madame Wu à son amie.

Tandis que Madame Wu avait eu les quatre fils qui lui restaient et trois autres enfants, dont une seule fille, qui étaient morts, Madame Kang avait donné naissance à onze enfants, dont six filles. Chez Madame Kang, on ne trouvait pas la paix qui régnait dans cette cour. Sa bonne grosse personne se mouvait au milieu d'un vacarme continuel d'enfants, d'esclaves et de servantes. Mais, en dépit de tout, Madame Wu affectionnait son amie. Leurs mères avaient été très liées et, quand l'une allait voir l'autre, elle amenait sa fillette avec elle. Tandis que leurs mères restaient attablées à un jeu toute la journée, et tard dans la soirée, les deux enfants en étaient venues à se considérer comme des sœurs.

« Il ne va pas mieux, répondit Madame Kang. Sa figure ronde, très rouge, épanouie comme un lampion allumé, devint subitement triste. J'en suis à me demander si je ne devrais pas l'amener à l'hôpital étranger. Qu'en pensez-vous ?

— Est-ce une question de vie ou de mort ? demanda Madame Wu d'un ton pensif.

— Dans quelques jours, peut-être bien. Mais on prétend que le médecin étranger ne peut pas reconnaître une maladie sans découper les gens. Et Petit-Bonheur est si jeune — il n'a que cinq ans, ma sœur. Je crois que sa vie est encore trop frêle pour qu'on lui ouvre le ventre.

— Attendez au moins à demain, dit Madame Wu. Ne gâtons pas cette journée. »

Puis, craignant d'être égoïste, elle ajouta :

« En attendant, je vais envoyer Ying avec un bol de bouillon : une vieille recette de mon arrière-grand-mère pour une toux de ce genre. J'en ai donné sou-

vent à mon premier et à mon troisième fils et plus
d'une fois à leur père. Vous savez qu'il tousse depuis
deux hivers.

— Ailien ! vous êtes toujours si bonne. » fit Madame Kang avec reconnaissance.

Il était de bonne heure et le jardin était frais, mais
elle prit un petit éventail dans sa manche et s'éventa
en riant.

« Dès que la neige fond, j'ai chaud », dit-elle.

Elles gardèrent le silence un moment. Madame
Kang considéra tendrement son amie, sans ombre de
jalousie.

« Ailien, je ne savais que vous donner pour votre
anniversaire ; alors, je vous ai apporté ceci. »

Elle enfonça la main dans son ample devant de
satin bleu et retira un petit écrin qu'elle tendit.

Madame Wu reconnut la boîte en la prenant :

. « Ah ! Meichen, vraiment, vous voulez me donner
vos perles ?

— Oui, je le désire. »

Un frémissement douloureux passa sur la face sans
beauté de Madame Kang.

Madame Wu s'en aperçut et demanda :

« Oh ! Pourquoi ? »

Madame Kang hésita un instant :

« La dernière fois que je les ai mises, le père de
mes fils m'a dit qu'elles avaient l'air de gouttes de
rosée sur un melon. »

Madame Kang sourit. Puis des larmes lui vinrent
aux yeux. Elle les laissa rouler le long de ses joues et
éclabousser, sans le traverser, l'épais satin sur sa poitrine.

Madame Wu fit semblant de ne pas voir ces pleurs.
Elle resta immobile dans son fauteuil, l'écrin entre
ses mains. Elle ne laissait pas souvent Madame Kang

se plaindre de Mr. Kang. Et, entre elles, jamais elles ne parlaient de Mr. Wu, sauf un mot ou deux prononcés par Madame Kang.

« Ah ! Ailien, disait-elle, le père de vos fils vous cause si peu d'ennuis. Je n'ai jamais entendu dire qu'il fût entré dans une maison de fleurs. Mais mon mari... enfin il est bon, lui aussi. Seulement... »

Arrivée là, Madame Kang s'arrêtait toujours et soupirait.

« Meichen, avait dit Madame Wu bien des années auparavant, pourquoi ne pas lui permettre de s'amuser pourvu qu'il rentre avant le matin ? »

Elle n'avait jamais oublié l'expression de honte qui troubla l'honnête regard de son amie.

« Je suis jalouse, avait répondu celle-ci. Je suis si jalouse que mon sang se tourne en feu. »

Madame Wu, qui ignorait la jalousie, s'était tue. Elle n'arrivait pas à comprendre ce sentiment chez son amie, surtout en évoquant Mr. Kang, un riche marchand, très ordinaire et sans aucune beauté physique. Il avait de la finesse, mais pas d'intelligence. Madame Wu ne pouvait pas se figurer qu'on eût du plaisir à être sa femme.

« Il y a longtemps que je veux vous dire une chose, fit-elle au bout d'un moment. Au début, quand l'idée m'en est venue, je voulais vous demander votre avis. Mais non. Je ne l'ai pas fait. A présent, je n'ai plus besoin de cet avis. J'ai la certitude. »

Madame Kang attendait en s'éventant. La légère brise que lui apportait son éventail avait séché ses larmes. Elle pleurait et riait facilement, par excès de bonté. Pleine d'humilité, elle sentait que, dans son amitié pour Madame Wu, elle tenait le second rang. Non pas simplement faute de beauté, mais elle se rendait compte que son amie la surpassait en tout. Ainsi,

malgré elle, sa propre maison, pourtant aussi grande
et aussi belle que celle-ci, était rarement nette, toujours en désordre. En dépit de ses efforts, ses domestiques y avaient la bride sur le cou, et on y avait pris
l'habitude de tout faire par commodité plutôt que par
devoir. Madame Kang ne s'en apercevait que lorsqu'elle venait chez son amie. Mais elle disait souvent
que tous ceux qui approchaient Madame Wu faisaient des progrès, et voilà peut-être la principale raison pour laquelle Madame Kang continuait à rendre
à son amie dix visites pour une.

« J'écoute ce que vous avez à me dire », fit-elle.

Madame Wu leva les yeux. Elle les avait grands
et fendus. L'iris noir ressortait nettement sur le blanc,
ce qui leur conférait une jeunesse sans âge. Elle s'exprima clairement, avec calme.

« Meichen, j'ai décidé aujourd'hui, je demanderai
au père de mes fils de prendre une concubine. »

La bouche ronde de Madame Kang s'ouvrit toute
grande, laissant voir sa seule beauté, ses petites dents
blanches entre des lèvres charnues. Elle balbutia :

« Est-ce que lui... lui aussi... ?

— Non, répondit Madame Wu. Non, rien de pareil. Bien entendu, je n'ai jamais demandé ce qui se
passe dans leurs banquets d'hommes. Cela n'a rien
à voir avec moi, avec notre maison. Non, c'est simplement pour lui — et pour moi.

— Mais comment cela, pour vous ? », demanda Madame Kang.

Elle sentit tout à coup sa supériorité en songeant à
ses rapports avec Mr. Kang. Jamais une idée semblable ne lui fût venue, à lui non plus, du reste. Une
concubine, toujours dans la maison, devenue membre
de la famille, ses enfants se battant avec les autres
enfants, elle-même se disputant l'homme avec la pre-

mière épouse. Tout cela serait pire que les maisons de fleurs.

« C'est mon projet », dit Madame Wu.

Elle contemplait les profondeurs limpides du bassin. Les orchidées, cueillies par elle une heure auparavant, reposaient sur ses genoux, encore fraîches. Elle était si calme qu'auprès d'elle les fleurs ne se fanaient qu'au bout de quelques heures.

« Mais consentira-t-il ? demanda gravement Madame Kang. Il vous a toujours aimée.

— Il ne consentira pas tout de suite », fit tranquillement Madame Wu.

A présent qu'elle savait la nouvelle, Madame Kang débordait de questions qu'elle déversa, et l'éventail tomba de sa main.

« Choisirez-vous la jeune fille ? — ou sera-ce lui ? Et Ailien, si elle a des enfants, le supporterez-vous ? Oh ! là, là ! N'y a-t-il pas toujours des ennuis quand deux femmes sont sous le toit d'un même homme ?

— Je ne pourrai pas m'en plaindre si c'est moi qui la lui fais prendre, répondit Madame Wu.

— Ailien, vous n'allez pas l'y contraindre ? »

Le ton de Madame Kang devenait suppliant.

« Je ne l'ai jamais contraint à quoi que ce fût. »

Quelqu'un toussa, et les deux dames levèrent la tête. Ying se tenait à la porte. Sur sa face réjouie parut un sourire moqueur que Madame Wu reconnut aussitôt.

« N'allez pas me dire qu'aujourd'hui, justement, Petite Sœur Hsia est ici ! » s'écria-t-elle.

Dans sa jolie voix spirituelle perçait une note de contrariété.

« C'est elle-même », déclara Ying.

Elle s'interrompit, se mit à rire, puis posa sa main sur sa bouche.

« Oh ! ciel, elle va m'entendre ! murmura-t-elle. Mais, Madame, elle ne comprend pas quand on lui dit non. Je lui ai expliqué que vous aviez de la compagnie.

— Mais pas que c'était mon anniversaire ! s'écria Madame Wu. Je ne veux pas être obligée de l'inviter.

— Je ne suis pas si bête, répondit Ying. Je lui ai simplement dit que Madame Kang était ici.

— Je m'en vais, fit hâtivement Madame Kang. Je n'ai pas le temps aujourd'hui d'écouter les évangiles étrangers. Vraiment, Ailien, je n'avais abandonné la surveillance du ménage que pour venir vous apporter mon cadeau. »

Mais Madame Wu étendit sa main menue :

« Meichen, il ne faut pas que vous partiez. Vous allez rester ici, avec moi, et, toutes les deux, nous lui témoignerons de la bonté et nous l'écouterons. Si elle n'est pas partie dans une demi-heure, alors vous pourrez vous lever et faire vos adieux. »

Madame Kang céda comme elle le faisait toujours, incapable de rien refuser à une personne qu'elle aimait. Elle se rassit de nouveau, pleine de bienveillance. Ying sortit, puis ramena une étrangère qu'elle annonça.

« Petite Sœur Hsia, dit-elle.

— Oh ! Madame Wu. Oh ! Madame Kang », s'écria la Petite Sœur Hsia.

C'était une femme grande, maigre et pâle, Anglaise de naissance et à peu près d'âge mûr : ses rares cheveux étaient couleur de sable, elle avait des yeux de poisson, un grand nez étroit, des lèvres bleues. Vêtue de sa robe occidentale de coton gris rayé, elle paraissait plus que son âge, mais, à ses meilleurs moments, elle n'avait jamais dû être jolie. Depuis longtemps, les deux dames chinoises en étaient arrivées à cette conclusion. Elles l'aimaient cependant, à cause de sa bonté, et la plaignaient de vivre si solitaire dans une ville où ses pareilles étaient rares. Ces dames ne la renvoyaient pas lorsqu'elle venait les voir, comme le faisaient certaines de leurs amies, sous un prétexte quelconque.

En cela, Madame Wu et Madame Kang montraient trop d'indulgence. Seulement, Petite Sœur Hsia étant vierge, il ne pouvait être question de concubines en sa présence.

« Je vous en prie, asseyez-vous, Petite Sœur, lui dit Madame Wu de sa jolie voix. Avez-vous pris votre déjeuner ? »

La Petite Sœur Hsia se mit à rire. Après toutes les années vécues dans cette ville, elle n'avait jamais pu se sentir tout à fait à l'aise avec les dames. Elle riait sans cesse en parlant.

« Oh !... Je me lève pour battre les fermiers », dit-elle.

Elle étudiait consciencieusement le chinois chaque jour, mais, n'ayant pas l'oreille fine, elle le parlait encore comme une Occidentale. Elle venait de confondre deux mots. Les deux dames se regardèrent, légèrement ahuries, quoique habituées aux maladresses de la Petite Sœur Hsia.

« Pour battre les fermiers ? répéta Madame Kang.

— Pour ressembler aux fermiers, murmura Madame Wu. Les deux mots sont pareils, il est vrai.

— Oh ! ai-je dit cela ? s'écria la Petite Sœur en riant. Pardon... je suis stupide. »

Madame Wu aperçut la rougeur monter du cou de la visiteuse et mettre des taches sur ses joues pâles, elle comprit le tumulte dans le cœur de l'étrangère, si inquiet.

« Ying, apportez-nous du thé et des petits gâteaux.
Des gâteaux de longue vie. Pourquoi ne dirais-je pas
à mon amie que c'est aujourd'hui mon anniversaire ?

— Oh ! votre anniversaire ! s'écria la Petite Sœur.
Je ne savais pas !

— Comment l'auriez-vous su ? J'ai quarante ans
aujourd'hui. »

La Petite Sœur Hsia la regarda toute perplexe. Elle
répéta : « Quarante ans ? » Ses mains s'agitèrent, elle
rit de son rire sans raison et bégaya :

« Mais comment ? Madame Wu, on vous donnerait
vingt ans.

— Quel âge avez-vous, Petite Sœur ? », demanda
poliment Madame Kang.

Madame Wu se tourna vers son amie d'un air de
doux reproche.

« Meichen, je ne vous l'ai jamais dit, mais ce n'est
pas poli, du point de vue occidental, de demander l'âge
d'une femme. L'épouse de mon second fils, qui a vécu
à Shanghaï et y a connu des étrangers, me l'a dit.

— Pas poli ? » Les yeux ronds et noirs de Madame
Kang avaient une expression d'ahurissement. « Pourquoi ça ?

— Oh ! ha ! ha ! »

La Petite Sœur riait.

« Ça n'a aucune importance. Je suis ici depuis si
longtemps, si habituée... »

Madame Kang la considéra, faiblement intéressée.

« Alors, quel âge avez-vous ? » demanda-t-elle
encore.

La Petite Sœur Hsia devint grave, soudain.

« Oh ! dans les trente », fit-elle très vite et bas.

Madame Kang ne comprenait pas et répéta simplement : « Trente-six ans ? »

— Oh ! non, non, pas trente-six ; pas tant. »

La Petite Sœur riait de nouveau, mais une note de protestation perçait dans ce rire.

Madame Wu le sentit.

« Allons, dit-elle, que signifie l'âge qu'on a ? Il est bon de vivre sa vie année par année et de se réjouir de chacune d'elles. »

Grâce à un don de divination, elle comprit que cette question d'âge éveillait la susceptibilité de l'Occidentale parce qu'elle était encore vierge. Une vieille vierge ! Madame Wu avait déjà vu cela dans sa famille maternelle. La plus jeune des sœurs de sa grand-mère était restée vierge, et montée en graine, parce que l'homme qu'elle devait épouser était mort. La famille l'admirait, mais se sentait journellement irritée par la présence de cette vieille fille qui se desséchait sous leur toit. A la fin, pour sa propre paix, elle s'était faite nonne. A sa manière, cette femme occidentale était peut-être nonne, elle aussi.

Avec sa grande bonté, Madame Wu lui dit :

« J'ai des invités que j'attends bientôt, Petite Sœur, mais avant leur arrivée, prêchez-nous un peu de vos évangiles. »

Elle savait que rien ne faisait tant de plaisir à l'étrangère que de prêcher.

Petite Sœur Hsia lui lança un coup d'œil reconnaissant et plongea la main dans un sac noir, profond, qui ne la quittait jamais. Elle en retira un livre épais, relié d'un cuir usé, et un étui à lunettes noir. Elle prit ses lunettes, les posa sur son grand nez et ouvrit son livre.

« J'eus l'idée aujourd'hui, chère Madame Wu, fit-elle d'un ton grave et touchant, de vous lire le récit de l'homme qui a bâti sa maison sur le sable. »

Madame Kang se leva.

« Excusez-moi, dit-elle d'une voix blanche, mais distincte. J'ai laissé tout en l'air chez moi. »

Elle salua et sortit de la cour lourdement, à pas assurés.

Madame Wu, qui s'était levée, se rassit aussitôt son amie partie, appela Ying et lui donna ses instructions pour envoyer à Madame Kang le bouillon promis pour son petit-fils. Puis, avec un léger sourire vers la Petite Sœur Hsia, elle lui demanda avec courtoisie :

« Racontez-moi ce que votre Seigneur a dit à cet homme qui avait construit sa maison sur le sable.

— Chère Madame Wu, il est aussi votre Seigneur : vous n'avez qu'à l'accepter pour tel. »

Madame Wu sourit :

« C'est très gentil à lui, il faudra que vous le lui disiez, fit-elle avec la même courtoisie. Maintenant, commencez mon amie. »

Il y avait dans la dignité avec laquelle Madame Wu prononçait ces mots quelque chose de si distant que la Petite Sœur Hsia se mit à lire avec beaucoup de nervosité. Sa parole saccadée la rendait difficile à suivre, mais Madame Wu écoutait gravement, les regards fixés sur les poissons rouges qui s'élançaient en tous sens. Deux fois Ying apparut à la porte de la cour et fit des signes au-dessus de la tête penchée de la Petite Sœur, mais Madame Wu secoua légèrement la sienne. Cependant, elle se leva dès que Petite Sœur Hsia eut terminé :

« Merci, Petite Sœur, c'était une jolie histoire. Revenez, je vous prie, quand j'aurai le temps. »

Mais la Petite Sœur, qui avait projeté de faire une prière, se leva à regret, ses mains tâtonnaient dans son sac, mêlant ses lunettes et son gros livre.

« Ne ferons-nous pas une petite prière ? ».

Son bizarre accent lui avait fait dire : gâteau au lieu de : prière, et, pendant un instant, Madame Wu s'embrouilla.

Elles avaient bien eu des gâteaux, n'est-ce pas ? Alors elle comprit et, par bonté, évita de sourire.

« Vous prierez pour moi, chez vous, Petite Sœur ; en ce moment, j'ai d'autres devoirs à remplir. »

Tout en parlant, elle s'avançait vers la porte de la cour. Ying apparut subitement, emmena la Petite Sœur Hsia, et Madame Wu, de nouveau, fut seule.

Elle revint au bassin et en regarda le fond, sa mince silhouette s'y refléta entière et très nette, de la tête aux pieds. Elle découvrit que ses orchidées lui étaient restées dans la main et elle laissa tomber les fleurs dans l'eau. Un essaim de poissons rouges s'élança vers la surface, mordilla les orchidées et s'en détourna.

« Rien que des fleurs », fit-elle en riant. Ils avaient toujours faim. Une maison construite sur le sable ? ça ne pouvait pas exister, par trop absurde ! La maison qu'ils habitaient depuis des centaines d'années, vingt générations de Wu l'avaient habitée et y étaient mortes.

« Mère, j'aurais dû venir plus tôt vous souhaiter longue vie. »

A la porte, elle entendit la voix de son fils aîné et elle se retourna.

« Entre, mon fils, dit-elle.

— Longue vie, Mère », dit Liangmo avec affection.

Il s'était incliné devant sa mère, moitié plaisamment. La famille Wu n'était pas assez à l'ancienne mode pour conserver l'antique coutume de s'agenouiller devant les aînés le jour de leur anniversaire, mais ce salut se faisait en souvenir de cette tradition.

Madame Wu l'accepta donc, avec une gracieuse inclinaison en retour.

« Merci, mon fils, dit-elle. A présent, assieds-toi. Je veux te parler. »

Elle se rassit dans un des fauteuils de bambou et lui fit signe de prendre l'autre. Il s'assit tout au bord, par déférence.

« Comme tu as bonne mine, mon fils », dit-elle en examinant le jeune visage. Il était, si c'est possible, encore plus beau que son père au même âge, car elle lui avait communiqué un peu de son propre raffinement.

Ce matin-là, il portait une longue robe de soie légère, d'un vert pâle couleur d'eau. Ses cheveux noirs et courts étaient brossés en arrière, et sa peau brune, olivâtre, était unie, saine et bien nourrie. Les yeux de sa mère s'emplissaient de tranquille contentement.

« Je l'ai marié pour son bonheur », se dit Madame Wu.

« Et l'enfant, mon petit-fils ? fit-elle tout haut.

— Je ne l'ai pas vu ce matin. Mais, s'il était malade, je le saurais. »

Il ne put s'empêcher de répondre au sourire de sa mère. Il régnait entre eux une grande affection. Il avait encore beaucoup plus de confiance dans la sagesse maternelle que dans la sienne propre, et c'est pourquoi, lorsqu'elle lui avait demandé de se marier, de crainte que le mariage du puîné avant le sien n'amenât une confusion dans la famille, il avait aussitôt répondu :

« Choisissez-moi quelqu'un, Mère. Vous me connaissez mieux que je ne me connais moi-même. »

Il était tout à fait satisfait de Meng, sa jolie femme, et du fils qu'elle lui avait donné dans la première année de son mariage. Et voilà que, de nouveau, elle se trouvait enceinte.

« J'ai gardé une bonne nouvelle pour vous l'apporter ce matin, Mère, dit-il alors.

— C'est la journée propice aux bonnes nouvelles, répondit Madame Wu.

— La mère de mon fils doit avoir un deuxième enfant, dit-il fièrement. Son second cycle lunaire est passé. Elle en est certaine à présent. Elle m'en a informé il y a trois jours et j'ai dit que nous attendrions l'anniversaire de notre mère pour l'annoncer à la famille.

— Ce sont de bonnes nouvelles, en effet, répondit Madame Wu avec chaleur. Dis-lui que je lui enverrai un cadeau. »

A ce moment, ses yeux tombèrent sur le petit écrin de perles posé sur un guéridon de porcelaine.

« Je l'ai, le cadeau ! », s'écria-t-elle.

Elle prit l'écrin et l'ouvrit :

« Sa mère m'a donné il y a une heure ces boucles d'oreilles en perles. Mais je trouve que les perles conviennent aux jeunes épouses, et il convient que je les offre à notre fille. Quand tu iras retrouver Meng... Mais non, je t'accompagnerai. Tout d'abord, mon fils, n'y a-t-il rien que je puisse faire pour nos invités et la fête d'aujourd'hui ?

— Rien, Mère. Nous nous occupons de tout pour vous. Vos enfants veulent vous donner une journée de joie sans peine. Vous n'aurez même rien à demander, qu'à vous réjouir. Où est mon père ?

— Je ne crois pas qu'il puisse se lever avant midi, même le jour de mon anniversaire, répondit en souriant Madame Wu. Je lui ai dit, du reste, de n'en rien faire. La journée lui paraît tellement plus agréable lorsqu'il ne se lève pas trop tôt ; il sera heureux et dispos pour la fête.

— Vous êtes trop bonne pour nous tous », dit Liangmo.

Elle le considéra de ses beaux yeux tranquilles comme si elle n'avait pas entendu ces paroles.

« Mon fils, dit-elle, nous serons sans doute dérangés bientôt et je veux te faire part tout de suite de mon projet. J'ai pris une décision, mais je sens que je dois t'en rendre compte, en ta qualité de fils aîné. Je veux proposer à ton père de prendre une concubine. »

Elle prononça ces mots stupéfiants de sa jolie voix calme. Liangmo les entendit sans les comprendre. Puis ils affluèrent à son cerveau, l'assourdissant comme un fracas de tonnerre. Sa belle figure pâlit, jusqu'à prendre une teinte crème.

« Mère... » Il suffoquait. — « Mère, est-ce que... est-ce mon Père...

— Certainement pas », dit-elle.

Mais elle fut frappée assez douloureusement de ce que Liangmo, lui aussi, avait tout d'abord posé cette question. Serait-il possible que son mari pût paraître à tous du genre d'hommes capables de... ? Elle repoussa cette pensée indigne.

« Ton père est encore si jeune, malgré ses quarante-cinq ans, et si bel homme, qu'il n'y a rien de surprenant à ce que même toi, son fils, me poses cette question. Non, il a été et il reste très fidèle. »

Elle s'interrompit. Jamais son fils n'avait entendu passer un accent si proche de l'hésitation dans le ton calme de sa mère ; elle poursuivit :

« Non, j'ai mes raisons personnelles qui expliquent ma décision. Mais je voudrais être assurée que toi, mon fils, tu accepteras cette arrivée, que tu aideras la maisonnée à l'accepter, lorsque la nouvelle en sera connue. Ça fera marcher les langues et il y aura du remue-ménage, c'est naturel. Mais je ne dois pas m'en apercevoir.

» Toi, si, il le faudra, et que tu soutiennes la dignité de tes parents. »

Bien que ses joues fussent encore très pâles, Liangmo s'était ressaisi. Ses sourcils noirs avaient repris leur ligne au-dessus de ses yeux, si semblables à ceux de sa mère.

« Bien entendu, la chose est entre vous et mon père, mais, si vous me permettez d'outrepasser mon rôle, je vous supplierai de ne pas faire cette offre à mon père s'il n'en a pas le désir. Nous sommes une famille heureuse. Savons-nous ce qu'une femme du dehors y amènera ? Ses enfants seront du même âge que vos petits-enfants. Ne sera-ce pas confondre les générations ? Si elle est très jeune, les épouses de vos fils ne pourront-elles pas être jalouses de sa situation auprès de mon père ? Je prévois bien des tristesses.

— Peut-être, à ton âge, ne comprends-tu pas les rapports qui existent entre les hommes et les femmes de ma génération, répondit Madame Wu. C'est parce que j'ai toujours été heureuse avec ton père, et lui avec moi, que je me décide à cette mesure. Je te prie, mon fils, de reprendre ta place. Je te demande en ceci d'obéir à ta mère comme tu l'as fait en toutes choses. Tu as été le meilleur de mes fils. Ce que tu diras influencera tes frères plus jeunes, et ce que dira Meng influencera les femmes. Il faut que tu l'aides, elle aussi. »

Liangmo lutta en lui-même. Mais son habitude d'obéir à sa mère était telle qu'il s'inclina.

« Je ferai de mon mieux, Mère, mais je ne peux prétendre que ce que vous venez de me dire n'assombrira pas cette journée. »

Elle sourit légèrement.

« Je t'épargne de plus grandes tristesses pour d'autres jours », dit-elle.

Puis elle s'aperçut que ces paroles étaient énigmatiques pour ce garçon tellement plus jeune qu'elle ; elle se leva et prit l'écrin de perles.

« Viens, dit-elle, allons voir Meng, et je lui donnerai mon cadeau. »

Il s'était levé en même temps qu'elle et se tenait à ses côtés, jeune, solidement bâti comme l'était son père, la dépassant de la tête et des épaules. Madame Wu étendit sa petite main et la posa un instant sur le bras de son fils, dans un geste d'affection, si rare qu'il en fut saisi. Elle supportait mal l'attouchement d'un être humain, même celui de ses propres enfants. Il abaissa les yeux et rencontra, levé vers lui, le regard clair de sa mère.

« En toi, fit-elle distinctement, j'ai construit ma maison sur le roc. »

Meng jouait avec son petit garçon dans la cour de son pavillon, au sein de la grande maison. Elle était seule avec lui, à part la nourrice qui, accroupie sur ses talons, riait et les regardait. Les deux jeunes femmes, la mère et la nourrice, étaient tout le jour en adoration devant l'enfant. La nuit, il dormait dans les bras de sa nourrice. Cette commune adoration créait chez les deux femmes une camaraderie. Elles répandaient sur lui, en joyeux sacrifice, tout l'amour et l'attention que réclamait le petit garçon.

Le corps de Meng était construit pour porter des enfants, et ses seins avaient été gonflés de lait. Mais personne, pas même elle, n'eût songé à laisser le bébé tirer sur ses jolis petits seins et en abîmer la fermeté. On avait loué Lien pour procurer ce lait. C'était la jeune femme d'un des fermiers établis sur les ter-

res des Wu. Son bébé, un garçon lui aussi, était
nourri par sa grand-mère avec de la farine et de
l'eau, et du gruau de riz pour remplacer le lait maternel. Il restait, à cause de cela, maigre, petit et
jaune, tandis que le nourrisson de Lien était rose et
gras. Lien avait la permission d'aller chez elle une
fois par mois, et quand elle voyait son fils, elle pleurait et le plaçait contre son ample poitrine. Du lait
coulait des bouts, abondant, mais l'enfant détournait
la tête. Il en ignorait le goût et ne savait pas téter.
Lien ne pouvait pas rester chez elle toute la journée,
tant ses seins lui faisaient mal. Au milieu de l'après-
midi, elle revenait en hâte à la maison Wu. Son
nourrisson l'attendait, criant de rage et de faim.

À cette vue, elle oubliait le maigre bébé jaune.
Elle ouvrait les bras en riant, et le gros garçon jouf-
flu entre les bras de sa mère l'appelait à grands cris.
Lien accourait vers lui tout en dégrafant son caraco
et s'agenouillait à côté de lui et de Meng, l'enfant
attrapait le sein comme s'il s'agissait d'une tasse et
buvait à grandes lampées. Meng et Lien riaient ensemble, et chacun d'elles sentait en son propre corps
la satisfaction de l'enfant.

En voyant les deux femmes, les regards posés sur
le petit garçon, il eût été difficile de savoir, d'après
leurs visages, laquelle des deux était la mère. L'enfant ne faisait aucune différence entre elles. Il leur
souriait également, d'un sourire radieux. Il apprenait
à marcher, faisait quelques pas de l'une à l'autre,
riant et trébuchant sur elles à tour de rôle.

Meng était toujours heureuse, mais son bonheur
était encore plus profond depuis quelques jours. Elle
n'avait dit à personne, sauf à Liangmo, qu'elle espé-
rait la venue d'un autre enfant. Les servantes, bien
entendu, le savaient. Ce fut la sienne qui, la première,

lui rappela que son second cycle lunaire avait passé inaperçu. Dans le quartier des domestiques, on se réjouissait déjà en secret. Mais, dans une grande maison, les serviteurs sont comme le mobilier, on s'en sert sans y prêter attention.

Lien connaissait cet espoir, ce qui la rendait plus joyeuse que jamais. Une maison qui contient beaucoup de jeunes nourrices est une maison bénie. Lien, peu à peu, avait cessé d'aimer son propre enfant. Tout son riche amour animal se portait sur son nourrisson. Sa maison à elle était pauvre, la vie y était dure, la nourriture maigre. La belle-mère avait une méchante langue et une main avide pour les gages que Lien rapportait. Bien que Lien fût attachée à sa demeure et qu'elle eût pleuré nuit et jour lorsque la mère de son mari l'avait envoyée dans la maison Wu, elle en était arrivée à préférer la bonne nourriture, l'aisance, l'inaction. On ne lui demandait que de nourrir ce robuste enfant. On la poussait à manger, à boire, à dormir. Son jeune corps avide de contentement avait vite acquiescé. Cette maison était devenue la sienne.

Dans la douce plénitude de sa satisfaction, ce matin-là, il lui tardait de dire à sa jeune maîtresse combien elle était heureuse de cette promesse d'une deuxième naissance, mais elle hésitait. Les jeunes femmes riches, molles, inoccupées, semblent tout permettre ; parfois cependant elles se mettent en colère sans qu'on sache pourquoi ni comment. Elle continua donc à rire et à vanter le petit garçon.

« Un petit dieu, disait-elle tendrement. Je n'en ai jamais vu de semblable, nulle part, Maîtresse. »

Meng n'eut que le temps de sourire, car elles entendirent un bruit de pas. L'enfant courut à Lien, et une fois dans ses bras, regarda fixement sa grand-mère et son père. Meng se leva.

« Vous voilà, Meng, dit Madame Wu. Asseyez-vous, mon enfant. Reposez-vous, je vous en prie. Et toi, viens me trouver, fils de mon fils. »

Lien poussa le petit garçon en avant et se traîna sur ses talons afin de lui conserver l'abri de ses bras. C'est ainsi qu'il se tint devant les genoux de Madame Wu et la considéra de ses grands yeux aux coins plissés. Il mit ses doigts dans sa bouche, d'où elle les retira doucement.

« Un ravissant garçon, murmura-t-elle. Lui as-tu trouvé un nom ?

— Ce n'est pas pressé, répondit Liangmo. Il n'en a pas besoin avant d'aller à l'école. »

Madame Wu abaissa les yeux sur l'enfant. Il se tenait au milieu d'eux, leur centre. Et cependant, songeait-elle, ce n'était pas lui personnellement, cette simple créature, qui incarnait leurs espoirs. S'il venait à mourir, un autre prendrait sa place. Non, il était le symbole de la continuation de la vie. Ce symbole contenait leurs rêves.

Elle détourna les yeux du charmant petit visage et se rappela la raison de sa visite.

« Meng, Liangmo me dit que vous avez un bonheur de plus, dit-elle. Je suis venue vous en remercier et vous apporter un cadeau. »

Une facile rougeur aviva le teint de pêche de Meng et elle détourna sa petite tête. Le seul défaut dans sa beauté venait de ses cheveux, qui avaient tendance à friser malgré l'huile de bois de senteur qu'elle y passait fréquemment. Sa joie était troublée par la peur que des boucles pussent apparaître aux yeux de Madame Wu. Elle aimait Madame Wu, mais elle la craignait. Jamais personne n'avait vu un cheveu déplacé sur la tête gracieuse de sa belle-mère. Meng tendit alors les deux mains pour recevoir le cadeau et elle en oublia ses craintes.

« Les perles de ma mère ! fit-elle dans un souffle.

— Votre mère me les a données, mais je suis trop vieille pour porter des perles. Tout va pour le mieux dans cette maison : vous avez déclaré votre bonheur, aujourd'hui, et j'ai ces perles prêtes pour vous.

— Je les ai toujours tant désirées », dit Meng.

Elle ouvrit l'écrin et contempla les bijoux.

« Mets-les sur toi », dit Liangmo.

Meng obéit, ses joues si douces rougirent un peu plus. Tous la regardaient, même le petit garçon. Mais ses doigts minces ne tâtonnèrent pas pour fixer les perles à ses oreilles.

« Je les mettais et je suppliais ma mère de me permettre de les garder, dit-elle.

— A présent, vous les avez gagnées », dit Madame Wu.

Elle se tourna vers son fils :

« Vois comme ces perles sont devenues roses. Elles étaient gris argent. »

C'était vrai. Les perles paraissaient roses contre la chair si douce de Meng.

« Aï-ya, s'écria Lien. Il ne faut pas qu'elle soit trop jolie, autrement l'enfant sera une fille. »

Ce dicton fit rire et Madame Wu arrêta les rires en se levant :

« J'accueillerais bien une fille, dit-elle. Après tout, il faut bien des femmes en ce monde aussi bien que des hommes. Nous l'oublions, mais c'est vrai, n'est-ce pas Meng ? »

Mais Meng était trop timide pour répondre à pareille question.

★

★ ★

C'était l'heure de la fête anniversaire. Madame Wu était à gauche de Vieille-Dame, qui, en vertu de son âge et de sa génération, avait la place la plus élevée. Monsieur Wu était à la droite de sa mère et il avait Liangmo à sa gauche, et Tsemo, le second fils, se trouvait à là gauche de Madame Wu, et Fengmo de l'autre côté ; Yenmo, le quatrième fils, n'avait encore que sept ans. Mais il habitait l'appartement de son père, qui l'entourait de ses bras. Ainsi, un par un, chaque membre de la famille se trouva à sa place. Les belles-filles à la suite des fils, Meng avec son enfant sur les genoux et une servante derrière elle, prête à le lui enlever s'il devenait ennuyeux. Vieille-Dame très fière de son arrière-petit-fils n'avait guère de patience, tandis que celle de Madame Wu était inépuisable.

Vraiment, rien ne semblait l'irriter. Avec son visage lisse, couleur de perle, elle avait plaisir à voir cette grande réunion familiale. A six autres tables, de huit couverts chacune, se trouvaient les oncles, tantes, cousins et amis, ainsi que leurs enfants, et l'une de ces tables était présidée par Madame Kang. Tous avaient envoyé leurs présents avant ce jour. Des dons variés — paires de vases, paquets de dattes, boîtes de gâteaux mœlleux et de rouleaux de soie ornés de caractères découpés en papier doré et formulant de bons vœux. Il y avait encore beaucoup d'autres cadeaux, ceux de Mr. Wu, deux pièces de lourde soie brochée, et, offertes par Vieille-Dame, deux boîtes de thé surfin. Le présent de la famille était très coûteux. Les Wu avaient commandé au meilleur peintre de la ville un tableau représentant la déesse de Longue Vie. Tous les invités, lorsqu'ils vinrent saluer Madame Wu tombèrent d'accord sur sa beauté. Le tableau était pendu à la place d'honneur et cha-

que détail était correct. La déesse tenait dans sa main
la pêche immortelle. A côté d'elle se trouvait un cerf,
et des chauves-souris rouges volaient autour de sa
tête en signe de bénédiction ; à sa ceinture pendait
la gourde contenant l'élixir de vie. L'artiste n'avait
rien oublié, jusqu'aux herbes de Longue Vie, atta-
chées au sceptre de la déesse.

Sur le mur, derrière Madame Wu, pendait un carré
de satin rouge sur lequel on avait cousu les signes
de Longue Vie, découpés en velours noir. Contre le
satin brillant, la tête brune de Madame Wu ressortait, élégante et austère.

A la place de sa mère, Liangmo répondait à toutes les salutations et aux bons vœux. Avant qu'on
eût pris place, lui et Meng étaient allés, en qualité
de fils aîné et de belle-fille, à chaque table, remercier les invités de la part de Madame Wu.

Tout s'était donc passé avec aisance, et cependant avec un certain formalisme, preuve que la famille Wu respectait les anciennes coutumes et comprenait les nouvelles. De temps en temps, Madame
Wu se levait et circulait parmi les convives pour
s'assurer qu'ils étaient bien servis. Chaque fois, les
invités se levaient, la priant de ne pas prendre cette
peine, et elle, à son tour, les priait de se rasseoir.

A la troisième fois, Mr. Wu se pencha sur le coin
de la table en disant :

« Je vous prie de ne plus vous lever, Mère de mes
fils. Je vous remplacerai quand on servira le plat
doux. »

Madame Wu inclina la tête et sourit un peu en guise
de remerciement. Elle s'aperçut alors que Vieille-
Dame avait pris un trop gros morceau de volaille et
que le jus s'égouttait sur sa robe. Elle saisit ses propres baguettes, soulevant le morceau jusqu'à ce que

Vieille-Dame eût réussi à le faire entrer tout entier dans sa bouche. Dès qu'elle put parler, Vieille-Dame s'exprima avec son habituelle véhémence.

« Ying ! », cria-t-elle très fort.

Ying, qui se tenait toujours derrière sa maîtresse, s'avança aussitôt.

« Ying, allez dire à ce paquet de lard qu'est votre homme qu'il doit couper la volaille en plus petites bouchées. Croit-il que nous avons des mâchoires de lions et de tigres !

— Je le lui dirai, Ancienne », répondit Ying.

Mais à présent, Vieille-Dame, bourrée de nourriture, se sentait euphorique et elle se mit à s'adresser à tous de sa vieille voix forte et grave.

« Les étrangers mangent d'énormes morceaux de viande, dit-elle en jetant un regard circulaire autour de la salle. Je ne l'ai jamais vu, mais j'ai entendu dire que toute une cuisse de mouton ou un morceau de vache grand comme un petit enfant était posé sur leur table, et qu'on coupait dedans avec des couteaux. Les étrangers piquent les morceaux avec des sortes de fourches en fer et les enfoncent dans leurs bouches. »

Tout le monde se mit à rire.

« Vous êtes d'humeur gaie, Mère », dit Mr. Wu.

Il n'avait jamais cherché à corriger les déclarations erronées de sa mère. Tout d'abord il ne voulait pas la contrarier, et ensuite cela ne changerait rien et n'en valait pas la peine.

A ce moment-là, on apporta le riz sucré avec ses huit fruits précieux, ce qui signifiait que la première moitié du festin était terminée. Chacun parut enchanté à l'apparition du plat savoureux. Ying découvrit son mari à demi dissimulé dans la porte et qui cherchait à en-

tendre les louanges des invités à sa cuisine. Madame
Wu le vit, elle aussi, et se pencha vers Ying.

« Dites-lui de venir. »

La fierté fit monter la rougeur aux joues rebondies
de Ying, mais, par politesse, elle voulut paraître ra-
baisser son mari.

« Madame, ne vous mettez pas en peine pour mon
propre à rien. »

Madame Wu insista.

« Si, tel est mon plaisir. »

Semblant obéir à contrecœur, Ying fit signe à son
mari ; il entra et vint se placer devant Madame Wu,
lissant fièrement de la main son tablier sordide, car
aucun bon cuisinier, il le savait, ne doit avoir un tablier propre.

« Je veux vous remercier pour votre riz sucré et ses
huit fruits précieux, lui dit Madame Wu, avec ses
manières aimables. Il est toujours délicieux, mais aujourd'hui il est meilleur que jamais. Je considère cela
comme une preuve de votre fidélité et bonté de cœur,
je m'en souviendrai avant que la journée prenne fin. »

Le cuisinier comprit que Madame Wu avait l'intention de distribuer des cadeaux aux serviteurs, après la
fête, mais, trop poli pour le laisser voir, il répondit, au
contraire :

« Ne croyez pas que ce soit réussi, je ne mérite pas
l'attention.

— Sauve-toi, imbécile », lui dit sa femme, en un
murmure assez haut, tandis que ses yeux brillaient
d'orgueil. Le cuisinier se retira, fort satisfait, tandis
que Ying, derrière lui, s'efforçait de ne pas se montrer
trop fière, au-dessus de sa condition.

Mr. Wu dut alors se lever pour tenir sa promesse.
Il se dirigea vers chaque table et pria les invités de
manger ce riz de bon cœur. Madame Wu, songeuse,

le suivit des yeux. Etait-ce une idée, mais ne s'attardait-il pas un moment à la table de Madame Kang où la troisième fille de celle-ci, si jolie, se trouvait assise à côté de sa mère ?

Vieille-Dame réclamait d'une voix plaintive :

« Du pudding, du pudding ! »

Madame Wu tendit son bras svelte et, retenant sa manche, elle prit une cuiller de porcelaine et remplit généreusement le bol de Vieille-Dame.

« Ma cuiller. Où est ma cuiller ? », marmotta Vieille-Dame.

Et sa bru plaça une cuiller dans la vieille main.

Madame Wu continua à observer Mr. Wu en réfléchissant, tandis que chacun se taisait, à table, pour mieux savourer le plat doux. Mr. Wu, sans aucun doute, s'attardait auprès de la jolie fille de Madame Kang. La jeune fille était moderne, trop moderne, car ses cheveux, coupés à la hauteur des épaules, étaient bouclés selon la mode étrangère. Elle avait passé un an à l'école de Shanghaï avant que cette ville fût prise par l'ennemi. Depuis, mécontente d'habiter une petite ville de province, elle désespérait fréquemment ses parents.

Madame Wu la regardait lever la tête et donner la réplique avec pétulance à Mr. Wu. Mr. Wu riait et bavardait. Madame Wu prit sa cuiller et la plongea dans l'entremets gélatineux. Lorsque Mr. Wu revint, elle leva sur lui ses yeux en amande, si limpides.

« Merci, Père de mes fils », dit-elle, et sa voix était aussi musicale que jamais.

La fête poursuivit son cours agréable et lent. Des viandes et puis les six bols succédèrent enfin au plat doux. Le cuisinier avait remplacé le riz par de longues nouilles fines qu'il avait pétries en l'honneur de la fête d'anniversaire, car les longues nouilles sont le symbole d'une longue vie. Madame Wu, toujours délicate en fait de nourriture, refusa les viandes, mais elle était obligée de manger les nouilles. Le cuisinier, dans son zèle, les avait étirées plus encore que de coutume, mais elle les enroula avec grâce, adroitement, autour de ses baguettes.

Vieille-Dame n'avait pas cette patience. De sa main gauche, elle tenait le bol débordant tout près de sa bouche, y piquait dans les nouilles avec ses baguettes et les aspirait à la manière des enfants. Vieille-Dame mangeait de tout, avec appétit.

« Je serai malade ce soir, dit-elle de sa vieille voix pénétrante, mais ça en vaut la peine, ma fille, pour ton quarantième anniversaire.

— Mangez tout votre contenu, Mère », répondit Madame Wu.

Un à un, les invités se levèrent, leur petit bol de vin à la main, et on but à la santé de Madame Wu. Elle ne répondit pas à ces toasts, elle était femme réservée et elle lança un coup d'œil à Mr. Wu, qui se leva à sa place et accueillit les bons vœux de tous. Seule Madame Kang, saisissant le regard de son amie, leva son bol en silence, et Madame Wu leva le sien en retour, tout aussi silencieusement ; les deux amies burent ensemble en une secrète communion de cœur.

Vieille-Dame était saturée de nourriture, elle s'appuya contre le haut dossier de son siège et considéra sa famille.

« Liangmo a l'air malade », fit-elle.

Tous les regards se tournèrent vers Liangmo qui, en effet, souriait avec un certain malaise :

« Je ne suis pas malade, Grand-Mère », dit-il vivement.

Meng le regarda d'un air inquiet :

« Tu as vraiment une drôle de mine, murmura-t-elle. Toute la matinée, tu as été bizarre. »

A ces mots, ses frères et ses belles-sœurs le regardèrent tous et il secoua la tête. Madame Wu se taisait. Elle comprenait très bien que Liangmo n'arrivait pas encore à accepter ce dont elle lui avait parlé ce matin-là. Il lui lança un regard suppliant, mais elle se contenta de sourire et détourna les yeux.

C'est alors qu'elle rencontra le regard fin et trop pénétrant de sa seconde belle-fille. La femme de Tsemo, Rulan, n'avait pas dit un mot durant le festin, mais les paroles étaient superflues pour qu'elle sentît ce qui se passait autour d'elle. Madame Wu devina que Rulan avait surpris l'expression suppliante du fils et la réponse de la mère. Quant à Tsemo, il n'avait cure de ce qui se passait. C'était un jeune homme impatient, et il se recula de la table, tapant du pied, énervé. Le festin d'anniversaire lui semblait vraiment trop long.

Dans la salle, un enfant qui avait trop mangé vomit tout à coup, éclaboussant bruyamment le sol carrelé, et les servantes s'empressèrent.

« Appelez les chiens », dit Madame Kang.

Mais Ying, qui se hâtait sur la scène du désastre, s'excusa :

« Notre maîtresse ne permet pas aux chiens d'aller sous les tables.

— Vous voyez bien, Mère, dit la troisième fille de Madame Kang en faisant la moue. Je vous avais bien dit qu'on ne le permet plus — c'est tellement démodé ! ça me fait honte, chaque fois que ça arrive à la maison. »

Madame Kang la fit taire :

« Allons, allons, reste tranquille à présent, et ne parle pas de ta honte devant les autres.

— Les filles parlent trop », dit Mr. Kang, mais il

avait de l'affection pour cette Linyi, qui était la plus jolie de toutes ses filles.

Vieille-Dame se leva en titubant :

« Je vais me coucher, dit-elle. Je dois m'attendre à être malade. »

Madame Wu se leva aussi.

« Allez-y, Mère, nous resterons avec les invités dans l'autre salle. »

Deux servantes aidaient Vieille-Dame à sortir de la pièce, et tous les invités se tinrent debout. Puis Madame Wu regarda Mr. Wu.

« Voulez-vous conduire vos invités dans la grand-salle ? dit-elle doucement. Les dames viendront dans mon salon. »

Sur ces mots, elle s'éloigna et les dames la suivirent ; les hommes escortèrent Mr. Wu. Deux courants séparés se formèrent ainsi. Les enfants furent emmenés dans les cours, et les nourrices les prirent sur leurs genoux pendant qu'ils dormaient.

Madame Wu s'arrêta à la porte.

« Emmenez le petit malade dans la chambre des bambous, dit-elle à la nourrice, il y fait frais. Il faut qu'il dorme un peu. »

L'enfant, qui pleurnichait, se tut au son de cette voix.

Le festin était terminé. Dans son salon, Madame Wu soutenait dignement son maintien distingué devant les autres dames. Elle parlait peu, mais son silence passait inaperçu, car elle était de nature silencieuse. Seulement, lorsqu'une décision s'imposait, on se tournait vers elle par instinct, parce qu'on savait que dans cette maison elle prenait toutes les décisions. Et, quand elle la faisait connaître, c'était par quelques paroles simples, claires, de sa voix toujours agréable, unie et douce comme de l'eau qui glisse sur les pierres.

Autour d'elle, les conversations déclinaient et reprenaient. On avait commandé une petite troupe d'acteurs pour l'intermède, et ils montrèrent leurs tours de passe-passe. Les enfants s'en amusaient, et leurs aînés les regardaient tout en parlant et en buvant à petites gorgées un thé chaud fait avec les feuilles de noix cueillies avant les pluies d'été. En présence des jeunes femmes, il n'y avait pas de conversation possible entre les plus âgées. Madame Kang somnola. A un moment, Madame Wu dit à Ying :

« Allez voir si notre Vieille-Dame est malade.

Ying sortit et revint en riant :

« Elle a été malade, elle a tout rendu, mais elle répète encore que ça en valait la peine. »

Tout le monde se mit à rire et le bruit réveilla Madame Kang.

« Il est temps de rentrer, dit-elle à Madame Wu. Nous ne devons pas vous fatiguer, ma sœur, car il faut que vous viviez jusqu'à cent ans. »

Madame Wu sourit et se leva pendant que les invités venaient un à un lui faire leurs adieux. Des paquets de bonbons, des cadeaux, de l'argent, offerts par les invités, avaient été préparés pour les serviteurs. Ying les apporta sur un plateau et les serviteurs s'avancèrent pour les recevoir. Ils s'inclinèrent devant Madame Wu, leurs mains poliment jointes sur leurs poitrines, et Madame Wu répondit à chacun d'eux avec courtoisie en tendant un présent. Tous avaient festoyé, eux aussi, dans les cuisines.

Enfin Madame Wu se trouva seule de nouveau et elle se laissa aller, un instant, à sa lassitude. De petits muscles, qui maintenaient son ossature avec grâce, se détendirent au cou, à la poitrine, à la taille, et, pour un instant, elle parut se fléchir comme une fleur, prendre presque son âge, puis elle redressa ses minces

épaules. Il était encore trop tôt pour se sentir fatiguée.
La journée n'était pas terminée.

* * *

Une heure plus tard, après s'être reposée, elle se
leva et arpenta sa chambre sept fois, de long en large.
Puis elle s'appuya sur le rebord de sa fenêtre. L'ouverture, oblongue, en était vaste, et on avait repoussé
les persiennes. Cette fenêtre donnait sur la cour où
Madame Wu s'était assise ce matin-là avec Madame
Kang et ensuite avec Liangmo. Elle se rappela leur
horreur devant son projet et, inconsciemment elle
sourit de son joli sourire qui n'était ni triste ni gai.

A ce moment-là, Ying parut au portail rond de la
cour, le portail de la lune, et aperçut ce sourire.

« Madame, vous avez l'air d'une jeune fille au clair
de lune. »

Madame Wu continua à sourire, mais elle se détourna et s'assit à sa coiffeuse. Ying entra et lui retira
ses vêtements, ne lui laissant que la chemise en fine
soie blanche. Après quoi, elle défit les longs cheveux
de Madame Wu, les laissa tomber et, d'une main
ferme et vigoureuse, elle y passa le peigne fin en bois
de santal. Elle voyait le calme visage reflété dans la
glace et s'aperçut combien, ce soir-là, les yeux étaient
grands et noirs.

« Etes-vous fatiguée, Madame ? demanda Ying.

—Pas le moins du monde, » répondit Madame Wu.
Mais Ying insista :

« Vous avez eu une longue journée. Et, à présent,
Madame, avec vos quarante ans, vous commencez un
autre genre de vie ; je trouve que vous devriez travailler moins, donner le gouvernement de la maison et des

magasins à votre fils aîné, laisser l'épouse de votre fils diriger les cuisines et l'épouse de votre second fils surveiller elle-même les serviteurs. Et alors, assise dans votre cour, vous pourriez lire, regarder vos fleurs et songer combien votre vie est belle sous ce toit, tandis que les épouses de vos fils donnent naissance à des fils.

— Peut-être avez-vous raison, répondit Madame Wu. J'ai réfléchi moi-même à ces choses-là, Ying, et je vais demander au père de mes fils de prendre une petite épouse. »

Madame Wu prononça ces mots avec calme ; un instant, elle sentit qu'elle n'avait pas été comprise. Puis le peigne s'arrêta dans ses cheveux, et la main qui les retenait sur sa nuque se crispa :

« Inutile de répondre », dit Madame Wu.

Le peigne passa de nouveau dans les cheveux, mais trop vite.

« Vous me tirez les cheveux », dit Madame Wu.

Ying lança le peigne par terre.

« Je ne veux pas m'occuper d'une autre dame que vous ! s'écria-t-elle.

— On ne vous le demande pas », répondit Madame Wu.

Mais Ying tomba à genoux sur le sol carrelé, à côté de sa maîtresse, éclata en sanglots et s'essuya les yeux avec le pan de son paletot de satinette neuve qu'elle avait arboré pour ce jour-là. Elle sanglotait :

« Oh ! ma Maîtresse, est-ce qu'il vous le demande ? Vous ! un tel trésor ! A-t-il oublié votre bonté et votre beauté ? Dites-moi au moins si...

— C'est ma propre volonté, déclara fermement Madame Wu. Ying, relevez-vous. S'il entrait, il croirait que je vous ai battue...

— Vous ? fit Ying dans un sanglot. Vous qui n'é-

tendriez pas votre main pour pincer un moustique qui
vous suce le sang. »

Elle se leva cependant, ramassa le peigne et, reni-
flant ses larmes, elle se remit à coiffer Madame Wu.

Madame Wu lui expliqua de sa voix tranquille et
raisonnable :

« C'est à vous que je l'annonce en premier lieu, Ying,
pour que vous sachiez comment vous comporter auprès des serviteurs. Il ne faut pas qu'on élève la voix
parmi vous, ni qu'on jette le blâme sur l'un ou l'autre. Quand cette jeune femme viendra...

— Qui est-ce ? demanda Ying.

— Je n'en sais rien encore...

— Quand viendra-t-elle ?

— Je n'ai pas décidé cela non plus. Mais, lorsqu'elle viendra, je veux qu'elle soit reçue et honorée
dans cette maison, un peu moins que moi, un peu plus
que les épouses de mes fils. Elle ne sera ni actrice, ni
chanteuse, ni rien de ce genre, mais une honnête femme. Les choses doivent se passer avec ordre. Avant
tout, pas un mot contre le Père de mes fils ou contre la jeune femme, car c'est moi qui lui demanderai
de venir. »

Ying était indignée :

« Madame, puisque nous avons été ensemble toutes
ces années, puis-je vous demander le pourquoi ?

— Vous pouvez me le demander, mais je ne vous
répondrai pas », dit tranquillement Madame Wu.

Ying finit de peigner les longs cheveux sans rien
dire ; elle les parfuma et les tressa, enroulant ces
tresses en un chignon pour le bain. Puis, dans le cabinet de toilette, elle surveilla les deux porteurs d'eau
qui, par une porte extérieure, amenaient de grands
seaux de bois pleins d'eau chaude et d'eau froide ;

ils les versèrent dans une cuvette profonde, en faïence émaillée de vert à l'intérieur. Les porteurs se retirèrent, Ying trempa sa main dans l'eau pour en tâter la chaleur, y versa du parfum et revint dans l'autre pièce, munie du savon et des serviettes de soie.

« Votre bain est prêt, Madame », dit-elle, comme elle le faisait chaque soir.

Madame Wu retira son dernier vêtement, et, entièrement nue, svelte comme une jeune fille, elle traversa la pièce pour gagner le cabinet de toilette. Elle prit la main de Ying, entra dans la cuvette et s'y assis les jambes croisées, tandis que Ying la lavait avec des gestes aussi tendres que s'il s'était agi d'un enfant. L'eau était limpide et le corps fin de Madame Wu paraissait d'un blanc d'ivoire sur le vert de la porcelaine. L'eau enveloppait ses épaules et, assise ainsi, submergée, elle réfléchit sur sa propre sagesse. Son corps était plus beau que jamais. Mr. Wu ne lui avait pas permis de nourrir ses enfants, et ses petits seins ressemblaient à des boutons de lotus sous l'eau.

Lorsqu'elle sortit du bain, Ying l'enveloppa dans le drap de soie, la sécha et lui mit de frais vêtements de nuit en soie ; après quoi, elle lui fit les ongles des mains et des pieds. Lorsque tout fut terminé, Ying ouvrit la porte de la chambre à coucher. Elle était encore vide, car Mr. Wu n'y entrait jamais avant que Ying ne l'eût quittée. Il y avait, bien entendu, certaines nuits pendant lesquelles il ne venait pas du tout, mais elles étaient rares. Madame Wu mit le pied sur la longue banquette sculptée qui courait devant le lit : car le lit à baldaquin de soie était surélevé.

« Ne dois-je pas tirer les rideaux ? demanda Ying, le clair de lune est trop brillant.

— Non, dit Madame Wu, laissez-moi le voir. »

Les rideaux demeurèrent donc pris dans les grands crochets d'argent et Ying tâta la théière et la petite pipe d'argent que Madame Wu fumait parfois, la nuit, quand elle ne pouvait dormir ; elle s'assura aussi que les allumettes étaient à côté de la bougie.

« A demain, dit Madame Wu.

— A demain, Madame », dit Ying en se retirant.

Madame Wu s'allongea, droite et immobile, sous le drap de soie et le doux édredon d'été en bourre de soie. La lune, en face de son lit, éclairait le mur. Elle était brillante, tellement brillante que Madame Wu voyait les lignes du dessin sur le kakémono qui pendait sur ce mur. L'image était simple, mais peinte par un artiste. Il avait utilisé le vide plutôt que son pinceau, une petite silhouette courbée peinait pour arriver au sommet. On ne pouvait savoir si c'était un homme ou une femme ; simplement une créature humaine.

Madame Wu avait parfois l'impression que cette petite silhouette s'était rapprochée du sommet, parfois, aussi, il lui semblait qu'elle avait reculé de plusieurs lieues. Madame Wu savait, bien entendu, que cet effet dépendait uniquement de la façon dont la lumière tombait de la fenêtre. Ce soir-là, le bord de cette fenêtre coupait d'ombre et de lumière le tableau, en sorte que la créature humaine paraissait toute proche de la crête. Cependant, rien n'avait bougé. La petite silhouette se trouvait exactement à la même place, ni plus haut ni plus bas, Madame Wu en était bien certaine.

Elle reposait sans réfléchir, sans se souvenir, restant simplement elle-même. Ce n'était ni l'attente, ni l'expectative. Si son mari ne venait pas ce soir, elle s'endormirait bientôt et lui parlerait une autre fois. Les moments propices sont choisis, prédestinés, on

ne gagne rien à s'y opposer. La force tranquille de sa
décision se concentrerait sur le moment opportun, et
tout irait bien.

Elle entendit alors les pas lourds de Mr. Wu résonner dans la cour. Il passa par la pièce extérieure et
traversa le salon, puis la porte s'ouvrit et il entra dans
la chambre. Il avait bu du vin. Les narines délicates
de Madame Wu perçurent l'odeur du vin chaud, qui
distillait son alcool par l'haleine et les pores de la
peau de Mr. Wu. Mais elle n'en fut pas inquiétée,
car il n'abusait jamais, et, ce soir de fête, il était bien
naturel qu'il bût avec ses amis. Il tenait sa pipe dans
sa main, mais, au moment de la poser sur la table, il
s'arrêta un instant et demanda brusquement :

« Etes-vous fatiguée ?

— Pas le moins du monde », répondit-elle, très calme.

Il posa alors sa pipe, laissa tomber les rideaux hors
du crochet et se glissa dans le lit.

Bien entendu, au bout de vingt-quatre ans, il existait une certaine routine dans leur vie. Elle eût aimé
y apporter une variante quelconque, puisque ce devait être la dernière nuit qu'il passerait avec elle. Elle
avait déjà envisagé des variantes possibles, mais elle
y avait renoncé. Le convaincre de la sagesse de sa
décision n'en serait que plus dur — si toutefois il
avait besoin d'être convaincu. Il s'en montrerait peut-
être satisfait, et elle s'était efforcée de se préparer à
cette éventualité. Cela faciliterait les choses. D'autre
part, il pourrait être mécontent et, qui sait, finir par
refuser la décision de sa femme. En tout cas, se disait-
elle, ce refus ne sera pas de longue durée.

Elle prit donc soin de rester dans le juste milieu
comme elle l'avait toujours fait. C'est-à-dire qu'elle
n'était ni froide ni ardente. Elle se montra agréable

et tendre. Elle prit soin que rien ne manquât, mais
sans exagération aucune. Accomplir, mais sans excès,
tel était son don naturel.

Elle fut cependant un peu déconcertée en découvrant que lui-même n'était pas tout à fait comme
d'habitude. Il paraissait troublé, légèrement distrait.

« Vous étiez aujourd'hui plus belle que jamais,
murmura-t-il. Tout le monde le disait. »

Etendue sur l'oreiller, elle sourit en levant les yeux
vers ceux qui se trouvaient au-dessus des siens. C'était
son joli sourire habituel, mais, à la faible clarté de
l'unique bougie placée sur la table de chevet, elle vit
passer des lueurs dans les yeux sombres de son mari.
Depuis longtemps, elle n'avait perçu dans son regard
un feu aussi ardent. Elle ferma les yeux, et son cœur
se mit à battre. Allait-elle regretter sa décision ? Elle
demeura étendue, s'abandonnant comme une fleur
coupée, pendant les deux heures qui suivirent, se posant bien des fois cette question : « N'aurais-je pas de
regrets ? N'aurai-je pas de regrets ? »

Au bout de ces deux heures, elle comprit qu'elle
n'en aurait pas. Lorsqu'il fut endormi, elle se leva,
passa silencieusement dans la salle de bains et se baigna de nouveau dans l'eau fraîche. Elle ne retourna
pas au lit où Mr. Wu, étalé, dormait en respirant
profondément. Prenant sa petite pipe, elle en remplit
le minuscule fourneau de tabac doux et l'alluma. Puis
elle vint à la fenêtre et regarda le ciel. La lune était
presque couchée. Dans cinq minutes, elle aurait disparu derrière la longue ligne des toits de cette demeure antique. Madame Wu sentit la paix envahir tout
son être. De sa vie, elle ne dormirait jamais plus dans
cette chambre. Elle avait déjà choisi sa résidence. A
côté de la cour de Vieille-Dame se trouvait le pavillon, vide à présent, qu'avait habité le père de Mr.

Wu. Elle le prendrait, sous prétexte d'avoir à garder Vieille-Dame aussi bien la nuit que le jour. C'était une très belle cour, au centre même du grand bâtiment. Elle y vivrait, seule et en paix, cœur à part, au milieu de toute la vie qui s'affairait autour d'elle.

Dans le grand lit, Mr. Wu bâilla soudain et se réveilla :

« Je devrais retourner dans ma chambre, dit-il. Vous avez eu une longue journée. Il faut que vous dormiez. »

Chaque fois qu'il disait cela, et il le disait toujours, car c'était un homme courtois en amour comme en affaires, elle répondait invariablement :

« Ne bougez pas, je vous en prie. Je puis très bien dormir. »

Mais, ce soir, elle répondit autrement, elle dit sans tourner la tête :

« Merci, Père de mes fils. Peut-être avez-vous raison... »

Ces mots le surprirent tellement qu'il sortit du lit et tâtonna, à la recherche de ses pantoufles sur le sol. Il ne les trouvait pas. Alors elle accourut, s'agenouilla, les découvrit et, toujours agenouillée, les passa à ses pieds. Et lui, comme un grand enfant, appuya tout à coup sa tête sur l'épaule de sa femme et lui entoura le corps de ses bras.

« Vous êtes plus parfumée qu'une fleur de jasmin », murmura-t-il.

Elle rit doucement, entre ses bras :

« Etes-vous encore ivre ?

— Mais non, murmura-t-il ; ivre ! ivre ! »

Il l'attira à lui de nouveau et elle eut peur.

« Je vous en prie, dit-elle, puis-je vous aider à vous relever ? »

Et soudain elle se redressa et, pleine de vigueur, le releva en même temps.

« Vous ai-je offensée ? », lui demanda-t-il.

Il était complètement réveillé et elle vit son regard sombre s'éclaircir.

« Non, dit-elle, comment pourriez-vous m'offenser au bout de vingt-quatre ans ? Mais, moi, je suis arrivée au terme.

— Arrivée au terme ? répéta-t-il.

— J'ai quarante ans aujourd'hui. »

Elle vit soudain que l'heure était venue, à présent, au milieu de la nuit, quand toute la maison était endormie autour d'eux. Elle le laissa assis sur le lit et, prenant la bougie qui brûlait, elle s'en servit pour allumer toutes les autres. Une à une, elles flambèrent et la chambre fut illuminée. Elle s'assit près de la table, et lui, de son lit, la regardait fixement.

« Je me suis préparée à ce jour depuis bien des années », dit-elle.

Les mains jointes sur ses genoux, en pleine lumière, dans ses vêtements de soie blanche, elle appela à son aide toutes les forces vives de son être.

Lui se pencha en avant, les mains prises entre ses genoux, les yeux toujours fixés sur elle.

« J'ai été une bonne femme pour vous, dit-elle.

— N'ai-je pas été un bon mari ?

— Si, toujours, répondit-elle. Comme mari et femme, on ne pourrait souhaiter mieux. Mais, à présent, la moitié de ma vie est terminée.

— Simplement la moitié.

— Cependant l'autre moitié est encore loin pour vous, dit-elle. Le ciel a établi cette différence entre les hommes et les femmes. »

Il écoutait, car il écoutait tout ce qu'elle disait,

comme s'il comprenait sous les paroles un sens profond qui le dépassait peut-être.

« Vous êtes encore un jeune homme, poursuivit-elle, vos yeux brûlent encore avec force. Vous devriez avoir un plus grand nombre de fils. Mais, moi, je suis parvenue à mon terme. »

Il redressa son corps qui s'abandonnait, et son beau visage aux contours pleins devint grave.

« Est-il possible que je comprenne ce que vous voulez dire ? fit-il.

— Je vois que vous le comprenez. »

Ils se considérèrent l'un l'autre à travers les vingt-quatre ans passés ensemble dans cette maison, où leurs enfants dormaient, où Vieille-Dame reposait, avec le sommeil léger des vieux, en attendant la mort.

« Je ne veux pas d'une autre épouse — sa voix était rude, — je n'ai jamais regardé une autre femme. Je n'ai jamais vu de femme plus belle que vous, et vous êtes encore plus belle qu'aucune autre. »

Il hésita et ses regards quittèrent sa femme pour se poser sur ses propres mains.

« J'ai vu cette jeune fille aujourd'hui et j'ai pensé, en la voyant, combien vous étiez plus belle. »

Elle comprit aussitôt à quelle jeune fille il faisait allusion.

« Ah ! Linyi est jolie ! »

Au fond d'elle-même, elle renouvela sa décision. Lorsque la question se posa : qui des deux choisirait pour lui une autre épouse ? elle annonça qu'elle s'en chargerait. Quel malheur pour la maison si l'on mélangeait les générations ! Or Liangmo avait déjà épousé Meng, la sœur de Linyi, toutes deux filles de sa meilleure amie.

Il avança ses lèvres charnues et lisses :

« Non, dit-il, je n'admets pas votre plan, que diraient mes amis ? Je n'ai jamais été un homme à courir après les femmes. »

Elle rit doucement et s'étonna de sentir, tout en riant, ce petit choc dans sa poitrine, comme la piqûre d'un poignard qui ne transperce pas la peau. S'il se mettait à réfléchir à ce qu'en penseraient ses amis, il se laisserait plus vite persuader qu'elle ne l'aurait cru.

« C'est très mal vu, pour une femme, d'avoir un enfant après quarante ans. Vos amis vous le reprocheraient aussi.

— Est-il indispensable que vous ayez un enfant ?

— C'est toujours une chose possible, je voudrais m'épargner la crainte de vous mettre dans l'embarras. »

Il parlait de ses amis et elle d'une honte. Ils n'en étaient pas au même point. Il lui fallait creuser dans le cœur de son mari, pour en arracher ses propres racines, à moins qu'elles ne fussent trop profondes.

Il la regarda :

« Avez-vous complètement cessé de m'aimer ? », demanda-t-il.

Elle se pencha vers lui. Le cœur parlait au cœur cette fois.

« Je vous aime autant que jamais, dit-elle avec sa belle voix. Je ne veux que votre bonheur.

— Comment serait-ce mon bonheur ? fit-il tristement.

— Vous savez que j'ai toujours tenu votre bonheur entre mes mains. »

Elle leva ses deux mains comme si elles contenaient un cœur.

« Je l'ai tenu ainsi depuis le moment où j'ai vu votre visage, le jour de mes noces. Je le tiendrai jusqu'à ma mort.

— Mon bonheur serait enterré avec vous, si vous deviez mourir avant moi, dit-il.

— Non, car avant de mourir, je le confierai en d'autres mains, les mains que j'aurai dressées pour ça. »

Elle sentit s'affermir son pouvoir sur lui. Il restait immobile, ses regards posés sur les mains de Madame Wu.

« Ayez confiance en moi, lui dit-elle, gardant ses mains élevées en forme de coupe.

— J'ai toujours eu confiance en vous », dit-il.

Elle laissa retomber ses mains.

Il s'obstina :

« Je ne promets rien, je ne peux pas, si vite...

— Vous n'avez pas besoin de promettre. Même si je le pouvais, je ne vous y forcerais pas. Ai-je jamais employé la force ? Non, laissons cela à présent. Remettez-vous au lit et permettez-moi de vous couvrir. La nuit fraîchit ; l'aube approche. Il faut dormir. »

Elle le mit en place par de rapides et légères pressions sur les épaules, les mains et les bras.

« Rappelez-vous que je n'ai rien promis, répéta-t-il.

— Rien, c'est vrai. »

Et elle le recouvrit, releva l'un des rideaux, pour lui donner de l'air, et en abaissa un second afin de le préserver du jour lorsque viendrait l'aube.

Mais il lui retenait fermement la main.

« Où dormirez-vous ?

— Oh ! j'ai un lit tout prêt, dit-elle sur un ton léger. Demain nous nous retrouverons. Rien ne sera changé dans la maison. Nous resterons amis, je vous le promets, et non pas séparés par des craintes et de la honte. »

Il la laissa partir, bercé par cette belle voix, pleine de promesses. Elle arrivait toujours à le charmer. Il

n'arrivait jamais à comprendre pleinement les paroles
de Madame Wu.

Et, lorsqu'il se fut endormi, elle sortit sans faire de
bruit et, toute seule, traversa les cours jusqu'à celle
qui touchait à l'appartement de Vieille-Dame. D'après
ses ordres, les chambres avaient été nettoyées et te-
nues en état depuis les années qui avaient suivi la
mort de Vieux-Monsieur, et quelques jours auparavant, elle avait fait mettre sur les matelas du lit des
draps et des couvertures neufs. C'est dans ce lit qu'elle
se glissa. Il lui parut froid et trop neuf et elle trembla
un instant, transie et saisie brusquement d'une étrange fatigue mortelle. Puis, comme si elle plongeait au
néant, elle céda à un sommeil sans rêves.

II

C'est le matin qui met le sceau sur ce qui s'est fait
la nuit. Le bien ou le mal ne se voient qu'au soleil.
Madame Wu s'éveilla le lendemain de son quarantième anniversaire avec une nouvelle sensation de légè-
reté. Ses yeux tombèrent sur une chambre connue,
mais non pas familière, très différente de la chambre
où elle avait dormi pendant des années. Celle-là avait
été décorée pour une jeune femme, une femme mariée
à un homme à qui elle devait donner des enfants. Sur
les rideaux du lit, on avait brodé des fruits et des
symboles de fécondité. Cette chambre, qu'elle avait
quittée dans la nuit, n'avait pas changé depuis le jour
où Vieille-Dame l'y avait envoyée pour devenir
l'épouse de son fils unique. Vieille-Dame avait acheté
pour le baldaquin, des satins si solides et des soies
de si bon teint qu'au bout de vingt-quatre ans on ne
trouvait pas de prétexte pour les remplacer. Madame
Wu n'y avait ajouté qu'un seul objet, le tableau qui
représentait une créature humaine luttant pour atteindre le sommet de la montagne. Cette peinture lui manquait. Elle la ferait apporter aujourd'hui même avec
ses vêtements et ses objets de toilette. A cela près,
son ancienne chambre conviendrait parfaitement à la

jeune concubine. Les fruits et les symboles de fécondité lui seraient destinés.

Madame Wu reposait seule dans son nouveau lit. Il était encore plus grand que celui qu'elle venait de quitter et, étendue là, elle interrogeait son cœur, délicatement. Souffrait-elle à la pensée qu'une autre dormirait sous les couvertures rose foncé de son lit nuptial ? Elle éprouvait bien une sorte de faible douleur, lointaine, qui n'était ni directe, ni personnelle. C'était une douleur vaste, le genre de douleur qu'on doit éprouver lorsque le ciel, dans sa sagesse impénétrable, lance un décret contre l'âme solitaire. C'est ainsi qu'elle comprit comme c'eût été une ineffable consolation si Mr. Wu avait été prêt à pénétrer avec elle dans cette seconde moitié de sa vie. Oui, un prodigieux contentement si, de son côté, à son terme, sans sacrifice, il avait pu parvenir avec elle au stade de vie qu'elle venait d'atteindre.

Elle réfléchit longuement. Pourquoi le ciel n'avait-il pas accordé aux femmes une existence deux fois plus longue que celle des hommes, de manière que leur beauté et leur fertilité pussent durer toute la vie de l'homme et ne se flétrir que lorsqu'il cesserait d'engendrer ? Pourquoi la nécessité pour l'homme de donner sa semence durait-elle trop longtemps pour une même femme ?

« Les femmes, se disait-elle, doivent donc être plus solitaires que les hommes. Elles doivent vivre seules une partie de leur vie, et le ciel les y a préparées. »

Sa raison la tira de ces questions futiles. Peut-on changer ce que le ciel a décrété ? Le ciel, ne donnant de valeur qu'à la vie, a dévolu la semence à l'homme, le sol à la femme. Le sol ne manque pas, mais à quoi servirait-il sans la semence ? La vérité, c'est que le désir de l'homme persiste même quand ses os ne sont plus que chaux et que son sang s'est tourné en eau, et cela parce que le ciel a placé la conception des enfants au-dessus de tout le reste, de crainte que l'humanité ne vienne à s'éteindre. C'est pourquoi la dernière semence dans les reins d'un homme doit être utilisée, et, pour qu'elle donne des fruits vigoureux, il lui faut un meilleur sol plus fort. Donc une femme jette un défi aux lois célestes si elle s'accroche à un homme au-delà de sa propre période de fertilité.

Lorsque Madame Wu eut raisonné ainsi, la vaste douleur lointaine s'effaça, elle se trouva délivrée et calme. Elle se sentit rendue à elle-même, presque à l'état de jeune fille. Comme cela paraîtrait étrange et agréable de se coucher le soir et de savoir qu'on peut dormir jusqu'au matin, ou bien, si on n'a pas de sommeil, qu'on ne risque pas d'en réveiller un autre en restant soi-même éveillée ! Son corps lui était rendu. Elle releva sa manche et examina sa chair. Son bras était aussi ferme et sain que jamais. Bien nourrie et soignée, pénétrée à présent d'une liberté nouvelle, elle vivrait jusqu'à un âge avancé. Mais, afin de vivre heureuse, elle devait bien régler ses relations avec les autres, en particulier avec son mari. Il ne fallait pas qu'elle se permît de vivre séparée de lui. Certainement, ce ne serait pas chose facile lorsque les liens de la chair n'existeraient plus entre eux et qu'il ne leur resterait que ceux de l'âme et de l'esprit. Sans le séparer de la nouvelle venue, Madame Wu devait maintenir, par de nouveaux moyens, son empire sur son mari.

« Je m'arrangerai pour remplir mes devoirs envers tous », murmura-t-elle en rabattant sa manche sur son joli bras.

Quelle serait cette jeune femme ? Madame Wu y

avait beaucoup réfléchi et y appliqua de nouveau sa
pensée.

« Elle doit être différente de moi et jeune, se dit-
elle, plus jeune que mes belles-filles, afin d'éviter les
discordes dans la maison ; vingt-deux, voilà le bon
âge. »

Madame Wu était instruite, il serait préférable que
la nouvelle venue eût peu d'instruction, ne fût pas
moderne, car une femme moderne ne se contenterait
pas d'être une concubine et, très vite, chercherait à
écarter Madame Wu et à posséder Mr. Wu corps et
âme, ce qui ferait scandale auprès de ses fils. Un homme sur le retour peut, en toute dignité, prendre une
concubine, mais il ne doit pas se laisser dominer par
elle. Cette concubine devrait être jolie, mais sans
excès, pour ne pas risquer de faire tourner la tête des
jeunes gens de la maison ni, vraiment, celle de Mr.
Wu. Un physique agréable suffirait, sans rapport
avec le genre de beauté de Madame Wu : une jeune
femme assez grasse, au teint rose, même avec une
ossature assez épaisse, ce qui importerait peu.

Tout ceci semblait suggérer une jeune fille de la
campagne, exempte de mauvais usage, mais douée de
santé et apte à avoir des enfants vigoureux. Car il
fallait qu'elle eût des enfants, les femmes qui en sont
privées sont malheureuses et deviennent acariâtres,
repliées sur elles-mêmes et exigeantes pour leurs maris. Il ne fallait pas que cette concubine attirât des
ennuis à Mr. Wu ; peu intelligente, elle se contenterait
de ce que lui apporterait Mr. Wu, sans chercher à
comprendre ce qui se passait entre sa femme et lui.

Madame Wu se représentait nettement cette jeune
femme : jolie, saine, assez sotte, aimant la bonne chère et n'ayant jamais vécu dans une maison riche, elle
resterait craintive sous ce toit, sans l'entêtement ni

l'orgueil qui la pousseraient à surmonter sa timidité par des sautes d'humeur et des éclats.

« Il doit y avoir quantité de ces jeunes filles assez ordinaires », se dit Madame Wu avec satisfaction.

Sitôt levée, dès qu'elle aurait vaqué à ses devoirs journaliers, elle ferait venir la vieille femme qui lui avait servi d'intermédiaire pour le mariage de Meng. Car Madame Wu n'avait pas voulu s'en passer, même lorsqu'il s'était agit de la fille de Madame Kang, craignant que son amie, par bonté, n'eût pas assez d'exigence et que le ménage ne vînt à souffrir plus tard de cette injustice. « Il faut que je fasse appeler la vieille Liu Ma, je lui expliquerai exactement ce qu'il nous faut. C'est aussi net qu'une commande de marchandises », se dit Madame Wu sans le moindre cynisme.

Elle laissa errer son esprit, songeant à cet appartement qu'elle habiterait toute sa vie. Elle y apporterait peu de changements. Elle avait toujours eu de l'affection pour son vieux beau-père. Et lui, n'ayant jamais eu de fille, s'était montré très bon pour elle. Il s'était réjoui en la trouvant intelligente, aussi instruite que belle, et il avait dédaigné les conventions qui interdisent à un vieil homme de parler à l'épouse de son fils. Souvent, il l'envoyait chercher et lui lisait des passages tirés des livres anciens de sa bibliothèque. Elle avait accoutumé d'y venir d'elle-même, durant la vie de son beau-père, pour lire ces livres. Il en avait mis de côté un certain nombre qui ne convenaient pas à une jeune femme et elle s'était gardée d'y toucher. A présent qu'elle se trouvait seule, la moitié de sa vie passée, elle pourrait les examiner tous.

La pensée de cette bibliothèque emplie de volumes qui lui appartenaient à présent lui causait une grande satisfaction. Le temps lui avait manqué ces dernières

années pour s'occuper de lectures. Mr. Wu n'aimait
pas lire et, par conséquent, n'aimait pas lui voir un
livre entre les mains. Aujourd'hui, après s'être consa-
crée si longtemps corps et âme aux autres, elle éprouvait le besoin de s'abreuver longuement aux sources
anciennes.

Elle se sentait de plus en plus chez elle dans ce pavillon. Vieux-Monsieur était mort depuis tant d'années qu'il avait cessé d'exister pour elle en tant qu'être
de chair et de sang. Aujourd'hui, elle s'en souvenait
comme d'un vieil esprit plein de sagesse, d'une vieille
voix calme. La chair et le sang étant disparus, elle ne
désirait plus rien changer à ce cadre. Les rideaux du
lit, d'un léger brocart bleu marine, ne contenaient
aucune image pour suggérer la passion ou la fécondité.
L'âge avait donné un ton crème aux murs blanchis à
la chaux. Les solives du plafond restaient apparentes.
Les portes, les fenêtres, ainsi que les sièges et
les tables, étaient massifs, en bois uni, foncé, enduit
de ce vernis de Ning-Po qui conserve sa teinte et
son poli pendant des générations. Le sol était dallé
de grands carreaux gris, si vieux qu'ils avaient fini
par s'user, former un creux devant le lit et la porte
de la bibliothèque. Il y avait trois pièces, dont la
chambre et un petit salon tout en longueur qui ouvrait
sur la cour. Elle ne ferait de légers changements que
dans cette cour où des arbres ayant grandi s'enche-
vêtraient, empêchaient le soleil d'y pénétrer suffisamment, et où la mousse recouvrait les pavés, les rendait
glissants.

On frappa à la porte :

« Entrez », dit-elle.

Ying apparut, l'air effrayé.

« Je me demandais ce que vous étiez devenue. —
Elle balbutiait. — Je vous ai cherchée partout, dans

votre ancienne chambre, où j'ai réveillé notre maître,
et il s'est mis en colère.

— Vous me trouverez ici, chaque matin, jusqu'à
ma mort », fit Madame Wu, très calme.

★

★ ★ ★

La nouvelle se répandit dans la maison, tandis que
la journée s'avançait. Un fils le disait à sa femme,
qui le répétait à l'autre. Ying en fit part au cuisinier
en chef, qui transmit la rumeur au marmiton, si bien
qu'au soir il n'y avait pas une âme qui ne sût que
Madame Wu avait emménagé dans l'appartement de
Vieux-Monsieur. Le bruit en vint aux oreilles de la
servante de Vieille-Dame et de celle-ci, par conséquent. Madame Wu n'avait rien dit à sa belle-mère,
préférant qu'elle apprît la chose par sa bonne ; ainsi,
le premier sursaut d'humeur retomberait sur une simple servante. Après quoi, Vieille-Dame se tourmente-
rait de savoir qui, de son fils ou de la femme de son
fils, elle devait accuser. On apprendrait quel des deux
devrait porter le blâme, d'après le lieu où elle se rendrait tout d'abord.

Vers midi, tandis que Madame Wu faisait ses
comptes du mois dans ce petit salon qui était devenu
le sien, elle aperçut la servante de Vieille-Dame qui
conduisait sa maîtresse à travers la cour. Les arbres
avaient déjà été coupés et enlevés, les pavés ne gardaient plus trace de mousse. Vieille-Dame s'arrêta
pour constater les changements. Elle s'appuya d'une
main sur le bras de sa servante et, de l'autre, sur sa
longue canne surmontée d'une tête de dragon. Le
soleil coulait à flots dans la cour jusqu'ici toujours
ombreuse, et les poissons du bassin central, aveuglés
par la lumière, s'étaient enfouis dans la vase, en sor-

te que rien ne paraissait dans l'eau, mais un couple de libellules dansait au-dessus, grisé par ce soleil nouveau.

« Vous avez abattu cet arbre, la gloire de Chine », dit Vieille-Dame d'un air réprobateur.

Madame Wu, qui s'était levée, s'avança vers elle et lui sourit :

« Ces arbres poussent si facilement, dit-elle, et si vite. Celui-ci n'avait jamais été planté. Il s'était simplement insinué entre deux pierres. »

Vieille-Dame soupira et s'achemina vers la porte. Lorsque Madame Wu voulut lui prendre le coude, elle la repoussa, dépitée.

« Ne me touchez pas, dit-elle d'un ton acerbe, je suis furieuse contre vous. »

Madame Wu ne répondit pas. Elle suivit Vieille-Dame dans le salon.

« Vous ne m'aviez pas dit que vous vous installiez ici, fit Vieille-Dame de sa voix dure et forte. On ne me dit jamais rien, dans cette maison. »

Elle s'assit tout en parlant.

« J'aurais dû vous en prévenir, répondit Madame Wu. J'ai eu grand tort. Il faut que je vous demande pardon. »

Vieille-Dame grommela :

« Vous êtes-vous querellée avec mon fils ? fit-elle, sévère.

— Pas le moins du monde. Nous ne nous disputons jamais.

— Ne me racontez pas ça. Je suis capable d'entendre la vérité.

— Je ne vous raconte rien, Mère. Mais j'ai eu quarante ans hier. Depuis longtemps, j'avais résolu que, ce jour-là, je cesserais mon métier de femme et que je trouverais quelqu'un de jeune pour mon seigneur.

Il n'a que quarante-cinq ans. Il lui reste encore beaucoup d'années devant lui. »

Vieille-Dame, ses mains maigres appuyées sur la tête du dragon, examinait sa bru d'un regard perçant.

« Aime-t-il une autre que vous ? S'il s'est amusé dans des maisons de fleurs, je vais... je vais...

— Non, il n'y a pas d'autre femme, répondit Madame Wu. Votre fils est le meilleur des hommes et il n'a eu que des bontés envers moi. Je suis assez égoïste pour désirer conserver intact le bon amour qui existait entre nous. Cela serait impossible si je devais être hantée de la crainte d'avoir un autre enfant, ou bien si je sentais s'éteindre mes feux tandis que les siens continueraient à brûler.

— Les gens diront qu'il a fait l'imbécile et que vous avez voulu vous venger, fit sévèrement Vieille-Dame. Qui pourra croire que vous vous êtes retirée de votre propre volonté — à moins que, vraiment, vous n'ayez cessé de l'aimer ?

— Je n'ai pas cessé de l'aimer.

— Quel amour peut-il y avoir entre un homme et une femme qui ne couchent pas ensemble ? », dit Vieille-Dame.

Madame Wu attendit un long moment avant de répondre :

« Je n'en sais rien, dit-elle enfin. Je me le suis toujours demandé, et peut-être vais-je le découvrir à présent. »

Vieille-Dame renifla :

« J'espère que nous n'aurons pas tous à en souffrir, dit-elle d'une voix forte, j'espère qu'un brandon de discorde ne va pas entrer dans cette maison.

— C'est à moi d'y veiller, je serais fort à blâmer si pareille chose arrivait, répondit Madame Wu.

— Où est cette nouvelle femme ? », demanda Vieille-Dame.

Elle était encore contrariée, mais sa colère fondait
malgré elle. Il est vrai qu'aucune femme ne désire
concevoir après quarante ans. Elle-même avait eu cette malchance, mais, heureusement, l'enfant était mort
en naissant. Elle se souvenait cependant fort bien,
comme s'il s'agissait de la veille, de sa grande honte
lorsqu'elle s'était aperçue qu'elle était enceinte à cet
âge-là.

Jusqu'alors elle avait désiré des enfants, mais, à
quarante ans, elle n'en voulait plus et elle s'était querellée avec son mari pendant tous ces mois d'attente
et de mauvaise humeur.

« Va trouver une grue ! disait-elle au pauvre homme. Va te chercher une de ces filles qui sont toujours
consentantes. »

Vieux-Monsieur avait été profondément chagriné
par de telles paroles et il ne s'était plus approché
d'elle ; aussi, depuis lors, avait-il cessé de l'aimer
autant qu'avant. Les silences de Vieux-Monsieur
avaient souvent agacé Vieille-Dame, car il était doux
et réservé comme un homme le devient, entouré de
trop de livres, mais, après cela, son silence devint
complet vis-à-vis d'elle. Cependant, il ne s'était agi
là que d'une chose accidentelle. Il ne désirait pas plus
un enfant d'elle qu'elle de lui. Aussi, lorsqu'elle se
rappelait sa colère contre lui, se sentait-elle encore
vaguement en faute. Ce qui s'était passé n'était qu'un
effet de la nature, rien de plus ; alors, pourquoi en
avoir voulu à ce bon vieux mari ?

Vieille-Dame soupira :

« Où est cette femme ? », oubliant qu'elle avait
déjà posé cette question.

« Je ne l'ai pas encore trouvée », répondit Madame Wu.

L'esclave écoutait tout, sous prétexte de servir Vieille-Dame, de lui verser du thé, de l'éventer ou bien d'avancer un paravent pour l'abriter du soleil. Madame Wu s'en apercevait, mais elle jugea bon que tous les serviteurs fussent informés à la source même.

« Elle sera difficile à trouver, dit Vieille-Dame en s'obstinant.

— Je ne crois pas, répondit Madame Wu. Je sais exactement comment elle doit être. Il s'agit simplement de ne pas en prendre une d'un autre genre.

— Malgré tout, poursuivit Vieille-Dame, je continue à croire que je devrais gronder mon fils.

— N'en faites rien, je vous en prie. Si vous le blâmiez, il se croirait en faute, or il n'en est rien. Il ne faut pas qu'il se fasse de reproches uniquement parce que j'ai quarante ans. Ce serait injuste ! »

Vieille-Dame gémit :

« Oh ! ciel, qui as fait l'homme et la femme de deux argiles différentes... »

Madame Wu sourit à ces mots :

« Blâmez-en le ciel, je n'irai pas contre. »

Après cela, on n'avait plus rien à dire. Vieille-Dame ne cessait de se rappeler sa propre situation des années auparavant. Elle aurait été furieuse si le père de son fils avait pris une femme plus jeune, même lorsqu'elle l'y poussait. Cette femme-ci, l'épouse de son fils, se montrait peut-être plus raisonnable.

L'esprit de Vieille-Dame dévia, comme cela lui arrivait souvent dans sa vieillesse, et elle regarda autour d'elle.

« Allez-vous faire des changements dans ces pièces ? demanda-t-elle.

— Je n'y changerai rien, répondit Madame Wu, à

part cette peinture qui était dans mon ancienne chambre, je l'ai toujours beaucoup aimée. »

Le kakémono était déjà suspendu en face d'elle, car ce matin, après son repas, elle avait prié Ying de dire à un serviteur de l'apporter et de l'y suspendre. Elle ne voulait pas le mettre dans sa chambre, où elle ne ferait que dormir.

Vieille-Dame se leva, s'avança et, debout devant le kakémono, s'appuya sur sa canne.

« Est-ce un homme ou une femme qui grimpe la montagne ? demanda-t-elle.

— Je n'en sais rien, dit Madame Wu, ça n'a peut-être aucune importance.

— Un solitaire ! marmotta Vieille-Dame. Un solitaire au milieu de toutes ces montagnes ! J'ai toujours détesté les montagnes.

— Je pense que ce personnage ne se trouverait pas là s'il craignait la solitude », observa Madame Wu.

Mais Vieille-Dame avait faim dès qu'elle se sentait triste. Ce tableau l'avait attristée.

Elle se tourna vers sa belle-fille, d'un air pitoyable :

« J'ai faim, dit-elle, je n'ai pas mangé depuis des heures. »

Madame Wu dit à la servante :

« Emmenez-la dans son appartement et donnez-lui à manger tout ce qui lui plaira. »

Après le départ de Vieille-Dame, Madame Wu se remit à ses comptes. Personne ne vint l'interrompre de toute la journée. La maisonnée était triste et silencieuse. Madame Wu se demandait si son mari viendrait la voir et elle fut surprise d'éprouver une sorte de crainte en songeant à lui. Mais il ne parut pas. Elle savait exactement à quoi s'en tenir sur ce qui se déroulait dans la grande demeure. Les fils et les épouses des fils avaient passé la moitié de la journée à

parler, discutant ce qu'il fallait faire et dire, consul-
tant les cousins et les femmes des cousins. Ils n'étaient
arrivés à aucune solution, et personne n'avait abordé
Madame Wu ; leurs parents s'abstenant, les enfants
n'avaient pas paru non plus. Quant aux serviteurs, par
simple prudence naturelle, ils se tenaient tranquillement à leur travail jusqu'à ce que l'atmosphère se
fût éclaircie. Ying, seule, servit Madame Wu tout
le jour. Elle parla peu, et, chaque fois qu'elle entrait,
ses yeux étaient rouges. Mais Madame Wu ne daigna
pas s'en apercevoir. Elle passa sa journée entière à
ses comptes, qui s'étaient massés pendant les préparatifs de la fête anniversaire.

Elle examina un livre après l'autre, tout d'abord les
comptes d'habillement — entretien et achat de vêtements neufs, — puis ceux des objets réparés et remplacés dans la maison, toujours si lourds dans une
famille nombreuse, enfin les comptes des propriétés
— les terres ancestrales des Wu étaient vastes et
productives, la famille en dépendait ainsi que des
entrepôts. Ni Mr. Wu ni aucun de ses fils n'avaient
jamais été travailler au-dehors. Quelques cousins éloignés, il est vrai, s'étaient installés dans d'autres villes comme commerçants, banquiers ou hommes d'affaires, mais même ceux-là revenaient sur les terres pour
se refaire lorsque momentanément le travail manquait.
Madame Wu administrait ces biens-là comme les autres. Depuis des années, Mr. Wu parcourait ces comptes une fois par an, lorsque l'ancienne année allait
faire place à la nouvelle. Mais Madame Wu étudiait
deux fois par mois ceux de la maison et une fois ceux
des terres. Elle connaissait exactement le montant des
récoltes de riz, de blé, d'œufs, de légumes et d'herbes pour le chauffage. L'intendant des domaines lui
rendait un compte exact de chaque changement, de

chaque désastre. Parfois elle en parlait avec Mr. Wu et parfois elle n'en disait rien. Cela dépendait de son degré de fatigue. Lorsqu'elle se sentait lasse, elle prenait elle-même des décisions.

Elle avait passé toute la journée à ce travail, depuis le matin jusqu'à la tombée de la nuit, ne s'interrompant que pour surveiller la mise en place du kakémono et l'enlèvement des arbres. Autour d'elle, le silence était aussi grand que si elle avait été seule dans la maison. Ce silence la reposait. Bien entendu, elle n'eût pas aimé le voir se continuer chaque jour. C'eût été entrer trop tôt dans la mort. Mais, à son âge, il était agréable de passer une journée entière complètement seule, sans qu'une seule voix vînt lui réclamer une chose ou l'autre. Les comptes étaient exacts et satisfaisants. On avait reçu plus qu'on n'avait dépensé. Les greniers n'étaient pas encore vides et bientôt viendrait la nouvelle récolte. Les garde-manger regorgeaient de nourriture fraîche ou salée. Des pastèques mûres pendaient dans les puits profonds pour être rafraîchies. L'intendant avait écrit en caractères qui ressemblaient à de petits serpents : « Dix-neuf pastèques, sept au cœur jaune, les autres rouges, sont suspendues dans les deux puits du Nord. » Madame Wu en ferait retirer une ce soir, avant d'aller se coucher. Excellente chose pour les reins.

Les livres de comptes refermés, Madame Wu demeura assise, plongée dans la douceur d'une solitude silencieuse. Elle sentit la fatigue se retirer d'elle, comme si un poison s'évaporait de ses poumons. Elle était beaucoup plus lasse qu'elle ne pensait, d'une lassitude plus morale que physique, et qui siégeait dans un coin de son esprit difficile à définir. Certes, son intelligence n'éprouvait aucune fatigue : elle restait avide, aiguë et pleine d'ardeur. Il semblait à Madame Wu

que cette intelligence ne lui avait pas servi depuis
longtemps, sauf pour calculer, régler des différends
ou décider dans quelle école on devait envoyer un
enfant. Non, sa lassitude se dissimulait quelque part
dans son être profond, peut-être dans son ventre et
dans sa matrice. Madame Wu avait donné la vie pendant vingt-quatre ans, avant et pendant la naissance
de ses enfants; maintenant, à leur tour, ceux-ci donneraient la vie à d'autres. Mère et grand-mère, elle avait
été absorbée par ces naissances : c'en était fini.

...Elle entendit alors résonner un pas. Un pas net
et décidé, claquant légèrement sur les pierres à mesure qu'il approchait. Madame Wu réfléchit un instant :
des souliers de cuir ? Qui donc parmi les femmes portait des souliers de cuir ? Car c'était un pas de femme. Elle comprit alors. C'était Rulan, la femme de
Shanghaï, l'épouse de Tsemo, le second fils. Madame
Wu soupira, ne quittant qu'à regret, même pour un
instant, son silence et sa solitude. Mais elle se fit des
reproches. Elle ne voulait laisser croire à personne
qu'elle eût abandonné la maisonnée. Il fallait au contraire que ce fût ici le centre, puisqu'elle s'y trouvait.

« Venez, Rulan ! », lui cria-t-elle.

Sa jolie voix était enjouée. Lorsqu'elle leva la tête,
elle aperçut les yeux noirs de la jeune femme qui l'ob-
servaient attentivement. Rulan se tenait sur le seuil,
grande et mince. Sa longue robe droite était serrée à
la taille selon la mode semi-étrangère de Shanghaï.
Elle avait la poitrine plate, et ses pommettes hautes
l'enlaidissait. La figure de Madame Wu, par contre,
avait cette forme ovale, régulière, de la beauté classi-
que. Celle de Rulan était large au niveau des yeux,
étroite au menton. Sa grande bouche semblait maussade.

Madame Wu ne prêta aucune attention à cette expression de mauvaise humeur.

« Entrez vous asseoir, mon enfant, dit-elle ; je viens de terminer les comptes de la famille. Nous avons de la chance — la terre a été généreuse. »

« Cette jeune femme, sans être jolie, a des éclats de beauté », se dit Madame Wu, la regardant s'asseoir carrément sur une chaise, sans trace de la politesse habituelle aux autres jeunes femmes de la maison. Il semblait même que Rulan prenait plaisir à se montrer discourtoise et toujours brusque. Madame Wu la considérait avec intérêt. C'était la première fois qu'elle se trouvait seule avec elle.

« Il faut faire attention à votre bouche, mon enfant, lui dit Madame Wu, de sa manière calme et douce que toutes les jeunes femmes trouvaient déconcertante, car elle s'abstenait de reproches et de conseils.

— Que voulez-vous dire ? »

Rulan balbutiait. Ses lèvres tremblèrent en s'écartant.

« C'est une délicieuse bouche frémissante en ce moment, répondit Madame Wu. Mais les bouches des jeunes se transforment en vieillissant. La vôtre embellira en prenant de la fermeté, sans quoi elle deviendra vulgaire, butée. »

La voix tranquille de Madame Wu n'exprimait aucun intérêt spécial, elle se bornait à énoncer un fait auquel on devait s'attendre. Si sa belle-mère y avait montré un intérêt quelconque, Rulan aurait répondu que l'altération de sa bouche lui serait indifférente. Mais le calme de sa belle-mère la rendit toute confuse et elle se borna à serrer ses lèvres l'une contre l'autre et à froncer le sourcil.

« Avez-vous quelque chose à me demander ? », fit Madame Wu en prenant un siège plus confortable

que sa chaise de bois raide devant la table. Celui-ci
était en bois, lui aussi, mais avec un dossier arrondi.
Cependant Madame Wu ne s'y appuya pas. Elle continua à se tenir droite, remplissant sa petite pipe.
Elle l'alluma et en tira délicatement ses deux bouffées habituelles.

« Oh ! notre Mère ! », s'écria Rulan avec véhémence. Puis, troublée et contractée, elle ne sut comment poursuivre.

« Oui, mon enfant, fit doucement Madame Wu.

— Mère, vous avez mis tout le monde sens dessus
dessous.

— Vraiment, j'ai fait cela ? »

La voix de Madame Wu était musicale et pleine
d'étonnement.

« Oui, c'est vrai, répéta Rulan. Tsemo m'a défendu
de venir en parler avec vous. Il dit que c'est le devoir
de Liangmo comme fils aîné. Mais Liangmo ne veut
pas. Il prétend que ce serait inutile. Et Meng ne fait
que pleurer. Moi, je ne pleure pas. Et j'ai déclaré
qu'un de nous devait venir vous trouver.

— Et personne n'est venu, sauf vous. »

Madame Wu sourit légèrement.

Rulan n'eut pas, en retour, le moindre sourire. Son
jeune visage, trop sérieux, était angoissé, tiraillé entre
la timidité et la décision. Elle reprit :

« Mère, j'ai toujours senti que vous ne m'aimiez
pas, je devrais donc être la dernière à venir à vous.

— Mon enfant, vous vous trompez. Personne au
monde ne me déplaît, pas même cette pauvre créature étrangère la Petite Sœur Hsia. »

Rulan eut un mouvement de recul :

« Non, réellement, vous ne m'aimez pas. Je le sais.
Parce que je suis plus âgée que Tsemo. Et vous ne
m'avez jamais pardonné que, nous étant épris l'un

de l'autre à Shanghaï, nous ayons décidé de nous marier sans vous laisser arranger nos affaires.

— Bien sûr, cela m'a déplu. Mais, en y réfléchissant, j'ai compris que je désirais le bonheur de Tsemo et, quand je vous ai vue, j'ai su qu'il était heureux et j'ai été contente de vous. Ce n'est pas votre faute si vous êtes plus âgée que lui. C'est gênant à cause de la maison. Mais j'ai arrangé cela. On trouve toujours un moyen d'arranger les choses.

— Si j'étais comme Meng et les autres, je ne prendrais pas cela tellement à cœur, dit Rulan, comme toujours véhémente et fougueuse. Mère, ne laissez pas Père prendre une autre femme.

— Il ne s'agit pas de le laisser faire, dit doucement Madame Wu. Je trouve, moi, que c'est ce qu'il y a de mieux pour lui. »

La couleur s'effaça du visage si rouge de Rulan.

« Mère, vous rendez-vous compte de ce que vous faites ?

— Je crois que oui.

— Les gens se moqueront de vous. C'est démodé de prendre une concubine.

— A Shanghaï, peut-être », et le ton impliquait le peu d'importance qu'elle ajoutait à l'opinion des gens de Shanghaï.

Rulan la regarda fixement, obstinée dans son désespoir. Cette femme tranquille, la mère de son mari, était si belle, si parfaite, qu'elle se trouvait hors d'atteinte devant la colère ou le reproche. Jamais Rulan n'arriverait à prendre le dessus auprès de Tsemo. L'empire de sa mère sur lui était si absolu qu'il ne cherchait même pas à résister, convaincu que tout ce qu'elle faisait serait finalement pour son bien. Ce jour-là, tandis que les femmes protestaient violemment contre l'intrusion d'une nouvelle venue et que

Liangmo se taisait, Tsemo s'était contenté de hausser les épaules. Il jouait aux échecs avec Yenmo, son plus jeune frère.

« Si notre mère veut une concubine, avait-il dit, elle a ses raisons, car elle n'agit jamais sans raison. Yenmo, à toi ! »

Yenmo jouait sans s'occuper du tumulte environnant. De tous ses frères, c'était Tsemo son préféré, car il faisait chaque jour sa partie avec lui. Sans Tsemo, il eût été bien seul dans cette maison pleine de femmes et d'enfants.

« Des raisons ! s'était écriée Rulan avec mépris.

— Tiens ta langue », lui avait répondu sèchement Tsemo sans lever la tête de l'échiquier.

Elle n'avait pas osé lui désobéir. Bien qu'il fût plus jeune que Rulan, il tenait un peu du calme de sa mère, ce qui lui donnait de l'autorité sur Rulan, sur ses orages et son caractère passionné. Mais, en secret, elle avait résolu d'aller seule trouver Madame Wu.

Elle serra ses poings sur ses genoux et regarda sa belle-mère.

« C'est contre les lois actuelles de prendre une concubine, le saviez-vous, Mère ?

— Quelles lois ? demanda Madame Wu.

— Les nouvelles lois, s'écria Rulan, les lois du Parti révolutionnaire.

— Ces lois, dit Madame Wu, n'existent encore que sur le papier, pas plus que la nouvelle Constitution. »

Elle s'aperçut que Rulan était stupéfaite de l'entendre se servir du mot « Constitution ». Rulan ne s'attendait pas que Madame Wu fût au courant de cette Constitution.

« Beaucoup d'entre nous ont travaillé dur pour abolir le concubinage, dit la jeune femme. Nous avons parcouru en procession les rues de Shanghaï par les

journées les plus chaudes de l'été, la sueur coulant
sur nos corps. Nous portions des bannières avec des
inscriptions insistant sur le système conjugal en Occi-
dent, avec une seule femme. La mienne était bleue,
avec ces mots en lettres blanches : « A bas les concubines ! » Et, lorsque je vois un membre de ma propre
famille, la mère de mon mari, agir d'une façon si rétrograde si... si mauvaise... car il est mauvais, Mère, de
revenir aux vieilles coutumes cruelles... »

Madame Wu l'interrompit de sa voix douce et raisonnable :

« Mon enfant, que feriez-vous si Tsemo un jour
réclamait une autre femme, une personne, mettons
avec moins d'énergie et d'esprit que vous n'en avez,
une personne douce et confortable ?

— Je divorcerais aussitôt, répondit Rulan fièrement, je ne voudrais pas le partager avec une autre
femme. »

Madame Wu ralluma sa petite pipe et en tira deux
bouffées de plus.

« La vie d'un homme est divisée en beaucoup de
parts, dit-elle. La femme s'en aperçoit en vieillissant. »

Rulan insista :

« Je crois à l'égalité entre hommes et femmes.

— Ah ! dit Madame Wu, deux choses égales ne
sont pas nécessairement deux mêmes choses. Elles
sont égales en importance, également nécessaires à la
vie, mais pas semblables.

— Ce n'est pas ce que nous pensons à présent, dit
Rulan. Si une femme se contente d'un homme, l'homme doit se contenter d'une femme. »

Madame Wu posa sa pipe.

« Vous êtes si jeune, dit-elle d'un ton réfléchi, que
je me demande souvent comment vous expliquer cela.

Vous comprenez, mon enfant, le contentement est la chose principale — le contentement de l'homme, le contentement de la femme. Lorsque l'un d'eux atteint la mesure de ce contentement, doit-il dire à l'autre : « Arrête-toi ici, car moi je suis satisfait ? »

— Mais Liangmo nous a dit que notre Père ne veut pas d'une autre femme », fit Rulan, butée.

Madame Wu se dit :

« Ah ! Liangmo a dû parler, à son Père aujourd'hui ! »

Elle éprouva un instant de pitié pour son mari, qui, sans aucune faute de sa part, se trouvait à la merci de ses fils.

« Lorsque vous avez vécu avec un homme pendant vingt-cinq ans, dit-elle, vous avez vécu avec lui jusqu'à la limite de toute connaissance. »

Elle sourit et, brusquement, souhaita le départ de la jeune femme. Cependant, elle l'aimait mieux qu'elle n'avait fait jusqu'ici. Il en fallait du courage pour prononcer ces paroles rudes, hardies et absurdes.

« Mon enfant, dit-elle en se penchant vers Rulan, je trouve qu'après tout le ciel témoigne de la bonté aux femmes. On ne pourrait pas continuer à porter éternellement des enfants. Aussi, lorsqu'une femme atteint ses quarante ans, le ciel décrète-t-il, dans sa miséricorde : à présent, pauvre âme et pauvre corps, le reste de la vie t'appartient. Tu t'es partagée tant et tant de fois, maintenant prends ce qui te reste, redeviens entière, de façon que la vie soit bonne pour toi, pour toi-même, pas seulement pour ce que tu donnes, mais pour ce que tu reçois. Je vais passer le reste de mon existence à rassembler mon esprit, mon âme à moi. Je prendrai grand soin de mon corps, non plus parce qu'il doit plaire à un homme, mais parce qu'il m'abrite et que, par conséquent, je dépends de lui.

— Vous nous détestez tous ? », demanda la jeune femme.

Ses yeux s'ouvraient très grands et Madame Wu s'aperçut pour la première fois qu'ils étaient très beaux.

« Je vous aime tous plus que jamais, répondit Madame Wu.

— Notre Père aussi ?

— Lui aussi. Sans quoi, je ne désirerais pas tant son bonheur.

— Je ne vous comprends pas, dit Rulan au bout d'un moment. Je crois que je ne sais pas ce que vous voulez dire.

— Ah ! vous êtes loin d'avoir mon âge, répondit Madame Wu. Soyez patiente avec moi, puisque vous savez ce que je désire.

— Vous faites vraiment ce qui vous plaît ? »

Rulan semblait en douter.

« Oui, vraiment », répondit Madame Wu tendrement.

Rulan se leva.

« Je vais retourner le leur dire. Mais je crois qu'aucun d'eux ne le comprendra.

— Dites-leur d'être patients avec moi, fit Madame Wu en lui souriant.

— Eh bien ! si vous en êtes certaine... dit Rulan un peu hésitante.

— Très certaine, répondit Madame Wu.

Elle fut heureuse, après le départ de Rulan, de retrouver la solitude et le silence. Elle sourit un peu en songeant à cette réunion de famille sans elle, tous consternés, tous se demandant que faire, parce que, pour la première fois depuis qu'ils la connaissaient, elle agissait en son propre nom. Tandis qu'elle souriait, un sentiment de paix l'envahit. Sans attendre

Ying, puisqu'elle était en avance de deux heures sur
son coucher habituel, Madame Wu se baigna, enfila
ses vêtements de nuit en soie blanche et se glissa dans
l'immense lit aux courtines sombres. Lorsque Ying vint
une heure plus tard, le silence l'effraya, elle se précipita dans la chambre. Et là, derrière les rideaux
écartés, elle aperçut sa maîtresse étendue toute menue
et sans mouvement. Terrifiée, elle s'approcha en courant, pour contempler cette forme immobile, et gémit :

« Oh ! ciel ! Notre Dame est morte. »

Mais Madame Wu n'était pas morte, elle dormait
seulement, bien que Ying ne l'eût jamais vue dormir
ainsi. Même ce cri n'avait pas éveillé sa maîtresse,
elle qu'un oiseau, en voletant sous le toit, à l'aube,
tirait du sommeil. Ying, étonnée, resta un instant en
contemplation devant la pure beauté du visage de
Madame Wu, puis elle se recula et ferma les rideaux.

« Elle est tuée de fatigue, marmotta Ying. Elle est
fatiguée parce que, dans cette grande maison, tout le
monde se nourrit d'elle, comme des enfants qui
tètent. »

Ying s'arrêta de nouveau à la porte de la cour et
lança des regards courroucés à droite et à gauche.
Personne n'était en vue, et sûrement pas Mr. Wu.

*
* *

Dans la cour de Liangmo, les deux fils aînés et leur
femme s'entretinrent jusqu'à ce que la pendule eût
marqué plus de la première moitié de la nuit. Les
deux jeunes maris se taisaient la plupart du temps. Ils
se sentaient confus, gênés, en songeant à leur Père.
Lui aussi était un homme, comme ils l'étaient devenus.
Quand ils atteindraient l'âge mûr, en serait-il ainsi

pour eux et pour leurs épouses ? Ils doutaient d'eux-
mêmes et cachaient leurs doutes.

*

* *

Des deux jeunes femmes, Meng était la plus silencieuse. Elle se trouvait trop heureuse de la vie pour
chercher querelle à qui que ce fût. Elle considérait
Liangmo comme le plus beau et le meilleur des hommes
et elle s'étonnait toujours d'avoir eu cette chance de
lui être donnée pour la vie. Rien en son mari ne lui
déplaisait. Son corps jeune et robuste, son bon caractère, le charme de ses manières, sa bonté sans limites,
sa patience, son rire facile, la façon dont ses lèvres
se rejoignaient, ses joues plates, ses cheveux noirs,
épais et lisses, la ferme douceur de ses mains, les
paumes fraîches et sèches — elle connaissait tout cela
qui la ravissait. Non, aucun défaut à son mari. Elle se
perdait en lui, satisfaite de se sentir perdue. Elle ne
désirait aucune existence personnelle. Etre sienne, dormir dans ses bras la nuit, le servir dans la journée,
plier ses vêtements, lui apporter elle-même sa nourriture, lui verser son thé, allumer sa pipe, écouter chacune de ses paroles, s'affairer pour le guérir du plus
léger mal de tête, goûter un plat, vérifier la tempéra-
ture du vin, tout cela l'occupait et faisait sa joie, mais
elle mettait au-dessus de tout le bonheur de concevoir.
Lui donner beaucoup d'enfants, voilà son unique désir.
Elle était son instrument pour l'immortalité.

Cette fois encore, comme toujours en sa présence,
elle songeait à lui et n'entendait les voix des autres
qu'à travers la brume dorée de son bonheur à lui. Que
son Père pût prendre une concubine, cela ne faisait
que rendre Liangmo plus parfait à ses yeux. Il n'y
avait personne comme lui. Il était meilleur que son

Père, plus raisonnable, plus fidèle. Et Liangmo était satisfait de Meng.

Meng écoutait Rulan tout en pensant à Liangmo. Lorsque Rulan lui demanda :

« Meng, vous êtes l'épouse du fils aîné. Qu'en dites-vous ? »

Meng se tourna vers Liangmo pour savoir ce qu'elle-même devait penser.

Rulan s'en aperçut. Elle méprisait Meng, qui manquait d'idées personnelles. Elle aussi aimait son jeune mari, et, lorsqu'ils étaient seuls, elle lui répétait souvent qu'elle l'aimait d'autant plus qu'il n'était pas aussi stupide que Liangmo. Secrètement, elle déplorait que Tsemo ne fût pas l'aîné. Il était plus fort que Liangmo, plus intelligent, svelte et prompt dans la repartie. Liangmo ressemblait à son Père, et Tsemo à sa Mère. Rulan aimait son mari même lorsqu'elle se querellait avec lui. Mais les querelles étaient fréquentes, elle s'en voulait cruellement et chaque dispute se terminait par une violente crise de remords ; ces remords lui venaient d'une crainte secrète, qu'elle se cachait à elle-même — car elle était plus âgée que Tsemo, et elle l'avait aimé la première. Oui, elle en était honteuse au fond, c'est elle qui, tout d'abord, dans l'école où ils s'étaient rencontrés, avait eu le cœur pris, si bien qu'elle l'avait recherché sous de faux prétextes : explication de texte qu'elle ne comprenait pas, notes de cours qu'elle avait égarées, et tout ce qu'elle pouvait imaginer pour l'amener à elle. C'est d'elle qu'étaient parties les premières ouvertures d'amitié, sa main la première s'était tendue pour toucher celle du jeune homme.

Elle se pardonnait tout cela et s'en était excusée hardiment auprès de Tsemo sous prétexte d'être une femme moderne, et non pas rétrograde et craintive devant les hommes, convaincue que les deux sexes sont semblables. Mais, en même temps, elle savait bien que Tsemo était le plus jeune des deux, qu'il n'avait encore jamais connu de femmes, qu'il avait été entraîné comme de force par son amour à elle et n'y avait cédé qu'à demi.

« Tu as peur de ta mère avec ses idées d'autrefois ! » s'était-elle écriée.

A cela il avait répondu d'un ton réfléchi :

« Je la crains parce qu'elle a toujours raison.

— Personne ne peut avoir toujours raison, avait déclaré Rulan.

— Tu ne connais pas ma Mère, disait en riant Tsemo. Même quand je voudrais qu'elle ait tort, je sais qu'elle a raison. Il n'y a pas au monde de femme qui ait plus de sagesse qu'elle. »

Ces paroles avaient été dites en toute innocence, mais, en les prononçant, Tsemo avait enfoncé un poignard dans le cœur de Rulan, et ce poignard y était resté. Elle était entrée dans la maison de Wu prête à haïr la Mère de Tsemo, à en être jalouse ; or, elle fut vexée de ne pouvoir éprouver ni haine, ni jalousie. Car la calme bonté de Madame Wu, égale envers tous, n'offrait aucune prise à ces sentiments. Si la belle-mère s'aperçut de la haine de la jeune femme, elle n'en montra rien, et Rulan comprit vite que Madame Wu ne se souciait ni de l'amour, ni de la haine.

La jeune femme ne pouvait pas non plus se montrer jalouse. Dans une de ses querelles avec Tsemo, elle lui avait lancé ces paroles :

« Pourquoi aimes-tu tellement ta Mère ? Elle ne t'aime pas tant que ça. »

A cela, Tsemo avait répondu avec son calme habituel :

« Je ne tiens pas à ce qu'on m'aime trop. »

C'est ainsi qu'il renvoya la flèche à Rulan et la laissa plantée dans ses chairs fémissantes. Mais elle était aisément blessée, avec son cœur toujours ouvert, prêt à souffrir, et son orgueil frémissant.

« Tu trouves, je crois bien, que je t'aime trop ! », lui avait-elle crié alors.

Il s'abstint de répondre. Il avait une tournure dégagée, les épaules larges, la taille mince. Tous les fils Wu étaient beaux garçons, à l'exception de Yenmo, encore trop gras, mais Tsemo avait un air de noblesse plus prononcé qu'aucun d'eux. Cela mettait Rulan à la torture. Etait-ce un signe de noblesse d'âme ou simplement l'effet d'un caprice de la nature dans l'agencement des os de son crâne, recouverts de belle chair et de peau unie et dorée ? Elle n'en savait rien ; il lui cachait ce secret, du moins elle se le figurait.

« Dis-moi à quoi tu penses ? », lui demandait-elle souvent.

Il le lui disait parfois ; parfois aussi il refusait et répondait sèchement :

« Laisse-moi au moins un morceau de mon domaine privé. »

« Tu ne m'aimes pas ! s'écriait-il par trop souvent.

— Tu crois ? », disait-elle, et elle maudissait sa propre langue, mordante, agressive.

Par moment, cependant, il l'aimait avec toute la sensibilité qu'elle souhaitait. Mais comment l'eût-elle deviné ? Une fois seule, elle se mettait en rage contre l'enjouement de Tsemo. Elle se sentait à la merci de son propre amour et souhaitait ardemment s'en détacher, car il la mettait sous la dépendance de Tsemo, il la faisait son inférieure. Mais elle ne pouvait se libérer de chaînes qu'elle-même s'était forgées. Son âme n'était qu'orages. Elle avait autrefois fait des rêves pour son avenir, ils étaient morts et elle se trou-

vait prisonnière dans cette maison où cependant elle
n'avait d'autre geôlier qu'elle-même.

Elle vivait aussi secrètement que possible, en proie
à cette tempête intérieure, qu'elle n'arrivait pas à dissimuler complètement. Elle avait l'humeur vive, le
dédain farouche. Elle grondait facilement les serviteurs qui, dans cette maison, n'étaient pas habitués à
ce manque de courtoisie ; aussi était-elle moins bien
servie que les autres membres de la famille. Dans les
cuisines, on se moquait d'elle et, bien entendu, il se
trouvait toujours quelqu'un pour lui rapporter ces mo-
queries. Elle était souvent maussade, trouvait tout in-
commode et antique.

« A Shanghaï. l'eau et la lumière arrivent toutes
seules », disait-elle en critiquant les bains préparés
avec des seaux, l'usage des bougies et des lampes à
pétrole.

Mais qui donc y aurait prêté attention ? Elle n'était
qu'une âme, parmi les soixante autres.

Aussi, quand, ce soir-là, elle se plaignit trop longtemps de son beau-père, Tsemo en fut lassé. Il s'étira,
bâilla et éclata de rire.

« Notre pauvre Père, fit-il, enjoué. Après tout, c'est
lui qui sera à plaindre, si nous devons en croire Rulan.
Nous ne verrons la femme qu'en passant, mais lui
devra en supporter le poids jour et nuit. Allons, ma
fille, voici minuit. Couche-toi, repose-toi et laisse-moi
un peu en paix. »

Il se leva, se secoua, frotta ses mains dans ses cheveux, siffla Rulan comme si elle était son chien et
sortit. Que pouvait-elle, sinon le suivre dans leur
cour ?

III

Le matin, après une longue nuit de sommeil, Madame Wu s'éveilla. Une de ses bénédictions était au réveil, après avoir dormi, de voir devant elle, comme un rayon de lune sur une mer sombre, le chemin qu'elle s'était tracé. Il se dessinait clairement à ses yeux.

« Il faut que je choisisse tout de suite cette femme » se dit-elle.

La maisonnée ne pouvait pas se sentir à l'aise dans cette attente. Elle ferait donc venir aujourd'hui la vieille intermédiaire et s'informerait d'une jeune fille de la campagne qui pût convenir. Elle avait déjà tenté de se rappeler toutes celles qu'elle connaissait. Mais aucune ne ferait l'affaire, trop haut placée ou trop bas — filles de riches qui feraient les fières et causeraient des ennuis, ou bien qui, instruites à la façon des étrangères, en viendraient même à vouloir évincer Madame Wu. Les filles de pauvres seraient également fières et ennuyeuses. Il fallait trouver une jeune personne qui n'eût ni trop, ni trop peu, et ainsi exempte de crainte et d'envie. Il vaudrait mieux aussi qu'elle fût d'une autre contrée, ainsi que sa famille ; venue de loin, elle serait déracinée et transplantée dans cette enceinte.

Lorsque Ying apporta le thé du matin et les douceurs, Madame Wu, lui dit après avoir répondu à son salut :

« Dès que j'aurai déjeuné, je m'entretiendrai avec la vieille Liu Ma.

— Oui, Madame », répondit Ying tristement.

Sans mot dire, elle aida Madame Wu à se lever et à s'habiller. Elle brossa les longs cheveux, aussi lisses que du satin, et les enroula, puis elle sortit et rapporta le déjeuner. De tout ce temps, elle n'ouvrit pas la bouche, et Madame Wu ne parla pas non plus. Elle se laissa vêtir, son beau corps mince aussi inerte que celui d'une poupée entre les mains de Ying. Mais elle mangea de bon appétit et se sentit satisfaite.

Elle finissait à peine sa dernière gorgée de thé lorsque Ying amena Liu Ma, qui, à coup sûr, savait pourquoi on la faisait appeler. Elle avait dans chaque maison riche des espions à sa solde, prêts à l'informer de la moindre mésentente entre époux. Son large nez épaté avait un flair aussi délicat pour apparier les hommes et les femmes qu'un chien de chasse pour dépister le gibier. C'est ainsi qu'elle avait appris qu'il fallait trouver une concubine pour Mr. Wu. Mais elle était trop fine pour le laisser voir. Elle prétendit que l'on devait l'avoir appelée parce que Madame Wu désirait fiancer Fengmo, son troisième fils.

Madame Wu, dans sa sagesse, connaissait les procédés des gens ; elle était certaine que Liu Ma savait tout ce qu'on colportait de bouche à oreille chez les serviteurs, mais Madame Wu s'arrangea pour cacher à Liu Ma qu'elle avait percé sa petite feinte.

« Vous êtes prête de bonne heure, Madame », dit en entrant Liu Ma tout essoufflée. C'était une petite femme grasse et courte qui, au temps de sa jeunesse, avait été dans une maison de fleurs. Mais, très vite, elle avait pris de l'embonpoint et découvert qu'elle gagnerait davantage en procurant aux hommes d'autres femmes qu'elle-même ; elle avait alors épousé un petit boutiquier, lui apportant en dot l'argent de ses épargnes, et pris le métier d'intermédiaire pour bonnes familles.

« J'aime le début de la matinée », dit doucement Madame Wu.

Elle ne se leva pas, car Liu Ma était son inférieure, mais elle invita aimablement la vieille femme à s'asseoir. Ying lui versa du thé et se retira.

Liu Ma avalait bruyamment son thé. Elle ne fit aucune remarque sur le déménagement de Madame Wu. Au contraire, elle observa de sa voix rauque :

« Vous êtes plus belle que jamais. Votre seigneur a beaucoup de chance. »

Elle prononça ces mots afin d'amener la question des concubines. Car, à présent, songea-t-elle, Madame Wu va soupirer et dire que, hélas ! sa beauté est devenue inutile. Mais Madame Wu se borna à remercier.

Liu Ma tira un carré de cotonnade blanche et toussa dedans. Elle se serait gardée de cracher sur le plancher de cette maison. Chacun savait que Madame Wu, sur ce point, était aussi méticuleuse qu'une étrangère. Puis Liu Ma reprit :

« J'ai pensé que vous désiriez peut-être une belle jeune fille pour votre troisième fils ; j'ai donc apporté quelques photographies avec moi. »

Elle avait sur ses genoux un paquet allongé, plié dans un mouchoir bleu. Elle le défit. A l'intérieur se trouvait un magazine étranger, illustré de portraits d'actrices de cinéma. Liu Ma l'ouvrit et en retira quelques photographies.

« J'ai en ce moment trois jeunes filles, toutes de bons partis.

— Rien que trois ? », murmura Madame Wu en souriant.

La vieille Liu Ma lui donnait toujours envie de rire. Elle négociait de la passion entre hommes et femmes aussi franchement que s'il se fût agi de riz, d'œufs ou de choux.

« Je ne prétends pas que ce soit tout mon fonds, se hâta de répondre Liu Ma. Je suis aussi achalandée que n'importe quelle intermédiaire de la ville. Mais celles-ci sont de bonnes familles capables de donner l'argent, le plus beau mobilier et les vêtements de noce.

— Montrez-moi cette revue étrangère. »

Le moment venu de choisir une femme qui devait la remplacer, Madame Wu éprouvait un petit sentiment de peur. Peut-être avait-elle entrepris au-dessus de ses forces.

« Aucune de ces jeunes femmes ne regarde mon affaire, dit Liu Ma. Ce ne sont que les ombres électriques des femmes américaines.

— Je le sais, dit Madame Wu en riant de son doux rire. Je suis seulement curieuse de voir ce que les étrangers admirent chez une femme. »

Elle prit des mains de Liu Ma le livre en papier qu'elle lui tendit. Il était sale, mais non froissé, car Liu Ma y tenait beaucoup. Ni l'une ni l'autre ne savaient lire la langue occidentale, en sorte que les noms ne leur disaient rien.

Madame Wu tournait les pages et considérait ces figures joyeuses l'une après l'autre.

« Elles se ressemblent toutes, murmura-t-elle, mais, naturellement, tous les étrangers se ressemblent. »

Liu Ma rit tout haut :

« Pour sûr, Petite Sœur Hsia ne ressemble pas à celles-ci, dit-elle. Je pourrais les marier, mais pas Petite Sœur Hsia ! »

Tout le monde en ville connaissait cette Petite Sœur Hsia, et on répétait des plaisanteries sur son compte autour des comptoirs, dans les magasins, les cours et les maisons de thé. On s'accordait à lui trouver bon cœur, mais on aimait bien rire d'elle. Seul son unique serviteur, un vieux bonhomme, la défendait.

« Ne me racontez pas que vous comprenez ce qu'elle dit, lui répondait un mareyeur pour le taquiner, tout en pesant un petit poisson destiné au déjeuner de Petite Sœur Hsia.

— Si, moi, je la comprends, affirmait le vieil homme. Quand je sais ce qu'elle va dire, je la comprends même facilement. »

« Petite Sœur Hsia est une nonne, répondit Madame Wu à Liu Ma. Une nonne étrangère. Les nonnes ne sont pas des femmes. Où avez-vous trouvé un livre comme ça ?

— Je l'ai acheté, répondit triomphalement Liu Ma. Un de mes amis allait à Shanghaï, il y a cinq ou six ans ; je lui ai dit que je désirais avoir un de ces livres et il me l'a rapporté. Il m'a coûté cinq dollars.

— Quel besoin aviez-vous d'un livre sur les étrangères ? demanda Madame Wu.

— Certains hommes aiment à regarder les visages comme ceux-là. Cela attise leurs désirs et me procure du travail. Il y a aussi des hommes modernes qui veulent des femmes modernes, ils m'indiquent une de celles-ci et me disent : J'en veux une comme ça, et je découvre, à un endroit quelconque, une jeune fille qui se donnera le plus possible ce genre-là. »

Madame Wu ferma rapidement le livre et le rendit à Liu Ma.

« Montrez-moi les trois photographies », dit-elle.

Elle les prit, évitant de toucher les vieilles mains sales de Liu Ma, et les examina une à une.

« Mais, ces trois visages sont semblables, dit-elle.

— Toutes les jeunes filles ne se ressemblent-elles pas ? rétorqua Liu Ma : yeux brillants, cheveux luisants, petit nez et lèvres rouges — et, si vous enlevez leurs vêtements, quelle différence existe-t-il entre une femme et une autre ? »

Liu Ma riait et son ventre était secoué sous la veste lâche de mauvaise soie.

« Mais il ne faut pas dire ça aux hommes, ma jolie, sans quoi c'en serait fait de mon métier. Il faut leur faire croire que chaque jeune fille est aussi différente d'une autre que le jade l'est de la perle. Rien que des bijoux, bien entendu. »

On entendait, lorsqu'elle riait, des grondements dans son ventre.

Madame Wu sourit légèrement et posa les photographies sur la table. Les jeunes visages, tous jolis, tous encadrés de cheveux noirs et lisses, la regardaient. Elles les retourna face contre le bois.

« Avez-vous des jeunes filles dont les familles habitent au loin ? demanda-t-elle.

— Expliquez-moi exactement ce que vous désirez. »

Liu Ma avait l'impression qu'on atteignait au point capital de l'entretien et elle appliqua entièrement à la question son esprit aiguisé.

« Il me semble que je vois quelle personne je cherche, dit Madame Wu, hésitant à demi.

— Alors, c'est comme si elle était trouvée, dit Liu

Ma pleine d'ardeur, si elle est sur terre et non déjà
montée au ciel.

— Une jeune femme... », poursuivit Madame Wu,
toujours d'une même voix un peu hésitante.

Devant la famille, elle n'avait pas bronché en parlant de cette jeune femme, mais, en face de la vieille
créature, et qui, par son métier, trafiquait si âprement
des hommes et des femmes, elle sentit qu'elle ne pourrait rien dissimuler.

Liu Ma attendait, ses petits yeux aigus fixés sur le
visage de Madame Wu. Madame Wu détourna la
tête et contempla la cour. C'était une belle matinée,
le soleil se posait sur les pierres grattées de neuf, et
elles se teintaient légèrement de rose, de bleu et de
jaune.

« Une jolie jeune femme, dit faiblement Madame
Wu, jolie, mais pas belle — une jeune fille, une
femme, — d'environ vingt-deux ans, aux joues rondes, douce comme une enfant, prête à s'attacher par
affection à n'importe qui, et pas simplement à un seul
homme. Quelqu'un qui vraiment n'aura pas pour cet
homme un amour trop profond et à qui une veste
neuve, un bonbon feront oublier ses ennuis ; elle devra,
bien entendu, aimer les enfants, avoir bon caractère,
et une famille si éloignée qu'elle ne sera pas toujours
à pleurer pour aller la retrouver...

— J'ai exactement ce que vous désirez », dit Liu Ma
joyeusement.

Puis sa figure ronde devint grave :

« Hélas ! dit-elle, cette jeune fille est orpheline.
Vous ne voudriez pas qu'un de vos fils épouse une
orpheline, qui ignorait ce qu'étaient ses parents ! Non,
non, ce serait amener dans la maison du sang sauvage. »

Madame Wu cessa de regarder la cour. Elle ramena ses yeux sur Liu Ma.

« Je ne cherche pas une jeune fille pour Fengmo, dit-elle calmement. Je forme d'autres plans pour lui. Non, celle-ci est destinée à servir de petite épouse à mon Seigneur. »

Liu Ma fit semblant d'être surprise et horrifiée. Elle plissa ses lèvres épaisses, sortit de nouveau le carré de coton et le tint sur ses yeux.

« Hélas ! murmura-t-elle. Hélas ! lui aussi. »

Madame Wu secoua la tête.

« Ne vous trompez pas sur lui, dit-elle. Toute l'idée vient de moi. Il y est très opposé. C'est moi qui insiste. »

Liu Ma renfonça son mouchoir de cotonnade dans sa vaste poitrine et dit vivement :

« En ce cas, une orpheline est peut-être exactement ce qu'il vous faut. Elle est vigoureuse et se rendrait utile.

— Je ne cherche pas une servante pour moi, dit Madame Wu, l'interrompant. J'en ai suffisamment dans la maison et Ying s'est toujours occupée de moi ; s'il y en avait une autre, elle l'empoisonnerait. S'il s'agit d'une servante, impossible !

— Mais pas du tout, fit Liu Ma alarmée. Je veux simplement dire qu'elle est si complaisante, si douce et gentille...

— Il faut aussi qu'elle soit enjouée et saine.

— Elle l'est, répondit Liu Ma. En réalité, elle est tout à fait jolie, et, si elle n'était pas orpheline, je l'aurais mariée depuis de longs mois. Mais vous savez ce que c'est, Madame. Les bonnes familles redoutent un sang sauvage pour leur fils, et celles qui consentiraient à la prendre sont trop au-dessous d'elle. Elle est vigoureuse, mais pas commune. J'avais pensé la placer quelque temps dans une maison de fleurs et lui trouver un homme d'un certain âge qui la prendrait comme petite épouse. Mais le ciel a dû veiller sur elle, car, au moment précis où elle est en pleine forme, vous recherchez vous-même quelqu'un dans son genre.

— Avez-vous une photographie d'elle ? demanda Madame Wu.

— Hélas ! non, je n'ai jamais songé à la faire photographier, ni elle non plus. La vérité — le chiffon de cotonnade ressortit de nouveau et Liu Ma toussa dedans, — la vérité, c'est que l'unique défaut de cette jeune fille est sa simplicité, son ignorance. Et voici le pis, il vaut mieux que je vous le dise. Elle ne sait pas lire, Madame. Autrefois, cela aurait passé pour une qualité, mais à présent, bien entendu, il est de bon ton pour les filles de lire aussi bien que les garçons. Les coutumes étrangères se sont faufilées dans notre pays.

— Cela m'est égal qu'elle ne sache pas lire », dit Madame Wu.

Le visage de Liu Ma se plissa de contentement. Elle tapa des mains sur ses deux gros genoux.

« Alors, Madame, voilà qui est fait. Je vous l'amènerai dès que vous voudrez. Elle est à la campagne dans une ferme, chez sa mère adoptive.

— Quelle est cette mère adoptive ?

— Rien du tout, dit Liu Ma vivement. Je ne veux même pas vous dire qui c'est. Elle a trouvé un enfant, Madame, par une nuit glacée, hors des murs de la ville. Quelqu'un l'avait abandonnée — une fille dont on ne voulait pas. La vieille femme revenait d'un dîner de fête avec son frère qui avait trente ans ce jour-là. Il tient un petit commerce à... Non, je ne vous raconterai pas ça. Qui il est... son commerce, ça ne signifie rien. Cette femme a entendu crier un bébé et a trouvé cette petite. Elle n'aurait pas ramené chez elle une nouvelle bouche à nourrir, car elle est pauvre, mais elle avait un fils et s'est dit, en voyant la petite, que, plus tard, elle servirait de femme à son fils, ce qui lui épargnerait la dépense d'en chercher une au-dehors. Comment aurait-elle pu deviner que ce fils unique tomberait malade et mourrait avant de pouvoir se marier ? Il a été pris de la peste. Et, à présent, la femme a la fille et pas de mari. »

Madame Wu écouta tout cela sans quitter des yeux le visage de Liu Ma :

« Renoncera-t-elle complètement à la jeune fille ? demanda-t-elle.

— Cette femme est très pauvre, et, après tout, la fille n'est pas de sa chair ni de son sang. »

Madame Wu détourna ses regards de la cour. Le soleil passait au-dessus du mur, il raccourcissait les ombres sur les bambous et les pierres, les rendait plus denses, plus foncées.

« Je ferais mieux de la voir », dit-elle d'un air rêveur.

Elle posa son doigt délicat sur sa lèvre comme lorsqu'elle réfléchissait.

« A quoi bon, après tout ? Me causer une déception, ce ne serait pas votre intérêt et, comme vous le dites, une femme est semblable à une autre, une fois qu'on est d'accord sur sa nature.

— Combien donneriez-vous, Madame ? demanda Liu Ma.

— J'aurais à l'habiller, naturellement, dit Madame Wu, songeuse.

— Oui, mais la vieille n'étant pas sa mère, ce que vous ferez dans ce sens lui sera bien égal. Elle ne demandera qu'un bon poids d'argent dans sa main.

— Cent dollars suffiraient bien pour une fille de

la campagne, dit calmement Madame Wu ; mais je
donnerai davantage. Je donnerai deux cents dollars.

— Ajoutez-y cinquante », dit Liu Ma persuasive.

La sueur fit irruption sur sa peau sombre.

« Alors je pourrai donner à cette femme les deux
cents dollars entiers. Pour cette somme, elle laissera
partir la fille.

— Alors, convenu. »

Madame Wu dit le mot si vivement qu'elle vit
luire un regret cupide dans les vieux petits yeux fixés
anxieusement sur elle. Et elle ajouta :

« Ne vous désolez pas de n'avoir pas demandé
davantage, je sais ce qui est juste et ce qui est gé-
néreux.

— Je connais votre sagesse, Madame », répondit
Liu Ma avec ardeur.

Elle rassembla gauchement les photographies. Puis
elle s'interrompit :

« Etes-vous bien sûre de ne pas vouloir aussi une
jeune fille pour votre fils, Madame ? Je pourrais faire
un rabais pour les deux ensemble.

— Inutile, répondit Madame Wu d'un ton assez
bref. Fengmo peut attendre. Il est très jeune.

— C'est vrai. »

Liu Ma acquiesça. Le marché étant conclu, de joie
elle larmoyait presque et approuvait tout ce que disait
Madame Wu.

« Oui, oui, Madame, ce sont les vieux qui ne peuvent attendre. Les vieux doivent être servis les premiers, Madame. Vous avez toujours raison. Vous
connaissez bien les cœurs. »

Elle attacha le mouchoir autour de la revue illustrée
et se leva :

« Dois-je vous amener la jeune fille tout de suite ?

— Amenez-la ce soir au crépuscule, répondit Madame Wu.

— Bien, bien, — c'est le meilleur moment. Elle aura toute la journée pour se laver, elle-même et ses vêtements, et soigner ses cheveux.

— Dites-lui de ne rien apporter, dit Madame Wu. Rien dans ses mains, rien dans une boîte. Elle doit m'arriver les mains vides, avec seulement les habits qu'elle met d'habitude.

— Je vous le promets — je vous le promets », dit Liu Ma saluant, marmottant, puis elle se hâta de sortir sur des pieds qui, mal bandés dans l'enfance, étaient devenus semblables à d'épais moignons.

Presque aussitôt, Ying entra dans la pièce, apportant du thé frais. Elle ne prononça pas une parole, et Madame Wu ne dit rien, elle non plus. Elle regarda silencieusement Ying essuyer la table et la chaise sur laquelle s'était assise la vieille femme et saisir le bol dont elle s'était servie comme si c'était une ordure. Elle s'apprêtait à sortir, emportant le bol, lorsque Madame Wu l'arrêta :

« Ce soir, au crépuscule, une jeune femme viendra au portail. »

Ying restait immobile, écoutant, le bol sale entre le pouce et l'index.

« Amenez-la-moi directement et installez un petit lit de bambou ici, dans cette pièce.

— Oui, Madame », murmura Ying.

Sa voix s'étrangla dans sa gorge et elle s'enfuit.

La journée s'avançait. Madame Wu avait l'habitude de se retirer dans sa chambre après le repas de midi et de s'y reposer une heure. Mais ce jour-là elle sentit, en entrant dans la grande chambre obscure, qu'elle ne pourrait se reposer, ni dormir. Non pas qu'elle s'y trouvât étrangère. Elle s'étonnait au con-

traire d'éprouver une impression de confort dans ces
pièces qui lui semblaient déjà familières. Son agitation n'avait aucun rapport avec les êtres. Elle provenait de son être intérieur.

« Je ne m'étendrai pas aujourd'hui », dit-elle à Ying.

Ying la regarda fixement, ses yeux fidèles pleins
d'appréhension.

« Vous feriez mieux de vous reposer cet après-midi,
Madame, je crains que vous ne dormiez guère cette
nuit avec une étrangère ici, dans notre maison.

— Il me semble que je n'ai pas du tout besoin de
dormir », dit Madame Wu.

A voir l'air troublé de Ying, son humeur changea,
devint malicieuse, volontaire. Elle tendit la main et
toucha le bras de Ying, la poussant à demi :

« Allez, laissez-moi, Ying. Je vais chercher un livre
— ça me distraira.

— Comme vous voudrez », répondit Ying, et elle
sortit avec une brusquerie qui ne lui était pas habituelle, tandis que sa maîtresse restait debout, au milieu
de la chambre.

Mais Madame Wu n'y prêta aucune attention. Elle
demeurait immobile, souriant à demi, un doigt posé
sur sa lèvre délicate. Puis, avec un vif hochement de
tête, elle traversa la pièce et se dirigea vers la bibliothèque. Ses pas suivirent la dépression du pavement,
devant la porte, là où, avant elle, tant de pieds, morts
à présent, s'étaient posés, eux aussi.

« Mais c'étaient tous des hommes », se dit-elle, sentant le creux sous son pied.

Elle avait une impression de liberté, de hardiesse,
jamais encore éprouvée dans sa vie. Pas âme qui vive
pour l'observer. Elle s'appartenait entièrement pendant cette heure. Le moment était venu enfin de lire
un de ces livres défendus...

Vieux-Monsieur ne lui avait jamais caché où ils se trouvaient, sur les étagères. Et même, après qu'il eut découvert qu'elle savait lire et écrire, il lui avait montré où il les mettait, empaquetés l'un après l'autre, dans leur enveloppe de cotonnade bleue.

« Ces livres, mon enfant, lui avait-il dit de sa voix grave, ces livres ne sont pas pour vous.

— Parce que je suis une femme ? »

Il avait fait signe que oui, puis il ajouta :

« Mais je n'ai pas permis à mon fils de les lire avant ses quinze ans, son enfance passée.

— Mon Seigneur les a-t-il tous lus ? »

Vieux-Monsieur avait paru embarrassé :

« Je pense que oui, je ne me suis jamais posé la question, mais je suppose que tous les jeunes gens les lisent. Voilà pourquoi ils sont là. J'ai dit à mon fils : si tu dois lire ces livres, attends d'avoir quinze ans, et puis lis-les ici, dans ma bibliothèque, sans les cacher parmi tes livres de classe. »

Madame Wu avait posé alors une de ses questions si franches :

« Notre Père, croyez-vous que mon intelligence ne dépassera jamais celle de mon Seigneur à quinze ans ? »

Il s'était senti embarrassé. Mais, bien qu'érudit, il était un honnête vieillard et il plissa son front jaune et pâle.

« Votre intelligence est fort bonne pour une femme, avait-il fini par dire. Je crois même, ma fille, que, si votre cerveau s'était trouvé dans le crâne d'un homme, vous auriez pu vous présenter aux Examens Impériaux, les passer avec honneur et devenir ainsi un personnage officiel du pays. Seulement votre cerveau n'est pas placé dans un crâne d'homme, mais dans celui d'une femme. Arrosé d'un sang de femme, le cœur d'une femme y bat, et il est limité par ce qui doit être une vie de femme. Chez une femme, il n'est pas bon que la croissance du cerveau dépasse celle du corps. »

Si elle n'avait pas été une créature si raffinée, la question suivante eût pu, de sa part, paraître indélicate. Mais elle savait que Vieux-Monsieur l'aimait bien et la comprenait. C'est pourquoi elle demanda encore :

« Est-ce à dire, notre Père, que le corps d'une femme importe plus que son cerveau ? »

Vieux-Monsieur avait poussé un soupir. Il s'était assis dans le grand fauteuil de bois de cèdre, devant la longue table de la bibliothèque. En pensant à lui, Madame Wu s'y assit à son tour, tandis que ses souvenirs s'attardaient sur ce jour lointain. Vieux-Monsieur avait caressé sa barbiche blanche et un semblant de tristesse avait passé dans ses yeux :

« Ainsi que la vie le prouve, disait-il, le corps de la femme importe plus que son intelligence. Elle seule peut créer de nouveaux êtres humains. Sans elle, la race humaine cesserait d'exister. Dans son corps, comme dans un calice, le ciel a déposé ce don. Son corps a donc, pour l'homme, un prix inestimable. Si elle ne crée pas, il n'arrive pas à son achèvement. Lui, il est la semence, mais elle seule peut amener la fleur, puis le fruit, qui sera un autre être semblable à lui. »

Elle avait écouté attentivement. Elle se revoyait, telle qu'elle était ce jour-là, à seize ans, debout devant le vieillard plein de sagesse. Elle lui avait posé encore une autre question.

« Alors pourquoi ai-je de l'intelligence, moi qui ne suis qu'une femme ? »

Vieux-Monsieur, en la regardant, avait secoué lentement la tête. Un clignotement léger, bien rare chez lui, avait passé dans ses yeux :

« Je n'en sais rien, avait-il répondu. Vous êtes si belle que vous n'avez vraiment, au surplus, pas besoin d'intelligence. »

Ils s'étaient mis à rire l'un et l'autre, elle d'un rire qui fusait, très jeune ; lui, d'un rire sec et vieux. Puis il était redevenu grave :

« Ce que vous m'avez demandé, poursuivit-il, c'est à quoi j'ai beaucoup réfléchi, surtout depuis que vous êtes ici. Nous vous avons choisie pour notre fils parce que vous étiez belle et bonne et que votre grand-père était l'ancien vice-roi de cette province. A présent, je découvre que vous avez, en outre, l'intelligence. A un vase d'or ont été ajoutés des bijoux. Cependant je sais que dans ma maison vous n'avez pas besoin de tant d'intelligence — il en faut un peu, afin de vous permettre de faire vos comptes, surveiller les domestiques et contrôler vos inférieurs. Mais vous avez du raisonnement et le désir de connaître. Qu'en ferez-vous ? Je n'en sais rien. Avec une femme de qualité moindre, j'aurais peur, car vous pourriez devenir une source d'ennuis entre ces quatre murs qui doivent être votre univers. Mais vous n'en causerez pas, car vous avez aussi de la sagesse, à un degré extraordinaire chez quelqu'un de si jeune. Vous savez vous maîtriser. »

Elle était restée immobile devant lui. Il s'en était aperçu.

« Asseyez-vous, mon enfant, avait-il dit. Vous serez fatiguée. Du reste, vous n'avez plus besoin de rester debout devant moi. »

Elle avait à peine entendu, tant elle était absorbée par leur entretien. Elle continua à se tenir debout près de lui, les mains légèrement jointes, une autre question toute prête :

« Mon Seigneur m'aimera-t-il moins parce que je suis ce que vous dites ? »

Sur quoi Vieux-Monsieur avait pris un air très grave. Sa main erra de nouveau sur sa barbe blanche. Madame Wu revoyait à présent cette main, étroite et maigre, la peau tendue comme une feuille d'or sur la belle ossature.

« Ah ! voilà ce que, moi aussi, je me suis demandé, avait-il répondu avec un profond soupir. Cette intelligence — c'est un si grand don, un si lourd fardeau. L'intelligence, plus que pauvreté ou richesse, divise les humains, les rend amis ou ennemis. La personne stupide craint et déteste la personne intelligente. Malgré toute sa bonté, un homme intelligent doit savoir qu'il n'arrivera jamais à gagner l'affection de celui dont l'esprit n'est pas à la hauteur du sien.

— Pourquoi cela ? », avait-elle demandé.

Une étrange frayeur s'était emparée d'elle. A cette époque-là, elle était assez fière d'elle-même. Elle connaissait la qualité de son esprit et s'y complaisait. Et voilà que Vieux-Monsieur lui disait qu'elle s'en ferait détester.

« Parce que, avait répondu Vieux-Monsieur, sans le moindre signe d'émotion sur son visage, le premier amour au cœur d'un homme est l'amour de soi. Le ciel lui a donné cet amour en premier, pour que l'homme ait le désir de vivre, malgré tous ses chagrins. Et, quand cet amour est blessé, aucun autre ne peut survivre, car, si l'amour de soi est trop entamé, on désire la mort, ce qui est contraire au ciel.

— Alors, mon Seigneur me détestera-t-il ? », avait-elle demandé de nouveau.

Elle s'était bien aperçue que, sans le dire en propres termes, Vieux-Monsieur la savait plus intelligente que son fils et qu'il la mettait en garde.

« Mon enfant, poursuivait-il, il n'y a pas d'homme qui puisse supporter la sagesse supérieure d'une femme qui habite sa maison et qui couche dans son lit. Il peut prétendre qu'il l'adore à son autel, mais l'adoration est pour la vie quotidienne un maigre aliment. Un homme ne peut pas faire un temple de sa maison, ni prendre un déesse pour femme. Il n'en a pas la force.

— Notre Père, ne ferais-je pas mieux de lire les mauvais livres ? », avait-elle demandé si soudainement que Vieux-Monsieur avait sursauté.

Elle fut étonnée, même un peu scandalisée, de voir paraître dans son regard une certaine méfiance. Il l'avait regardée jusque-là avec sa douce franchise habituelle ; à présent, pour l'éviter, il se tourna vers la théière sur la table.

Elle s'était avancée :

« Laissez-moi vous servir », et elle avait pris la théière.

Il but quelques gorgées de thé avant de répondre :

« Mon enfant, vous ne me comprenez peut-être pas. Mais croyez ce que je vous dis sans le comprendre. Il vaut mieux que vous ne lisiez pas ces livres. Les hommes aiment les femmes qui ne savent pas trop de choses. Vous avez de la sagesse, beaucoup de sagesse pour votre âge. Vous n'avez pas besoin de ces livres. Appliquez votre esprit, à présent frais et pur, à la tâche de rendre mon fils heureux. Apprenez l'amour à la source, mon enfant. Pas dans les livres. »

Au premier moment, il sembla à Madame Wu que cette réponse n'en était pas une. Puis, debout près de la table, appuyée sur ses mains tout en le regardant, elle s'était aperçue qu'il n'y avait, dans le monde entier, pas une âme si pleine de sagesse, et que, tant que sa propre sagesse n'atteindrait pas celle du vieillard, elle ferait mieux de le croire.

« Je vous obéirai, mon Père », avait-elle dit ; et, depuis vingt-cinq ans, elle lui obéissait.

Mais aujourd'hui, seule dans cette salle, où ils s'étaient trouvés ensemble, assise dans le fauteuil qui n'appartenait qu'à lui, elle eut l'impression que sa propre sagesse avait atteint celle du vieillard et que le temps de son obéissance était accompli. Elle se trouvait enfin libérée de Vieux-Monsieur, lui aussi.

Elle se leva donc et se dirigea, le cœur battant, vers les livres défendus. Elle connaissait le nom de quelques-uns d'entre eux, celui de romans et de nouvelles qu'un véritable érudit ne lit jamais, comme indignes de lui. On avait toujours enseigné cela à Madame Wu. Une telle distraction n'est permise qu'aux gens bas, vulgaires, qui ne peuvent atteindre l'atmosphère éthérée de l'esprit et de la pensée. Cependant tous les hommes les lisent, les érudits eux-mêmes. Vieux-Monsieur les avait lus et avait permis à son fils de les lire à son tour, sachant que, s'il le défendait, le jeune homme passerait outre.

« Ce que savent tous les hommes, une femme ne doit-elle pas le savoir aussi ? », songea Madame Wu.

Elle choisit un livre au hasard. Il était très long. Plusieurs petits volumes minces se trouvaient dans la boîte recouverte d'étoffe. Madame Wu en avait déjà entendu le titre. Mais, parmi les nombreuses femmes qui habitent une maison aussi vaste que celle de sa mère et que la maison Wu, il y en avait toujours dont le langage était grossier. Chacun, d'une façon ou d'une autre, avait entendu parler de Hsi Meng Ch'ing et de ses six femmes. Le titre FLEUR DE PRUNIER DANS UN VASE D'OR était peint délicatement sur la couverture en satin du premier volume.

« Ces livres ont l'air d'avoir été beaucoup lus », se

dit-elle en souriant, avec une gaieté passagère mêlée d'amertume.

Des générations d'hommes de la famille Wu les avaient sans doute parcourus, mais elle était peut-être la première femme à les tenir entre ses doigts.

Elle les emporta sur la table et commença par regarder les illustrations. Elles étaient faites par un artiste. Il y avait un art consommé dans ces dessins pleins de sensualités. Madame Wu examina surtout le visage de Hsi Meng Ch'ing. L'artiste s'était surpassé en retraçant à l'aide de portraits la déchéance de l'homme. Le jeune, beau visage joyeux de Hsi Meng Ch'ing, qui avait consacré toute sa jeunesse à l'amour charnel de la femme, était devenu aussi repoussant qu'un cadavre de noyé, enflé par la corruption. Madame Wu, appliquant sa pensée sur chaque portrait, comprit le sens profond du récit. C'était l'histoire du corps d'un homme, dans lequel l'âme se débat et périt faute d'aliments.

Elle se mit à lire. Les heures passèrent. Madame Wu entendit Ying remuer dans la pièce à côté, mais elle ne s'aperçut pas que la servante, à la porte, regardait fixement sa maîtresse, puis se retirait. Elle n'eut conscience de l'heure que lorsque l'obscurité, envahissant la bibliothèque, l'empêcha d'y voir. Alors elle promena ses regards autour d'elle comme si elle ne savait plus où elle était.

« Je n'aurais pas dû obéir à Vieux-Monsieur, murmura-t-elle. J'aurais dû lire ce livre il y a très longtemps. »

Mais, à présent qu'elle s'était arrêtée, l'idée de recommencer ne lui vint pas. Elle se sentait rassasiée, écœurée. Elle serra les volumes dans la boîte, glissa la petite fermeture d'ivoire dans son anneau et remit le tout sur l'étagère. Puis, les mains à ses joues, elle

arpenta la bibliothèque de long en large. Non, il valait
mieux n'avoir pas lu ce livre dans sa jeunesse. A présent qu'elle l'avait remis dans son enveloppe elle
s'aperçut que c'était un très mauvais livre. Car le
génie de l'écrivain était tel que le lecteur pouvait
trouver dans ces pages tout ce qu'il recherchait. Ceux
qui voulaient y voir le mal n'y trouvaient que cela.
Les sages, eux, y découvraient une attristante sagesse.
Mais Vieux-Monsieur avait eu raison. Un livre de ce
genre ne doit pas être mis entre les mains des jeunes.
Si elle-même l'avait lu vingt ans plus tôt, en aurait-elle
compris la sagesse ? N'en eût-elle pas plutôt été si
écœurée que, le soir, elle ne serait pas allée se coucher
de son plein gré ? Vieux-Monsieur restait l'âme la
plus sensée. Les très jeunes ne sont pas préparés à
trop savoir. La connaissance doit leur être donnée lentement, en proportion de leurs années de vie. Il faut
commencer par vivre avant d'apprendre sans danger.

Elle en était là de ses réflexions lorsque Ying revint
à la porte. Son ombre massive paraissait noire sur la
grisaille du crépuscule. Derrière elle, dans la cour, se
dressait une autre ombre.

« Madame, dit Ying, la vieille Liu Ma est arrivée
— la jeune fille est là. »

Madame Wu porta de nouveau vivement ses mains
à ses joues. Elle demeura un instant sans répondre,
puis elle laissa retomber ses mains. Elle s'avança vers
le fauteuil et s'assit.

« Allumez la bougie, dit-elle à Ying, et amenez-moi
la jeune fille seule. Je ne verrai pas la vieille. »

Ying s'écarta sans répondre, et sa maîtresse aperçut,
dans la porte, la jeune fille. La lueur de la bougie
tombait en plein sur elle, mais doucement. Madame
Wu voyait devant elle exactement le visage qu'elle
s'était imaginé et presque exactement la silhouette.

Une fille saine aux joues rouges la regardait à son
tour avec de grands yeux, noirs, ronds, enfantins. Ses
cheveux noirs étaient enroulés sur sa nuque et re-
tombaient en frange sur le front, à la manière des
filles de la campagne. Elle tenait un mouchoir noué à
la main.

« Qu'apportez-vous là ? J'avais recommandé que
vous veniez les mains vides », fit Madame Wu.

Elle ne trouvait rien d'autre à dire tant la jeune
fille paraissait innocente.

« Ce sont quelques œufs, répondit-elle. Je pensais
que cela vous plairait. Je n'avais rien que ça et ils sont
très frais. »

Elle avait une jolie voix, chaude, mais un peu craintive.

« Venez ici, montrez-moi vos œufs. »

La jeune fille s'avança assez timidement. Elle marchait sur la pointe des pieds, comme si elle craignait
de faire du bruit dans le profond silence de la pièce.
Madame Wu abaissa les yeux :

« Je vois que vos pieds n'ont pas été bandés », dit-
elle.

La jeune fille parut atterrée :

« Il n'y avait personne pour me les bander, répondit-elle. Et puis il fallait que je travaille aux
champs. »

Ying intervint :

« Elle a de très grands pieds, Madame. Elle a dû
marcher pieds nus comme les petits campagnards, et
ses pieds sont devenus grossiers. »

La jeune fille promenait des regards anxieux de
Ying à Madame Wu.

« Allons, venez me montrer vos œufs », dit de nouveau Madame Wu.

La jeune fille s'avança et mit le paquet avec soin

sur la table. Puis elle dénoua le mouchoir, prit chaque œuf et l'examina.

« Pas un de cassé ! s'écria-t-elle. J'avais peur de buter dans l'obscurité et de les écraser. Il y en a quinze. »

Elle s'arrêta, et Madame Wu comprit qu'elle ne savait pas comment elle devait l'appeler.

« Vous pouvez m'appeler Sœur Aînée », dit-elle.

Mais la jeune fille n'osait pas. Elle répéta :

« Quinze œufs et pas un seul n'a plus de sept jours. Ils sont pour vous, pour que vous les mangiez.

— Merci, dit Madame Wu. Ils m'ont l'air très frais. »

Elle s'était déjà aperçue de plusieurs choses depuis que cette fille se tenait près d'elle. Son haleine était douce et pure, et de sa chair n'émanaient que des odeurs saines. Ses dents paraissaient nettes et blanches. Les mains qui avaient dénoué le mouchoir étaient brunes et rudes, mais d'une jolie forme, et le corps, sous la veste et les pantalons de cotonnade bleue fraîchement lavés, semblait rond et sans excès de graisse. Son cou était uni et son visage joli et candide.

Madame Wu ne put s'empêcher de lui sourire :

« Aimeriez-vous à demeurer ici ? », lui demanda-t-elle.

Elle éprouvait un peu de pitié pour cette jeune créature achetée comme un animal chez un fermier. Elle découvrait en elle quelque chose de fin, de délicat, en dépit des joues hâlées et des vêtements grossiers.

La jeune fille sentit cette bonté et, dans ses yeux sombres et limpides, jaillit une lueur de subit dévouement.

« Liu Ma me disait que vous étiez bonne, que vous

ne ressembliez pas aux autres femmes. Elle m'a recommandé avant tout de vous faire plaisir à vous,
et c'est ce que je ferai. »

Elle avait une voix fraîche, pleine d'ardeur.

« Alors, il faut me raconter tout ce que vous vous
rappelez de votre vie. Ne me cachez rien. Si vous êtes
franche, je vous aimerai beaucoup. »

Madame Wu s'aperçut du dévouement de la jeune
fille, et, à sa propre surprise, ressentit un coup vague,
comme un sentiment de culpabilité.

« Je vous dirai tout, répondit la jeune fille. Mais ne
dois-je pas d'abord porter ces œufs à la cuisine ?

— Non, fit Madame Wu, dissimulant un sourire.
Comme les serviteurs s'étonneraient de recevoir cette
visite ! Non, Ying les portera. Prenez cette chaise et
asseyez-vous en face de moi. Nous allons causer. »

La jeune fille renoua l'étoffe des œufs et s'assit
au bord de la chaise. Mais elle avait un petit air désolé.

« Avez-vous faim ? demanda Madame Wu.

— Non, merci », répondit la jeune fille prudem-
ment.

Elle se tenait droite et regardait devant elle, les
mains jointes.

Madame Wu sourit de nouveau :

« Voyons, vous devez être franche, dit-elle. N'avez-
vous pas faim ? »

La jeune fille éclata de rire, un rire qui s'égrena soudain :

« Je suis à battre. Je ne peux pas mentir, même pour
être polie. Mais Liu Ma me recommandait de dire :
non, merci, quand vous me demanderiez si j'avais
faim pour que je ne paraisse pas gourmande en arrivant.

— N'avez-vous pas soupé avant de partir ? »

La jeune fille sourit.

« Il n'y a pas grand-chose à la maison. Ma mère adoptive m'a dit... ma mère adoptive pensait... »

Madame Wu l'interrompit :

« Ying, apportez de quoi manger. »

La jeune fille soupira. Son corps se détendit et elle se tourna de manière à être en face de Madame Wu. Mais elle ne la regarda pas.

« Si elle a un défaut, se disait Madame Wu, c'est d'être de carrure un peu trop forte. Cela devrait indiquer qu'elle vient du Nord. Sa famille a pu fuir quelque désastre, une inondation, peut-être, du fleuve Jaune, ou bien une famine, et elle s'est vue forcée d'abandonner une fille et de la laisser mourir. »

« Liu Ma me disait que vous êtes orpheline, fit Madame Wu. Savez-vous quelque chose de votre famille ? »

La jeune fille secoua la tête.

« Je venais de naître quand on m'a abandonnée. Je connais l'endroit, car ma mère adoptive me l'a montré bien des fois quand nous allions en ville au marché. Mais elle m'a dit qu'il n'y avait aucune marque sur moi, d'aucune sorte, seulement je n'étais pas enveloppée dans du coton, mais dans de la soie. De la soie usée.

— Vous avez cette soie ? »

La jeune fille fit signe que oui.

« Comment le saviez-vous? demanda-t-elle avec une surprise naïve.

— Je pensais que vous voudriez emporter la seule chose qui vous appartînt. »

La jeune fille ouvrit des yeux tout ronds. Madame Wu y répondit par un sourire.

« Mais comment pouvez-vous connaître le cœur d'une étrangère ?

— Montrez-moi cette soie », dit Madame Wu.

Elle n'éprouvait pas le moindre désir d'expliquer à cette jeune fille l'intuition qui lui faisait pénétrer les choses.

Sans hésiter, comme décidée à obéir en tout à Madame Wu, la jeune fille glissa la main dans sa poitrine et en retira une soie bien pliée. Elle avait été lavée, très propre, mais le rouge était passé, il avait tourné au rose. Madame Wu déplia cette soie. C'était un vêtement de femme, une veste courte, étroite, et à manches longues.

« Si elle a appartenu à votre mère, elle aussi devait être grande, observa Madame Wu.

— Vous voyez ça ! », s'écria la jeune fille.

Madame Wu examina la broderie. Le vêtement était démodé, une bande de broderie entourait le col et l'ouverture sur le côté. Des bandes semblables garnissaient le bas des larges manches.

« C'est une broderie très fine, dit Madame Wu, du point de Pékin, avec de petits nœuds.

— Vous m'en dites plus que je n'en ai jamais su, fit la jeune fille à mi-voix.

— Mais je ne peux pas vous en dire plus long. »

Madame Wu replia le vêtement et le tendit à la jeune fille.

Celle-ci ne fit aucun geste pour le reprendre.

« Gardez-le pour moi, je n'en ai pas du tout besoin ici.

— Je le garderai si vous voulez, mais si, plus tard, vous désirez le reprendre, je vous le rendrai.

— Si vous me permettez de rester ici, dit-elle d'un ton suppliant, je n'en aurai plus jamais besoin. »

Mais Madame Wu n'était pas encore prête à faire des promesses.

« Vous ne m'avez même pas dit votre nom », dit-
elle.

De même que le visage d'un enfant laisse voir sa
déception, celui de la jeune fille changea, et elle dit
humblement :

« Je n'ai pas un vrai nom, mes parents d'adoption
ne m'en ont jamais donné. Ils ne savent ni lire, ni
écrire, moi non plus.

— Mais ils devaient bien vous appeler d'une manière ou d'une autre ?

— Ils m'appelaient Petite Orpheline quand j'étais
petite et Grande Orpheline quand j'ai grandi.

— Ce n'est pas un nom, dit doucement Madame
Wu. Quand je vous connaîtrai mieux, je vous en donnerai un.

— Je vous remercie », répondit modestement la
jeune fille.

A ce moment, Ying entra, chargée de deux bols
de nourriture qu'elle plaça sur la table. Madame Wu
les examina pendant que Ying les posait. Si Ying
avait apporté une portion de la table des domestiques,
elle l'eût renvoyée. Mais Ying s'était montrée raisonnable. Elle avait choisi des plats un peu moins raffi-
nés que ceux que l'on servait à la famille, mais certainement trop bons pour la cuisine. Il y avait un bol
de bouillon avec des boulettes de poulet et un autre
de porc au choux, et, de plus, un petit baquet en bois
contenant du riz, une théière de thé, un bol et des
baguettes. Les baguettes n'étaient pas celles de la famille, en ivoire et argent, ni celles de la cuisine en
bambou, elles étaient en bois rouge, comme celles des
enfants.

« Servez-là », dit Madame Wu.

Ying hésita, puis obéit, les lèvres pincées et sans
mot dire.

La jeune fille ne s'aperçut de rien. Elle prit des deux mains le riz que lui tendit Ying, se levant à demi avec la courtoisie campagnarde ; elle trouvait cela bien copieux. S'apercevant que la pauvre fille était tiraillée entre un honnête appétit et le désir d'être polie, Madame Wu se leva et chercha une excuse pour la laisser seule.

« Je reviendrai dans un petit moment. En attendant, mangez de bon cœur. »

Sur ces paroles, Madame Wu se retira dans son salon. Le petit lit de bambou s'y trouvait, préparé par Ying. Madame Wu le considéra, songeuse. Elle laisserait la jeune fille dormir là pendant plusieurs nuits. Elle devrait en somme l'y laisser jusqu'à ce que la nouvelle venue eût compris quelle serait sa place dans la famille et jusqu'à ce que Madame Wu elle-même la connût mieux. Il faudrait établir un parfait accord entre elles avant de lui permettre de passer d'une cour à l'autre, sans quoi des incidents risqueraient de se produire dans la maison. Madame Wu exécutait là quelque chose de délicat et de difficile. Elle se tenait debout, le pouce et l'index posés sur la lèvre inférieure. Autrefois, au printemps, petite jeune fille, elle aimait à aider à la fabrication de la soie sur les terres de la famille. Lorsque les vers à soie ont filé leurs cocons, il faut saisir le moment précis, très bref, qui précède celui où, changés en papillons, ils rongent leurs enveloppes. On plonge alors ces cocons dans des baquets d'eau bouillante. Madame Wu ne s'y trompait pas et émerveillait les femmes de fermiers par son discernement. Aujourd'hui, elle se rappelait la sûreté de cet instinct capital et fait de rien.

« Voilà le moment », disait-elle, et on plongeait aussitôt dans les baquets les brins de paille de riz auxquels adhéraient les cocons. De ses doigts distingués, délicats, elle découvrait aussi l'extrémité mouillée de la soie fine et dévidait le cocon. Ce soir, elle sentait renaître son ancienne divination. Il ne fallait pas que sa sensibilité lui fît défaut, car Mr. Wu le lui reprocherait toute sa vie.

Elle passa dans sa chambre à coucher et l'arpenta lentement en tous sens ; ses pieds chaussés de satin ne faisaient aucun bruit sur les dalles polies.

Cette fille avait le naturel d'une enfant. Son cœur, son caractère éclataient aux yeux. Cela venait de son manque de développement, mais comment évoluerait-elle ? Elle n'était pas sotte. Ses yeux brillaient d'intelligence. Ses lèvres charnues respiraient la tendresse. Risquait-elle d'offrir un excès d'intelligence ? Quelle signification donner à ce vêtement de soie avec ses fines broderies ? Le sang de cette jeune fille ne devait pas être vulgaire, à moins, peut-être, que sa mère n'eût été servante dans une famille riche, séduite peut-être par un des fils, et que cette veste ne fût prise parmi les effets mis de côté par sa maîtresse. Ou bien une fille de maison de thé aurait porté ces vêtements et, n'en voulant plus, l'avait donné à un enfant.

« Impossible de savoir ce qu'est cette fille », se disait Madame Wu à mi-voix.

Fallait-il accueillir dans cette maison semblable inconnue ? Madame Wu ne trouvait pas de réponse à cette question. Au bout d'un moment, elle revint dans la bibliothèque. La nouvelle venue se trouvait seule, assise, l'air effrayé, dans la grande salle pleine d'ombres. Elle tenait ses mains jointes sur ses genoux. Le repas terminé, Ying avait emporté les bols. Voyant entrer Madame Wu, elle se leva, son visage rayonnait de soulagement.

« Que dois-je faire à présent, Sœur Aînée ? » demanda-t-elle.

Ce nom lui vint aux lèvres avec un accent de confiance. Madame Wu sentit, malgré elle, son cœur s'ouvrir, mais elle redoutait de donner trop vite son affection.

« Que faites-vous en général, à cette heure-ci?

— J'allais toujours me coucher aussitôt après avoir mangé. Cela use de la bougie de veiller quand il fait nuit. »

Madame Wu se mit à rire.

« En ce cas, il vaudrait mieux aller vous coucher », dit-elle, la conduisant dans la pièce où le lit étroit l'attendait.

« Voici votre lit et, là derrière, se trouve la pièce où vous pourrez vous préparer.

— Mais je suis prête. Je me suis lavée, bien propre, avant de venir, je n'ai qu'à retirer mes vêtements de dessus.

— Bien. Alors je vous verrai demain matin, dit Madame Wu.

— A demain, répondit la jeune fille. Mais je vous en prie, Sœur Aînée, si vous avez besoin de quelque chose la nuit, appelez-moi.

— Oui, je vous appellerai en ce cas. »

Et Madame Wu quitta le salon et se retira dans sa chambre.

Madame Wu se coucha, mais elle n'arriva pas à trouver le sommeil. Vers minuit, elle se leva, passa dans la pièce voisine, alluma la bougie et regarda dormir la nouvelle venue. Celle-ci n'avait pas remué. Elle reposait sur le côté droit, une main glissée sous sa joue. Elle respirait aisément, la bouche fermée, le visage rose. Endormie, elle était encore plus jolie qu'éveillée. Madame Wu le remarqua, elle vit aussi que la jeune fille ne bougeait ni ne ronflait. Les couvertures étaient soigneusement remontées jusqu'à la taille. Elle dormait dans ses vêtements de dessous, en coton, mais elle avait défait son col, en sorte que le cou rond apparaissait ainsi qu'un peu de sa poitrine. Madame Wu vit clairement un des seins. Il était jeune, rond et ferme.

La jeune fille, immobile, dormait profondément. Très bien. Madame Wu avait toujours eu un sommeil léger ; elle s'éveillait dès que Mr. Wu se retournait dans son lit et n'arrivait pas à se rendormir. Mais cette fille-là dormirait ferme toute la nuit et s'éveillerait fraîche au matin. Madame Wu abrita la bougie d'une main et se pencha sur son visage. Toujours la même haleine si pure ! Madame Wu se redressa, retourna dans sa chambre, éteignit la bougie en pinçant la mèche entre le pouce et l'index, puis elle se recoucha.

Des sons légers venant de la pièce à côté l'éveillèrent avant l'aube. Le lit de bambou craquait, on entendait un bruissement d'étoffe. Madame Wu, comme toujours, s'éveilla complètement et écouta. Cette fille se préparait-elle à s'enfuir à cette heure-là ? Se levant, elle enfila sa robe, alluma la bougie et ressortit. La jeune fille était assise sur un escabeau et peignait ses longs cheveux, elle était habillée, avait mis ses souliers et ses bas de coton blanc.

« Où allez-vous ? », lui demanda Madame Wu.

La jeune fille, saisie par le son de cette voix, laissa tomber le grand peigne de bois dont elle se servait. Ses cheveux noirs pendaient autour de son visage.

« Mais nulle part ! », dit-elle.

Elle se leva et regarda fixement Madame Wu. Ses yeux noirs brillaient entre les ombres dansantes de ses cheveux.

« Je me lève.

— Mais pourquoi vous levez-vous à cette heure-ci ?

— Il est temps de se lever, répondit la fille surprise. J'ai entendu chanter un coq. »

Madame Wu éclata d'un rire soudain, si rare chez elle.

« Je n'arrivais pas à deviner pourquoi vous vous leviez si tôt, mais, c'est vrai, vous êtes de la campagne. C'est inutile, ici, mon enfant, de vous lever d'aussi bonne heure. Les serviteurs eux-mêmes ne seront pas éveillés avant une heure, et nous ne nous levons qu'une heure encore après.

— Faut-il que je me recouche ?

— Que pouvez-vous faire d'autre ?

— Permettez-moi de balayer les pièces, ou bien je balaierai la cour.

— Comme vous voudrez.

— Je ne ferai pas de bruit. Retournez dans votre chambre, Sœur Aînée, et rendormez-vous. »

Madame Wu se remit au lit et elle entendit le bruit d'un balai que la jeune fille avait trouvé dans le corridor, et dont elle nettoyait la cour et le sol carrelé ; elle circulait à pas légers, avec précaution. Puis, sans s'en apercevoir, Madame Wu s'endormit de nouveau et il était tard quand elle se réveilla. Le soleil brillait sur le carrelage et Ying attendait près du lit.

Madame Wu se leva promptement, et le rite de la toilette commença. Ying ne parlait pas de la nouvelle venue et Madame Wu se taisait. L'appartement était silencieux. On n'entendait rien.

Ce silence devint si profond qu'à la longue Madame Wu le rompit :

« Où est cette fille ? demanda-t-elle à Ying.

— Elle est là, dehors, qui coud, répondit Ying. Il lui fallait un travail quelconque et je lui ai donné des semelles à faire pour les enfants. »

Un léger mépris perçait dans la voix de Ying, et

Madame Wu comprit que la nouvelle venue n'avait pas grandi dans son estime pour avoir réclamé du travail comme une servante. Madame Wu n'ajouta rien. Elle n'allait pas se laisser influencer par une opinion de Ying.

Elle déjeuna et passa dans la cour. La jeune fille était assise sur un escabeau à trois pieds, à l'ombre des bambous. Elle cousait ; ses doigts poussaient activement l'aiguille à travers la semelle de drap épais. Une bague de métal passée au doigt du milieu lui servait de dé. Elle aperçut Madame Wu, se leva et resta debout, à attendre, ne voulant pas parler la première.

« Asseyez-vous, je vous prie », lui dit Madame Wu.

Et elle-même s'assit sur l'un des sièges de porcelaine du jardin.

Ce siège tournait le dos au portail rond de la cour, tandis que celui de la jeune fille se trouvait vis-à-vis. Elle n'avait pas plutôt repris sa place sur l'escabeau et saisi son aiguille qu'elle vit paraître quelqu'un à ce portail. Madame Wu n'aperçut que de grands yeux se levant et s'abaissant et une rougeur pêche qui s'accentua sur les joues. Elle se retourna, s'attendant, d'après cette attitude, à voir apparaître un homme, le cuisinier peut-être.

Mais ce n'était pas le cuisinier, c'était Fengmo, son troisième fils. Debout à l'entrée, la main sur un des montants du portail, il regardait fixement la jeune fille.

« Fengmo, que veux-tu ? », lui demanda Madame Wu.

Elle se sentit prise d'une étrange colère, à le voir entrer ainsi sans prévenir. Elle n'éprouvait pas pour lui la même tendresse que pour les autres, elle le savait.

il était volontaire, n'avait pas l'amabilité de Liangmo
ou de Tsemo et était moins enjoué que le petit Yenmo.
Tout enfant, il préférait la compagnie des serviteurs
à celle de sa famille, et elle avait considéré cela comme
un signe d'infériorité. Elle le traitait exactement comme les autres, mais, au fond, elle sentait qu'elle l'aimait moins. Il avait dû s'en rendre compte car depuis
quinze ans, il ne venait que rarement la voir et seulement quand elle le faisait appeler.

« Fengmo, que fais-tu là ? », demanda-t-elle de
nouveau, voyant qu'il ne répondait pas.

Il continuait à regarder fixement la jeune fille, qui,
sentant ce regard posé sur elle, leva les yeux, le regarda de nouveau, puis abaissa les paupières.

« J'étais venu voir... voir... comment vous alliez,
Mère.

— Je vais très bien, répondit froidement Madame
Wu.

— Il y a aussi autre chose. »

Madame Wu se leva :

« Alors, viens dans la bibliothèque. »

Elle en prit le chemin et il la suivit, mais ni l'un ni
l'autre ne s'assirent. Fengmo montra la jeune fille
d'un geste de la main :

« Mère, dit-il, est-ce elle ?

— Fengmo, pourquoi viens-tu ici me demander
cela ? dit sévèrement Madame Wu. Ça n'est pas ton
affaire.

— Mais si, Mère, ça l'est, dit-il avec véhémence.
Comment croyez-vous que ça va se passer pour moi ?
Mes camarades se moqueront de moi, me taquine-
ront...

— Est-ce cela que tu es venu me dire ?

— Oui, s'écria Fengmo. Ça suffisait comme ça.

Mais à présent que je l'ai vue, — elle est si jeune et
mon père, il est si vieux.

— Tu vas retourner immédiatement dans la cour,
répondit Madame Wu, de sa même voix si froide.
C'était déjà indiscret de venir ici sans avoir envoyé
un serviteur pour demander si ce moment me conve-
nait. Quant à ton Père, la nouvelle génération n'a pas
à décider comment doit agir l'ancienne. »

Elle était habituée à l'obstination de Fengmo et fut
donc surprise de le sentir céder. Elle vit son beau
visage rougir et frémir. Sans un mot ni un regard en
arrière, il se détourna et sortit de la chambre, puis de
la cour.

Mais Madame Wu était profondément vexée de la
rencontre de ces deux êtres. Bien qu'elle eût rompu
avec toutes les vieilles coutumes — et elle n'hésitait
pas quand elle voulait, — elle avait fidèlement maintenu celle qui séparait garçons et filles à un âge très
tendre. Dans sa maison, ses fils avaient vécu à l'écart
de toutes les femmes dès l'âge de sept ans. Elle avait
même fait la sourde oreille aux stupides réponses des
serviteurs lorsque les garçons posaient à ceux-ci des
questions. Un jour, elle avait entendu Fengmo demander à l'intendant :

« Pourquoi me défend-on de continuer à jouer avec
mes cousines ?

— Garçons et filles ne peuvent pas jouer ensemble,
sans quoi ils ont les pieds malades », avait répondu
l'autre, plaisantant à demi.

Madame Wu, toujours prête à corriger les propos
ineptes, avait laissé passer celui-ci.

Et voilà que Fengmo avait vu cette jeune fille avant
qu'elle eût pris sa place dans la maison, et elle aussi
l'avait vu. Qui pouvait savoir quelle flamme en jailli-
rait ? Madame Wu piétinait dans la bibliothèque.

Chaque fois qu'elle passait devant la porte ouverte,
elle apercevait la tête de la jeune fille penchée avec
application sur la semelle, et sa main qui enfonçait et
tirait l'aiguille. Madame Wu se décida aussitôt. Les
choses ne devaient pas traîner. Elle garderait la fille.
Mais il fallait que celle-ci comprît exactement son devoir. Elle sortit, d'un pas plus rapide que de coutume,
et s'assit de nouveau.

« J'ai pris une décision, fit-elle brusquement. Vous
resterez ici. »

La jeune fille leva la tête ; elle tenait son aiguille,
prête à percer le drap, mais elle n'acheva pas son
geste. Elle se leva par respect pour Madame Wu.

« Vous voulez dire que je vous plais ? demanda-t-
elle à voix basse, le souffle court.

— Oui, si vous faites votre devoir. Vous comprenez, vous êtes venue ici pour servir mon Seigneur, pour
prendre ma place — en certaines choses.

— Je comprends, dit la jeune fille de la même voix
faible, les yeux rivés sur le visage de Madame Wu.

— Vous devez savoir, poursuivit Madame Wu,
que notre maison est encore, par certains côtés, à l'ancienne mode. Il n'y a pas d'allées et venues entre la
cour des hommes et celle des femmes.

— Oh ! non », fit vivement la jeune fille.

Ses mains étaient retombées sur ses genoux, mais
ses yeux n'avaient pas cillé.

« En ce cas, dit Madame Wu, avec un bizarre ton
abrupt, qui ne ressemblait pas du tout à son ton habituel, en ce cas, il n'y a aucune raison pour que l'entente ne soit pas conclue.

— Mais est-ce que je ne devrai pas avoir un nom ?
demanda anxieusement la jeune fille. Est-ce que je
n'aurai pas un nom dans cette maison ? »

Il y avait quelque chose de touchant dans cette question, Madame Wu le sentit.

« Oui, dit-elle, il vous faut un nom et je vous le donnerai. Je vous appellerai Ch'iuming. Cela veut dire joyeux automne. Ce nom définit clairement votre devoir. Il est l'automne, vous en serez la joie.

— Ch'iuming », répéta la jeune fille.

Elle goûta ce nom sur ses lèvres.

« Je suis Ch'iuming », dit-elle.

IV

Mr. Wu ne parut pas et Madame Wu ne chercha
pas à intervenir. Après tant d'années, elle devinait
les pensées de son mari. Résolu à refuser la venue
d'une jeune fille chez lui, il se fût hâté de le dire avec
brusquerie et netteté, ou peut-être même en riant. S'il
se tenait à l'écart, c'est que l'idée ne devait pas lui
déplaire et qu'il en avait honte vis-à-vis de sa femme.
En lui-même aussi, au fond, mais sans que cela suf-
fît à contrebalancer son penchant. Il se montrait en
somme tel qu'elle le connaissait, capable de concevoir
les qualités d'un homme supérieur, de les admirer et
de les souhaiter pour lui-même, mais l'âme trop asser-
vie aux besoins du corps pour y parvenir.

De même qu'à table il n'avait jamais pu résister
à un plat appétissant, de même il ne pourrait jamais,
malgré son désir de perfection, se priver du plaisir
avec une jeune femme. Il n'avait rien d'austère, bien
qu'il se fût contenté pendant des années de Madame
Wu comme épouse. Mais Madame Wu, sans vanité
aucune, se rendait bien compte que, si elle eût été
moins belle, moins consciencieuse dans ses devoirs de
femme, il aurait pu être entraîné ailleurs. Elle avait

su le contenter en toutes choses. Avait-il envie de
connaître ce qui s'apprend dans les livres, elle s'en
informait et le lui disait. Montrait-il de la curiosité
sur ce qui se passe à l'étranger, elle se documentait
pour lui. Pendant toutes ces années, chacun des désirs
de son mari avait été comblé. Madame Wu songeait,
sans tristesse, que c'était grâce à elle, car elle avait
su prévenir chacun d'eux. Imprécis, elle les éclairait
par d'habiles conversations, et, vifs et impérieux, elle
se hâtait de les satisfaire. Elle avait été une bonne
épouse.

Elle n'avait pas eu non plus à se plaindre de lui.
Aucune de ses propres déceptions n'était survenue
brutalement. Au début, elle avait pris les curiosités
capricieuses de Mr. Wu pour les mouvements d'un
esprit entravé depuis sa naissance par les gâteries de
sa mère. Vieille-Dame n'avait jamais laissé Vieux-
Monsieur prendre la moindre influence sur leur fils
unique, cet être infiniment précieux, puisqu'il était le
seul survivant de plusieurs naissances. Vieille-Dame
avait commencé par se quereller ouvertement avec
Vieux-Monsieur, lorsqu'il cherchait à discipliner son
fils. L'enfant avait alors sept ans. Jusque-là, d'après
la coutume des familles de ce genre, Vieux-Monsieur
l'avait laissé dans l'appartement de sa mère. Mais, à
sept ans, il fallait qu'il le prît chez lui.

Vieille-Dame chercha une excuse après l'autre.
Tout d'abord, l'enfant avait la gorge délicate et elle
devait pouvoir le surveiller la nuit ; ensuite, son appétit laissant à désirer, il fallait l'encourager à manger
aux repas. Lorsque Vieux-Monsieur s'obstina, elle
pleura et, quand il se mit en colère, elle en fit autant,
avec plus de violence. Mais Vieux-Monsieur était
plus dur qu'un roc et elle dut céder. L'enfant, à neuf
ans, fut installé dans une petite chambre à côté de

celle de son Père, et Vieux-Monsieur entreprit l'instruction et l'éducation de son fils unique.

Mais, hélas ! cette chambre avait aussi une porte
dérobée, par laquelle le petit garçon volontaire se fau-
filait, la nuit, chez sa mère. Vieux-Monsieur instruisit son fils avec patience et tendresse, mais en pure
perte. Car, lorsqu'il lui enseignait la discipline, Vieille-
Dame de son côté l'incitait à jouer au lieu de travailler. Elle le nourrissait de mets riches et délicats et,
lorsque son petit estomac, gavé, le faisait souffrir, elle
lui apprenait à tirer quelques bouffées d'une pipe
d'opium pour apaiser la douleur. Seules la santé, l'ac-
tivité empêchèrent l'enfant de s'adonner à l'opium.
Lorsqu'il atteignit ses vingt ans, son père s'aperçut
que Vieille-Dame avait eu gain de cause et, après une
dernière semonce à son fils, il renonça à lui.

« Mon fils — ainsi termina-t-il sa harangue, — tu
as mis la femme au-dessus de l'homme, choisis ta
mère plutôt que ton père, tes aises plutôt que ton per-
fectionnement. Qu'il en soit ainsi. Il nous reste, pour
la sauvegarde de notre maison, à te trouver une femme
qui donne de la force à ta faiblesse ! »

Effrayé par la gravité de ce ton, le jeune homme,
comme chaque fois qu'il avait peur, s'était enfui, dès
qu'il avait pu, retrouver sa mère ; chez elle, il oubliait
aussitôt son malaise.

Peu après, Madame Wu était entrée dans la maison. Le dixième jour qui suivit le mariage, Vieux-
Monsieur l'avait fait appeler dans sa bibliothèque et
lui avait parlé ainsi de son fils :

« Il sera tel que vous le ferez. Certains hommes se
développent eux-mêmes, mais lui, il sera toujours fa-
çonné par les femmes. Evitez de le lui laisser voir. Ne
lui reprochez jamais sa faiblesse, sans quoi elle de-
viendrait complète. Ne le laissez pas croire à son inu-

tilité, car alors elle se montrerait réellement. Cherchez en lui quelques fibres solides que vous pourrez découvrir et tissez-en votre trame. Si vous en rencontrez de moins résistantes, ne vous y fiez pas, mêlez-y les vôtres en secret. »

Elle était très jeune à ce moment-là, son mari, jeune lui aussi et gai, elle se sentait grisée par le mariage et ne redoutait rien.

« Je l'aime », avait-elle répondu à Vieux-Monsieur.

Il en parut saisi, car une femme n'a pas l'habitude de s'exprimer avec tant de hardiesse. Mais la voix qui prononçait ces paroles extraordinaires était si douce, si jolie ; elle-même paraissait si raffinée, si innocente, en les prononçant, qu'il n'eut pas le courage de les lui reprocher.

Il s'était borné à incliner la tête et à répondre :

« Une femme ne pourrait avoir en main arme plus efficace. »

Madame Wu ne comprit pleinement qu'au bout de dix ans l'homme qu'elle avait épousé et qu'elle aimait encore avec tendresse. Elle découvrit si lentement, si graduellement, les limites de son esprit et de son âme, que la souffrance de la déception lui fut épargnée. L'espace contenu entre ces limites était très étroit. Les curiosités, les interrogations de son mari, qui, tout d'abord, avaient excité l'imagination de Madame Wu, car elle croyait y voir des réactions de l'intelligence, lui semblaient à présent vaines, un simple passe-temps qui ne menait à rien. Mr. Wu se lassait tout d'un coup d'une question, renonçait à la poursuivre, et Madame Wu devait chercher de quel côté le vent avait tourné.

Ce fut à cette époque qu'elle-même dépassait ces limites et élargissait les siennes, autant que possible. Mais elle n'en dit rien à Mr. Wu ; du reste, à quoi

bon ? Il n'eût pas compris. Elle avait laissé assez d'elle-
même dans le cercle borné de son mari pour qu'il y
sentît sa présence, mais déjà elle commençait à rêver à
son quarantième anniversaire et à former des plans
pour ce jour-là.

Sur l'heure, elle résolut d'informer Mr. Wu de la
présence de Ch'iuming. Il devait déjà se trouver au
courant, par les serviteurs, mais elle lui parlerait tout
de même. Il ne fallait pas tarder, puisque Fengmo
avait vu la jeune fille. Un jeune homme peut apercevoir une jeune fille sans que rien ne s'ensuive, mais
cela peut aussi avoir de graves conséquences.

A certains moments, dans le bouillonnement de la
jeunesse, une rencontre de ce genre, bien qu'accidentelle, risque d'avoir les mêmes dangers qu'un rendez-
vous. Si Mr. Wu y consentait, elle lui enverrait Ch'iuming dès qu'elle serait prête.

Ch'iuming était heureuse par ce beau matin enso-
leillé. Madame Wu avait envoyé Ying dans un magasin d'étoffes choisir une percale à fleurs de bonne
qualité et une soie de qualité moyenne, et un commis
venait d'apporter des pièces de ces tissus. Madame
Wu avait pris de quoi tailler trois costumes. Pour faire
plaisir à la jeune fille, elle lui permit de choisir ses
teintes et ses modèles préférés. Elle fut contente de
voir la jeune fille choisir les petits dessins et les couleurs douces. Elle fut encore plus satisfaite quand
Ch'iuming se mit au travail pour faire elle-même ses
vêtements.

Debout, devant la table carrée, Ch'iuming étala la
percale à fleurs, puis elle s'arrêta, les ciseaux en l'air.

« Dois-je les couper comme vos vêtements, Sœur
Aînée ? », demanda-t-elle.

Les siens avaient de larges manches et une veste
courte, selon la mode campagnarde.

« Ying vous indiquera la forme qui convient pour notre maison », répondit Madame Wu.

Et Ying prit des mesures, traça des lignes à la craie sur l'étoffe, la tailla afin de l'ajuster au corps svelte, aux courbes fines de la jeune fille.

Pendant ce temps, Ch'iuming était toute transie de joie.

« Jamais, de toute ma vie, je n'ai été habillée d'une étoffe neuve », murmura-t-elle.

Les morceaux une fois bâtis, elle enfila son aiguille, passa l'anneau de métal à son doigt et s'assit en plein rêve de bonheur. Elle cousait lentement, avec soin, tandis que Ying surveillait la finesse et la régularité des points. En regardant Ch'iuming, une étrange impression de culpabilité saisit de nouveau Madame Wu comme si elle s'apprêtait à causer un tort à cette jeune fille. Elle se décida aussitôt à aller trouver Mr. Wu et, faisant signe à Ying de la suivre, elle passa dans la chambre voisine. Hors de portée de voix, elle dit à la servante :

« Il faut lui venir en aide. Veillez à ce qu'elle ait, le plus vite possible, un assortiment complet de vêtements de dessous et un de dessus. Il se peut que je l'envoie dès demain, d'après ce que me dira la journée.

— Oui, Madame », répondit Ying, se gardant bien de laisser paraître sur son visage ni dans sa voix le plaisir ou la peine qu'elle éprouvait.

Madame Wu sortit de sa cour pour la première fois depuis qu'elle l'occupait. Par devoir, elle s'arrêta chez Vieille-Dame. Elle la trouva assise, au soleil, devant sa porte, et de meilleure humeur que de coutume. Une servante lui frottait d'huile ses chevilles et ses pieds légèrement enflés.

« C'est la faute des crabes, dit Vieille-Dame. Les crabes font toujours enfler mes pieds. Mais, comme je peux descendre dans la tombe d'un moment à l'autre, pourquoi me priverais-je de manger des crabes ? Du reste, mes pieds et mes chevilles ne me servent plus à grand-chose. J'ai bu beaucoup de vin en même temps, pour chasser le poison. »

Vieille-Dame semblait avoir complètement oublié sa colère contre sa belle-fille, à propos de la concubine, et Madame Wu se garda de la lui rappeler. Elle se pencha et examina les pieds enflés, et ordonna à la servante de les frictionner en remontant ; de cette manière, le sang se dirige vers le haut au lieu de descendre. Après quoi, elle poursuivit son chemin.

Elle comptait trouver Mr. Wu dans le pavillon qu'elle avait habité plutôt que dans le sien propre, et elle en prit le chemin. Dans la cour, ses orchidées argentées se flétrissaient. Elle se baissa pour s'assurer qu'il n'y avait pas de pucerons parmi les feuilles ; elle n'en trouva aucun ; en même temps, elle aperçut son mari, assis dans le salon, en vêtements flottants. A cause de la chaleur, il avait mis de larges pantalons de soie blanche et une veste de soie ouverte sur sa poitrine lisse. Il tenait d'une main un éventail de soie blanche, décoré de tiges de bambou vertes, et, de l'autre, un bol de thé. Les plats vides de son déjeuner étaient posés sur la table. Madame Wu trouva, à ce beau visage bien nourri, une expression embarrassée, un peu maussade. Elle s'adressa à Mr. Wu, comme de coutume, d'un ton enjoué :

« Je crois qu'il serait temps de replanter des pivoines dans cette cour. Qu'en dites-vous, Père de mes fils ?

— Ces petites orchidées grises ne m'ont jamais plu, répondit-il. J'aime les teintes vives.

— Je les ferai enlever et remplacer aujourd'hui même par des pivoines. Si nous les achetons en pots, elles continueront à fleurir sans que cela les retarde. »

Il se leva, sortit et la rejoignit dans la cour. Il se pencha aux côtés de Madame Wu pour examiner les orchidées.

« Des pivoines rouges et roses, dit-il, très décidé, et une blanche tous les cinq pieds.

— Bonne proportion, dit-elle. Où donc est Yenmo ? »

Leur plus jeune fils se trouvait en général auprès de son père.

« Je l'ai envoyé hier à la campagne, répondit Mr. Wu d'un ton solennel. Il est trop jeune pour se trouver dans le brouhaha actuel de cette maison.

— Vous avez bien fait, lui dit-elle. C'était très sage de votre part. »

Elle le regarda avec affection. Il engraissait et grossissait un peu à cause de sa gourmandise.

« Comment allez-vous ce matin ? lui demanda-t-elle.

— Bien, répondit-il. Très bien. »

Mais elle discerna chez lui une certaine impatience. Elle lui sourit.

« Je ne vous ai pas oublié, dit-elle d'une voix pleine de tendresse.

— J'en ai pourtant bien l'impression », grommela-t-il.

Il écarta sa veste et éventa sa poitrine nue d'un geste vif et vigoureux. « Je me suis senti très seul en attendant que vous preniez une décision. Je suis un bon mari, Ailien ! Un autre n'aurait pas supporté si longtemps cette séparation. Tant de jours ! Je trouve que ça suffit.

— Je ne vous ai pas oublié un instant, dit-elle. J'ai

fait promptement mes recherches et la jeune fille est ici. »

Une rougeur se répandit sur le visage de Mr. Wu.

« Ailien, dit-il, ne parlons plus de ça.

— Vous avez dû entendre dire qu'elle se trouvait ici, poursuivit Madame Wu de sa voix claire.

— Je ne prête aucune attention aux racontars des serviteurs », fit-il, plein de hauteur.

Mais Madame Wu savait qu'il parlait selon l'image qu'il se forgeait de lui-même. Il écoutait tout ce que lui disait son valet et riait de ses plaisanteries, car cet homme, un vrai clown, savait que son maître aimait à rire.

Madame Wu s'avança vers un siège de jardin.

« La jeune fille convient parfaitement, murmura-t-elle, et ses mains retombèrent sur ses genoux avec leur tranquillité habituelle. Elle est saine, jeune, jolie, innocente...

— N'éprouvez-vous donc aucune jalousie ? », fit-il d'un ton sec.

Le soleil si clair tombait sur lui, debout devant elle, composant de son mari une image qu'elle admira : cheveux noirs brillants, peau dorée et unie, belles lèvres et grands yeux hardis.

« Vous êtes si beau, dit-elle en souriant, que je pourrais être jalouse s'il ne s'agissait pas d'une telle enfant, si simple, moins que rien entre vous et moi.

— Je n'arrive pas à comprendre pourquoi vous êtes devenue, en une nuit, d'une si monstrueuse froideur, Ailien. La semaine dernière, vous étiez... comme toujours. Cette semaine...

— J'ai passé mon quarantième anniversaire », lui dit-elle, toujours souriante.

Puis elle lui fit signe de s'approcher :

« Venez, dit-elle en l'attirant, asseyez-vous. »

Il était à peine assis qu'elle vit Fengmo passer devant le portail de la cour. Il regarda à l'intérieur, aperçut ses parents côte à côte et s'éloigna rapidement.

Sa mère l'appela : « Fengmo ! » Mais le jeune homme poursuivit son chemin sans l'entendre.

« Il nous faudrait marier notre troisième fils, déclara Madame Wu. Qu'en diriez-vous si j'en parlais tout de suite à Madame Kang — demain peut-être — et si je lui demandais Linyi ?

— Vous avez toujours choisi les femmes de vos fils, répondit Mr. Wu.

— Tsemo a choisi la sienne, et, pour Fengmo, je voudrais éviter cette erreur.

— Ce serait bien. »

Madame Wu était contente de n'apercevoir aucune trace d'intérêt dans la voix de son mari au souvenir de Linyi. Il l'avait oubliée. Il ne songeait qu'à lui-même. Elle résolut de s'occuper aussitôt de ce mariage, comme si elle s'apprêtait à acheter pour son fils un costume neuf ou une paire de souliers.

« A moins que vous n'y voyiez d'objections, je vous enverrai la jeune fille demain », dit-elle.

La rougeur remonta aux joues de Mr. Wu. Il enfonça le pouce et l'index dans la pochette de sa veste, tira un paquet de cigarettes étrangères et en alluma une.

« Je sais que vous êtes une femme diablement entêtée : ce serait ma mort si je contrecarrais votre volonté, marmotta-t-il entre des nuages de fumée. Pourquoi voudrais-je ma mort ?

— Avez-vous jamais eu à vous plaindre de mon obstination ? demanda-t-elle, d'une voix rieuse. N'ai-je pas toujours été obstinée pour votre bien ?

— Ne parlez plus de tout ça. »

Il souffla une brusque bouffée de fumée.

« Ne me parlez plus jamais de cette fille.

— Aucune raison, en effet, d'en parler ; je vous l'enverrai demain soir. »

Elle aperçut de nouveau une silhouette au portail de la cour et reconnut son fils aîné, Liangmo. Lui aussi semblait vouloir passer par là.

Elle l'appela : « Liangmo ! » Mais Liangmo à son tour s'éloigna et ne reparut plus.

Mr. Wu se leva brusquement.

« Je me rappelle à l'instant ma promesse, dit-il à Madame Wu, je dois m'entretenir avec un homme, à la maison de thé. Notre intendant trouve que nous devrions acheter ce champ qui fait enclave dans nos terres, celui que mon grand-père avait donné, il y a trois générations, à l'un de ses serviteurs qui lui avait sauvé la vie. Les descendants de cet homme sont prêts à vendre, et cela rendrait au domaine son ancienne forme.

— Ce serait une très bonne chose, mais il ne faudrait pas payer plus de soixante-quinze dollars pour huit ares.

— Nous pourrions aller jusqu'à quatre-vingts, dit Mr. Wu.

— Je ne voudrais pas que cela dépasse cette somme. Il faut songer à nos enfants. »

Mr. Wu promit :

« Pas plus de quatre-vingts. »

Il se dirigea vers la maison et y entra, Madame Wu se leva à son tour. Elle se préparait à partir lorsque Mr. Wu s'arrêta sur le seuil et se retourna : il la regarda.

« Ailien, dit-il, je ne veux pas qu'on me blâme pour rien de tout ça.

— Qui donc vous blâmera ? répondit-elle. J'oubliais

aussi d vous dire son nom : Ch'iuming. Elle sera la joie de votre automne. »

Mr. Wu écouta ces paroles, ouvrit la bouche, la referma et s'éloigna.

Madame Wu abaissa les yeux sur les orchidées qui se fanaient, songeant : « Il avait envie de me maudire, mais il ne savait pas comment s'y prendre. »

Subitement, elle se sentit craintive. Il lui tardait de retrouver son appartement tranquille. Mais c'était impossible à cause de ses devoirs envers ses fils, qui comptaient sur elle. Il fallait tous aller les voir, l'un après l'autre.

Elle trouva Liangmo dans la cour voisine, où il demeurait avec les siens. Une demeure joyeuse. Le petit garçon de Liangmo s'amusait dehors avec sa nourrice ; lorsque Madame Wu entra, il courut à elle. Elle lui caressa la joue et se pencha pour respirer le doux parfum de sa chair.

« Petit trésor sucré, tes joues sentent bon », dit-elle tendrement.

Liangmo entendit sa voix et sortit du pavillon.

« Me voici, Mère, je me préparais à aller en dehors de la ville, voir comment pousse le riz. Il est temps d'évaluer la récolte.

— Remets à plus tard ta sortie, mon fils », dit-elle.

Liangmo lui tendit son bras et elle s'y appuya. Il la conduisit à un siège de jardin placé sous un pin qu'on avait dirigé de manière à former un dais au-dessus.

« Je suis venue te prier d'accompagner ton père à la maison de thé. Il songe à racheter la parcelle que la famille Yang possède depuis trois générations. L'héritier actuel, comme tu le sais, est un fumeur d'opium, et ce serait une bonne affaire de recouvrer la propriété de ce terrain. Mais il faut que tu ailles t'assurer qu'on n'en offre pas plus de soixante-dix dol-

lars. Ton père parle de quatre-vingts. On peut l'obtenir à soixante-dix. Les gens nous volent parce qu'ils
nous croient riches, mais personne n'est assez riche
pour se faire voler.

— J'irai, Mère, bien entendu. »

Elle le vit hésiter et comprit aussitôt qu'il voulait la
questionner sur Ch'iuming. Mais elle avait résolu de
ne parler de la jeune fille à aucun de ses fils. Une
génération ne doit pas discuter de ce que fait l'autre.

« Où est Meng ? dit-elle. Je ne l'ai pas vue depuis
le jour de mon anniversaire. Je voudrais lui demander
— et à toi aussi, mon fils — ce que vous penseriez de
Linyi comme femme pour Fengmo.

— Linyi ? Liangmo n'avait pas songé à cela. Mais
Fengmo vous laissera-t-il agir à sa place ?

— S'il ne veut pas, je lui permettrai de se décider
lui-même à épouser Linyi. »

A ce moment-là, Meng apparut à son tour. Son
gros défaut était de rester somnolente et négligée une
heure ou deux après son lever. Ce matin-là, lorsqu'elle
entendit Madame Wu, elle était assise en vêtement
de nuit et sans être coiffée. Elle avait couru aussitôt
dans sa chambre pour s'habiller, et elle s'avança,
ayant l'air d'une rose entre le bouton et la fleur. Sa
récente grossesse, sa lassitude la rendaient molle et
suave. Ses grands yeux étaient lumineux et ses lèvres
entrouvertes. Les boucles d'oreilles en perles que Madame Wu lui avait données pendaient à ses oreilles.

« Mère, vous voilà donc ! fit-elle en guise de salut.

— Comme ces perles vous vont bien », dit Madame
Wu.

Puis elle se tourna vers Liangmo :

« Va, mon fils, ajouta-t-elle avec cette gracieuse
autorité qui ne semblait jamais réelle tant elle pesait
peu. Meng et moi allons causer. »

Après le départ de Liangmo, Madame Wu examina Meng de la tête aux pieds :

« Avez-vous déjà des vomissements le matin ? demanda-t-elle affectueusement.

— Je commence tout juste, dit Meng, c'est-à-dire que je fais des efforts, sans résultat.

— Encore dix jours, et ça viendra, dit Madame Wu. Un enfant vigoureux fait toujours vomir la mère pendant trois mois, surtout si c'est un garçon.

— C'est ce qu'a fait ce petit vaurien », dit Meng avançant sa lèvre rouge vers son jeune fils, qui se promenait à califourchon sur sa nourrice, comme sur un poney.

Madame Wu devait toujours prendre son temps avec Meng avant d'aborder une véritable conversation. Aucun des enfants de Madame Kang n'avait hérité la stature physique et morale de sa mère. Madame Wu songeait à cela en regardant le petit corps dodu de sa belle-fille, son visage exquis et menu comme ses mains. Il semblait que son amie se fût divisée en neuf parts dans ses enfants. Madame Wu, en donnant naissance aux siens, n'avait pas eu conscience de se partager ainsi. Elle les avait créés entièrement neufs, séparés d'elle dès le moment de leur venue au monde. Mais Meichen n'avait jamais été séparée de ses enfants. Elle s'accrochait à chacun d'eux comme à une partie d'elle-même.

« Meng, mon enfant, dit alors Madame Wu, je viens vous demander un conseil. Que diriez-vous si je priais votre mère de donner votre sœur Linyi comme femme à Fengmo ? Ils sont presque du même âge. Votre sœur, je crois, a quatre mois de moins que Fengmo. Elle est jolie, Fengmo est assez bien de sa personne. Tous deux ont une bonne santé. Je n'ai pas encore consulté les horoscopes, mais je sais que leurs mois de naissance sont favorables ; elle est l'eau et lui la pierre.

— Combien j'aimerais à avoir ma sœur ici ! », s'écria Meng.

Elle battit des mains, faisant claquer ses bagues. Puis ses mains retombèrent :

« Mère, il faut que je vous dise. Linyi trouve que Fengmo est à l'ancienne mode.

— Tiens, pourquoi donc ? demanda Madame Wu, surprise.

— Il n'a jamais été dans une école. Il a grandi uniquement ici, dans cette maison.

— Votre Mère n'aurait jamais dû, l'année que je pense, laisser Linyi aller dans cette école de Shanghaï », fit Madame Wu.

Une sévérité durcissait les belles lignes de sa bouche.

« Bien entendu, on aurait encore le temps d'envoyer Fengmo dans une école, poursuivit Meng, dissimulant un bâillement derrière sa main potelée.

— Je n'y enverrai pas Fengmo lorsqu'il n'est pas encore formé. Je veux que cette maison, et non une école étrangère, forme mes fils », répondit Madame Wu.

Meng ne discutait jamais :

« Dois-je en parler à Linyi ?

— Non, dit Madame Wu avec dignité. J'en parlerai moi-même à votre mère. »

Madame Wu se sentait en désaccord avec Meng. Avant de s'en être expliqué la cause, elle vit une expression de saisissement passer sur la figure enfantine de Meng.

« Oh ! ciel ! s'écria-t-elle, joignant ses mains sur son ventre.

— Que se passe-t-il ? demanda Madame Wu.

— Serait-ce déjà l'enfant ? dit Meng gravement.

— Un autre garçon ! déclara Madame Wu. Quand il s'anime si tôt, c'est un garçon ! »

Il eût été déplacé à ce moment de montrer de l'impatience, et Madame Wu n'en laissa rien paraître. On ne demande aux jeunes femmes que de remplir leurs fonctions. Meng les remplissait.

Madame Wu se leva :

« Il faut boire du bouillon chaud, mon enfant, le bouillon de riz est ce qu'il y a de mieux. Lorsque le bébé s'agite, c'est qu'il a faim.

— Je vais le faire tout de suite, répondit Meng, bien que je n'aie pas encore terminé mon déjeuner du matin. Mais j'ai faim nuit et jour, Mère.

— Mangez, dit Madame Wu. Mangez tant que vous pourrez, vous et l'enfant. »

Elle s'éloigna et, en traversant cette cour ancienne et si belle, elle se sentit, comme bien souvent, emportée hors d'elle-même, entraînée par le courant de cette famille Wu à laquelle elle s'était jointe tant d'années auparavant. La vie et le mariage, les naissances anciennes et nouvelles, le flot continuait. Pourquoi se serait-elle impatientée contre Meng, qui ne songeait qu'à mettre des enfants au monde ?

« Avec mes fils, moi aussi, j'ai pris ma place dans ce flot de vie », se dit Madame Wu. Actuellement, il ne lui restait que le devoir de maintenir ce flot pur et sans obstacle à travers les générations. Elle leva la tête et respira l'air matinal. Cette seule tâche mise à part, elle était libre.

Elle devait encore aller chez Tsemo. Elle attendrait, pour voir Fengmo, de connaître les idées de Linyi.

Yenmo était absent. Dès qu'elle aurait passé chez

Tsemo et Rulan, elle en aurait fini avec ses obliga-
tions pour cette journée-là.

Le pavillon de Tsemo était le moins agréable de
tous. En pénétrant dans cet espace resserré, Madame
Wu regretta d'avoir ainsi puni son fils à cause de son
mariage. L'appartement ne comprenait que deux
pièces exposées au nord. Le soleil ne les chauffait
pas en hiver ; l'été, elles étaient humides.

Madame Wu trouva Tsemo dans la pièce principale. De l'encre s'était répandue d'une bouteille, une
encre liquide, venue de l'étranger, et Tsemo essuyait
la tache. Madame Wu fut la première à l'apercevoir
et lui trouva un air maussade : cette humeur-là prenait souvent son fils, dont la belle bouche retombait,
les yeux devenaient durs. C'est ainsi qu'elle le vit à
ce moment-là.

Elle s'arrêta sur le pas de la porte.

« Eh bien ! mon fils, lui dit-elle, es-tu seul ?

— Rulan est malade, répondit-il, jetant à terre son
chiffon imbibé d'encre.

— Malade ? Personne ne m'en a rien dit. »

Madame Wu passa le seuil surélevé et entra.

« Elle n'avait pas l'air bien, et je lui ai dit de rester
au lit, dit Tsemo.

— Je vais aller la voir », lui dit sa mère.

Elle écarta le rideau de soie rouge qui séparait les
deux pièces et entra dans la chambre. Pour la première fois, elle y pénétrait depuis l'arrivée de Rulan,
et tout était transformé. Le lit n'avait plus de rideaux
et, en revanche, il en pendait aux fenêtres. Des
tableaux étrangers ornaient les murs, et des livres
étrangers se mêlaient à ceux qui peuplaient les étagères, le long des murs.

Rulan était étendue sur le lit dénudé. Sa tête reposait sur un gros coussin, ses cheveux courts s'écar-

taient de son visage, laissant voir ses oreilles. Elles étaient petites et aussi jolies que des coquillages. Madame Wu le remarqua aussitôt.

« Je n'avais jamais vu vos oreilles, dit-elle aimablement. Elles sont très jolies. Vous devriez porter des boucles d'oreilles. Je vous en enverrai une paire, en or. »

Rulan tourna vers elle ses yeux noirs et brillants :

« Je vous remercie, Mère », répondit-elle avec une douceur inaccoutumée.

Cette douceur inquiéta Madame Wu.

« Mais j'ai peur que vous ne soyez très malade ! s'écria-t-elle.

— Je suis fatiguée, répondit Rulan.

— Vous avez peut-être du bonheur en vous ? »

Mais Rulan secoua la tête.

« Je me sens simplement lasse », et ses doigts bruns plissaient le couvre-pied de soie.

« Reposez-vous, alors. Dans cette maison, on peut toujours se faire remplacer. »

Et Madame Wu se retira avec un signe de tête et un sourire.

Elle trouva Tsemo traçant l'un après l'autre des caractères étrangers à l'aide d'une plume occidentale.

A l'entrée de sa mère, il se leva, la plume aux doigts.

« Qu'est-ce que tu écris ? lui demanda-t-elle.

— Je m'exerce à l'anglais, répondit-il.

— Qui te l'apprend ? »

Il rougit :

« Rulan. »

Madame Wu comprit aussitôt qu'il était gêné et changea vite de sujet.

« Rulan est fatiguée. Il faut qu'elle se repose.

— Je l'y obligerai, dit-il vivement. Elle est trop

active. Hier, elle a été à une Réunion du Comité de la Reconstruction nationale dans la salle du Conseil de ville, et elle a été élue Présidente. Elle en est revenue exténuée.

— Encore cette Reconstruction nationale ? »

La voix de Madame Wu avait un timbre argentin.

« Ah ! en effet, c'est exténuant.

— C'est bien ce que je lui ai dit », répondit Tsemo.

Madame Wu fit un geste d'approbation et s'en alla ; elle se dirigea avec une hâte inaccoutumée vers sa propre cour. Ch'iuming s'y trouvait ; assise sur un escabeau, elle cousait ses vêtements neufs. Madame Wu s'arrêta près d'elle et la jeune fille se leva à demi. Madame Wu lui posa la main sur l'épaule :

« Continuez à coudre. — C'est demain le jour et il faut vous y préparer. »

Ch'iuming s'assit et ramassa son aiguille qui pendait au bout du fil. Elle ne prononça pas un mot. Baissant la tête, elle se remit à coudre avec des mouvements rapides et adroits. Madame Wu, en regardant cette jeune tête penchée, vit apparaître une rougeur, comme la teinte des fleurs de pêcher, qui montait des épaules de Ch'iuming et se répandait sur la nuque ronde, parmi les racines des doux cheveux noirs.

*
* *

A la fin du jour suivant, Madame Wu avait décidé comment Ch'iuming entrerait dans le pavillon de Mr. Wu.

Pour éviter tout incident, il fallait que cela eût lieu tranquillement, à la nuit. Aucune raison pour faire un éclat. La chose regardait sa génération et celle de Mr. Wu ; de permettre à ceux de la jeune génération d'y prendre part, cela ne ferait que les embarrasser.

Le lendemain, donc, elle demanda à Ying d'aider
la jeune fille à certains petits détails de sa toilette
que Ch'iuming devait naturellement ignorer. Elle-
même passa la journée dans sa bibliothèque. Elle
n'avait aucune envie de reprendre les livres défendus.
Il lui semblait qu'elle ne pourrait jamais en ouvrir un
seul. En quoi les hommes l'intéressaient-ils, à présent ? Elle choisit à la place un livre d'histoire et commença par le début des temps, lorsque la terre et le
ciel n'étaient pas séparés, mais confondus dans le
chaos.

La journée s'écoula ; Madame Wu avait l'impression d'être hors de son corps, de circuler dans l'espace.
Personne n'approcha. Elle sentait bien que toute la
maisonnée attendait de connaître sa décision et que
personne ne viendrait avant qu'elle eût disposé de
Ch'iuming. On n'oserait rien dire tant que les affaires, au sein de la famille, resteraient confuses. L'intendant fut son seul visiteur. Il lui fit demander, tard
dans l'après-midi, si elle pourrait le recevoir, il désirait lui rendre compte des transactions de la journée.
Elle donna l'ordre de l'introduire ; lorsqu'il parut sur
le seuil de la bibliothèque, elle leva la tête et, sans
fermer son livre, le pria d'entrer. Il s'avança et se tint
devant elle, tirant de sa poitrine un papier plié.

« Madame, dit-il, je vous apporte l'acte d'achat de
la parcelle des Yang. Nous avons payé quatre-vingts.
Si notre Seigneur s'était abstenu, je l'aurais eu pour
soixante-dix, mais il s'est souvenu qu'il s'agissait là
d'un don, et il n'a pas voulu se montrer dur.

— Je vais garder l'acte », dit-elle sans tenir compte
de la critique à l'égard de Mr. Wu.

Sans nul doute, l'intendant était au courant de ce
qui se passait dans la maison. Elle vit ses yeux par-

courir rapidement la pièce, comme s'il était à la recherche d'un nouveau visage.

« Est-ce là tout ? », répéta-t-elle.

Il la regarda de nouveau, mais cet homme vulgaire et grossier ne sut pas dissimuler ses pensées. Elle aperçut le relâchement des coins de ses grosses lèvres, le flottement du regard, et elle lut en lui comme si elle lisait le livre défendu.

« Alors ? », dit Madame Wu d'un ton sec.

Cette brusquerie fit baisser la tête de l'intendant.

« Rien de plus, Madame, sinon que je pense mettre des fèves dans la nouvelle pièce, sauf contre-ordre de votre part. On ne peut guère semer autre chose à présent.

— Des fèves, et ensuite du blé d'hiver, répondit Madame Wu.

— C'est bien ce que je pensais », fit-il.

Elle eut un geste d'acquiescement et s'aperçut qu'il s'attendait à un pourboire. Elle se leva, prit une clef dans la poche intérieure de son vêtement, l'introduisit dans la serrure d'un coffret de bois placé contre le mur, l'ouvrit, en tira quelques dollars d'argent et en compta dix devant lui.

« Voilà pour vous remercier », dit-elle, affable.

Il étendit la main pour protester, se retira un peu, roula la tête de côté et d'autre en signe de dénégation, puis accepta l'argent.

« Merci, Madame, merci », répéta-t-il un grand nombre de fois.

Et, marchant à reculons jusqu'à la porte, il sortit de sa présence. Madame Wu le surprit dans la cour qui se redressait et regardait autour de lui en se dirigeant vers le portail.

Elle était contente que Ch'iuming n'eût pas paru. La jeune fille avait eu la bonne grâce de se dérober aux regards. C'était un point de plus en sa faveur. Madame Wu ferma le livre qu'elle avait laissé ouvert sur la table, le rangea dans son enveloppe et passa dans le petit salon. Ying lui avait apporté son repas du soir ainsi que celui de Ch'iuming. Madame Wu examina la nourriture destinée à la jeune fille. Puis elle se pencha pour la sentir.

« Vous n'y avez pas mis d'ail ou d'oignon, ni rien de fort comme parfum ? demanda-t-elle à Ying.

— Je sais ce qui doit se faire », répondit brièvement la servante.

Madame Wu insista :

« Pas de poivre ? Ça donne des brûlures d'estomac.

— Rien qu'un bébé ne puisse manger », répondit Ying, dont la bonne figure avait pris une expression froide et indifférente pour prouver à sa maîtresse qu'elle demeurait inflexible.

Madame Wu sourit aux yeux courroucés et à la moue de sa servante.

« Ying, vous êtes la fidélité même, mais, si vous voulez réellement me servir, apprenez que je ne fais, moi, que ce que je veux. »

Mais Ying ne voulut rien répondre.

« Madame, dit-elle, votre repas est dans votre chambre. »

Et Madame Wu dîna seule dans sa chambre, avec sa lenteur et son raffinement habituels ; elle s'attarda et fuma sa petite pipe. Puis elle alla dans la cour, où un jardinier avait été occupé toute la journée à transplanter les orchidées. Elle lui en avait indiqué la place et donné ses instructions. Le travail était terminé. Le jardinier avait pincé les fleurs et les boutons, coupé les feuilles extérieures, en sorte qu'il ne restait sur chaque tige qu'une seule pointe de feuille prête à se déployer. Les plantes vivraient. La cour où, ce jour-là, elles avaient fleuri était garnie de pivoines en plein épanouissement.

Quand la nuit tomba, Madame Wu attendit une heure et, après cette heure d'obscurité, rentra dans le pavillon. Ch'iuming s'était baignée et coiffée. Elle avait mis ses vêtements neufs et se tenait assise, très droite, au bord du lit étroit, les mains jointes sur ses genoux. Son jeune visage était figé et ne laissait rien paraître. Mais, sous les cheveux lissés qui recouvraient les oreilles, coulaient deux longs filets de sueur. Madame Wu s'était assise auprès de la jeune fille.

« Il ne faut pas avoir peur, dit-elle. C'est un homme très bon. »

Ch'iuming lui lança un rapide coup d'œil à travers ses cils baissés, puis elle courba de nouveau la tête.

« Vous n'avez qu'à lui obéir », dit Madame Wu.

En prononçant ces mots, elle se sentait un peu cruelle. Pourquoi donc ? La jeune fille n'était plus une enfant. L'homme qui avait dû être son mari n'existait plus. Si elle était restée dans la maison de sa mère adoptive, qu'eût-elle pu espérer, jeune veuve sans avoir été mariée, sinon d'être donnée comme épouse à quelque autre paysan, veuf et chargé d'enfants ? Son sort actuel était préférable.

Madame Wu cherchait ainsi à s'endurcir, mais Ch'iuming leva furtivement la main, essuya la sueur sur ses joues et garda le silence.

« Vous feriez bien de l'emmener tout de suite », dit brusquement Madame Wu à Ying, qui attendait.

Ying s'avança, saisit la manche de Ch'iuming entre le pouce et l'index :

« Venez », lui dit-elle.

Ch'iuming se leva. Sa bouche rouge et charnue

s'ouvrit, elle reprit haleine péniblement et recula, ses yeux élargis paraissaient très noirs.

« Venez, répéta Ying rudement. Vous n'êtes ici que pour ça. »

La jeune fille détournait ses regards du visage de Ying vers celui de Madame Wu ; n'y voyant rien qui pût la délivrer, elle courba la tête, elle suivit Ying hors de la pièce, traversa la cour, puis le portail.

Demeurée seule, Madame Wu resta un moment assise, sans bouger, l'esprit vide et n'éprouvant que des sensations aveugles auxquelles elle laissa libre cours. Souffrait-elle ? Elle savait bien que non. Avait-elle des regrets ? Non, aucun. C'est dans cet état de vide qu'une âme doit se trouver perdue, après la mort.

Puis elle leva la tête : ses lèvres frémirent. L'âme, avant de naître, n'existe-t-elle pas dans ce même vide au sein de la matrice ? De même elle, à présent, pourrait naître de nouveau. Elle se leva, sortit dans la cour et leva les yeux vers le ciel sombre. La nuit était douce et noire et le carré de ciel, au-dessus de la cour, était masqué par les nuages au travers desquels aucune étoile ne brillait. Il y aurait de la pluie avant le matin. Elle dormait toujours bien par les nuits pluvieuses.

Ying revint, la dépassa dans l'obscurité sans l'apercevoir, entra dans la maison et fut saisie de n'y trouver personne.

« Oh ! ciel ! (Madame Wu l'entendit marmotter). Où donc est-elle partie ? »

Puis Ying se mit à crier :

« Maîtresse ! Maîtresse !

— Je suis là, pauvre sotte, fit tranquillement Madame Wu, debout sur le seuil. J'étais allée dans la cour me demandant s'il allait pleuvoir. »

Ying était aussi verte que de la vieille purée de fèves.

Elle porta la main à son cœur et dit, le souffle court :

« Oh ! maîtresse, je pensais... je pensais... »

Madame Wu se mit à rire.

« Si vous vous arrêtiez de penser, vous seriez beaucoup plus heureuse. Vous devriez me laisser cela à moi, Ying. Vous n'en avez aucun besoin, Ying. »

Ying soupira, et sa main retomba.

« Voulez-vous aller vous coucher à présent, Madame, comme d'habitude ?

— Pourquoi pas ? demanda Madame Wu de sa jolie voix. Il commence à pleuvoir, j'entends les gouttes sur le toit. »

Une heure plus tard, elle monta dans le grand lit, si élevé. Fraîchement baignée, fraîchement revêtue de ses vêtements de nuit en soie blanche, elle s'allongea.

Ying éclata en sanglots :

« Pourrait-il y avoir une mariée aussi belle que vous ? », s'écria-t-elle entre ses sanglots.

Madame Wu avait posé sa tête sur l'oreiller. Elle la releva :

« Comment osez-vous pleurer, quand moi, je ne pleure pas ? », dit-elle.

Avalant ses larmes, Ying relâcha les rideaux du lit et les ferma. Emprisonnée derrière leur splendeur de satin, Madame Wu croisa les mains sur sa poitrine et ferma les yeux. Elle entendait tomber sur les tuiles du toit la pluie régulière et apaisante.

*
* *

Ch'iuming prenait dans l'obscurité une direction

inconnue. Elle n'était pas sortie une seule fois de la
cour de Madame Wu depuis son arrivée. Partant de
là, elle se sentit sans asile, aussi orpheline que le jour
où la femme qui lui avait donné naissance l'avait déposée au pied du rempart et l'y avait abandonnée.
Elle n'avait pas compris alors sa triste condition ; à
présent, elle en avait conscience.

L'existence qu'elle avait menée lui avait appris depuis longtemps à garder le silence, car aucune voix
n'eût répondu à son appel. Ying lui tenait toujours sa
manche entre ses deux doigts et, d'une poussée légère, dirigeait ses pas. Mais elle se taisait devant Ying.

Ying non plus ne disait rien en foulant les pavés,
d'une cour à l'autre. Celle de Vieille-Dame était
tranquille, car la pauvre femme se mettait au lit dès
le coucher du soleil. Du côté de l'ouest, un enfant
criait. C'était celui de Fils Aîné. Au nord, Ying entendit ou crut entendre une femme sangloter. Elle s'arrêta pour écouter :

« Attendez ! dit-elle. Qui est-ce qui pleure dans la
nuit ? »

Ch'iuming leva la tête.

« Je ne l'entends plus, dit Ying. Sans doute n'était-
ce qu'une tourterelle. »

Les deux femmes poursuivirent leur chemin. Le
cœur de Ch'iuming commença à battre. Chacun de
ses sens était avivé. Sur sa peau, l'air était humide.
Oui, elle entendait sangloter une femme. Mais quelle
femme pouvait pleurer dans ces cours ? Elle ne posa
pas de questions. Même si elle avait su de qui il s'agissait, qu'aurait-elle pu faire ? Le sentiment de son
impuissance s'empara d'elle et l'effraya. Elle aussi
avait envie de pleurer. Il lui fallait parler, atteindre
une âme vivante et écouter une voix lui répondre,
même si ce n'était que celle de cette servante.

« Je trouve curieux qu'on m'ait demandée, fit-elle, haletante. Il me semble qu'il aurait mieux aimé une de ces filles des maisons de fleurs, quelqu'un, vous comprenez, qui sache comment... Moi, je n'ai vécu qu'à la campagne.

— Notre maîtresse n'aurait pas voulu avoir une de ces filles dans notre maison », répondit Ying froidement.

Elles étaient arrivées avant que Ch'iuming eût le temps d'en dire davantage. La cour était remplie de pivoines. Une lanterne les éclairait d'en haut, et elles luisaient parmi l'ombre.

« Il n'y a personne », dit Ying.

Elle avança et Ch'iuming la suivit. Elle aperçut une grande chambre. Jamais elle n'en avait vu une aussi vaste. Le mobilier était riche et sombre, des tableaux pendaient aux murs. Dans les embrasures des portes, le vent agitait doucement, de côté et d'autre, les rideaux de satin. Ils étaient écarlates et ressortaient sur les murs couleur d'ivoire. Ch'iuming entra timidement. C'est ici qu'elle habiterait — si elle lui plaisait.

« Mais où se trouvait-il ? »

Elle ne posa pas la question et Ying ne parla pas du seigneur. De la même manière glaciale, Ying l'aida à se préparer au coucher. Ce ne fut que lorsqu'elle la vit assise au bord du lit, si pâle, que la servante eut pitié.

« Il faut vous rappeler que vous êtes dans une maison honorable, dit-elle d'une voix forte. Si vous remplissez votre devoir, pas besoin d'avoir peur. Il est bon et il a autant de sagesse que de bonté. Vous, parmi les femmes, vous avez de la chance, aussi pourquoi vous effrayer ? Avez-vous une maison où vous enfuir, une mère pour vous y recevoir de nouveau ? »

Ch'iuming secoua la tête, et la rougeur lui monta aux joues. Elle s'allongea, ferma les yeux. Ying ramena les rideaux et sortit.

Derrière les courtines, Ch'iuming était étendue, seule et terrifiée. Que lui arriverait-il dans les heures qui suivraient ? La grande demeure l'encerclait. Un bruit lui parvint — elle ne savait d'où — des claquements de pièces de mah-jong. Les serviteurs jouaient-ils ou bien les fils ? Etait-ce *lui* avec ses amis ? Avait-on jamais vu une concubine amenée dans une maison de ce genre, et de cette manière-là, sans avoir même aperçu celui à qui on la destinait ? C'est comme s'il s'agissait de l'épouse et non de la concubine. Mais la dame plus âgée était l'épouse, et non Ch'iuming. Et comment arriver à être aussi belle que cette épouse-là, comment plaire après celle dont chaque impression n'était que beauté ?

« Je suis si ordinaire ! se disait-elle, jusqu'à mes mains ! »

Elle les leva dans l'obscurité et les laissa retomber. Elles étaient rudes, et la soie si fine de l'édredon s'y accrochait.

Elle se rappela les sanglots de la femme. Quels étaient les autres habitants de la maison ? Les fils, les épouses des fils, elle ferait la paix avec eux tous, de peur qu'ils ne la prissent en haine. Les serviteurs seraient-ils tous aussi gentils que Ying ? Et, n'ayant rien à leur donner en échange d'un service, lui permettrait-on de se servir elle-même ?

« Je voudrais me retrouver dans mon lit d'autrefois », se dit-elle en gémissant tout bas. Elle avait dormi toute sa vie dans un petit appentis, à côté de la chambre de sa mère adoptive. Son lit était fait de planches posées sur deux bancs, et, la nuit, elle entendait la respiration du buffle et les battements d'ailes des quelques poules juchées dans l'écurie.

Elle s'enveloppait d'un couvre-pied de coton posé sur les planches et qui lui servait à la fois de matelas et de couverture. Parfois, le matin, les fientes des oiseaux tombaient sur sa figure et l'éveillaient, car des moineaux s'abritaient sous les poutres.

Elle songea ensuite au jeune garçon avec qui elle avait grandi, le fils de sa mère adoptive, mais jamais un frère pour elle. Depuis le jour où elle put comprendre, elle sut qu'on l'avait amenée là pour devenir sa femme. Elle n'éprouvait pas d'amour pour lui, car elle le connaissait trop bien. C'était un paysan, semblable à tous ceux de son village. Elle revoyait sa figure ronde, ses grosses joues du temps où elle-même était enfant. Puis il était devenu grand et maigre, et elle commençait à se sentir gênée avec lui lorsqu'il mourut. Elle n'avait même pas préparé ses vêtements de noce. Il était mort si jeune que c'est à peine si elle avait songé à lui comme à un mari. Lorsqu'il mourut, sa mère adoptive l'accusa.

« Tu as amené une malédiction chez moi, lui avait-elle dit. J'aurais dû te laisser périr devant le mur de la ville. Tu n'étais pas destinée à mon fils. »

Ch'iuming se rappelait combien ces paroles l'avaient blessée. La ferme était sa seule demeure, cette femme sa seule mère. Elle ne s'était pas montrée méchante. Mais, après cette scène, Ch'iuming avait eu de nouveau le sentiment de n'être qu'une enfant trouvée qui n'appartenait pas à la maison. Lorsque Liu Ma était venue et que le marché se trouva conclu, Ch'iuming n'avait rien dit.

« Qu'aurais-je pu faire, sinon venir ici ? », se dit-elle.

Elle entendit alors un bruit de pas, et son sang se

figea dans ses veines. Elle saisit le couvre-pied de soie
et le ramena sous son menton, les yeux rivés sur les
rideaux fermés. Ils s'écartèrent. Elle vit un beau visage lourd, ni jeune ni vieux, et rougi par la boisson.
L'odeur du vin se répandit dans l'alcôve du lit. L'homme la considéra pendant une longue minute, puis il
referma doucement les rideaux.

Pendant longtemps, Ch'iuming n'entendit rien.
Etait-il parti ? Elle n'osait bouger. Elle restait allongée, enclose dans l'obscurité, attendant. Si elle ne
plaisait pas, on la renverrait le lendemain. Mais où
irait-elle ? En ce cas, lui donnerait-on un peu d'argent ? Qu'arrive-t-il aux concubines qui ne plaisent
pas ? Un pareil destin lui fit si peur que tout lui parut
préférable à cela.

Elle se redressa brusquement, écarta les rideaux
d'une main et regarda au-dehors. Elle le vit assis,
immobile, dans le grand fauteuil. Il avait retiré ses
vêtements de dessus et n'avait gardé que ses dessous
en soie blanche. Comment n'avait-il pas fait plus de
bruit ? ne l'avait-elle pas entendu ?

Il se regardèrent l'un l'autre. Puis elle referma vivement les rideaux, s'allongea et cacha sa figure dans
ses mains. Il venait. Elle entendit le son mat et lourd
de ses pas sur les dalles. Les rideaux de soie s'ouvrirent, comme déchirés, et elle sentit des mains qui reti-
raient les siennes de son visage.

V

Madame Wu s'éveilla du sommeil le plus profond
qu'elle eût jamais connu. C'était le matin, et elle avait
dormi la nuit, sans se réveiller une seule fois. Jamais
cela ne lui était arrivé, autant qu'elle s'en souvînt. La
bougie neuve que Ying avait placée la veille au soir
sur la table, auprès du lit, gardait encore sa mèche
blanche.

La première impression de Madame Wu fut celle
d'un complet repos. La fatigue avait quitté son corps
ainsi que son âme. Ce soulagement lui parut assez
familier. Elle revint en arrière, remuant les souvenirs
de sa vie si riche, et elle se rappela qu'après la naissance de chacun de ses enfants elle avait éprouvé
cette même sensation. Pendant les dix mois lunaires,
le fardeau qu'elle portait n'avait cessé de s'alourdir,
de devenir plus proche, plus envahissant, si bien qu'il
lui fallait garder la plus grande maîtrise d'elle-même
pour conserver ce doux équilibre qui constituait son
atmosphère. Puis la naissance de l'enfant survenait.
Cela comptait moins pour elle que de sentir son corps
lui appartenir de nouveau, entièrement. Au premier
cri aigu de l'enfant, séparé d'elle, sa première pensée
allait vers sa liberté recouvrée. Dès qu'on lui amenait

le petit, lavé et vêtu, elle se mettait à l'aimer pour lui-
même, mais jamais comme une partie d'elle-même.

Et, ce matin-là, elle éprouvait ce même sentiment
d'intégrité, mais plus accentué, plus profond. Son
devoir était accompli. Personne, dans cette maison,
ne manquait du nécessaire.

...Son troisième fils, Fengmo, lui revint à l'esprit. Tant qu'il ne serait pas marié, elle n'aurait pas
sa liberté complète.

En songeant à cela, elle se leva et enfonça ses petits
pieds étroits dans les pantoufles de satin noir brodées que Ying plaçait toujours sur la longue banquette, devant le lit. Les pieds de madame Wu étaient
un peu plus étroits que ne l'avait voulu la Nature.
Bien des années auparavant, lorsqu'elle était une
enfant de cinq ans, sa mère avait commencé à les bander. Son père voyageait à l'étranger avec le Prince Li
Hung Chang. L'enfant avait regardé les photographies de son père prises dans ces contrées lointaines,
et sa nourrice lui avait parlé de sa sagesse et de sa
bonté. Sa mère, elle aussi, en parlait bien des fois,
mais toujours pour corriger quelque défaut chez elle.

« Songe un peu à ce qu'en penserait ton père ! »,
lui disait-elle souvent.

Et la petite cédait toujours, car elle ne savait que
répondre.

Lorsqu'un jour sa mère l'appela et qu'elle aperçut
les longues bandes blanches en toile de coton, elle se
mit à pleurer. Elle avait vu la même chose se passer
pour sa sœur aînée, cette sœur qui, après avoir couru
et joué si gaiement, restait assise toute la journée,
silencieuse, à broder, n'osant même pas se tenir sur
ses pieds bandés et douloureux.

La mère s'était arrêtée pour dire à sa seconde fille
avec un regard sévère :

« Que penserait ton père s'il revenait et te trouvait avec des pieds épatés comme une paysanne ? »

Les sanglots de l'enfant diminuèrent de violence et, en pleurnichant, elle se laissa bander les pieds.

Madame Wu se souvenait encore de ce mois d'agonie. Puis une lettre de son père annonça son retour. Par égard pour lui, elle avait supporté la douleur quinze jours de plus. Et, à son arrivée, elle s'était efforcée de marcher à sa rencontre sur ses pieds. Mais quelle joie pouvait être comparée à celle qui avait suivi ! Avant qu'elle eût pu regarder le visage de son père, ou prononcer son nom, il avait poussé un cri strident et avait soulevé sa fille dans ses bras.

« Enlevez-moi les bandes des pieds de cette enfant. »

Cet ordre causa une tempête générale et des exclamations indignées. Madame Wu ne put jamais se rappeler le moindre mot de la discussion entre les aînés de la famille, mais elle n'oublia pas l'orage. Sa mère pleurait, sa grand-mère hurlait de colère et même son grand-père ne cessait de crier. Mais son père s'était assis et la tenait sur ses genoux. De ses propres mains, il avait retiré les bandes et libéré les pieds. Il les prit entre ses doigts l'un après l'autre, les frictionna doucement, pour y ramener le sang, et ce sang, reprenant son cours dans les veines resserrées, amena tout d'abord une vive douleur, puis la joie.

« Jamais… jamais plus », avait-il murmuré.

Elle s'était accrochée à lui en pleurant :

« Et si vous n'étiez pas revenu ! », avait-elle gémi tout contre lui.

Il était rentré à temps pour la sauver. Au bout de quelques mois, elle se mit à courir de nouveau. Mais on ne pouvait plus rien faire aux pieds de sa sœur : les os en étaient brisés.

Après cela, il n'y avait eu que discordes pendant trois ans, dans la maison. Son père avait vu de près de nouvelles coutumes dans les pays neufs et il avait insisté pour qu'Ailien apprît à lire. Lorsqu'il mourut, au bout de trois ans, d'un cas de choléra foudroyant après un été torride, il était trop tard pour bander de nouveau les pieds d'Ailien, trop tard aussi pour la replonger dans l'ignorance, puisqu'elle savait déjà lire. On lui permit même de poursuivre ses lectures, puisqu'elle était fiancée et que cela plaisait à Vieux-Monsieur qu'elle sût lire et qu'elle eût les pieds libres.

« Nous avons bien de la chance, disait sa mère, d'avoir trouvé une famille riche aussi indulgente. »

Ce matin-là, en glissant ses pieds minces dans ses pantoufles, Madame Wu songea à son père. Elle ressentait de nouveau au fond d'elle-même un peu de cette joie causée par sa liberté d'alors. Elle sourit, et Ying la surprit, souriant.

Elle la gourmanda :

« Vous, Maîtresse, vous êtes par trop heureuse, ce matin ! »

Elle la regarda de nouveau et, malgré son désir de garder le décorum, elle ne put s'empêcher de sourire à son tour :

« Vous avez tout l'air d'une enfant malicieuse.

— Ne cherchez pas à me comprendre, ma bonne fille, dit gaiement Madame Wu. Pourquoi vous tourmenter ? Restons simplement comme nous sommes. Fait-il beau, dites-moi ?

— On pourrait croire qu'il n'a pas plu, répondit Ying.

— En ce cas, habillez-moi en tenue de visites. Je

vais aller voir Madame Kang dès que j'aurai déjeuné.
Que diriez-vous pour notre Fengmo de sa Linyi ?

— Deux nœuds à la même corde ! fit Ying en réfléchissant. Eh bien ! Maîtresse, il vaut mieux recommencer une bonne chose qu'une mauvaise. Notre
jeune seigneur, l'aîné, est assez heureux avec l'aînée
de Madame Kang. Mais notre second seigneur a
battu sa femme cette nuit.

— Tsemo a battu Rulan ? s'écria Madame Wu.

— Je l'ai entendue sangloter, répondit Ying. Sans
doute était-elle battue. »

Madame Wu soupira :

« Je n'aurai donc jamais de paix sous ce toit ? »

Elle déjeuna rapidement, se leva et alla chez Tsemo. Mais Tsemo avait été plus matineux et il était
parti. Rulan, encore au lit, dormait, dit la servante.
Madame Wu ne voulut pas demander à une domestique pourquoi Tsemo avait battu sa femme, elle se
contenta de dire :

« Prévenez mon fils que je le verrai ce soir. »

Elle fit ensuite, comme chaque jour, sa tournée
d'inspection aux cuisines et dans les cours des différentes familles, et, lorsqu'elle eut examiné tout dans la
maison, distribué louanges ou critiques, elle revint
chez elle.

Deux heures plus tard, elle franchit le seuil de la
maison Wu. Deux ans auparavant, Mr. Wu avait
acheté une automobile de l'étranger, mais les rues
étaient si étroites que Madame Wu ne s'en servait
pas volontiers. Elle n'aimait pas voir les petites gens
s'aplatir contre les murs des maisons tandis que la
grande auto encombrait les rues. Elle n'aimait pas
non plus le pousse-pousse découvert que Mr. Wu
lui avait offert un jour. Elle préférait encore la vieille
chaise à porteurs qui faisait partie de son mobilier

de mariage. Elle pria donc Ying de la suivre dans le pousse-pousse. Puis un des quatre porteurs écarta le rideau, Madame Wu s'installa et le laissa retomber. A travers la petite fenêtre vitrée fixée au rideau, elle apercevait suffisamment ce qui pouvait l'intéresser au-dehors sans être vue elle-même.

Ainsi, longeant avec ses quatre porteurs les rues populeuses, elle ne gênait personne. Son poids ne représentait aucune fatigue pour les hommes, et la chaise était si étroite que nul n'était détourné de son chemin. Elle aimait l'appel courtois du porteur en tête : « J'emprunte votre lumière — j'emprunte votre lumière. » C'est ainsi que les riches doivent se montrer polis envers les pauvres, et les gens haut placés envers les plus humbles. Madame Wu ne supportait aucun genre d'oppression. Depuis qu'elle dirigeait la maison Wu, aucun esclave n'avait été frappé, ni un serviteur offensé. Et si, parfois, elle devait congédier un serviteur infidèle ou incapable, elle n'invoquait jamais cette raison-là, mais une autre, qu'il savait fausse, mais qui lui était une consolation devant ses camarades. Madame Wu était d'autant plus peinée lorsqu'elle songeait à ce que Ying lui avait dit : « Tsemo aurait donc battu Rulan ? »

« Je ne veux pas le croire, songea-t-elle, jusqu'à ce que j'aie découvert la vérité. »

Et elle écarta cette pensée.

La distance qui séparait la maison des Wu de celle des Kang était grande, il fallait traverser presque toute la ville. Mais Madame Wu n'avait aucun désir de se hâter. Elle prenait plaisir à voir le soleil briller dans les rues encore mouillées de la pluie nocturne. Les pavés étaient mouillés, très propres, et les gens semblaient joyeux, heureux de la pureté du ciel. Les marchés étaient animés et les paysans apportaient déjà

leurs charges de choux, verts et frais, leurs paniers
d'œufs et de bottes d'herbes de chauffage. Ce mouvement de vie apaisait toujours Madame Wu. Dans
cette ville, la maison Wu n'était qu'une demeure entre
les autres. Il était agréable de songer à toutes ces
maisons où hommes et femmes vivaient ensemble, où
naissaient leurs enfants et les enfants de leurs enfants.
Et, dans cette nation, il y avait tellement de villes de
ce genre, et, autour du monde, d'autres nations, où
des hommes et des femmes vivaient la même vie sous
d'autres aspects. Madame Wu aimait à s'étendre sur
ces pensées-là. Sa propre vie était ainsi ramenée à ses
justes proportions. Un seul chagrin comptait-il parmi
tant d'autres semblables, ou bien une joie unique dans
un monde de tant de joies ?

Au bout d'une heure environ, la chaise à porteurs
fut déposée devant le portail de la maison Kang.
Ying avait, naturellement, envoyé un serviteur en
avant, pour annoncer la visite de Madame Wu, et
on l'attendait. Les grandes portes rouges et ver-
nissées étaient largement ouvertes, un serviteur s'y
trouvait. Au sortir de son pousse-pousse, Ying se
hâta pour aider Madame Wu à descendre de sa
chaise à porteurs. Elle tenait sous son bras la trousse
de voyage de Madame Wu, au cas où sa maîtresse
voulût lisser ses cheveux ou passer un peu de poudre
sur sa figure.

Elles franchirent le portail, mais, avant d'avoir traversé la première cour, elles aperçurent Madame Kang,
qui venait elle-même accueillir son amie. Toutes les
deux se serrèrent la main.

« Que vous êtes bonne, ma sœur », s'écria Madame Kang très chaleureusement.

Elle était curieuse d'apprendre de la bouche même
de Madame Wu ce qui s'était passé. Les serviteurs

des deux maisons allaient et venaient de l'une à l'autre, et Madame Kang savait que son amie avait exécuté son projet. Elle savait même que, la veille, Ch'iuming était passée dans la cour de Mr. Wu.

« Je suis venue vous parler de bien des choses, ma Sœur, répondit Madame Wu. Mais je viens un peu trop tôt — je vous dérange.

— Comment pouvez-vous dire ça ? », répondit Madame Kang.

Elle examina le ravissant visage, si frais, de son amie, et n'y découvrit aucun changement. Le regard paisible, la bouche tranquille, exquise, la peau d'une pâleur de perle n'avaient jamais paru plus jolis.

« Comme vous êtes belle, toujours ! dit tendrement Madame Kang, consciente, mais sans en souffrir le moins du monde, du désordre de ses propres cheveux.

— Je me lève de bonne heure, dit Madame Wu. Allons chez vous à présent et j'attendrai pendant qu'on vous coiffera.

— Ne faites pas attention à mes cheveux, je vous en prie. Je ne m'en occupe que l'après-midi, les matinées passent si vite. »

Elle se retournait et riait tout en parlant, car, derrière elle, une douzaine d'enfants surgissaient, sortis on ne sait d'où. Enfants et petits-enfants, tous mélangés. Madame Kang se baissa et souleva le plus petit qui ne pouvait encore marcher, mais que maintenait sur ses pieds une serviette passée autour du corps et dont une jeune esclave tenait les deux bouts. Madame Kang souleva contre elle l'enfant pas lavé, malpropre bien que vêtu de satin, et elle le respira avec amour comme s'il sortait tout frais du tub.

Ensemble, les deux amies entrèrent dans la demeure, traversèrent deux cours et pénétrèrent dans celle de Madame Kang. Celle-ci mit à terre le bébé qu'elle portait, agita ses deux mains potelées vers les enfants et les petits esclaves en s'écriant :

« Sortez de là. »

Puis, voyant les mines longues, elle glissa la main dans sa veste lâche et en retira une poignée de menue monnaie qu'elle mit dans la main de l'aînée des esclaves.

« Allez chercher des pistaches pour tous », dit-elle.

Puis elle cria à l'enfant qui s'éloignait, ravie :

« Prenez-les avec leurs coques, qu'on mette plus longtemps à les manger ! »

Elle rit de son gros rire sonore à la vue de tous ces petits qui couraient vers la rue. Puis elle saisit la main de Madame Wu et l'entraîna dans sa chambre, dont elle ferma la porte.

« A présent, nous voilà seules », dit-elle.

Dès que Madame Wu se fut assise, elle s'installa à son tour et se pencha en avant, les mains sur ses genoux.

« Racontez-moi tout. »

Madame Wu regarda son amie, et ses yeux prirent une expression vague et un peu surprise.

« Chose curieuse, fit-elle après un court silence, je crois que je n'ai rien à dire.

— Comment ça se peut-il ? s'écria Madame Kang. Moi, je suis aussi pleine de questions qu'une poule l'est d'œufs. Cette fille... Qui est-elle ? — l'aimez-vous — lui a-t-elle plu ?

— Je l'aime bien. »

Et, tandis que son amie se taisait, Madame Wu s'aperçut que, durant toute la matinée, elle s'était obstinément refusé à songer à Mr. Wu ou à Ch'iuming. Lui a-t-elle plu ? Sans répondre à cette question qui la mordait au cœur comme un serpent, elle s'obligea à poursuivre la conversation.

« Je lui ai donné un nom : Ch'iuming. C'est une fille assez ordinaire, mais bonne. Je suis sûre qu'il la prendra en affection. Tout le monde, du reste, car il n'y a rien de déplaisant en elle. Personne dans la maison ne sera jaloux d'elle.

— Ciel ! s'écria Madame Kang, étonnée. Vous dites tout ça comme si vous veniez de louer une nouvelle nourrice pour un de vos petits-enfants. Mais, lorsque mon père a pris une concubine, ma mère a pleuré et a essayé de se pendre. Il a fallu la veiller jour et nuit. Et, quand il a pris la seconde, la première a avalé ses boucles d'oreilles et ça a continué de la même façon jusqu'à la cinquième, la dernière. Elles se détestaient et se disputaient mon père. (Le gros rire de Madame Kang lui échappa, roulant en cascade.) Elles en voulaient à ses souliers — il les laissait dans la chambre de celle qu'il comptait rejoindre la nuit. Alors une autre les volait. A la longue, pour avoir la paix, il a dû partager son temps également entre elles.

— Ces concubines devaient être bien sottes, dit tranquillement Madame Wu. Je ne parle pas de votre mère, Meichen. Il était bien naturel qu'elle eût mis sa confiance dans le cœur d'un homme. Mais les concubines !...

— Il n'y a jamais eu de femme comme vous, Ailien, dit affectueusement Madame Kang. Dites-moi, avez-vous pu dormir cette nuit ?

— Cette nuit, répéta Madame Wu, j'ai admirablement dormi, grâce à la pluie qui tombait sur le toit.

— Oh ! la pluie sur le toit ! », s'écria Madame Kang.

Et elle poussa de tels éclats de rire qu'elle dut s'essuyer les yeux avec ses manches.

Madame Wu attendit, en souriant, que la crise fût passée. Puis elle dit d'un air sérieux :

« Il y a une chose dont je dois m'entretenir avec vous, Meichen. »

Lorsque son amie parlait sur ce ton-là, Madame Kang prenait aussitôt plus de gravité.

« Je ne rirai plus, dit-elle. De quoi s'agit-il ?

— Vous connaissez mon fils Fengmo, dit Madame Wu. Trouvez-vous que je devrais l'envoyer dans une école ? »

Elle posait cette question avec adresse. Si Madame Kang répondait que c'était inutile, Madame Wu demanderait aussitôt la main de Linyi ; dans l'autre cas...

« Tout ça dépend des projets de ce garçon, répondit Madame Kang. ». Et sa grosse figure ronde prit la même expression que celle de son amie.

« On n'a jamais pu savoir ce qu'il désirait. Il s'est contenté de grandir. Mais une mère doit s'occuper de son fils quand il a passé dix-sept ans.

— Bien sûr », répondit Madame Kang.

Elle pinça la bouche et songea à Fengmo, à sa tournure arrogante, fine comme une lame, à sa tête fière.

« Allons, fit franchement Madame Wu. Pourquoi ne vous avouerais-je pas la vérité ? J'avais songé à mêler notre sang de nouveau dans le même courant. Fengmo et Linyi, qu'en pensez-vous ? »

Madame Kang battit des mains par deux fois.

« Très bien ! », s'écria-t-elle.

Puis elle laissa retomber ses mains dodues.

« Mais cette Linyi, fit-elle tristement, j'ai beau dire : Très bien ! Comment puis-je savoir ce qu'elle en pensera ?

— Vous n'auriez jamais dû la laisser aller dans

une école étrangère. Je vous avais mise en garde, à
ce moment-là.

— Vous aviez raison, répondit Madame Kang d'un
ton peiné. Rien chez nous, à présent, n'est assez bon
pour elle. Elle se plaint de tout. Elle se dispute avec
son père quand il crache par terre, le pauvre homme.
Elle voudrait que nous placions des pots sur le carrelage pour les crachats. Mais les enfants ramassent
ces pots, les font tomber et les cassent ! Et Linyi se
fâche aussi parce que les bébés n'ont pas tous leurs
petits derrières enveloppés dans des linges. Mais, avec
treize petits-enfants sous ce toit, et dont aucun ne
peut encore se retenir pour ses besoins, comment y ar-
riverions-nous ? Nos ancêtres nous ont appris la sagesse en instituant les pantalons sans fond. Devons-
nous nous en moquer ? Nous avons déjà trois laveuses
à demeure.

— Linyi ne serait pas incommodée chez nous par
les enfants, à part les nôtres, fit Madame Wu. Et,
avec les siens, une femme apprend la sagesse. »

Elle avait trop de bonté pour dire à son amie qu'en
l'occasion elle se sentait en secrète sympathie avec
Linyi. Chez Madame Kang, les nourrices et les servantes faisaient faire les bébés à terre continuellement,
si bien qu'on ne savait plus où poser les pieds. Madame Wu n'avait jamais toléré ces négligences. Les
bonnes devaient conduire les bébés dans certains coins
réservés à cet usage, ou derrière les arbres.

Madame Kang regarda son amie d'un air de doute.

« Je serais très heureuse de vous donner Linyi. Elle
devrait se marier et avoir l'esprit occupé. Mais je vous
aime trop pour vous cacher ses défauts. Je crois qu'elle
exigera que Fengmo, même si elle a envie de l'épouser,
ait reçu de l'instruction du dehors. Elle trouvera hon-
teux qu'il ne sache parler aucune langue étrangère.

— Mais avec qui la parlerait-il ? demanda Madame Wu. Vont-ils s'asseoir ensemble pour causer entre eux dans ces langues étrangères ? Ce serait absurde.

— Bien sûr. Mais c'est une question de vanité, chez ces jeunes femmes, de pouvoir bavarder dans une de ces langues. »

Les deux amies se regardèrent, songeuses. Puis Madame Wu dit nettement :

« Ou bien Linyi se contentera de Fengmo tel qu'il est, ou je laisserai tomber la chose. La guerre est dans l'air et mes fils n'iront pas dans des villes côtières. Ici, nous sommes à l'abri, dans nos provinces, loin de la mer.

— Attendez ! s'écria Madame Kang, subitement rassérénée. J'ai trouvé. Il y a un prêtre étranger en ville. Pourquoi ne le prendriez-vous pas comme précepteur pour Fengmo ? En ce cas, je parlerai à Linyi, je lui dirai que Fengmo apprend des langues occidentales.

— Un étranger ? répéta Madame Wu, hésitante. Mais comment le recevoir à la maison ? Cela n'amènerait-il pas des ennuis ? J'entends dire que tous les Occidentaux sont très charnels et brutaux.

— Celui-ci est prêtre, observa Madame Kang. Il est au-dessus de pensées semblables. »

Madame Wu considéra la chose de plus près.

« Eh bien ! fit-elle enfin, si Linyi insiste sur ce point, cela vaudrait mieux que d'envoyer Fengmo loin de nous, dans une école étrangère.

— En effet », répondit Madame Kang.

Madame Wu se leva :

« Alors, vous parlerez à Linyi, et moi à Fengmo.

— Et si Fengmo refuse ?

— Il ne refusera pas, car je choisirai le moment.

Avec les hommes, jeunes ou vieux, l'important est de bien choisir son heure.

— Comme vous êtes clairvoyante ! », murmura Madame Kang.

Les deux dames se levèrent et, la main dans la main, sortirent de la pièce. Le thé était servi dans la cour, accompagné de gâteaux.

« Vous allez rester et vous rafraîchir, ma Sœur », dit Madame Kang.

Mais Madame Wu secoua la tête :

« Si vous voulez bien pardonner ce manque de courtoisie, dit-elle, je rentrerai à la maison. Il se peut que ce jour soit favorable à mon entretien avec Fengmo. »

Elle ne voulait pas faire part à son amie de ses craintes ; elle redoutait que Fengmo n'eût été troublé à la vue de Ch'iuming avant qu'elle fût passée dans la cour de Mr. Wu. Madame Wu fit donc ses adieux et laissa un peu d'argent pour la servante qui avait préparé le thé. Ying sortit de la salle des serviteurs où elle était restée à bavarder et Madame Wu retourna chez elle.

La première personne qu'elle rencontra à son retour ne fut pas Fengmo, mais l'étrangère, Petite Sœur Hsia. Comme les serviteurs, dans toutes les maisons de la ville, savaient ce qui se passait dans les deux grandes familles, celles des Wu et des Kang, Madame Wu se doutait bien que le cuisinier de Petite Sœur Hsia connaissait la nouvelle et lui en avait fait part.

Petite Sœur Hsia, déjà à l'intérieur du portail, traversait la cour principale, lorsqu'elle aperçut Madame Wu. Elle s'arrêta aussitôt et s'écria :

« Oh ! Madame Wu, je viens d'apprendre... ça ne peut être vrai ?

— Entrez, lui dit aimablement Madame Wu. N'est-

ce pas une belle journée ? L'air est rarement si pur
en cette saison. Nous allons nous asseoir dehors et
Ying nous apportera à manger. Il doit être presque
midi. »

Elle emmena Petite Sœur Hsia à travers la cour
principale jusque dans la sienne.

« Asseyez-vous, je vous en prie, dit-elle. Il faut que
j'aille un instant dans ma chambre. Reposez-vous.
Goûtez cette belle matinée. »

Avec des sourires et de gracieux saluts, Madame
Wu se retira dans ses appartements. Ying la suivit,
maussade :

« Il se peut que nous ayons de la pluie, dit-elle,
tous les démons sont sortis.

— Taisez-vous », dit Madame Wu.

Mais elle sourit en s'asseyant devant son miroir.
Elle lissa une mèche déplacée, passa un peu de poudre sur son visage et changea ses boucles d'oreilles
d'or uni contre celles de jade, qui ressemblaient à des
fleurs. Elle se lava ensuite les mains, les parfuma et
retourna dans la cour.

Le visage pâle de Petite Sœur Hsia était tout tendu
de sympathie. Elle se leva et s'avança avec sa rapidité
et sa gaucherie coutumières.

« Oh ! mon amie, ma chère amie. ». Elle soupira.
« Quelle épreuve pour vous ! Je n'aurais jamais sup-
posé — Mr. Wu me semblait si différent des autres
hommes — j'ai toujours cru...

— Je suis très contente que vous soyez venue ce
matin, dit Madame Wu, d'un ton léger, avec son sourire si chaud. Vous pouvez me venir en aide. »

Toutes les deux s'assirent. Petite Sœur Hsia se
pencha en avant, à sa manière excessive, les mains
crispées l'une dans l'autre.

« Demandez-moi n'importe quoi, n'importe quoi,

chère Madame Wu, parfois le Seigneur châtie ceux
qu'il aime... »

Madame Wu ouvrit de grands yeux :

« Avez-vous envie de prêcher l'Ecriture ce matin,
Petite Sœur ? dit-elle. En ce cas, je remettrais à plus
tard ce que j'allais dire.

— Seulement pour vous réconforter, répondit la
Petite Sœur Hsia, pour vous venir en aide.

— Mais je vais très bien.

— J'ai entendu dire, j'ai cru... »

Petite Sœur Hsia balbutiait, très déconcertée.

« Il ne faut pas écouter les propos des serviteurs. Ils
ont toujours le désir d'apporter des nouvelles sensa-
tionnelles. Si les choses se passaient comme ils le veulent, nous serions malades un jour, morts le lendemain
et ressuscités le troisième jour. »

Petite Sœur Hsia lui lança un regard aigu. Etait-ce
une plaisanterie ? Elle ne voudrait pas se montrer
vexée.

« Alors, ce n'est donc pas vrai ? demanda-t-elle.

— J'ignore ce qui est vrai ou non, répondit Madame Wu, mais je peux vous assurer que rien ne se
passe dans cette maison sans que je le sache et sans
ma permission. »

Elle eut pitié à la vue des légères taches pourpres
qui apparurent sur le visage pâle de l'étrangère, tandis qu'elle la regardait.

« Vous êtes toujours bonne, ajouta-t-elle, voulez-
vous m'aider ? »

La Petite Sœur Hsia fit signe que oui. Ses mains
retombèrent mollement, à ses côtés. Ses lèvres déco-
lorées et ses yeux gardaient un air déçu.

Madame Wu toucha ses propres lèvres, si jolies,
avec son mouchoir de soie parfumée.

« Je trouve que mon troisième fils manque d'ins-

truction, dit-elle de sa voix suave, dont la douceur
semblait toujours établir une distance entre elle et la
personne à qui elle s'adressait. Je me suis donc décidée à le faire instruire par un étranger, s'il s'en trouvait un qui pût convenir et qui lui apprît à parler une
langue occidentale, à lire les livres de ces pays-là.
Après tout, ce qui suffisait à nos ancêtres ne nous
satisfait plus. L'Océan a cessé de séparer les peuples
et le ciel d'être une voûte pour nous seuls. Pourriez-
vous m'indiquer un étranger dans notre ville à qui
m'adresser pour instruire Fengmo ? »

Petite Sœur Hsia fut interloquée par cette requête
sans rapport avec les rumeurs qui couraient ; un instant, elle ne put articuler un mot.

« On m'a parlé d'un prêtre étranger, poursuivit
Madame Wu. Savez-vous ce qui en est ?

— Un prêtre ? murmura Petite Sœur Hsia.

— C'est ce que l'on m'a dit. »

Petite Sœur Hsia eut un air de doute :

« Si c'est celui auquel vous devez songer, je ne
crois pas que vous voudriez lui confier votre fils.

— N'est-il pas instruit ?

— Qu'est-ce que vaut l'instruction pour l'homme,
mon amie ? Celui-ci est presque un athée.

— Qu'est-ce qui vous fait dire ça ?

— Je ne peux pas m'imaginer qu'il soit un vrai
croyant, dit Petite Sœur Hsia d'un ton grave.

— Peut-être a-t-il une religion à lui ?

— Il n'existe qu'une seule vraie religion », déclara
Petite Sœur Hsia.

Madame Wu sourit :

« Demandez-lui, je vous prie, de venir me trouver. »

Elle fut surprise de voir en face d'elle une forte
rougeur envahir le visage plutôt laid.

« Il n'est pas marié, dit Petite Sœur Hsia, je ne

sais pas ce qu'il penserait de moi si j'allais chez lui. »

Madame Wu avança une main bienveillante et touchait les doigts osseux qui reposaient sur les genoux de Petite Sœur Hsia :

« Personne ne pourrait suspecter votre vertu », lui dit-elle.

Cette bonté fit fondre la gêne de l'étrangère.

« Chère Madame Wu, je ferai n'importe quoi pour vous rendre service. »

Un ton un peu raide se glissait de nouveau dans sa voix, mais Madame Wu le fit disparaître avec grâce, car elle détestait la raideur par-dessus tout. Elle tapa des mains et Ying apporta un plateau de thé et des douceurs.

Cela occupa Madame Wu une demi-heure, après quoi elle prit ses dispositions pour aider son invitée à prendre congé.

« A présent, dit-elle, avec sa manière affable, n'aimeriez-vous pas faire une prière avant de vous en aller ?

— J'en serais si heureuse ! »

Petite Sœur Hsia ferma les yeux, inclina la tête et s'adressa d'une voix fervente à un être invisible. Madame Wu conserva un gracieux silence pendant ce temps. Elle ne ferma pas les yeux. Elle considéra le visage de l'étrangère avec bienveillance. Quel vide dans cette créature, si seule, si loin de son foyer ! Elle avait traversé la mer pour accomplir de bonnes œuvres. Chacun était au courant de ce qu'elle faisait, connaissait ses réunions, chaque semaine, pour apprendre à coudre aux mendiantes, sa vie si pauvre, ses dons, presque tout ce qu'elle possédait. Mais, avec cette pauvre âme, que la femme était donc solitaire ! Une douce affection s'éveilla au fond du cœur de Madame Wu. Petite Sœur Hsia était ignorante, bien sûr, et personne ne pouvait l'écouter, mais elle était bonne et solitaire.

Lorsque Petite Sœur Hsia ouvrit les yeux, elle fut étonnée de voir apparaître une expression si chaude, un regard si fluide dans les beaux yeux de Madame Wu. Un instant, elle crut sa prière miraculeusement exaucée. Peut-être Dieu avait-il touché le cœur de cette païenne ?

Madame Wu se leva et, par ce geste ferme, l'invitait au départ :

« Vous m'enverrez bientôt ce prêtre ? »

Et cette demande était un ordre.

Petite Sœur Hsia en fit la promesse malgré elle.

« Comment pourrais-je m'acquitter envers vous ? demanda Madame Wu avec courtoisie. Au moins, Petite Sœur, laissez-moi dire ceci. Vous me procurez un professeur pour mon troisième fils alors, en reconnaissance de votre bonté, je vous demande de prier pour moi, chaque fois que vous en aurez envie... »

Et elle prit congé de sa visiteuse.

*
* *

Toute cette journée-là, Madame Wu ne put oublier ce que lui avait dit Ying des sanglots de Rulan dans la nuit. Mais Madame Wu avait compris depuis longtemps que les affaires d'une grande maison doivent être réglées l'une après l'autre et avec ordre. L'idée de cet ordre restait souverain dans son esprit. Elle avait essayé de voir Tsemo, or le ciel l'en avait empêchée. Donc l'heure n'en était pas venue. Et elle s'était appris à vaquer aux petites choses tout en réfléchissant aux grandes.

Elle fit venir le cuisinier pour vérifier les comptes du mois. Ils auraient dû être réglés deux jours plus tôt, mais le cuisinier s'était abstenu, sentant la confusion qui régnait dans la maison. Madame Wu examina les comptes et fit une remarque sur la cherté de l'herbe à chauffer le four.

Ying prenait soin d'être toujours là lorsque son mari apportait les comptes, car, si on ne pouvait concevoir meilleur cuisinier, elle savait qu'il manquait d'intelligence pour tout le reste. Lorsque Madame Wu fit allusion au chauffage, Ying comprit aussitôt qu'une servante avait dû faire un rapport, une femme d'âge mûr qui s'était offerte au cuisinier. Mais le mari de Ying se serait bien gardé de prêter attention à une autre femme qu'à la sienne, et l'effronterie avait tourné en rancune ; elle cherchait sans cesse à prendre Ying et son mari en faute.

A la remarque de Madame Wu, Ying cria aussitôt à son mari.

« Espèce de soliveau ! Je t'avais bien dit de ne pas la prendre au marché du portail de l'Ouest. Tout est plus cher là-bas.

— Nous ne devrions pas en acheter si tôt, dit Madame Wu. L'herbe de nos terres devrait suffire jusqu'au huitième mois, où on coupera la nouvelle.

— L'intendant a labouré certaines prairies », répondit le cuisinier.

Madame Wu savait qu'il était inutile de pousser la discussion plus loin. Elle accepta cette excuse puisqu'elle avait fait l'observation, referma les livres et les rendit au cuisinier. Puis elle alla à son coffre-fort, en retira ce qui restait dû sur le mois et y ajouta la monnaie courante pour le mois suivant. La famille comprenant en tout plus de soixante bouches, la somme n'était jamais mince.

Le serviteur chargé de veiller aux vêtements et aux réparations vint ensuite, accompagné de deux couturières, et Madame Wu s'occupa avec eux des vêtements d'été des serviteurs et de la famille, des transformations à apporter à la literie et autres détails de ce genre. Lorsque ce fut terminé, les charpentiers vinrent estimer les prix des réparations de deux toitures qui laissaient passer l'eau, et de la construction d'un nouveau bâtiment pour les réserves.

Madame Wu donna à chacune de ces affaires une attention entière et minutieuse. Elle avait l'art, dans tout ce qu'elle faisait, d'y appliquer complètement son esprit et d'en effacer le reste. Lorsqu'une affaire était terminée, elle passait à la suivante avec le même soin. Elle accepta cette journée-là une tâche après l'autre. Ce ne fut qu'au crépuscule, et lorsque tout ce qui concernait la maison fut achevé, qu'elle se permit de revenir à ses propres pensées. Elles se concentraient sur Fengmo.

« J'ai été très loin aujourd'hui dans les décisions à prendre pour lui », songea-t-elle.

Elle ne s'était pas levée du grand fauteuil près de la table de la bibliothèque, dans lequel elle avait travaillé tout le jour. Elle demeurait aussi ferme que jamais dans cette décision de faire épouser Linyi à son fils ; cependant, il n'était que juste de lui en parler et de lui accorder un peu de liberté pour se révolter au premier abord. Elle appela Ying, qui faisait les couvertures dans la chambre à côté.

« Allez dire à Fengmo de venir me parler. »

Elle hésita, tandis que Ying attendait.

« Et, quand vous aurez appelé mon fils, continua Madame Wu, invitez la seconde épouse à paraître ce soir au repas de famille. »

Ying pinça les lèvres et sortit. Madame Wu attendit, assise, le pouce et l'index appuyés sur sa lèvre.

Fengmo, à ce moment-là, devait se trouver dans
sa chambre, car il était à peu près l'heure du dîner.
Si Fengmo prenait du bon côté ce qu'elle avait à lui
dire, elle se joindrait aux autres, au repas de famille,
au lieu de manger seule, comme elle l'avait fait tous
ces derniers jours. Il était temps qu'elle revînt prendre
sa place au milieu des siens.

Au bout de quelques minutes, elle entendit le pas
de Fengmo. Elle reconnaissait les pas de chacun de
ses fils. Le pas de Liangmo était lent et décidé ; celui
de Tsemo vif et inégal, et Yenmo courait partout.
Mais Fengmo marchait avec un certain rythme, trois
pas toujours plus rapides que le quatrième. Il parut
à la porte de la bibliothèque en uniforme d'écolier
bleu marine ; il portait une casquette à visière du
même drap, ornée d'une bande au nom de son école :
« Collège secondaire de la Reconstruction nationale ».

Madame Wu sourit à son fils et lui fit signe d'entrer.

« Que veut dire cette « Reconstruction nationale » ?
demanda-t-elle, plaisantant à demi.

— Ce n'est qu'un nom, Mère », répondit-il.

Il s'assit sur une chaise, par côté, enleva sa casquette et la fit tourner comme une roue entre ses
deux mains.

« Cela n'a donc aucune signification pour toi ?

— Bien entendu, nous souhaitons tous la Reconstruction nationale.

— Sans savoir en quoi cela consiste ? », demanda
encore Madame Wu du même ton enjoué.

Fengmo se mit à rire.

« En ce moment, dit-il, j'ai des difficultés avec
l'algèbre. Peut-être que je comprendrai mieux la Reconstruction nationale quand je les aurai surmontées.

— L'algèbre... » Madame Wu méditait. « Plusieurs

de ces sciences ont débuté aux Indes et se sont ache-
minées ensuite vers l'Europe. »

Fengmo parut surpris. Il ne s'attendait pas à ce
que sa mère se fût instruite dans les livres. Sachant
cela, Madame Wu s'amusa de la surprise du jeune
homme.

« Tu es pâle, lui dit-elle brusquement. Prends-tu
ton fortifiant, ta poudre de corne de cerf ?

— C'est encore plus mauvais que du poisson
pourri. »

Madame Wu sourit de son joli sourire :

« Alors, laisse-le. Pourquoi prendre ce qui te déplaît tellement ? fit-elle, conciliante.

— Merci, Mère », répondit Fengmo, étonné de
nouveau.

Madame Wu se pencha en avant, ses mains retombèrent et se joignirent sur ses genoux :

« Fengmo, dit-elle, il serait temps que nous parlions
de ta vie.

— Ma vie ? »

Fengmo leva les yeux et cessa de faire tourner sa
casquette.

« Oui, répéta Madame Wu. De ta vie. Ton père
et moi en avons déjà causé ensemble.

— Mère, n'allez pas vous imaginer que je consen-
tirai à ce que vous me choisissiez ma femme, déclara
vivement Fengmo.

— Bien entendu. Tout ce que je veux faire, c'est
de te citer quelques noms et de te demander s'il y
en a parmi eux qui te plaisent. Naturellement, j'ai
considéré tes goûts, aussi bien que la situation de la
famille. J'ai écarté les jeunes filles du genre de la
seconde fille des Chen, qui a été élevée à l'ancienne
mode.

— Je ne voudrais certes pas d'une fille semblable.

— Bien sûr. Mais il y a une autre difficulté, dit Madame Wu, avec son air tranquille. Les filles, elles aussi, en demandent trop de nos jours. Ce n'est pas comme de mon temps. Je laissais ces choses-là entre les mains de ma mère et de l'oncle qui remplaçait mon père. Mais, aujourd'hui, les jeunes filles — le genre qui te plairait, Fengmo — ne veulent pas d'un jeune homme qui ne sait pas parler au moins une langue étrangère.

— Je travaille l'anglais à l'école, dit Fengmo avec hauteur.

— Mais tu ne le parles pas très bien. Sans connaître moi-même cette langue, je t'entends bégayer et t'arrêter quand tu la prononces. Je ne t'en blâme pas, mais c'est un fait.

— Quelle est cette fille qui ne veut pas de moi ? », demanda Fengmo, vexé.

Madame Wu se servit de cette colère pour atteindre son but comme le bateau profite de la vague pour atteindre la rive.

« C'est la troisième fille de Madame Kang, Linyi », dit-elle.

Jamais Madame Wu n'avait remarqué entre eux le moindre signe d'attention. Mais la colère actuelle avait suffi. L'intérêt de Fengmo s'éveilla aussitôt.

« Cette fille-là ! marmotta-t-il. Elle semble si fière. Je déteste ses airs.

— Elle est vraiment très belle, dit Madame Wu. Mais ça n'est pas l'important. Je ne parle d'elle que pour la nommer parmi d'autres. Si Linyi, qui connaît notre famille et notre situation, fait des objections, est-ce que nous pouvons viser plus haut ?

— Vous pourriez m'envoyer dans une école étrangère, dit Fengmo, plein d'ardeur.

— Je n'en ferai rien, répondit-elle de sa jolie voix,

cependant aussi inexorable que le soleil et la lune.
La guerre va éclater sur le monde entier, d'ici quelques années. A ce moment-là, tous mes fils devront
être à la maison. »

Fengmo regarda sa mère, stupéfait.

« Comment pouvez-vous prédire de telles choses,
Mère ?

— Je ne suis pas une imbécile, bien que le monde
entier le soit autour de moi. Lorsqu'on avance pas à
pas, sans que personne s'y oppose, alors on fait du
progrès... »

Le jeune homme garda le silence, ses yeux fixés
sur le visage de sa mère. Ils étaient grands et noirs
comme ceux de Madame Wu, mais sans la profondeur. Fengmo était encore trop jeune. Il se taisait,
comme s'il s'efforçait de comprendre ce dont elle
parlait.

« J'ai entendu dire qu'il y a un prêtre étranger ici
dans la ville, poursuivit Madame Wu, et qu'il est
très instruit. Il se peut que, pour une certaine somme,
il puisse t'apprendre des langues étrangères. Cela te
plairait-il ? Les langues étrangères peuvent te servir
un jour. Je ne songe pas seulement à ton mariage.
L'époque qui vient verra des changements. »

Sa voix, si limpide, si musicale, était cependant
chargée de divination. Aux yeux de Fengmo, sa mère
avait toujours raison, et, les rares fois où il lui avait
désobéi, elle ne l'avait pas puni, mais il avait quand
même reçu son châtiment. Lentement, durement, il
avait appris que ses paroles étaient pleines de sagesse. Mais, étant un garçon, il souleva quelques difficultés.

« Un prêtre ! répéta-t-il. Je ne crois pas aux religions.

— Je ne te demande pas d'y croire. Il n'en est pas question.

— Il voudra me convertir, dit Fengmo, maussade. Petite Sœur Hsia cherche toujours à convertir tous les gens de la maison. Chaque fois que je la rencontre, elle me tend un papier sur l'Evangile.

— As-tu besoin de te laisser convertir ? Es-tu si faible que ça ? Il faut que tu apprennes à accueillir de chacun ce qu'il y a de meilleur et à ignorer le reste. Voyons, essaye pendant un mois de travailler avec le prêtre, et, si tu ne veux pas continuer, je ne ferai aucune objection. »

C'était là le secret de son influence dans cette maison. Jamais elle ne laissait croire que sa volonté fût absolue. Elle accordait du temps, promettait une fin et se servait de ce temps gagné pour donner aux événements la tournure qu'elle souhaitait.

Fengmo recommença à faire tourner sa casquette lentement entre ses mains.

« Un mois, alors, dit-il, mais pas plus d'un mois, si ça me déplaît.

— Un mois. »

Madame Wu acquiesça. Elle se leva.

« A présent, mon fils, allons ensemble au repas du soir. Ton père aura commencé sans nous. »

Dans la maison Wu, hommes et femmes mangeaient à des tables séparées et, sur le seuil de la grande salle, Fengmo laissa sa mère pour rejoindre son père, ses frères et ses cousins, déjà assis à un bout de la pièce. Madame Wu se dirigea avec sa grâce habituelle vers la table des femmes. Toutes se levèrent à son approche. Elle aperçut aussitôt Ch'iuming. La jeune femme se trouvait un peu à l'écart, un enfant était sur ses genoux et, lorsqu'elle se leva, elle le tint dans ses bras, de manière à s'abriter derrière lui. Mais

Madame Wu avait eu le temps de la regarder en face. Ch'iuming lui avait paru grave, mais c'était naturel, dans un milieu si nouveau. Il suffisait qu'elle fût là.

« Je vous en prie, asseyez-vous », dit Madame Wu, s'adressant avec courtoisie à toutes en général.

Elle s'assit à sa place, la plus élevée, et prit ses baguettes. Meng avait servi les autres, et Madame Wu reposa ses baguettes sur la table en disant :

« Meng, remplacez-moi, s'il vous plaît. J'ai été occupée tout le jour aux affaires de la maison et je me sens un peu lasse. »

Elle s'appuya en arrière, en souriant, et elle adressa, selon sa coutume, un mot à chacune de ses belles-filles. Elle parla aussi au petit garçon de Meng, dans les bras de sa nourrice. L'enfant s'agitait. Madame Wu choisit un morceau de viande avec ses baguettes et le lui donna. Puis elle se tourna vers Ch'iuming.

« Seconde Epouse, lui dit-elle avec bonté, mangez ce que vous préférez. Le poisson est bon, en général. »

Ch'iuming leva les yeux et rougit très fort. Elle se leva et fit un petit salut, l'enfant toujours dans ses bras.

« Merci, Sœur Aînée », répondit-elle d'une voix faible.

Elle s'assit de nouveau sans rien ajouter. Lorsqu'une servante plaça le bol de riz devant elle, Ch'iuming commença par faire manger l'enfant.

Mais Madame Wu, à l'aide de ces paroles aimables, avait annoncé à toute la maisonnée que Ch'iuming avait sa place marquée et que la famille devait l'accepter dans la vie courante. Tous avaient entendu ces quelques mots et un silence s'ensuivit. Puis une servante s'adressa à l'autre, les nourrices parlèrent aux enfants, afin de couvrir le silence.

Madame Wu accepta la nourriture qu'on lui offrit
et, à sa manière lente et distinguée, commença son
repas. Son petit-fils, attiré par le don d'un bout de
viande, se mit à crier pour venir sur ses genoux. Meng
le gronda tendrement : « Toi, avec ta bouche et tes
mains sales ! »

Madame Wu leva les yeux comme si elle sortait
d'un rêve :

« Est-ce moi que l'enfant demande ?

— Il est si sale, Mère ! répondit Meng.

— Bien sûr, je veux qu'il vienne me trouver », dit
Madame Wu.

Elle tendit les mains, souleva l'enfant, si lourd, et
le plaça sur ses genoux. Puis, avec sa délicatesse instinctive, elle prit une paire de baguettes propres, choisit dans les plats de petits morceaux de viande et les
lui fit manger sans rien dire, mais elle souriait à
chaque bouchée.

L'enfant ne lui rendait pas ses sourires. Il semblait
être au comble du contentement, ouvrant sa
petite bouche et mâchant chaque morceau avec un silencieux plaisir. Madame Wu faisait toujours cet
effet-là aux enfants. Sans le moindre effort, elle leur
communiquait une impression de joie, rien qu'à se
trouver près d'elle. Et le contentement de son petit-fils
rejaillit sur elle. En lui, elle sentait accompli son devoir envers la maison, elle trouvait aussi en lui un
apaisement à sa secrète solitude dans cette demeure.
Elle ignorait cette solitude et, si quelqu'un y eût fait
allusion, elle eût nié, atterrée d'une telle incompréhen-
sion. Mais elle était trop isolée pour qu'on pût atteindre son âme. Son âme avait dépassé sa vie ; elle
errait au loin, en dehors de ces quatre murs entre
lesquels vivait son corps ; elle parcourait le monde,
atteignait le passé, s'élevait vers l'avenir, et ses pen-

sées se jouaient dans ces constants vagabondages.
Or, de temps à autre, cette âme revenait à sa demeure, dans cette maison. Elle s'y trouvait à ce moment-là. Madame Wu eut pleinement conscience de
cet enfant, de ce qu'il signifiait. Les générations continuaient, la sienne à elle se terminait, celle de l'enfant débutait.

« Fils de mon fils », murmura-t-elle, continuant à
glisser un peu de viande dans la petite bouche rouge
qui s'ouvrait à tout ce qu'elle lui donnait. Lorsqu'il
fut rassasié, elle le rendit à sa mère.

Mais elle acheva son repas avant tout le monde ; elle
se leva, priant les autres de continuer, et sortit lentement de la salle. Lorsqu'elle passa à côté de Mr. Wu
et de ses fils, ils la saluèrent, se levant à demi, et elle
leur sourit, inclina la tête et poursuivit son chemin.

Cette nuit-là, elle dormit encore jusqu'au jour sans
se réveiller.

*
* *

Pour Ch'iuming, la présence de Madame Wu pendant cette demi-heure lui avait tenu lieu de cérémonie
de mariage. La nuit passée la laissait pleine de confusion. *Lui* avait-elle plu ou non ? Mr. Wu ne lui
avait pas adressé la parole et l'avait quittée avant
l'aube. Personne ne s'était approché d'elle de tout
l'après-midi, à l'exception d'une servante. Ying, ensuite, lui demanda d'assister au repas familial, le soir.
Ch'iuming s'y prépara en hâte et, le moment venu, se
glissa dans la salle à manger, prit vivement l'enfant
du bras de sa nourrice, sans qu'il pleurât. Mais les
enfants ne pleuraient jamais avec elle. Autrefois, dans
le village, elle s'occupait de beaucoup de bébés que les
paysannes lui confiaient.

Une par une, en sortant, les dames qui lui étaient

180

alliées à présent lui adressèrent un salut à demi insouciant, à demi embarrassé, et elle se contenta d'incliner
un peu la tête en réponse.

Elle ne pouvait manger, mais, aussitôt après le
départ de Madame Wu, elle se sentit affamée, et tournée de façon à ne se trouver en face de personne, elle
avala aussi vite qu'elle put le contenu de deux bols
de riz et de viande.

Le repas terminé, elle attendit, de plus en plus gênée, la sortie de Meng et de Rulan. Mais Meng, avec
sa douce bienveillance, s'attarda un instant pour lui
parler.

« J'irai vous voir demain, Seconde Epouse, lui dit-
elle.

— Je n'en suis pas digne », répondit Ch'iuming
d'une voix assourdie.

Elle n'osait pas rencontrer le regard de Meng, mais
elle se sentait réconfortée, heureuse.

Elle leva les yeux et Meng devina le cœur crain-
tif et désolé.

« Je viendrai et j'amènerai mon petit », ajouta-t-
elle.

Et Ch'iuming sortit avec les femmes et les enfants,
se dissimulant parmi eux pour se cacher des hommes.
Mais eux la regardaient, en secret, chacun à sa manière.

Ce soir-là, Mr. Wu vint de bonne heure dans la
cour des pivoines ; Ch'iuming n'était pas encore couchée. Elle cousait ses vêtements qu'elle n'avait pas
encore terminés, lorsqu'elle entendit les pas. Elle se
leva quand Mr. Wu entra et détourna la tête. Il
s'assit pendant qu'elle restait debout, éclaircit sa
gorge, posa ses mains sur ses genoux et la regarda.

« Hé ! vous, lui dit-il, sans l'appeler par son nom,
il ne faut pas avoir peur de moi. »

Elle ne put rien répondre. Elle se cramponna à son ouvrage qu'elle tenait à deux mains et demeura comme une pierre devant lui.

« Dans cette maison, poursuivit Mr. Wu, il y a tout pour vous rendre heureuse. La mère de mes fils est bonne. Il y a des jeunes femmes, les épouses de mes fils, les jeunes épouses de mes cousins et beaucoup d'enfants. Vous semblez avoir bon caractère et vous êtes certainement complaisante. Vous serez très heureuse ici. »

Elle continua à se taire. Mr. Wu toussa et desserra d'un cran sa ceinture. Il avait mangé de bon cœur et il se sentait le souffle un peu court. Mais il n'avait pas terminé ce qu'il désirait expliquer.

« Avec moi, vous n'aurez que peu de devoirs à remplir. J'aime dormir tard. Ne me réveillez pas si je suis là. La nuit, quand je n'ai pas sommeil, j'aime boire du thé, mais pas de thé rouge. J'ai le sang chaud et je ne peux pas supporter deux couvre-pied, même en hiver. Ces choses-là, et d'autres encore, vous les apprendrez, sans aucun doute. »

Elle laissa échapper son ouvrage. Elle le regarda et oublia sa timidité.

« Alors, on veut bien de moi ? »

Elle lui posa la question dans son ardent désir de trouver un abri, quelque part sous le ciel.

« Certainement, dit-il. Ne vous l'ai-je pas prouvé ? »

Il sourit et son beau visage uni s'éclaira, animé par une soudaine chaleur intérieure.

Elle s'en aperçut et comprit. Cette nuit, elle n'aurait pas peur. C'était peu, très peu payer un homme bon, pour avoir enfin un foyer.

VI

Petite Sœur Hsia s'acquittait toujours rapidement de ses devoirs, mais Madame Wu ne s'attendait pas à une telle promptitude, car, sept ou huit jours plus tard, Ying accourut. Ses petits yeux ronds brillaient de surprise.

« Madame, Madame ! » s'écria-t-elle.

Madame Wu se promenait parmi ses orchidées et s'arrêta, contrariée.

« Ying, dit-elle d'un ton un peu sec, fermez la bouche, vous avez l'air d'un poisson accroché à l'hameçon. A présent, dites-moi ce qui se passe. »

Ying obéit, mais reprit presque aussitôt :

« L'homme, le plus grand que j'aie jamais vu. Un étranger ! Il dit que vous l'avez fait demander.

— Moi ? », dit Madame Wu, très étonnée.

Puis elle se souvint :

« Peut-être, en effet.

— Madame, vous ne m'en avez rien dit. J'ai défendu au portier de le laisser entrer, sous aucun prétexte. Jamais un étranger n'est venu dans cette maison.

— Je ne vous dis pas tout, répondit Madame Wu. Faites-le entrer tout de suite. »

Ying se retira, stupéfaite, et Madame Wu continua sa promenade parmi les orchidées. En si peu de
temps, les plantes avaient repris, elles pousseraient
bien dans cette cour ombragée. Madame Wu se demanda si les pivoines se portaient aussi bien. A ce
moment-là, elle entendit résonner une voix profonde,
au portail rond de la cour.

« Madame ! »

Elle s'attendait à entendre une voix, mais n'était
pas préparée à tant de vigueur. Elle leva la tête au-
dessus des orchidées et aperçut un homme très grand,
aux larges épaules, et revêtu d'une longue robe brune,
serrée à la taille par une corde. C'était le prêtre. Sa
main droite serrait une croix sur sa poitrine. Elle savait que cette croix était un symbole chrétien, mais
cela ne l'intéressait pas. Ce qui lui paraissait curieux,
c'était la dimension et la force de la main qui la tenait.

« Je ne sais pas comment vous appeler, dit-elle de
sa voix légère et argentine, sans quoi je vous aurais
rendu votre salut. Voulez-vous entrer ? »

Le prêtre baissa sa grande tête, passa sous le portail et entra dans la cour. Ying suivait, pâle de
frayeur.

« Venez dans la bibliothèque, voulez-vous ? », dit
Madame Wu.

Elle s'écarta sur le seuil pour laisser le prêtre prendre les devants. Mais, lâchant la croix, il fit un geste
de la main vers la porte :

« Dans mon pays, dit-il en souriant, la dame passe
la première.

— Vraiment ? murmura-t-elle. Il est vrai que je
ferais mieux de vous montrer le chemin. »

Elle entra, s'assit sur son siège habituel et indiqua
le fauteuil de l'autre côté de la table. Ying se fau-

fila à la porte et y demeura les yeux écarquillés, se cachant à demi. Madame Wu s'en aperçut :

« Sortez de là, Ying », fit-elle.

Puis elle se tourna vers le prêtre avec un léger sourire.

« Cette sotte n'a jamais vu un homme de votre taille et elle ne peut s'empêcher de vous regarder. Pardonnez-lui ! »

Le prêtre répondit par ces curieuses paroles :

« Dieu m'a peut-être donné ce corps immense pour amuser ceux qui me regardent. Enfin, le rire est une bonne chose. »

Sa grosse voix se répercutait tout autour de la pièce.

« Ciel, dit Ying tout bas, en regardant les solives au-dessus d'elle. On croirait entendre le tonnerre. »

« Ying, allez chercher du thé chaud », dit Madame Wu pour la calmer, et Ying s'enfuit au-dehors, comme un chat.

Le prêtre demeurait immobile, sa vaste personne remplissait le grand fauteuil sculpté. Cependant il était mince jusqu'à la maigreur. Madame Wu s'en apercevait à présent. La croix sur sa poitrine était en or. Il était brun de peau et ses grands yeux sombres dans leurs profondes orbites luisaient, limpides et tristes. Ses cheveux, ni courts ni longs, frisaient légèrement. Il portait une barbe, noire et fine, au milieu de laquelle ses lèvres paraissaient d'un rouge exceptionnel.

« Comment dois-je vous appeler ? demanda Madame Wu. J'ai oublié de m'informer de votre nom auprès de Petite Sœur Hsia.

— Je ne possède pas de nom personnel, répondit le prêtre, mais on m'a donné celui d'André. Quelques-uns m'appellent Père André. Je préférerais, Madame, que vous m'appeliez Frère André. »

Madame Wu n'accepta ni ne refusa d'accéder à
ce désir. Elle ne prononça ni le nom ni le titre. Mais
elle passa à une autre question.

« Et votre religion ?

— Ne parlons pas aujourd'hui de ma religion »,
répondit Frère André.

Madame Wu observa en souriant :

« Je croyais que tous les prêtres aimaient à parler
de leur religion ? »

Frère André la regarda longuement, bien en face.
Malgré l'intensité de ce regard, il n'avait rien de hardi,
et Madame Wu n'en fut pas effarouchée. Ce regard
était impersonnel comme la lampe qu'un homme élève
pour montrer un chemin inconnu.

« On m'a dit que vous désiriez me parler, Madame,
dit Frère André.

— En effet », répondit Madame Wu.

Mais elle s'interrompit, s'apercevant que Ying, en
allant à la cuisine, avait dû répandre le bruit de la
venue d'un monstre car des murmures et de légers
bruits se faisaient entendre à la porte. De sa place, elle
aperçut des enfants et elle les appela de sa voix aimable :

« Venez, les enfants, venez le voir ! »

Aussitôt, une petite troupe s'empressa sur le seuil.
Au soleil matinal, ces petits ressemblaient à des fleurs,
et Madame Wu se sentait fière d'eux. Elle expliqua :

« Ils veulent vous voir.

— Pourquoi pas ? » dit-il en se tournant vers eux.

Ils se reculèrent, puis, lorsque le prêtre demeura
immobile et souriant, ils se rapprochèrent de nouveau.

« Il ne mange pas les petits enfants, leur dit Madame Wu. Il est peut-être comme les bouddhistes et
ne se nourrit que de fruits et de légumes.

— C'est bien vrai, dit le frère André.

— Pourquoi êtes-vous si grand ? », demanda un enfant, tout haletant.

C'était le fils d'un jeune cousin de la famille Wu.

« Dieu m'a fait ainsi.

— Je suppose que vos parents devaient être de grande taille, eux aussi ? demanda Madame Wu.

— Je n'ai aucun souvenir de mes parents, répondit doucement Frère André.

— Quelle est votre patrie ? », demanda un garçon.

Il était d'âge à aller à l'école et savait qu'il existe différents pays.

« Je n'ai pas de patrie. Là où je me trouve, là je suis chez moi.

— Vous êtes ici depuis plusieurs années ? dit Madame Wu. Vous parlez admirablement notre langue.

— Je parle beaucoup de langues afin de pouvoir m'entretenir avec tous.

— Mais vous habitez notre ville depuis longtemps ? dit Madame Wu.

Cet homme éveillait au plus haut point sa curiosité.

« Un an seulement. »

Les enfants s'enhardissaient, s'approchaient tout près de lui.

« Qu'est-ce qui est pendu à cette chaîne autour de votre cou ? demanda l'un d'eux, indiquant l'objet de son petit doigt fin.

— C'est ma croix », répondit Frère André.

Il souleva la lourde croix et la tendit vers eux.

« Est-ce que je peux la tenir ? demanda l'enfant.

— Si vous voulez.

— Non, dit vivement Madame Wu. N'y touche pas, petit. »

Frère André se tourna vers elle :

« Mais, Madame, elle est inoffensive.

— Il n'y touchera pas », dit-elle froidement.

Frère André laissa retomber la croix sur sa poitrine, joignit ses grandes mains sur ses genoux et garda le silence.

Ying entra, elle apportait le thé et se fraya un chemin parmi les enfants.

« Vos mères vous appellent, fit-elle très haut. Toutes vos mères appellent.

— Retournez à vos mères », dit Madame Wu sans élever la voix.

Aussitôt, les enfants se retournèrent et partirent en courant.

Frère André la considéra avec une subite pénétration dans son profond regard.

« Ils n'ont pas peur de vous, mais ils vous obéissent, dit-il.

— Ce sont de bons enfants, répondit-elle, heureuse d'être comprise.

— Vous êtes bonne aussi, fit-il d'un ton tranquille. Mais je ne suis pas certain que vous soyez heureuse. »

Ces paroles, prononcées avec tant de calme, frappèrent Madame Wu d'une manière aussi aiguë que si un invisible couteau l'avait transpercée, sans qu'elle pût se rendre compte du point exact de la blessure. Elle commença par nier :

« Je suis, au contraire, pleinement heureuse. J'ai organisé ma vie exactement comme je le désirais. J'ai des fils... »

Il leva sur elle ses yeux profonds, pénétrants, sans rien dire. Il écoutait attentivement. La qualité de cette attention muette et absolue la fit hésiter.

« C'est-à-dire, poursuivit-elle, que je serais tout à fait heureuse si je n'éprouvais pas le besoin de plus de connaissances. J'ignore moi-même de quel genre.

— Peut-être n'est-ce pas tellement d'en savoir davantage que de mieux comprendre ce que vous savez déjà ? », dit le prêtre.

Comment se faisait-il qu'elle parlât d'elle-même à cet étranger ? Elle y réfléchit un instant, puis écarta la réponse.

« Ce n'est pas pour moi que je vous ai prié de venir jusqu'ici, mais pour mon troisième fils. Je voudrais qu'il apprenne une langue étrangère.

— Quelle langue ?

— Quelle est la meilleure ?

— Le français est la plus belle langue, l'italien la plus poétique, le russe la plus puissante, l'allemand la plus solide. Mais il se fait plus d'affaires en anglais que dans toutes les autres.

— En ce cas, il sera préférable qu'il étudie l'anglais », déclara Madame Wu avec décision.

Elle leva les yeux sur le visage brun.

« Quel est votre prix ? dit-elle.

— Je ne demande rien, répondit tranquillement Frère André. Je n'ai aucun besoin d'argent !

— Un prêtre qui n'a pas besoin d'argent !

— Moi, je n'en ai aucun besoin, répéta-t-il en appuyant sur le « moi ».

— Mais vous rabaissez ma position si vous m'obligez à accepter quelque chose pour rien, dit Madame Wu. Ne puis-je donner de l'argent à votre religion — pour de bonnes œuvres ?

— Non, il est préférable que la religion se passe de dons de ce genre », répondit Frère André.

Il considéra un instant la question, puis il ajouta :

« Il se peut que, de temps à autre, il se trouve des choses à faire dans votre ville — comme, par exemple, un abri pour des enfants trouvés. J'en ai pris quelques-uns moi-même en attendant que je découvre de bons parents pour eux. Quand une œuvre de ce genre se rencontrera, je ferai appel à vous, Madame, et votre aide sera ma récompense.

— Mais ce que vous ferez dans notre ville ne sera pas pour vous ? N'y a-t-il rien pour vous, personnellement ?

— Ceci comptera pour moi, Madame. »

Sa voix résonna dans la pièce et Madame Wu ne chercha pas à le contredire. Ying, qui s'était retirée dans la cour, vint jeter un coup d'œil dans la bibliothèque et se retira quand elle les vit assis à la même place.

« Quand commencerons-nous les leçons ? » demanda Madame Wu.

Elle se sentait incapable de contredire cet homme.

« Tout de suite, si vous voulez. Tous les moments sont bons.

— Voudrez-vous venir chaque soir ? Mon fils fréquente l'école nationale dans la journée.

— Aussi souvent qu'on aura besoin de moi. »

Madame Wu se leva et appela Ying.

« Dites à Fengmo de venir ici. »

Elle se tint sur le seuil, le jardin d'un côté, la bibliothèque de l'autre. Elle eut, un moment, l'étrange impression de se trouver entre deux mondes. Elle sortit dans la cour et laissa le prêtre seul ; elle tendait l'oreille comme si elle s'attendait à ce qu'il l'appelât. Mais aucun bruit ne lui parvint. Un rossignol se posa sur le mur d'enceinte, comme chaque soir à cette heure-là. Très lentement, il lança quatre notes claires. Puis il l'aperçut et s'envola.

Elle regrettait presque d'avoir fait demander le prêtre occidental. Que de choses étranges il pourrait enseigner en mots de là-bas. Elle s'était trop hâtée. Elle revint à la porte et jeta un regard à l'intérieur. Trouvait-il impoli qu'on l'eût laissé seul ? Mais elle le vit, sa forte tête penchée sur sa poitrine, et les yeux fermés. Dormait-il ? Non, ses lèvres remuaient. Elle se recula un peu, prise d'une légère frayeur. Elle fut heureuse de voir Fengmo arriver par le portail en face d'elle et l'appela.

« Fengmo ! »

Elle tourna la tête et vit celle de l'homme se relever, ses yeux sombres s'ouvrir et briller.

« Fengmo, viens ici ! cria-t-elle de nouveau.

— Je viens, Mère », répondit-il.

L'instant d'après, il était là, bien jeune et bien menu en comparaison de l'énorme prêtre. Elle fut surprise de voir combien son fils était petit, lui qu'elle avait toujours considéré comme grand. Elle lui prit la main et l'amena dans la bibliothèque.

« Voici mon troisième fils, Fengmo, dit-elle au Frère André.

— Fengmo », répéta le prêtre.

Par courtoisie, il aurait dû l'appeler Troisième Jeune Seigneur, mais il se borna à répéter son nom : Fengmo.

« Je suis le Frère André », dit-il, et il s'assit.

« Asseyez-vous, Fengmo, on me demande de vous apprendre une langue étrangère qui doit être l'anglais, m'a dit votre mère.

— Mais rien que la langue », fit observer Madame Wu.

Au moment où ces leçons allaient commencer, elle se demanda si elle n'avait pas eu tort de confier l'esprit de son fils à cet homme. Car, lorsqu'on instruit l'esprit, on prend sur lui de l'empire.

« Rien que la langue », répéta Frère André.

Il s'aperçut de la crainte qui perçait dans les paroles de Madame Wu et il y répondit aussitôt :

« N'ayez pas peur, Madame, je suis un honnête homme, l'esprit de votre fils me sera sacré. »

Madame Wu se sentit confondue par la finesse de cet étranger. Elle ne s'était pas attendue à une intuition délicate dans ce corps si poilu. Elle n'avait jamais connu d'étranger — sauf, bien entendu, Petite Sœur Hsia, qui était une créature enfantine. Elle fit un léger salut et retourna au jardin.

Une heure plus tard, le prêtre parut à la porte de la bibliothèque. Il parlait à Fengmo en syllabes inconnues. Il les prononçait d'une façon très nette, lentement, et Fengmo écoutait comme si rien d'autre du monde entier ne parvenait à ses oreilles.

« Lui avez-vous déjà appris tout cela ? » demanda Madame Wu.

Elle était assise dans le fauteuil de bambou sous les arbres, ses mains croisées sur ses genoux.

« Madame, il ne les comprend pas encore, répond-it Frère André, mais j'enseigne sans parler d'autre langue que celle à apprendre. Dans quelques jours, il se servira lui-même de ces mots. »

Il se tourna vers Fengmo :

« A demain », dit-il.

Et, ayant salué Madame Wu, il se dirigea vers le portail à grands pas mesurés.

Après le départ de l'énorme prêtre, tout reprit sa forme et ses proportions véritables.

« Eh bien, mon fils ? » dit Madame Wu.

Mais Fengmo semblait encore tout ébahi.

« Il m'a beaucoup appris dans cette seule heure.

— Répète-moi les mots qu'il t'a enseignés. »

Fengmo ouvrit la bouche et répéta quelques sons.

« Qu'est-ce que cela signifie ? »

Fengmo secoua la tête, gardant son air ébahi.

« Je n'en sais rien, il ne me l'a pas dit.

— Demain, il faudra qu'il te l'explique, fit-elle, avec
une certaine sévérité. Je ne veux pas qu'on prononce
des paroles chez moi qu'aucun de nous ne comprend. »

*
* *

A travers la grande maison, le bruit de la visite de
l'énorme prêtre étranger se répandi: comme sur des
ailes et arriva jusqu'aux oreilles de Mr. Wu. Le lendemain, vers le milieu de l'après-midi, Madame Wu
l'aperçut qui venait de son côté. Elle assortissait des
soies pour la couturière qui devait broder des souliers
neufs aux enfants.

« Renvoyez cette femme », dit Mr. Wu en approchant.

Madame Wu s'aperçut qu'il était contrarié. Elle
ramassa les soies et dit à la couturière :

« Revenez dans une heure ou deux. »

La femme se retira, Mr. Wu s'assit, prit sa pipe et
l'alluma :

« J'ai entendu dire que vous aviez fait venir un
précepteur étranger pour mon fils sans m'en avoir
soufflé mot.

— J'aurais dû, en effet, vous prévenir, dit doucement Madame Wu. C'est une faute de ma part. Mais
je pensais que vous n'aimeriez pas être dérangé et je
trouvais indispensable que Fengmo eût son attention
dirigée sur Linyi.

— Pourquoi cela ? »

Madame Wu avait appris depuis longtemps que rien
n'est aussi utile à une femme que de dire la vérité à
l'homme. Elle n'avait jamais menti à Mr. Wu et ne
commencerait pas aujourd'hui.

« Fengmo a vu Ch'iuming l'autre jour, pendant
qu'elle était ici, dit-elle. Je ne crois pas qu'aucune étin-

celle ait jailli entre eux, mais Fengmo se trouve à une période de jeunesse où une chose de ce genre risque d'arriver quand la femme est jeune et jolie. C'est pourquoi j'ai soufflé sur la flamme dans une autre direction. Il serait gênant d'avoir des ennuis dans la maison. »

La vérité, comme toujours, rendit Mr. Wu tout perplexe, et sa femme aperçut les gouttes de sueur révélatrices qui mouillaient les racines de ses cheveux.

— « Je voudrais bien que vous n'imaginiez pas aisément ce genre de choses, dit-il. Vous êtes sans cesse occupée à apparier les hommes avec les femmes. Vous avez une mauvaise opinion de tous les hommes. Je m'en aperçois. Je crois même que vous avez fait de moi un vieux bouc.

— Si je vous ai donné cette impression, c'est que je suis bien maladroite », dit-elle de sa voix argentine.

Elle était assise avec cette grâce ineffable qui l'éloignait autant de lui que si elle se trouvait dans une autre pièce. Elle s'en rendait parfaitement compte. De paraître céder, cela donne plus de force que de résister ; elle s'en doutait depuis longtemps, et reconnaître une faute aussitôt dénote toujours une invincible droiture.

Mais il se sentait encore blessé et, au fond, elle était humiliée de l'avoir froissé par sa propre maladresse.

« Je voudrais que vous puissiez vous voir aujourd'hui, lui dit-elle, avec son charmant sourire. Vous ne m'avez jamais paru si bel homme. Vous avez dix ans de moins qu'il y a quelques jours. »

Il rougit et se mit à rire :
« Bien vrai ? »

Il surprit une expression de tendresse dans le re-

gard de sa femme et il se pencha vers elle, à travers la
table qui les séparait :

« Ailien, dit-il, personne n'existe auprès de vous.
Toutes les femmes me semblent fades en comparaison. Ce n'est que sur votre instance que j'ai agi comme
j'ai fait.

— Je le sais et je vous en remercie. Durant toute
notre vie ensemble, vous avez toujours obéi à mes désirs. Et cette fois-ci, quand je vous ai tant demandé,
vous avez encore accepté. »

Les yeux de son mari étaient humides d'émotion.

« Je vous ai apporté un cadeau. »

Et il tira de sa poche une poignée de papier de soie
qu'il déplia.

Deux ornements pour les cheveux, en forme de papillons et de fleurs, petites perles jade et or, se trouvaient à l'intérieur.

« Je les ai vus hier et ils m'ont fait penser à vous.
Mais je pense toujours à vous. »

Il s'essuya le front.

« Même la nuit », murmura-t-il sans la regarder.

Elle devint très grave en entendant ces mots.

« Il ne faut pas penser à moi la nuit, dit-elle. Ce
n'est pas juste envers Ch'iuming. Après tout, sa vie,
à présent, dépend entièrement de vous. »

Il conservait son air malheureux.

« N'est-elle pas agréable avec vous ? demanda Madame Wu.

— Oh ! elle est agréable, fit-il à regret. Mais vous
— vous vous tenez si éloignée de moi ces temps-ci.
Devons-nous passer tout le reste de notre existence
ainsi séparés. Vous qui avez toujours vécu au centre
de ma vie !... »

Sa grosse lèvre tremblait.

Madame Wu était si émue qu'involontairement elle

se leva et vint le trouver. Il la saisit dans ses bras et pressa son visage contre le corps de sa femme. Quelque chose frémit en elle et elle s'alarma. Pas à cause de lui, mais d'elle-même. Cet instant de faiblesse démolissait-il tout ce qu'elle avait édifié ?

« Vous, murmura-t-il — perles et jade — bois de santal et encens. »

Elle se retira doucement de son étreinte, ne lui abandonnant que ses mains.

« Vous serez plus heureux que vous n'avez jamais été.

— Me reviendrez-vous ?

— D'une manière nouvelle. »

Elle le lui promit. Cet émoi avait disparu maintenant qu'elle voyait le visage de son mari avec sa bouche maussade, ses lèvres molles. A cet aspect, elle sentit son propre corps se transformer en une colonne de marbre froid. Elle lui retira même ses mains.

« Quant à Fengmo, dit-elle, ne vous en tourmentez pas à cause du précepteur ; il paraît que Linyi désire que Fengmo apprenne l'anglais, sans quoi elle le trouverait trop à l'ancienne mode. Il sera prêt à épouser Linyi d'ici un mois. Vous verrez bien !

— Quelle intrigante ! dit Mr. Wu en riant, intrigante et directrice de la vie pour les hommes ! »

Il avait retrouvé sa bonne humeur, il se leva et s'éloigna, riant et secouant la tête.

Quelques instants plus tard, Ying trouva Madame Wu plongée dans un de ses silences. Elle leva la tête en apercevant la servante.

« Ying, dit-elle, prenez de mon savon parfumé et dites à Ch'iuming de ne se servir que de celui-là. »

Ying, choquée, ne bougeait pas.

« Ne me regardez pas comme ça. Il y a encore autre chose que vous devez faire. Donnez-lui un de mes

peignes de bois de santal pour ses cheveux et répandez
de ma poudre de santal parmi ses vêtements de dessous.

— A vos ordres », répondit Ying d'un ton aigre.

A ce moment-là, Madame Wu aperçut la pipe de
son mari. Elle comprit aussitôt qu'il l'avait laissée
exprès pour indiquer qu'il reviendrait. C'est un vieux
signal entre hommes et femmes, cette pipe que l'homme laisse derrière lui.

Ying sortait lorsque Madame Wu lui montra la pipe
du doigt et sa jolie voix prit un ton bref.

« Ying ! lui cria-t-elle. Il a oublié sa pipe. Emportez-la-lui. »

Ying revint sans un mot, prit la pipe et s'en alla.

Lorsque Madame Wu eut reprit les soies, il faisait
trop nuit pour distinguer les couleurs. Elle allait faire
allumer les bougies quand Fengmo parut, sortant de
la pénombre. Il avait enlevé son uniforme d'écolier et
l'avait remplacé par une longue robe de soie crème,
brochée ton sur ton. Ses cheveux étaient rejetés en
arrière, dégageant son front carré. Madame Wu, après
l'avoir salué, le complimenta.

« Une robe est plus seyante que des pantalons »,
dit-elle tout en examinant le front de son fils.

C'était un beau front, mais il ne laissait pas deviner la qualité du cerveau qu'il abritait. Fengmo commençait tout juste à être un homme.

« Te rappelles-tu les mots que tu as appris hier
soir ? », lui demanda-t-elle en souriant.

Il avait allumé une cigarette étrangère. Tsemo et
lui en fumaient énormément. La spirale de fumée, qui
s'élevait, l'avantageait, semblait-il. Il ne voulut pas
s'asseoir et, agité, arpenta la bibliothèque, puis il s'arrêta et répéta nettement les mots étrangers.

« Les comprends-tu ? »

Il secoua la tête :

« Non, mais ce soir, je lui demanderai ce qu'ils veulent dire. »

Il s'interrompit pour écouter :

« Le voici ! » s'écria-t-il.

Tous les deux entendirent les pas puissants qui, à longues enjambées, faisaient résonner sur le pavé des semelles de cuir. Frère André parut sur le seuil, escorté par le portier, qui s'effaça en voyant Madame Wu se lever.

« Avez-vous mangé ? lui demanda-t-elle en guise de salut familier.

— Je ne prends qu'un seul repas, au milieu de la journée », répondit-il.

Il souriait d'une manière agréable, presque timide.

De nouveau, Madame Wu sentit se rétrécir la pièce, Fengmo et elle-même, en la présence de cet homme immense. Mais il semblait inconscient de sa taille et de sa personne.

« Fengmo répétait les mots que vous lui avez appris hier soir, mais nous ne savons pas ce qu'ils signifient, dit Madame Wu lorsqu'ils s'assirent.

— Je vous ai récité les paroles prononcées un jour par un Anglais, répondit Frère André. C'est-à-dire qu'il est né en Angleterre. Mais son âme errait partout au-dehors. »

Il s'interrompit, comme s'il réfléchissait, puis il traduisit les paroles en une sorte de psalmodie.

« Et ce n'est pas seulement par les fenêtres, à l'Est,
Au jour levant, qu'entre la lumière.
En face, le soleil monte lentement, si lentement.
Mais, à l'Ouest, voyez, le pays brille. »

Madame Wu et Fengmo écoutaient, buvant chaque mot comme de l'eau pure.

« Ce n'est pas de la religion ? demanda Madame
Wu, perplexe.

— C'est de la poésie », dit Fengmo.

Frère André lui répondit :

« Je vous apprends les premiers mots d'anglais
qu'on m'a enseignés. Et je ne les comprenais pas, moi
non plus, quand j'étais petit garçon en Italie.

— Alors ce même soleil éclaire le Monde entier »,
dit Madame Wu, songeuse.

Elle rit :

« Vous allez sourire de moi, Frère André, mais,
bien que je sache ce qui en est, j'ai toujours eu l'impression que le soleil n'appartenait qu'à nous.

— Le soleil nous appartient à tous, dit le Frère
André, et nous nous reflétons sa lumière, l'un à l'autre, à l'Est ou à l'Ouest, lorsqu'il se lève et qu'il se
couche. »

Les quatre murs de la pièce parurent s'effacer ; les
murs de ces cours où elle avait passé sa vie reculèrent. Elle eut un instant de claire vision. Le monde
était rempli de contrées et de peuples sous le même
ciel, et, dans les sept océans, les mêmes marées mon-
taient et descendaient.

Elle avait le plus grand désir de rester et d'écouter
la prochaine leçon du Frère André, mais Fengmo ne
se sentirait pas à l'aise si elle se trouvait là. Elle se
leva :

« Enseignez mon fils », dit-elle.

Et elle se retira.

*
* *

« Que pense Linyi, à présent que Fengmo apprend
l'anglais ? », demanda Madame Wu à son amie.

Madame Kang était venue la voir, tard dans la

soirée, le tumulte de la journée passé. Madame Wu
faisait dans l'année un petit nombre de visites à Madame Kang, tandis que celle-ci venait deux ou trois
fois par semaine chez Madame Wu. Cela caractéri-
sait bien l'amitié qui unissait les deux femmes, et cela
leur semblait tout naturel.

« Ma fille me surprend, répondit Madame Kang.
Elle dit qu'elle épousera Fengmo si ce garçon lui
plaît, après avoir causé avec lui plusieurs fois, et
quand il saura parler anglais. Quelle effronterie de
désirer le voir ! Je me souviens cependant : quand
j'étais jeune fille, je me suis laissée entraîner par une
servante malicieuse et, un jour de Nouvel An, lorsque M. Kang est venu à la maison faire une visite
avec son père, j'ai glissé un coup d'œil à travers le
treillage de la fenêtre et je l'ai vu. Nous étions déjà
mariés, et notre fils était né, quand j'ai osé le lui
avouer. Et, tout ce temps-là, ma honte m'a pesé
comme un remords. »

Le léger rire de Madame Wu s'égrena.

« Sans doute, après cet unique coup d'œil, le mal
était fait.

— Je l'ai aimé *dès* la première minute, dit Madame
Kang, sans la moindre honte cette fois.

— Ah ! ces minutes-là ! poursuivit Madame Wu.
Vous voyez combien il est sage d'y penser à l'avance.
Les cœurs des jeunes sont comme des feux sur le
point de flamber. L'étincelle et le combustible sont
prêts. Mais comment pourrons-nous arranger entre
nos deux jeunes gens une ou plusieurs rencontres ? »

Les amies étaient assises dans la fraîcheur du soir.
A côté d'elles, sur une table, Ying avait posé une pastèque découpée. Le cœur jaune, parsemé de graines
noires luisantes, semblait frais et doux. Madame Wu
fit un geste, montrant une tranche à son amie.

« Prenez un peu de melon, dit-elle aimablement. Cela vous rafraîchira. Vous me semblez lasse, ce soir.

A ces bienveillantes paroles, le visage rond de Madame Kang montra de l'embarras. Puis elle tira de sa poitrine un mouchoir de soie à fleurs, s'en couvrit la figure et se mit à sangloter, sans chercher à cacher ses larmes, puisqu'elles étaient toutes les deux seules.

« Voyons, Meichen, dit Madame Wu, très surprise. Pourquoi pleurez-vous ? »

Et elle écarta le mouchoir qui cachait la figure de son amie. Madame Kang riait et pleurait en même temps.

« J'ai tellement honte. »

Elle balbutiait : « Je n'ose pas vous le dire, Ailien. Il faut que vous le deviniez.

— Vous n'êtes pas... dit Madame Wu d'un ton sévère.

— Mais si... » Et les petits yeux brillants, si gais, prirent aussi un air tragique.

« Vous, à votre âge, avec tous ces enfants ! s'écria Madame Wu.

— Je suis une de ces femmes qui conçoivent dès que leur homme pose ses souliers près du lit. »

Madame Wu ne put répondre. Elle était trop bonne pour dire à son amie ce qu'elle pensait ou pour la blâmer de ne l'avoir pas imitée.

« Le curieux, continua Madame Kang, tordant et repliant son grand mouchoir trempé de larmes, c'est que, de tout mon monde, c'est Linyi que je crains le plus. Linyi me critique tellement. Elle me répète sans cesse que je suis trop grosse, que je devrais me coiffer autrement et que je devrais avoir honte de ne pas savoir lire, de tenir la maison si sale, avec trop d'enfants. Si Linyi reste et s'il faut que je lui dise...

— Linyi devrait venir ici le plus tôt possible, dit

Madame Wu, tout en se demandant si ce serait une bonne chose d'introduire dans la maison une jeune fille entêtée, capricieuse et qui critiquait sa propre mère.

— Vous pourrez lui apprendre bien des choses, dit Madame Kang avec mélancolie. Je crois qu'elle a peur de vous. Mais elle ne craint ni son père, ni moi. »

Elle se mit à rire à travers ses larmes en pensant à son mari.

« Pauvre homme, dit-elle, en s'essuyant les yeux, quand je lui ai annoncé ça ce matin, il s'est arraché deux poignées de cheveux en disant : « Je devrais monter une affaire tout seul, dans une autre ville. »

Madame Wu ne répondit pas ; son amie dut trouver ce silence un peu froid, car elle la regarda et dit avec une malice mêlée de tristesse :

« Peut-être avez-vous de la chance, Ailien, de ne pas aimer votre mari ! »

Madame Wu se sentit blessée au cœur par ces paroles.

Elle n'était pas habituée à un ton si acerbe de sa vieille amie.

« Peut-être la différence n'est-elle pas dans l'amour, mais dans la maîtrise de soi », répondit-elle.

Elle prit une tranche glacée de la pastèque dorée :

« Ou bien, ajouta-t-elle, cela vient peut-être de ce que je n'ai jamais supporté qu'on se moque de moi. Après tout, vous êtes la plus forte des deux, Mei-chen.

— Ne vous disputez pas avec moi, je vous en prie. »

Et Madame Kang tendit sa main potelée qui s'appuya, brûlante, sur la main fraîche et menue de son amie.

« Nous avons le même tourment, Ailien. Toutes les femmes l'ont, je crois. Vous vous en tirez d'une manière, moi de l'autre.

— Mais la vôtre est-elle une solution ? », demanda Madame Wu.

Tout en parlant, elle sentit que sa sincère, sa fidèle affection pour son amie l'apaisait, et ses doigts fluets étreignirent la bonne grosse main qu'elle tenait.

« Je n'aurais pas pu supporter d'agir comme vous, dit Madame Kang. Peut-être avez-vous montré de la sagesse, mais la sagesse, je ne peux pas en avoir si cela doit amener quelqu'un entre mon vieux mari et moi. »

Qui aurait pu deviner qu'à ce moment-là Madame Wu ressentirait une douleur inexplicable qui lui déchirait le cœur ? Ou, soudain, elle eut une telle impression de solitude, malgré leurs deux mains unies, qu'elle en fut terrifiée. Elle se trouvait au sommet d'un pic, entourée de glace et de frimas, perdue et seule. Elle eût voulu crier, mais sa gorge ne laissait échapper aucun son. Le crépuscule la dissimulait. Madame Kang ne pouvait pas voir la pâleur de son visage ni, absorbée comme elle l'était, deviner le raidissement du corps de son amie en proie à cette épouvante.

Au milieu de cet étrange malaise, Madame Wu aperçut Frère André. La haute silhouette du prêtre, si droite, lui apparut dans sa solitude, et sa terreur s'évanouit devant la nécessité de lui adresser la parole.

« Frère André, lui dit-elle avec reconnaissance, entrez, je vous en prie, je vais faire venir mon fils. »

En prononçant ces mots, elle lâcha la main de Madame Kang et se leva.

« Meichen, voici le professeur de Fengmo », dit-elle.

Frère André s'inclina sans regarder Madame Kang, mais son expression était bienveillante. Il entra dans la bibliothèque. A la lueur de la bougie, les deux dames le virent s'asseoir, tirer un livre de sa poitrine et se mettre à lire.

« Quel géant ! »

Madame Kang poussa une exclamation assourdie...

« N'avez-vous pas peur de lui ?

— Un bon géant, répondit Madame Wu. Venez, dans un instant Fengmo sera là. Il ne faut pas que nous ayons l'air de parler de lui. Voulez-vous rentrer ?

— Je dois retourner à la maison. Mais, auparavant, dites-moi si, oui ou non, Linyi pourra causer avec Fengmo ?

— Je le lui demanderai, dit Madame Wu, et, s'il le désire, je l'amènerai d'abord chez vous et, ensuite, vous pourriez venir ici, avec Linyi. Deux fois devraient suffire pour qu'ils voient clair en eux-mêmes.

— Vous avez toujours raison », fit Madame Kang.

Et, serrant la main de son amie, elle s'en alla.

*

* *

Madame Wu revit Fengmo, ce soir-là, après sa leçon.

Les deux hommes étaient restés longtemps sur leurs livres. Madame Wu, en passant devant sa porte, et invisible dans l'obscurité, avait regardé à l'intérieur. Quelque chose dans l'expression attentive de Fengmo, dans la profonde gravité de Frère André, l'effraya. Ce prêtre allait-il dérober le cœur de son fils par la puissance magique de son corps gigantesque ?

Prise de faiblesse, elle s'assit brusquement sur l'un des sièges de bambou, heureuse de l'obscurité.

« Combien on entreprend, songea-t-elle, et comme on se trompe ! Comment aurais-je pu m'imaginer, quand j'ai demandé à un prêtre de venir instruire mon fils, ce prêtre si plein de son Dieu qu'il brille d'un éclat fascinant pour attirer tout à lui ? »

Madame Wu n'ignorait pas que l'âme de Fengmo se trouvait à cette phase de l'éveil où, si une femme ne s'en empare pas, un Dieu peut la ravir. Elle ne voulait pas qu'il se fît prêtre, pour bien des raisons, mais surtout parce que le corps d'un prêtre est stérile et que le ciel est ennemi de la stérilité. Lorsqu'un Dieu dérobe l'âme à un corps, le corps se venge, déforme l'âme, la détruit, la ruine. Le corps et l'âme sont associés, l'un ne doit pas déserter l'autre. Si, dans vingt-cinq ans d'ici, ayant procréé des fils et des filles, Fengmo veut devenir prêtre ainsi que beaucoup d'hommes qui habitent les temples, alors, son corps étant assouvi, qu'il se mette au service de son âme, mais pas à présent.

Entrerait-elle et romprait-elle le charme qu'elle voyait se tramer ? Elle hésita sur le seuil, toujours invisible. Puis elle se retira. Elle, la mère, rien qu'une mère, n'était pas assez forte pour résister à cet énorme prêtre. Pour prouver son indépendance, sinon pour d'autres raisons, Fengmo se tournerait contre elle. Eh bien ! il fallait une jeune femme, une jeune femme gaie, un charmant engin de chair et de sang, pour lui venir en aide. Il fallait que Linyi se hâtât.

L'heure de la leçon achevée, elle appela dans l'obscurité :

« Frère André, tous mes remerciements pour instruire si bien mon fils. A demain et mes salutations ! »

Elle se leva et s'avança en prononçant ces paroles. Les deux hommes s'interrompirent et parurent choqués de sa présence. Le Frère André s'inclina et s'éloigna rapidement, sa longue robe faisant voler les ombres derrière lui. Madame Wu posa sa main sur le coude de Fengmo et s'accrocha fermement à lui lorsqu'il se prépara à suivre le prêtre.

« Mon fils, dit-elle, reste un instant avec moi. J'ai une chose très étrange à te dire. »

Une envie de protester raidit le bras de son fils, et elle retira sa main.

« Cher fils, je me sens parfois bien seule. Ce soir est un de ces moments-là. Veux-tu rester un peu avec moi ? »

Quel fils eût repoussé cette voix ? Madame Wu posa de nouveau sa main sur le bras de son fils et l'entraîna doucement.

« Viens t'asseoir dans cette ombre fraîche et laisse-moi parler sans répondre jusqu'à ce que j'aie terminé.

— Si vous le désirez, Mère. »

Mais elle le sentait pressé de la quitter, de se libérer d'elle. Ah ! comme elle savait lire ces signes !

« Fengmo », dit-elle, et sa voix était une musique dans l'obscurité.

Il ne pouvait pas la voir. Seule, cette belle voix s'égrenait à ses oreilles, existait pour lui.

« Je ne sais pas comment te dire (et il entendit un doux rire embarrassé). Tu es si grand à présent — un homme ! Je suppose que tu me vois venir... Enfin, il ne faut pas que je sois égoïste. Linyi veut s'entretenir avec toi. J'aurais jugé la chose impossible quand Liangmo avait ton âge. Je ne crois pas que Meng eût songé à le demander. Mais Linyi est

206

très différente de Meng, et toi, tu es très différent de Liangmo. »

La jolie voix lançait ces mots dans la nuit. Fengmo pouvait à peine croire que c'était celle de sa mère, cette voix juvénile, timide, coupée de petits rires brefs !

« Comment savez-vous ça ?

— Sa mère me l'a dit aujourd'hui. »

Madame Wu, appuyée au dossier de son siège, son visage levé vers le doux ciel noir, pesait et mesurait chaque intonation de Fengmo. Elle éprouva de l'excitation comme si elle eût affronté une force peut-être trop supérieure. Mais elle obtiendrait gain de cause. Chez l'homme, le corps domine l'esprit, or elle tenait Fengmo par le corps.

« C'est peut-être très mal à moi, dit-elle d'un ton un peu contrit, devant le silence de Fengmo. Mon premier sentiment serait que, si Linyi est à ce point hardie, je n'en veux pas chez moi. »

Ces mots étaient bien choisis.

Dans l'ombre, Fengmo répondit avec chaleur, en se penchant vers sa mère, si bien que sa jeune haleine fraîche passa sur le visage de celle-ci.

« Mère, vous ne comprenez pas ?

— Non. »

Elle se sentait de nouveau en sécurité devant ces paroles courantes chez les jeunes gens. Tous les fils parlent ainsi à toutes les mères.

« Beaucoup de jeunes gens et de jeunes femmes se rencontrent à notre époque, déclara Fengmo. Ce n'est plus comme au temps de votre jeunesse ou même quand Liangmo s'est marié.

— Peut-être as-tu raison. »

Elle soupira :

« Je désire ton bonheur, c'est tout. Je ne veux pas

que tu voies Linyi si tu n'en as pas envie. Je peux dire à sa mère que c'est trop compliqué. Alors elle comprendra que tu ne tiens pas à Linyi.

— Mais si, je la verrai, dit Fengmo d'un air hautain. Pourquoi pas ?

— Fengmo ! répondit sa mère de la même voix implorante, ne va pas donner des idées à Linyi. Il y a beaucoup de jeunes filles qui aimeraient entrer dans notre famille. Maintenant que j'y songe, il me semble qu'elle louche un peu.

— Oh ! alors, je m'en apercevrai.

— Je peux donc dire à sa mère que dans quelques jours tu viendras avec moi...

— Pourquoi avec vous, Mère ? fit-il d'un ton très net.

— Fengmo ! s'écria-t-elle. Je ne vais pas te céder sur tout. Comment peux-tu songer à aller tout seul voir cette jeune fille ?

— Oh ! mais, parfait, je la verrai seul, répondit-il avec un mouvement de colère. Dois-je me laisser conduire par ma mère comme un petit enfant ?

— Et si je te défendais d'y aller ? demanda vivement Madame Wu.

— Non, Mère, ne me le défendez pas, rétorqua Fengmo avec la même vigueur. Je ne voudrais pas vous désobéir. »

Le silence tomba entre eux. Madame Wu se leva :

« Alors, tu insistes pour aller voir Linyi ?

— J'irai, fit obstinément Fengmo.

— Eh bien ! vas-y », dit Madame Wu.

Et, passant devant lui, elle rentra dans sa chambre.

Ying l'attendait. Elle avait entendu le bruit des voix.

« Madame, qu'y a-t-il ?... »

Mais Madame Wu leva la main :

« Une minute, murmura-t-elle, écoutez. »

Elles prêtèrent l'oreille. Ying gardait la bouche ouverte. Les yeux de Madame Wu brillaient, un rire éclairait son visage. Elles entendirent s'éloigner le pas martelé de Fengmo en fureur. Madame Wu fut prise d'un fou rire.

« Madame, reprit Ying, qu'est-ce qui se passe ?

— Oh ! rien, dit joyeusement Madame Wu. Je voulais qu'il fasse une chose et il va la faire, voilà tout ! »

*

* *

Fengmo ne parut pas le lendemain, mais le sur-lendemain, dans la matinée, Madame Kang revint. Les deux amies se donnèrent une rapide poignée de main.

« Fengmo et Linyi se sont rencontrés, dit Madame Kang.

— Comment s'est passée l'entrevue ? »

Madame Wu souriait.

« J'ai ri et j'ai pleuré, répondit Madame Kang, souriant en retour. J'étais assise loin d'eux, faisant semblant d'être ailleurs, mais ils auraient voulu que je parte. Ils restaient sans rien dire, l'air malheureux, et cependant ils ne pouvaient se quitter des yeux. Je me suis absentée un instant et, quand je suis revenue, je les ai retrouvés exactement comme je les avais laissés. Ni l'un ni l'autre n'avaient bougé. Ils se regardaient fixement. Puis Fengmo s'est levé pour partir et ils se sont dit : « A la prochaine fois ! »

— Rien que cette banalité-là ?

— Mais avec quel accent ! répondit Madame Kang. Ailien, vous allez rire, mais ça m'a donné envie d'aller trouver mon vieux mari, juste pour m'asseoir à côté de lui.

— Vous avez dû lui paraître bien nigaude, dit Madame Wu, toujours souriante.

— Oh ! oui. » Madame Kang se mit à rire. « Et je ne lui ai rien raconté ! Je ne voulais pas lui donner encore des idées...

— Quel mal y aurait-il à ça, à présent ? demanda malicieusement Madame Wu.

— Oh ! Ailien, ne vous moquez pas. »

Et Madame Kang soupira.

« Quand j'ai vu ces deux jeunes êtres, avec tant de bonheur, tant d'ennuis devant eux, on n'ose pas dire la vérité aux jeunes...

— Il faudrait faire vite ce mariage.

— Le plus tôt sera le mieux, répondit Madame Kang. On ne doit pas allumer le feu sous un pot vide. »

Fengmo ne revint voir sa mère ni ce jour-là, ni les jours suivants. Elle ne l'apercevait que lorsque Frère André revenait le soir. Elle passait et repassait devant la porte, Fengmo demandait au prêtre des mots nouveaux : il voulait écrire une lettre. Madame Wu regarda Frère André : celui-ci avait pris une expression douce, patiente, un peu désorientée. Il épelait les mots pour Fengmo plusieurs fois de suite et les écrivait. Madame Wu entendait prononcer les lettres sans les comprendre : quels sons curieux, dépourvus de sens ! Mais cela n'avait aucune importance. Fengmo comprenait, Linyi comprenait.

Car il désirait ardemment lui écrire une lettre en anglais. Madame Wu riait tout bas dans l'obscurité. Puis elle eut honte, devant Frère André, de la facilité de sa victoire. Elle se retira et ne parut pas ce soir-là devant lui ; elle alla se coucher de bonne heure et s'endormit.

VII

Par une belle journée, vers la fin du neuvième mois, Linyi entra dans la maison, à titre d'épousée. La saison était propice aux mariages, car la récolte était prête à couper et le riz pendait, lourd dans les épis. L'été s'attardait, l'automne ne pointait pas encore.

Les deux familles se réunirent dans une joie égale pour célébrer cette deuxième union entre elles. Liangmo et Meng montraient une allégresse particulière. Le corps menu de Meng s'enflait sous la poussée de l'enfant. Elle avait faim jour et nuit, mais ses maux de cœur cessaient. Lorsqu'elle accueillit la mariée, elle paraissait bien belle et dans la maturité de son bonheur.

Les deux mères avaient décidé ensemble de satisfaire au vœu de leurs enfants en ne suivant pas l'ancienne coutume d'une solennité interminable, comme on avait fait pour Liangmo et Meng. Trois jours de fête, cela eût trop duré pour Fengmo et Linyi, ces jeunes impatients. Ils désiraient un mariage rapide, à la moderne, une promesse échangée devant les anciens. Cela suffisait.

Tout se passa donc ainsi, et Madame Wu dédommagea les gens de la ville, déçus par les festins manqués, en louant un restaurant pour trois jours. Cela évitait l'ennui des foules qui encombrent la maison.

« Il y a du bon dans cet usage moderne », déclara Madame Wu le soir du mariage.

De nouveau, les hommes se trouvaient réunis dans la cour de Mr. Wu et les femmes dans celle de Madame Wu. Des friandises très raffinées furent servies aux femmes, des viandes plus corsées aux hommes. Fengmo et Linyi s'étaient retirés chez eux, dans leur pavillon. Par bonheur, un vieux cousin était mort un mois plus tôt et avait laissé deux pièces vides que Madame Wu avait donné l'ordre de réparer et de repeindre.

« Il est certain que nous n'avons pas de meubles cassés et un sol tout dégoûtant, comme après le mariage de Liangmo », disait Madame Wu.

Elle se sentait heureuse ce soir-là, comme chaque fois qu'un membre de la famille se trouvait établi. Sa liberté s'accroissait encore. Durant une semaine, Fengmo, de lui-même, avait renoncé à ses leçons, et Frère André n'avait plus paru. Madame Wu ne souleva aucune objection. L'heure de la chair était venue. Elle ne redoutait plus le pouvoir de Frère André. Qu'il vînt ou non, cela lui était indifférent. Elle avait sauvé Fengmo pour la famille.

La cour était éclairée par des lanternes en papier rouge, qui attiraient les papillons hors de l'obscurité. Beaucoup n'étaient que de pauvres bestioles grises, des duvets poussiéreux. Mais, de temps à autre, une grande phalène à la queue vert pâle voltigeait avec des ailes noir et or. Les femmes poussaient des cris et n'avaient de cesse avant de les avoir capturées, piquées sur la porte avec une épingle, de façon à pouvoir les admirer, assises confortablement, tout en savourant leurs friandises. Vieille-Dame surtout goûtait ce sport et battait des mains de plaisir.

On venait juste d'attraper un de ces papillons lorsque Ch'iuming entra dans la cour. Madame Wu l'aperçut aussitôt, comme à chacune de ses arrivées, et, comme toujours, elle ne lui fit pas le moindre signe. La jeune femme avait pris sa place dans la maison, jour après jour, se tenant dans une réserve silencieuse. Personne ne parlait d'elle, ni en bien ni en mal, devant Madame Wu. Mais celle-ci avait sans cesse conscience de sa présence. Parfois, la nuit, en se réveillant, elle se demandait... puis elle écartait cette idée.

Elle vit entrer Ch'iuming. La jeune femme semblait maigrie et un peu trop pâle, mais plus jolie avec son air délicat.

« Il faut que je lui demande comment elle va, se dit Madame Wu, se faisant des reproches malgré elle. Après le mariage, je l'enverrai chercher. »

Puis, comme toujours, elle chassa Ch'iuming de sa pensée. La jeune femme s'occupa tranquillement à verser du thé chaud aux invités. Elle avait pris part à la fête avec calme et sans guère se montrer, veillant au service des tables, aux enfants et à des détails de ce genre. De temps à autre, on l'appelait :

« Seconde Epouse, reposez-vous. »

Et Ch'iuming répondait invariablement :

« Je fais encore ceci, et ce sera tout ! »

Elle se joignit aux autres pour regarder le nouveau papillon. Il était d'un jaune crème, semblable à la teinte du citron qu'on appelle : « Main de Bouddha », et il avait de longues antennes noires, qui frémirent quand l'insecte se sentit transpercé. Ses larges

ailes battirent, des taches foncées y apparurent, jaune et or, un moment. Puis la victime s'immobilisa.

« Comme il meurt vite ! », fit brusquement Ch'iuming.

Tout le monde se retourna au son de sa voix, et
elle recula comme si elle-même s'en trouvait surprise,
tout en souriant de son sourire demi-douloureux,
demi-craintif. Lorsque chacun fut assis de nouveau,
elle se glissa derrière les autres, vint à Madame Wu
et tâta le bol qu'elle tenait.

« Votre thé est froid, dit-elle. Je vais le réchauffer.

— Merci », répondit Madame Wu sans bouger,
tandis que Ch'iuming se penchait vers elle pour remplir la tasse.

Elle dégageait un parfum de bois de santal et Madame Wu examina son visage, son air d'humilité.

« Pourrais-je vous parler ce soir, Sœur Aînée ?
demanda-t-elle tout bas.

— Bien sûr », fit Madame Wu.

Elle ne savait que dire ; mais que répondre d'autre ? Mais toute sa gaieté l'abandonna. Quel nouvel
ennui étendait son ombre sur elle ? Elle but son thé
à petites gorgées et, jusqu'au départ des invités, garda
le silence.

Ch'iuming seule demeura, à l'exception de Ying.

« Vous pouvez vous retirer, Ying, et revenir un
peu plus tard », dit Madame Wu.

Elle ne voulait pas faire entrer Ch'iuming dans le
pavillon. L'air dans la cour était frais et calme. Les
orchidées pourpres, tardives, étaient en fleur sous les
lanternes. Meng, aujourd'hui, avait apporté les premières capsules de lotus. La chair blanche à l'intérieur est sans parfum, et d'une saveur douce.

Après le départ des invités, Madame Wu s'assit

et prit une de ces grosses capsules. Ch'iuming hésitait, languissante.

« Asseyez-vous, je vous en prie, lui dit Madame
Wu. J'avais envie de ces graines de lotus. Nous en
goûterons tout en causant.

— Merci, je n'en ai pas envie.

— Alors, je vais vous écouter tout en mangeant »,
répondit Madame Wu.

Ses mains délicates déchirèrent la capsule. Les
mains de Madame Wu semblaient frêles, mais elles
avaient de la force. La moelle était résistante, fibreu-
se, cependant elle céda sous la pression de ses doigts
qui en arrachèrent une des graines serrées. A l'aide
de ses petites dents, aussi saines aujourd'hui que
lorsqu'elles poussaient, Madame Wu éplucha la peau
verte qui recouvrait l'amande blanchie.

Ch'iuming lui demanda :

« Laissez-moi vous les peler. »

Le contact des mains de Ch'iuming sur l'amande
qu'elle mettait dans sa bouche lui était déplaisant.

« Non, je le ferai très bien », dit-elle.

Et Ch'iuming, comme si elle apercevait quelque
chose qui dépassait les mots, n'insista pas.

Pendant que Ch'iuming regardait déchirer et peler
le fruit, écoutait le bruit des dents de Madame Wu
qui croquaient l'amande croustillante, toutes les deux
se turent. Puis, brusquement, la faim comme assou-
vie, Madame Wu jeta sur les pierres la capsule vide.

« Vous êtes grosse ! », dit-elle brusquement.

Elle se servit de l'expression vulgaire des femmes
communes.

Ch'iuming la regarda :

« J'ai le bonheur en moi », dit-elle, s'exprimant
comme les Dames des grandes maisons lorsqu'un
héritier était attendu.

Madame Wu ne corrigea pas sa propre expression ni celle qu'employait Ch'iuming. Elle dit, de la même voix, nette et brève :

« Vous avez fait bien vite. »

Ch'iuming ne répondit pas. Elle pencha la tête et resta assise. Ses mains reposaient sur ses genoux, écartées, les paumes en dehors, les doigts inertes.

« Il doit être satisfait, reprit Madame Wu », toujours sur le même ton tranchant.

Ch'iuming la considéra de ses grands yeux honnêtes.

« Il n'en sait rien encore.

— C'est étrange », dit Madame Wu.

Elle se sentait en colère contre Ch'iuming et surprise de sa propre colère. Elle avait amené Ch'iuming dans la maison, dans un dessein précis, et la jeune femme avait rempli son devoir. Pourquoi le lui reprocher ? Mais la colère demeurait en elle, comme un mince serpent vert, d'abord lové, et qui s'élança et déposa son venin sur sa propre langue.

« Les concubines, dit-elle, se hâtent en général d'annoncer cela aux hommes. Pourquoi êtes-vous différente des autres femmes ? »

Les yeux de Ch'iuming s'emplirent de larmes. A la lueur du lampion fleuri qui pendait sur sa tête, Madame Wu voyait briller les larmes.

« Je voulais vous le dire, fit Ch'iuming à voix basse. Je croyais que cela vous ferait plaisir, et vous en êtes fâchée. Je voudrais me tuer. »

Ces paroles désespérées ramenèrent Madame Wu à elle. Les concubines, dans les grandes maisons, se pendent souvent, avalent leurs bagues ou de l'opium cru. Mais c'est toujours considéré comme une honte pour la maison.

« Vous dites des absurdités, dit-elle. Pourquoi

vous tuer quand vous n'avez fait que votre devoir ?

— Je me disais que, si vous en étiez heureuse, je pourrais l'être aussi. » Et la jeune femme ajouta de la même voix navrée : « J'espérais me réchauffer les mains à votre foyer, mais, à présent, où me réchauffer ? »

Madame Wu commençait à prendre peur. Elle jugeait naturel que Ch'iuming, une campagnarde, une fille bien ordinaire, accueillît, comme le fait un animal, les signes de sa propre fécondité. La vache ne pense pas au taureau, mais à son veau. Si jamais Madame Wu avait accordé une pensée à la vie de Ch'iuming, c'était pour se dire que cette petite serait récompensée, comblée par la venue d'un enfant.

« Qu'y a-t-il à présent ? N'êtes-vous pas contente, pour vous-même ? Vous allez avoir un jouet, quelqu'un à qui sourire, une petite chose à vous dont il faudra prendre soin. Si c'est un garçon, votre situation dans la maison en sera plus élevée. Mais, si c'est une fille, je vous promets de ne pas vous le reprocher. J'ai accueilli garçons et filles dans ma maison. Et quand ma fille est morte avant d'avoir parlé, j'ai pleuré comme pour un garçon. »

La jeune femme ne répondit pas. Elle se contenta d'écouter, son regard triste posé sur Madame Wu.

« Il n'est pas question de vous détruire, ajouta vivement Madame Wu. Retournez, grimpez dans votre lit, et dites-lui, s'il vient, que vous avez pour lui de bonnes nouvelles. »

Elle parlait sèchement pour rendre à la jeune femme son sang-froid, mais, au fond de son cœur, elle sentait retomber sur elle-même la glace, le froid des sommets. Il lui tardait d'être seule et elle se leva. Mais Ch'iuming s'élança, se cramponna à l'ourlet de sa robe.

« Laissez-moi rester ici ce soir ! »

Elle l'implorait :

« Laissez-moi dormir ici, comme à mon arrivée. Et vous lui annoncerez la chose de ma part. Suppliez-le — suppliez-le de me laisser tranquille. »

Madame Wu, cette fois, était sérieusement effrayée.

« Vous perdez l'esprit, dit-elle d'un ton sévère. Rappelez-vous qui vous êtes. Vous m'êtes arrivée, sans père ni mère, une enfant trouvée, ramassée dans la rue par une paysanne. Vous étiez veuve sans avoir jamais été mariée. Aujourd'hui vous êtes la première après moi, dans cette famille, la plus riche de la ville, une famille au sein de laquelle chacun dans la région aspire à placer ses filles. Vous êtes vêtue de soie. Du jade pend à vos oreilles et vous portez des bagues en or. Vous ne pouvez pas revenir dans ma cour. Quelle explication en donner à la maison ? Retournez immédiatement dans le pavillon qui est votre demeure et pour lequel on vous a achetée. »

Ch'iuming lâcha l'ourlet de la robe de Madame Wu. Elle se releva et recula pas à pas vers le portail. Brusquement la dureté de Madame Wu céda devant ce visage désespéré.

« Retournez, mon enfant, dit-elle de sa voix douce habituelle. N'ayez pas peur. Les jeunes femmes sont souvent effrayées et, à leur premier enfant, ont envie de se refuser. Je n'attendais pas ça de vous, vous élevée à la campagne ! Endormez-vous de bonne heure et, s'il entre, ne vous éveillez pas. Je sais que, s'il ne vous trouve pas consentante, il vous laissera dormir. Il est assez bon pour cela, assez conciliant. Est-ce que je ne le connais pas ? Pourquoi avoir peur de lui ? Tenez, je ferai cela pour vous — demain je lui annoncerai la chose. Oui, j'irai jusque-là. »

Comme si cette bienveillance l'avait réconfortée,
Ch'iuming murmura des remerciements et se glissa
dehors. Madame Wu éteignit les lanternes une à
une, jusqu'à ce que la cour fût plongée dans l'obscurité. Elle alla dans sa chambre, très lasse. Ying vint
la préparer pour la nuit, sans poser de questions, car
elle n'osait jamais parler à sa maîtresse quand elle
lui voyait cette expression triste et froide.

La servante baissa les courtines autour de la forme
silencieuse et retourna dans les cours bruyantes des
serviteurs, où hommes, femmes et enfants se repais-
saient encore des restes de la fête ; car Ying aimait
la bonne chère. Elle remplit son bol de plusieurs
viandes, s'assit sur le seuil de la porte et mangea
avec plaisir en écoutant le bavardage des serviteurs
de la grande maison. Elle était au-dessus d'eux tous,
à l'exception de Peng Er, le valet du maître. Peng
Er, assis, mangeait lui aussi. Son gros visage luisait
de sueur. A ses genoux se tenait sa plus jeune fille,
un bébé de deux ou trois ans. Chaque fois qu'il cessait de manger pour reprendre haleine, elle ouvrait
la bouche eu hurlant, il mettait son bol tout près des
lèvres de l'enfant et y enfonçait de la nourriture avec
ses baguettes.

« Peng Er ! »

Dans la pénombre, une grosse voix de femme cria
en riant :

« Peng Er, le maître va-t-il chaque soir pour dormir à la cour des pivoines ?

— Oui, j'y apporte le thé chaque matin.

— Ying ! »

La même voix forte, rieuse, cria de nouveau :

« Comment ça se passe-t-il dans la cour des orchidées ? »

Mais Ying dédaigna de répondre. Elle vida rapi-

dement son bol, y versa l'eau claire d'une cruche, se
rinça la bouche et cracha dans l'obscurité du côté
d'où partait la voix.

A ce signal, hommes et femmes se dispersèrent.
Tous craignaient Ying. Dans cette demeure, elle se
tenait trop près du trône.

Madame Wu s'éveilla à l'aube. Un poids l'étouf-
fait, sous lequel elle se débattit jusqu'au réveil. La
nuit n'avait pas été bonne. Elle avait eu des alterna-
tives de sommeil et de veille sans jamais obtenir l'oubli complet. Vivant au centre de la maison, elle prenait, certaines nuits, conscience de toute la famille
comme l'âme prend conscience du corps. A présent le
souvenir lui revint. C'était la nuit de noces de Fengmo.
Toutes les nuits de noces causent de l'inquiétude. Ces
deux enfants-là étaient-ils unis ? La chose s'était-elle
bien ou mal passée ? Elle ne le saurait que lorsqu'elle
les verrait. Elle ne pouvait pas non plus aller les voir
si vite. Elle serait renseignée quand la vie reprendrait
son cours normal et que la journée marquerait l'heure
propice, mais pas avant.

Elle soupira et se rappela ce qui lui pesait ainsi :
la promesse faite à Ch'iuming, et qu'elle eût bien
aimé reprendre. Mais comment ? La jeune femme,
sans doute, avait dû s'y cramponner toute la nuit,
ainsi qu'à un espoir. Puis, comme s'il n'y avait pas
assez de soucis, Ying entra, dès qu'elle vit sa maîtresse éveillée :

« Vieille-Dame est malade, lui dit-elle. Elle prétend
qu'elle a avalé un cafard, hier, à la fête, et qu'il
grouille partout dans son ventre. Elle le sent, aussi
gros qu'une souris, installé sur son foie, il lui gratte
le cœur avec ses pattes. Bien sûr, ça ne peut pas être
un cafard. Mon homme, malgré ses défauts, ne serait
pas aussi négligent que ça.

— Ciel ! murmura Madame Wu. Il ne manquait plus que ça ! »

Mais elle était femme de devoir avant tout : elle et Ying se hâtèrent, et, quelques minutes plus tard, elles entraient dans la cour voisine de la sienne. Vieille-Dame était couchée, la tête soutenue par des oreillers. Elle tourna vers sa belle-fille des yeux ternes au fond de leurs orbites.

« Faites vite quelque chose pour moi, je vais mourir », lui dit-elle d'une voix faible.

L'état où se trouvait Vieille-Dame effraya Madame Wu. La veille, elle était aussi gaie qu'une enfant malicieuse, se vantant d'avoir gagné au mah-jong et d'avoir mangé tout ce qui lui était tombé sous la main.

Madame Wu demanda à la servante :

« Pourquoi ne m'a-t-on pas appelée plus tôt ?

— Il y a une heure à peine que notre Vieille-Dame est devenue toute verte, répondit la servante pour s'excuser.

— A-t-elle vomi ? S'est-elle soulagée ? »

Vieille-Dame éleva un filet de voix :

« J'ai vomi assez pour trois grossesses ! et toutes mes entrailles sont dans le vase de nuit ! Remplissez-moi de nouveau, ma bru. Je n'ai que de l'eau en moi, de l'eau et du vent.

— Pouvez-vous manger ?

— Il faut qu'on me remplisse avec n'importe quoi », déclara Vieille-Dame d'une voix faible, mais énergique.

Ainsi encouragée, Madame Wu ordonna une soupe de riz, légère, et elle-même moulut de la racine fraîche de gingembre bien fort et donna à Vieille-Dame de cette mixture.

Vieille-Dame était touchante chaque fois qu'elle tombait malade. Sa vieille bouche flétrie devenait inno-

cente et faible comme celle d'un enfant. Madame Wu
la considérait à chaque cuillerée ; plus une seule dent,
des gencives roses et propres. Que de paroles avait
prononcées cette langue rose, à présent si desséchée
et ratatinée ! Vieille-Dame avait toujours eu le caractère violent et, quand elle était en colère, elle lançait
des invectives à tout le monde. Cette langue était son
arme. Vieux-Monsieur la redoutait. Mais sans doute
l'avait-il entendue prononcer de tout autres mots, et
Mr. Wu, qui avait toujours été tout pour sa mère,
avait appris d'elle des chansons enfantines et vu rire
cette même bouche, si vieille à présent.

« Je vais mieux, dit enfin Vieille-Dame avec un soupir. Je n'ai besoin que d'être nourrie sans cesse. A
mon âge, le corps n'a plus de résistance. La vie devient
comme un feu d'herbe. Il ne brûle que si on l'alimente.

— Dormez un peu », lui dit Madame Wu.

A ces mots, les yeux de Vieille-Dame s'ouvrirent
avec une nouvelle vivacité.

« Pourquoi me répétez-vous de dormir ? Je dormirai bientôt pour toujours. »

Sa belle-fille fut émue d'apercevoir des larmes monter aux yeux de Vieille-Dame et les voiler. Vieille-
Dame pleurait :

« Ma fille, croyez-vous qu'il y a une vie après celle-
ci ? », murmura-t-elle.

Elle sortit une main semblable à une griffe et
l'accrocha à celle de Madame Wu. La vieille griffe
était brûlante de fièvre. Madame Wu, qui s'était levée, se rassit. Toute sa vie, Vieille-Dame n'avait été
qu'une machine à jouissances. Assez heureuse en somme, elle avait écarté tout ce qu'elle ne comprenait pas.
Riche, bien habillée, puissante dans cette grande demeure, de quoi avait-elle manqué ? Mais, n'ayant
vécu que pour la chair, elle était prise de peur en

voyant cette chair se flétrir. Où irait-elle lorsque son corps lui ferait défaut ?

« J'espère qu'il y a une vie au-delà de celle-ci », dit Madame Wu, choisissant ses mots.

Elle aurait pu tromper Vieille-Dame comme on trompe un enfant, mais cela lui était impossible : Vieille-Dame n'était pas un enfant, mais une vieille femme sur le point de mourir.

« Croyez-vous que je revivrai sans un autre corps, comme les prêtres nous le disent dans le temple ? »

Jamais Vieille-Dame n'avait parlé de ces choses-là. Madame Wu chercha en elle-même une honnête réponse. Mais qui peut percer les ténèbres devant soi ?

« Je ne sais pas, Mère, dit-elle enfin. Mais je crois que la vie n'est jamais perdue. »

Elle se taisait. Elle n'ajouta pas qu'elle croyait que ceux qui n'avaient vécu que pour le corps s'éteindraient avec le corps. Elle pouvait imaginer Frère André vivant sans son enveloppe charnelle, mais non pas Vieille-Dame.

Vieille-Dame s'endormit malgré sa volonté de rester éveillée. Ses paupières, ridées comme celles d'un vieil oiseau, retombèrent ; elle respira profondément. Sa main osseuse glissa hors de la main douce de sa belle-fille. Madame Wu se retira, disant tout bas à la servante :

« Elle s'en remettra cette fois, mais tâchez de garder les bonnes choses hors de sa vue pour qu'elle n'en ait pas trop envie.

— Notre Vieille-Dame est entêtée, répondit tout bas la servante pour se disculper, et je n'aime pas la faire mettre en colère.

— Obéissez-moi », fit sévèrement Madame Wu.

En approchant de la cour de Mr. Wu, elle se dit qu'à toute chose malheur est bon, car la maladie de

Vieille-Dame lui fournissait un prétexte pour y venir, outre la vraie raison. Elle avait envoyé Ying à l'avance pour annoncer sa venue. A la porte de la cour, elle trouva Ying qui l'attendait pour la prévenir que Mr. Wu venait tout juste de rentrer et qu'il la priait de s'asseoir pendant qu'il changeait ses vêtements de ville.

Elle l'attendit dans cette cour familière où elle avait passé tant d'années de sa vie. Les pivoines transplantées poussaient joyeusement. La floraison terminée, les pétales tombaient, mais le feuillage en était épais et sombre. Dans le bassin, on avait planté des racines de nymphéas, et les grandes fleurs de corail reposaient, ouvertes, sur la surface de l'eau. Au centre de chaque fleur, les étamines mûres frémissaient, couvertes de pollen doré. Leur parfum saturait l'atmosphère de la cour ; Madame Wu prit son mouchoir et le tint devant sa figure : ce parfum était trop lourd.

Elle traversa la cour et entra dans la pièce principale. Le mobilier n'avait pas changé, mais on y avait ajouté certaines choses : des arbres en pots, en trop grand nombre, des tableaux étrangers, encadrés, pendus au mur. Rien n'était aussi propre que de son temps. Elle fut contrariée de voir de la poussière repoussée sous les fauteuils et dans les coins. Elle se leva et s'avança vers les lourdes portes sculptées, dont les treillis étaient largement ouverts. Elle regarda de l'autre côté.

Mr. Wu entra, boutonnant sa veste de soie grise :

« Voyez-vous quelque chose derrière cette porte, Mère de mes fils ? », demanda-t-il de sa voix enjouée.

Elle se tourna vers lui et rougit légèrement :

« Oui, de la poussière, dit-elle, il faut que j'en

parle à l'intendant. Toute la pièce a besoin d'un nettoyage. »

Mr. Wu regarda de côté et d'autre comme s'il voyait la pièce pour la première fois.

« Peut-être bien », dit-il.

Et il ajouta au bout d'un moment :

« Elle a besoin de vous. »

Mais il le dit gaiement et avec un rire taquin. Madame Wu prit un air grave et garda le silence.

Ils s'assirent. Elle examinait, à la dérobée, le visage de son mari. Il paraissait en bonne santé et les plis de sa bouche avaient repris de la gaieté. C'était bien là ce qu'elle désirait, ce qu'elle avait recherché. Alors pourquoi éprouvait-elle une envie cruelle de le blesser ?

« Votre mère est malade, dit-elle brusquement. Avez-vous été la voir ? »

Il ne souriait plus.

« Non, hélas ! J'aurais dû y aller ce matin, en premier lieu, mais toujours une chose ou l'autre...

— Elle est très malade, répéta-t-elle.

— Vous ne voulez pas dire...

— Pas cette fois-ci. Mais la fin n'est plus loin. Son âme commence à se préoccuper de ce qui arrivera, et elle m'a demandé si je croyais à une autre vie. De semblables questions signifient que le corps commence à mourir et que l'âme a peur.

— Quelle réponse lui avez-vous faite ? »

Il prenait soudain de la solennité.

« J'ai dit que je l'espérais. Mais comment puis-je le savoir ? »

Une colère inexplicable s'empara de lui.

« Oh ! que vous êtes cruelle ! s'écria-t-il. Comment pouvez-vous montrer vos doutes à une vieille femme ? »

Il déboutonna sa veste, l'ouvrit sur son cou puissant, tira de son col un éventail placé sur sa nuque et s'éventa avec énergie.

« Qu'auriez-vous répondu ? lui demanda-t-elle.

— Je l'aurais rassurée, moi ! s'écria-t-il. Je lui aurais dit qu'il n'y a que du bonheur à attendre aux Sources Jaunes. J'aurais dit...

— Eh bien ! peut-être feriez-vous mieux d'aller le lui dire vous-même. »

Dans ses colères, elle n'élevait jamais la voix, mais cette voix coulait, mordante et métallique.

Mr. Wu avança sa lèvre inférieure :

« Parfait, je le lui dirai. »

Ils gardèrent le silence un instant, chacun s'efforçant de regagner son calme. Elle restait tout à fait immobile, les mains inertes sur ses genoux, la tête un peu inclinée sur son cou délicat. Lui, solidement assis, se bornait à agiter sans arrêt l'éventail dans sa main. Ils s'étonnaient d'être irrités l'un contre l'autre sans en savoir la raison.

Elle fut la première à parler :

« J'ai autre chose à vous annoncer. »

Sa voix restait métallique.

« J'écoute », dit-il.

Là encore, elle s'en tint à la simple vérité.

« Ch'iuming est venue me trouver hier soir pour me demander de vous dire qu'elle est grosse. »

De nouveau, Madame Wu se servait du terme vulgaire. Elle ne leva pas la tête pour regarder son mari et resta assise, immobile et gracieuse.

Elle entendit tomber l'éventail, qui glissa sur la soie des vêtements. Mr. Wu garda si longtemps le silence qu'elle finit par lever les yeux. Il la dévisageait, souriant d'un sourire à la fois goguenard et penaud, en se frottant le crâne avec sa main droite qui tournait en rond dans un geste qu'elle comprenait fort bien et qui exprimait un mélange d'amusement, de confusion et de satisfaction.

Lorsque Mr. Wu rencontra le regard de sa femme, il éclata de rire.

« Empoisonnez-moi ! dit-il. Mettez de l'ivraie dans mon riz, pilez de l'or dans mon vin. Je n'ai aucune pudeur. Mais, Mère de mes fils, je n'ai fait que vous obéir, rien de plus. »

Malgré elle, Madame Wu sentit monter du fond de ses entrailles un rire qui faisait frémir les coins de sa bouche et trembler ses paupières :

« N'essayez pas de me faire accroire que vous êtes mécontent, dit-elle. Vous savez bien que vous êtes fier de vous.

— Hélas ! je suis trop puissant. »

Ils rirent ensemble, comme ils l'avaient fait si souvent dans leur vie ; et ce rire les rapprocha de nouveau. Mais aussi il lui ouvrait les yeux : elle ne l'aimait pas. Meichen avait eu raison. Elle ne l'aimait pas, ne l'avait jamais aimé ; maintenant, comment donc pourrait-elle le haïr ? Il lui sembla que sa dernière chaîne venait de tomber, détachée de son âme. Que de fois elle avait ramassé ces chaînes, pour s'emprisonner à nouveau ! A présent, c'était fini. Elle n'en avait plus besoin. Elle était entièrement libérée de lui.

« Ecoutez-moi, dit-elle, lorsque leurs rires eurent cessé. Soyez bon pour Ch'iuming.

— Je suis toujours bon envers tout le monde.

— Je vous en prie, soyez sérieux, un instant. C'est son premier enfant. Ne la tourmentez pas. Eloignez-vous d'elle chaque fois qu'elle tournera la tête vers le mur. »

Il secoua la tête en la regardant :

« Peut-être qu'une seule concubine ne suffit pas »,
dit-il, taquin, humectant sa lèvre supérieure du bout
de sa langue.

Mais il ne pouvait plus la blesser ni lui faire de
mal. Elle se contenta de sourire.

« A présent, vous pouvez aller voir votre mère. Et,
plutôt que de lui parler de son âme, annoncez-lui
que vous attendez un fils. »

*

* *

Mais Vieille-Dame ne se réjouit pas des nouvelles
qu'apportait son fils. Madame Wu, arrêtée en chemin pour s'amuser avec des enfants, arrivait à peine
dans sa cour qu'elle vit accourir Ying.

« Vieille-Dame va plus mal, s'écria-t-elle. Vieille-
Dame a peur et vous appelle. Notre Seigneur est
auprès d'elle et vous supplie de venir. »

Madame Wu se retourna aussitôt et se hâta vers
le chevet de Vieille-Dame. Mr. Wu, assis auprès
d'elle, lui caressait une main presque sans vie.

« Elle a pris un mauvais tournant ! s'écria-t-il en
apercevant sa femme. Ma vieille mère a choisi le
sentier qui descend. »

On vit poindre une lueur dans les yeux vitreux
de Vieille-Dame, sans qu'elle pût rien articuler. Elle
ouvrit la bouche, sa figure se plissa comme si elle
allait pleurer. Mais aucun son ne se fit entendre ;
aucune larme ne parut, tandis qu'elle regardait sa
belle-fille d'un air pitoyable.

Madame Wu la sentit plus effrayée que jamais.

« Allez me chercher du vin, murmura-t-elle à Ying,
qui l'avait suivie. Il faut la réchauffer — qu'elle sente
son corps. Prenez du vin de Canton, mettez-le rapi-

'dement sur le feu. Et envoyez le portier chercher le médecin. »

Vieille-Dame gardait les yeux fixés sur Madame Wu, implorant son aide, le visage figé dans un lamentable masque de pleurs.

« Ying va vous apporter du vin chaud, lui dit Madame Wu, de sa voix douce et apaisante. Vous vous sentirez mieux, plus forte ! N'ayez pas peur, Mère. Il n'y a rien à craindre. Tout est comme de coutume autour de vous. Les enfants s'amusent dehors, au soleil. Les servantes cousent et s'occupent de la maison. A la cuisine, on prépare le repas du soir. La vie continue, comme elle a toujours continué et continuera toujours. Nos ancêtres ont construit cette maison et nous y avons vécu des années, et nos enfants y viendront après nous. La vie continue éternellement, Mère. »

Sa voix chantante, consolante, résonnait, pleine et riche, à travers la chambre silencieuse. Vieille-Dame l'entendit et, lentement, les traits de son visage s'adoucirent, se détendirent, le masque de pleurs s'effaça. Ses lèvres tremblèrent de nouveau et elle respira. Tout le temps que le masque demeurait rigide sur son visage, sa respiration semblait arrêtée.

Dès que Ying accourut, apportant le vin chaud dans une petite théière à long bec, Madame Wu approcha ce bec des lèvres entrouvertes et laissa tomber le vin goutte à goutte dans la bouche de Vieille-Dame. Celle-ci avala une gorgée, puis deux et trois. Une faible joie parut dans ses yeux. Elle avala de nouveau et marmotta quelques mots.

« Je sens le goût... »

Puis un sursaut de surprise et de colère passa dans son regard. Au moment même où elle sentit le vin dans son ventre, son cœur récalcitrant s'arrêta de battre. Un frisson la secoua, le vin remonta et tacha le couvre-pied. C'est ainsi que Vieille-Dame mourut.

« Oh ! ma Mère. »

Mr. Wu gémissait, terrifié.

« Prenez la théière », dit vivement Madame Wu à Ying.

Elle se pencha, tira de sa manche son fin mouchoir de soie et en essuya les lèvres de Vieille-Dame, puis elle lui souleva la tête à deux mains. Mais la tête s'abandonna et Madame Wu la reposa sur l'oreiller.

« Son âme est partie, dit-elle.

— Oh, ma Mère ! »

Mr. Wu gémit de nouveau. Il se mit à pleurer ouvertement, tout haut, et sa femme le laissa pleurer. Il y a des choses qu'il faut se hâter de faire pour les morts. Dans un être aussi vieux que l'avait été Vieille-Dame, on ne doit pas s'attendre que les sept esprits de la chair quittent le corps aussitôt. On devait exorciser Vieille-Dame et l'emprisonner, de crainte que ces esprits, se libérant de la chair, n'amènent des malheurs dans la maison. C'était le rôle des prêtres. Madame Wu, au fond, ne croyait ni à ces prêtres ni à leurs dieux.

Elle se tenait debout, les yeux baissés, tandis que Mr. Wu continuait à caresser en pleurant la main de sa mère. Madame Wu s'étonna d'éprouver l'ardent désir d'appeler Frère André et de lui confier la tâche d'exorciser le mal et de l'éloigner de la maison. Mais cela n'eût pas satisfait la famille. Si un enfant tombait malade sous ce toit, même au bout d'un an, il y aurait des reproches, car on n'avait pas pris soin des esprits charnels de Vieille-Dame. Par égard pour là famille, il fallait se conformer aux anciennes coutumes.

Elle se tourna vers Ying :

« Appelez les prêtres, dit-elle. Et qu'on demande les embaumeurs au moment propice !

— Je m'occuperai de tout, dit Ying en se retirant.

— Venez, père de mes fils. Laissons-la un moment. Les servantes vont la laver et l'habiller, les prêtres l'exorciser, puis les embaumeurs feront leur devoir. Il faut vous retirer. »

Il se leva, docile, et ils sortirent ensemble. Elle marcha lentement à ses côtés et il continua à sangloter et à s'essuyer les yeux avec ses manches. Elle soupira sans pleurer. Il y avait bien des années qu'elle n'avait versé de larmes, et, en ce moment, semblait-il, ses yeux étaient secs. Mais, lorsque son mari l'entendit soupirer, il avança la main et s'empara de la sienne ; ainsi, la main dans la main, ils allèrent chez lui. Ils s'assirent dans la cour et elle lui laissa raconter tous ses souvenirs sur sa mère, comment Vieille-Dame le sauvait des punitions infligées par son père et comment, lorsque Vieux-Monsieur l'obligeait à étudier, elle se glissait dans sa chambre et lui apportait du vin, des gâteaux sucrés et des noisettes ; les jours de congé, elle le conduisait au théâtre et, quand il était malade, lui amenait des jongleurs et des comédiens près de son lit pour le distraire, et, s'il souffrait des dents, elle lui faisait aspirer une bouffée de sa pipe d'opium.

« Une bonne mère, dit-il, toujours gaie et qui tenait à m'amuser. Elle m'a appris à jouir de la vie. »

Madame Wu écoutait tout cela en silence, elle persuada son mari de manger et de boire, puis de boire un peu plus. Elle méprisait l'ivrognerie, mais il y a des moments où le vin est utile pour amortir la douleur. Il but donc le vin chaud qu'elle avait commandé et, en buvant, sa parole s'épaissit et il répéta, ressassa la même chose à n'en plus finir, jusqu'à ce que sa tête retombât sur sa poitrine.

Alors elle se leva et, sans bruit, se dirigea vers la chambre qui avait été la sienne. Elle entra et, sous le rideau de satin du lit, elle aperçut, pelotonnée contre le mur, une nuque noire et le contour d'une épaule mince. Elle appela tout bas :

« Ch'iuming, dormez-vous ? »

Ch'iuming se retourna, et ses yeux, dans l'ombre, regardèrent fixement Madame Wu.

« Ch'iuming, il est inutile que vous dormiez ici cette nuit. Notre Vieille-Dame est partie pour les Sources Jaunes et lui, il est ivre de vin et de tristesse. Levez-vous, mon enfant. »

Ch'iuming se glissa hors du lit, obéissante et silencieuse.

« Où dois-je aller ? », demanda-t-elle humblement.

Madame Wu hésita.

« Je crois que vous pouvez venir chez moi. Je ne dormirai pas ce soir. Il me faut veiller Vieille-Dame.

— Oh ! laissez-moi veiller aussi, murmura Ch'iuming. Je ne veux pas dormir.

— Mais vous êtes jeune et vous ne devriez pas rester éveillée toute la nuit à cause de ce que vous portez.

— Gardez-moi auprès de vous », dit-elle d'un ton suppliant.

Madame Wu ne put refuser :

« Alors, venez », dit-elle.

Après qu'on eut aidé à mettre Mr. Wu au lit et qu'elle eut elle-même abaissé les courtines, Madame Wu alla reprendre sa place dans la maison pour cette nuit-là. Ceux qui avaient veillé jusqu'ici se couchè-

rent, mais les serviteurs et les cousins les plus âgés
ne prirent aucun repos. Vieille-Dame était lavée et
habillée. Madame Wu veilla à ce que tout fût fait
selon les règles, et Ch'iuming à côté d'elle ne disait
mot, mais elle était toujours prête à prendre un
objet, à en offrir un autre. La jeune femme avait le
regard prompt et les doigts agiles, elle devinait ce
qu'on désirait avant qu'on le lui demandât. Cependant, Madame Wu voyait bien que Ch'iuming
n'éprouvait aucun chagrin. Cette mort n'existait pas
pour elle. Son visage était grave, mais sans tristesse,
et elle ne fit pas mine de pleurer comme une autre eût
pu le faire.

« Son cœur n'est pas encore dans cette maison,
songea Madame Wu en l'observant. Mais, quand
le bébé viendra, il l'y attachera. »

Ainsi donc une génération avait achevé sa course
et quitté la maison. Madame Wu devint la tête de
cet amas de bâtiments comme, au-dehors, Mr. Wu
était le chef. Vieille-Dame ne fut pas enterrée aussitôt. Lorsqu'on consulta les géomanciens, ils déclarèrent que le premier jour propice se trouverait au milieu de l'automne. En sorte qu'une fois les rites
accomplis et Vieille-Dame couchée dans son lit de
cyprès, scellé, le cercueil fut porté dans le paisible
temple de famille à l'intérieur même de l'enceinte.
Personne, pas même les enfants, n'eut le sentiment
que Vieille-Dame fût loin. Souvent, au milieu de
leurs jeux, les enfants couraient au temple et regardaient à l'intérieur.

« Grand-Mère, appelaient-ils tout bas. Grand-
Mère, nous entendez-vous ? »

Puis ils écoutaient. Parfois aucun son ne leur parvenait. Mais souvent, quand le vent soufflait, ils se

disaient qu'ils avaient entendu Vieille-Dame répondre de son cercueil.

« Que dit-elle ? », demanda un jour Madame Wu à une enfant, la fille d'un cousin germain.

La petite prit un air sérieux :

« Elle dit : « Petits enfants, allez jouer, soyez heureux. » Mais, Mère Ancienne, sa voix est toute faible et lointaine. Est-elle contente dans son cercueil ? »

Madame Wu la rassura :

« Très contente. Et maintenant il faut lui obéir, va jouer et sois heureuse. »

*
* *

Après le départ de Vieille-Dame, le calme retomba sur la maison. Il semblait qu'avec ce départ chaque génération se fût sentie promue, dans l'espace, et spécialement dans ces lieux. Avec sa mort, la vie fit un bond en avant et chacun se crut plus près de sa fin. Mr. Wu, la première période de deuil terminée, lorsqu'il eut déposé ses vêtements en toile de sac, n'était plus tout à fait le même. Sa figure pleine paraissait plus âgée, plus grave. Il venait parfois dans la cour de Madame Wu, et ensemble ils parlaient de la famille, dont ils étaient les deux têtes. Mr. Wu se tourmentait à l'idée de n'avoir pas été aussi bon fils qu'il aurait dû. Lorsqu'ils avaient achevé de causer, tous les deux, des récoltes, des taxes injustes imposées par les autorités, par les gouvernements, quand ils avaient envisagé certaines dépenses, passé en revue enfants et petits-enfants, Mr. Wu se mettait à songer à sa mère.

« Vous avez toujours été bonne pour elle, disait-il à Madame Wu. Mais moi, la plupart du temps, je l'oubliais. »

234

Alors, pour le réconforter, Madame Wu répondait ainsi :

« Comment un homme peut-il oublier sa mère ? Elle vous a donné le souffle, et, rien qu'en respirant, on se souvient d'elle. Elle vous a donné votre corps, et manger, boire, dormir, et se servir de ce corps d'une manière ou d'une autre, c'est se souvenir d'elle. Je ne demande pas à mes fils qu'ils accourent vers moi en criant : « Mère par-ci, mère par-là ! » Je suis suffisamment récompensée qu'ils vivent, qu'ils soient en bonne santé, qu'ils se marient, qu'ils soient heureux et qu'ils aient des fils. Ma vie est complète en eux. De même pour Vieille-Dame. Elle vit en vous et en vos fils.

— Vous le pensez vraiment ? », demandait-il, après l'avoir écoutée.

Et il se sentait toujours réconforté en la quittant.

Elle, restée seule, réfléchissait à bien des choses. A présent, plus que jamais, sa vie était divisée en deux parties — celle qu'elle vivait dans la maison et celle qu'elle vivait au-dedans d'elle-même. Parfois l'une prenait le dessus, parfois l'autre. Lorsque la maison était paisible, elle demeurait heureuse, seule. Quand des ennuis surgissaient, elle s'occupait d'y remédier de son mieux.

Vers le milieu de l'automne, Madame Wu sentit poindre un petit ennui qui menaçait de grandir si elle ne le supprimait pas comme on fait d'une noix de galle sur un arbrisseau. Linyi et Fengmo commençaient à se quereller. Elle apprit leur mauvaise entente un jour qu'elle faisait sa tournée d'inspection. Malgré sa beauté et son entregent, Linyi laissait tout à l'abandon chez elle. Madame Wu avait évité la moindre remarque, au début, car Linyi était la fille de son amie et elle savait bien que Madame Kang, avec sa nombreuse famille, ne pouvait maintenir un ordre et une propreté parfaits dans sa maison. Rien d'étonnant que ses filles fussent si peu soigneuses.

Plutôt que de faire des reproches à Linyi, Madame Wu préféra prendre l'avis de Meng, qui, elle aussi, était fille de Madame Kang.

Elle la trouva qui, au milieu de la matinée, démêlait ses longs cheveux. Le temps était doux et gris et la maisonnée semblait endormie. Madame Wu n'adressa aucune observation à Meng sur l'heure tardive de sa toilette, elle se disait que, si elle critiquait Linyi, l'aînée en ferait son profit.

A la vue de sa belle-mère, Meng resserra vivement ses cheveux dans sa main.

« Est-ce vous, Mère ? Que je suis honteuse de n'être pas encore prête ! Je vais simplement relever mes cheveux.

— Mais non, mon enfant, faites-vous coiffer pour le mieux. »

Et Madame Wu s'assit pendant que la servante peignait les longs cheveux noirs, si doux, de Meng. Rulan et Linyi les portaient courts, Meng les avait conservés à l'ancienne mode.

« Combien vous reste-t-il de jours à attendre ? demanda Madame Wu.

— Onze, d'après la lune. J'espère que vous me donnerez des conseils, Mère. Vous savez comme j'ai souffert pour le premier.

— Quand j'ai eu mes enfants, fit la servante d'un ton enjoué, c'était en plein champ, j'aidais mon mari à labourer. »

Les Wu connaissaient cette servante depuis toujours, car elle venait d'une de leurs propriétés. Elle y retournait l'été pour les moissons, puis revenait l'hiver à la maison reprendre son service auprès de la jeune femme. Comme elle était veuve, on devait la soutenir, mais elle aimait trop la campagne pour ne pas y retourner tous les ans.

« Vous souffrirez moins pour le second, dit Madame Wu. Mais on ne peut espérer que des femmes élevées entre quatre murs mettent leurs enfants au monde aussi facilement que celles qui ont une vie libre.

— Et pour Linyi, cela se passera-t-il mieux ?

— Oh ! non, reprit la femme. Elle est trop instruite. »

Madame Wu se mit à rire :

« Ce n'est pas très exact, ma bonne fille ; j'ai peut-être autant d'instruction que Linyi, et mes couches ont été très faciles. Mais j'ai eu beaucoup de chance dans ma vie.

— Ah ! vous êtes de celles que les cieux ont marquées, répondit la femme.

— Linyi prétend qu'elle ne veut pas avoir d'enfants, déclara Meng tout à coup. Elle dit qu'elle regrette d'avoir épousé Fengmo. »

Madame Wu leva les yeux, saisie :

« Meng, faites attention à vos paroles.

— Mais c'est vrai, Mère. »

Elle tapa du pied :

« Vous me tirez les cheveux, imbécile ! cria-t-elle à la servante.

— C'est la faute de votre sœur ; elle m'a épouvantée, répondit celle-ci, je n'ai jamais entendu parler d'une femme qui ne voulait pas d'enfants, en dehors des concubines qui ont peur d'abîmer leurs formes. Et, dans cette maison, même la concubine est enceinte ! »

Madame Wu n'écoutait pas cette conversation avec la servante :

« Meng, dit-elle, j'étais venue vous parler de votre

sœur, qui est bien désordonnée ! Et vous demander ce que je dois faire, mais ce que vous m'apprenez est autrement grave que de laisser de la poussière sous les tables. J'aurais dû m'occuper plus tôt de ce jeune ménage. J'ai été très absorbée, à cause de la mort de Vieille-Dame. Répétez-moi ce que vous savez.

— Linyi me l'a dit elle-même... »

Ces deux dames ne se souciaient nullement de la servante. Ce que la vie amenait dans cette demeure pouvait être vu et entendu de tous, et les serviteurs y avaient leur place, eux aussi.

« Racontez-moi ce que vous a dit votre sœur.

— Elle prétend qu'elle déteste les grandes maisons comme celle-ci. Elle regrette de s'y être mariée. Fengmo appartient à la famille et pas à elle, tandis qu'elle appartient à la maison malgré elle, et pas à Fengmo. Elle voudrait partir, pour qu'ils aient une demeure à eux seuls. »

Madame Wu ne comprenait pas :

« Seuls ? Mais que mangeraient-ils ?

— Elle croit que Fengmo pourrait travailler et gagner un salaire, s'il savait mieux l'anglais.

— Elle voudrait qu'il sache mieux l'anglais ?

— Oui, de manière à avoir de l'argent, ce qui leur permettrait d'habiter seuls, répondit Meng.

— Mais personne ne les dérange ici. »

Madame Wu était outrée que sous son toit pût couver ce foyer de révolte.

« Elle veut parler des habitudes de la famille. Les jours de fête, les jours de deuil, les anniversaires, les devoirs des belles-filles, les servantes à qui on confie les enfants et toutes ces choses-là. Elle dit que Fengmo pense à la famille avant de penser à elle.

— C'est son devoir. Et ce devrait être le sien, à

elle aussi. Est-elle donc une prostituée pour prétendre qu'elle n'est pas de la maison ? »

Meng s'aperçut que ce qu'elle disait déplaisait à Madame Wu ; elle se tut. La femme n'osait pas non plus placer son mot, car elle sentait le cas trop sérieux. Elle termina la coiffure de sa jeune maîtresse, y ajouta deux ornements de perles, retira les cheveux du peigne, les enroula autour de son doigt, sortit et souffla dessus.

Madame Wu et Meng se trouvèrent seules.

« Est-ce que vous avez aussi des idées de ce genre ? », demanda Madame Wu à cette jolie enfant toute potelée.

Meng se mit à rire :

« Oh ! Mère, je suis trop paresseuse, dit-elle franchement. J'aime la vie dans cette maison. Tout est propre, tout est en ordre sans que j'aie à y mettre la main. Je suis ravie quand une servante m'enlève mon bébé qui crie et je suis heureuse du matin au soir. Mais je n'ai jamais été à l'école, je ne tiens pas à lire ! et le père de mon fils me dit tout ce que je dois savoir, alors pourquoi en désirer davantage puisque ça lui suffit ?

— Liangmo est-il bon pour vous ? »

Les joues si douces de Meng devinrent très roses :

« Il est bon pour moi en toutes choses, dit-elle. Jamais on n'a vu un homme aussi bon. Merci, Mère.

— Et Fengmo n'est-il pas bon pour Linyi ? », demanda Madame Wu.

Meng hésita :

« Comment dire quelle main frappe la première quand deux personnes commencent une querelle ? Moi, je crois que c'est la faute de Rulan. Elle est toujours avec Linyi. Elles bavardent ensemble de leurs maris et chacune ajoute les défauts de l'autre mari à ceux du sien. »

Madame Wu se rappela les sanglots de Rulan, par une nuit qui n'était pas très lointaine :

« Rulan est-elle mécontente, elle aussi ? »

Meng haussa les épaules :

« Linyi est ma sœur, répondit-elle après une légère hésitation. Je n'ai pas affaire à Rulan.

— Vous n'aimez pas Rulan ! », s'écria Madame Wu.

Elle croyait poursuivre son chemin dans un dédale et s'enfoncer profondément vers un réseau de mystères cachés dans sa maison. Il était monstrueux pour leurs futurs successeurs, à elle et à Mr. Wu, de se quereller ainsi.

« Je n'aime pas Rulan, dit Meng d'une voix égale, sans le moindre accent de haine.

— Faut-il donc toujours que les femmes se disputent ? », dit Madame Wu sévèrement.

Meng haussa de nouveau les épaules.

« On peut ne pas aimer quelqu'un sans se quereller avec lui. Je n'aime pas Rulan parce qu'elle a toujours l'air de croire qu'elle a raison et les autres tort. Elle est comme ça avec Tsemo. Mère, ça m'étonne que vous ne vous en soyez jamais aperçue. J'avais dit à Liangmo de vous en parler, mais il répond qu'il ne veut pas vous causer d'ennuis. Seule Vieille-Dame savait — elle donnait des gifles à Rulan.

— Elle lui donnait des gifles ? s'écria Madame Wu. Pourquoi ne me l'a-t-on jamais dit ?

— Tsemo l'a défendu à Rulan. »

Meng commençait à s'amuser de tous ces racontars, elle poursuivit :

« Rulan est trop instruite. Elle est plus instruite

que Linyi, alors Linyi l'écoute. Elle parle toujours de
choses que les femmes ne devraient pas connaître.

— Quelles choses ?

— La Constitution, la Reconstruction nationale,
l'injustice des Traités et toutes ces histoires-là.

— Vous m'avez l'air très au courant, fit Madame
Wu avec l'ombre d'un sourire.

— Liangmo, oui, mais pas moi.

— Ne désirez-vous pas savoir les mêmes choses
que Liangmo ?

— Il en reste bien d'autres, dont nous pouvons
causer ensemble.

— Lesquelles ? »

Mais Meng, au lieu de répondre, détourna les yeux
avec un sourire qui mit des fossettes à ses joues.

Madame Wu n'insista pas. Elle se leva au bout
d'un moment et revint dans sa cour, mise au courant
de ce nouveau trouble sous son toit. Mais ce jour-là
une sorte de lassitude tomba sur elle. Elle se sentait
comme un coureur qui doit forcer sa vitesse, sans
avoir mangé. Elle manquait de force pour aider ces
jeunes, ces hommes et ces femmes dont les vies dé-
pendaient de la sienne. Sa propre sagesse était trop
ancienne pour eux — la sagesse uniforme d'un sentier
humain tout droit, de la naissance à la mort. Elle
songea au Frère André. Il avait, lui, une sagesse qui
dépassait ces murs. Elle ferait venir Fengmo et l'in-
citerait à reprendre ses études. Alors, quand Frère
André viendrait, elle ferait part à cet homme des
soucis qui agitaient ces jeunes dont elle était le
soutien.

Elle envoya Ying chercher Fengmo ; il arriva aussitôt, n'ayant rien à faire et se trouvant par hasard
chez lui. Son aspect déplut à sa mère. S'il n'eût pas
été marié, et tout de bon, elle se serait dit qu'il avait

un air de libertin. Il semblait maussade, insatisfait, et pourtant rassasié, trop bien nourri.

« Fengmo, mon fils, lui dit-elle, de sa voix agréable, j'ai été si occupée tous ces jours, depuis que ta grand-mère nous a quittés, que je ne me suis pas informée de la vie de ton ménage. Je vous ai aperçus, Linyi et toi, à votre place dans la famille, mais jamais toi seul. A présent, mon fils, parle à ta mère.

— Je n'ai rien à dire, répondit Fengmo d'un air indifférent.

— Linyi et toi ? fit-elle, caressante.

— Ça va assez bien. »

Elle le regarda sans rien dire : grand et svelte, la taille bien prise, les poignets et les chevilles minces, il était légèrement bâti, mais non sans un excès de robustesse. Son visage était carré, sa bouche charnue devenait facilement maussade.

Elle sourit :

« Comme tu ressembles au bébé que tu étais, dit-elle tout à coup. C'est curieux comme les hommes changent peu après leur naissance, tandis que les femmes se transforment tellement ! Parfois, quand je regarde chacun de vous, il me semble que vous êtes absolument semblables à ce que vous étiez lorsqu'on vous a mis dans mes bras pour la première fois.

— Mère, pourquoi sommes-nous nés ? »

Elle s'était posé cette question bien souvent elle-même, mais, lorsqu'elle l'entendit dans la bouche de son fils, elle fut prise de peur :

« N'est-ce pas le devoir de chaque génération de donner naissance à la suivante ?

— Mais encore, pourquoi ? Pourquoi chacun de nous existe-t-il ?

— Pouvons-nous cesser d'être alors qu'on nous a créés ?

« — Mais si je n'existe que pour qu'il en vienne un autre, semblable à moi, et qui lui aussi engendrera un être semblable à nous deux, à quoi bon ? »

Fengmo ne la regardait pas. Ses mains menues et jeunes étaient légèrement jointes devant lui.

« Il y a un « moi », Mère, fit-il lentement, qui n'a rien à faire avec vous ni avec l'enfant qui sera procréé par moi. »

Madame Wu se sentit effrayée. Elle avait éprouvé ces mêmes sentiments, s'était posé ces mêmes questions, mais elle n'avait jamais pensé les retrouver chez ses fils.

« Hélas ! s'écria-t-elle. J'ai été une mauvaise mère pour toi. Ton père n'a jamais eu de ces idées-là. J'ai dû te verser un poison.

— Non, j'ai toujours pensé à cela, dit-il.

— Tu ne m'en avais jamais parlé.

— Je m'imaginais que ça passerait, dit-il. Et pourtant je continue. »

Elle devint très grave.

« J'espère que cela ne signifie pas que vous vous entendez mal, Linyi et toi ? »

Il fronça le sourcil :

« Je ne sais pas ce que veut Linyi. Elle est d'une agitation !

— Tu restes trop avec elle. C'est une mauvaise chose quand mari et femme sont constamment ensemble. Je m'aperçois que Linyi ne vient jamais s'asseoir avec les autres femmes, comme Meng. Linyi ne bouge pas de votre cour alors, naturellement, elle s'en fatigue, elle devient lasse, désœuvrée, agitée…

— Peut-être bien », dit-il, comme si l'avis lui était indifférent.

Madame Wu continuait à le considérer avec inquiétude.

« Fengmo, demandons à Frère André de revenir. Quand tu étais avec lui, tu me semblais heureux.

— Ça pourrait bien m'être impossible, répondit-il avec insouciance.

— Allons, dit-elle fermement, car elle avait appris depuis longtemps qu'en face de l'insouciance il fallait montrer de la décision, je vais le lui demander. »

Il ne répondit pas.

« Fengmo, dit-elle encore, si Linyi et toi désirez quitter cette maison, je ne m'y opposerai pas. Je souhaite le bonheur de mes fils. Tu as bien le droit de te demander pourquoi tu ne serais qu'un anneau dans la chaîne des générations. J'ai d'autres fils. Si tu veux t'en aller, dis-le-moi.

— Ce que je veux, je ne le sais pas, dit-il toujours avec la même nonchalance.

— Tu détestes donc Linyi ? C'est impossible, à moins que tu ne sois très, très malheureux. Elle n'est pas enceinte et tu n'as d'intérêt à rien. Qu'est-ce que ça signifie, Fengmo ?

— Mère, vous ne pouvez pas nous juger sur des choses de ce genre. »

Madame Wu avait trop de discernement pour cela :

« Je ne vous juge pas uniquement là-dessus, dit-elle, mais je sais que si l'homme et la femme ne sont pas bien appariés tout d'abord dans leur chair, ils ne le seront jamais autrement. Si les chairs sont unies, une autre union s'ensuivra, et même sans cette dernière, les deux époux pourront vivre en harmonie. Car la chair est la fondation de la maison qu'ils construisent. L'âme, l'intelligence et tout le reste représentent la toiture, les décorations, ce que l'on surajoute à une belle maison. Mais rien de cela ne tient debout si les fondations manquent.

Fengmo la regarda :

« Alors comment se fait-il que mon père ait une concubine ? »

Elle voulut ignorer cette impolitesse :

« Il y a un temps pour tout, dit-elle d'un ton sévère. Et un temps succède à l'autre. »

Il sentait qu'il avait dépassé les bornes permises à un fils ; il frictionna de la main ses cheveux courts et se passa les mains sur les joues.

« Enfin, faites venir Frère André », dit-il.

Il réfléchit un peu, puis ajouta :

« Il sera mon unique professeur. Je n'irai plus à l'Ecole nationale.

— Qu'il en soit ainsi, mon fils », répondit-elle.

VIII

Ce fut ainsi que Frère André revint dans la maison
Wu. Il ne fit aucune allusion au temps écoulé depuis
sa dernière visite ni à ce qui s'était passé dans l'in-
tervalle. Fengmo vint le soir prendre sa leçon, puis
se retira. Lorsque, après la leçon, Frère André traversa la cour, Madame Wu l'appela doucement. Elle
était assise à sa place habituelle, là où elle se tenait
chaque soir avant que l'automne devînt trop froid. Il
faisait frais ce soir-là, mais, craignant de voir l'été
lui échapper, elle voulait tenir bon un ou deux soirs
de plus. Ying l'avait désapprouvée de rester assise
dehors, et, dans la bibliothèque, un brasero de charbon brûlait, pour guérir le rhume que Ying prévoyait.

« Bon Frère André », dit Madame Wu.

La haute personne de Frère André s'arrêta. Il
tourna la tête et l'aperçut.

« M'avez-vous appelé, Madame ?

— Oui. » Elle se leva. « Si vous avez un moment,
accordez-le-moi ; je voudrais vous parler de mon troisième fils. Je ne suis pas satisfaite de lui. »

Frère André inclina sa grande tête.

« Apportez du thé, Ying, et restez ici pour vous
occuper des braises. »

Madame Wu se rappela que Frère André était prêtre, elle voulait lui épargner la gêne de se trouver seul avec une femme.

S'il éprouvait une gêne, il n'en laissa rien voir. Il s'assit lorsqu'elle lui indiqua un siège et attendit, ses yeux profonds fixés sur Madame Wu. Mais elle savait sa pensée ailleurs. Ses regards auraient pu tomber sur elle du haut des cieux.

Elle posa une question directe :

« Pourquoi Fengmo est-il malheureux ?

— Parce qu'il est trop désœuvré, répondit simplement Frère André.

— Désœuvré, répéta Madame Wu. Mais il a une tâche. Chaque jour de l'an, j'assigne un travail à chacun de mes fils, ainsi qu'à mes brus. Cette année, mon fils aîné doit surveiller les terres, sous mes ordres ; Tsémo s'occupe des achats et des ventes ; Fengmo étudie ce qui a trait aux entrepôts de grains, en ville, où nous les vendons. Depuis qu'il a laissé l'école, il y travaille chaque jour plusieurs heures.

— Cela n'empêche pas qu'il reste désœuvré, dit Frère André. Fengmo a une intelligence exceptionnelle, de la curiosité d'esprit. Il apprend vite. Vous m'avez prié de lui enseigner l'anglais. Mais, avec ce qu'il sait déjà de cette langue, il a acquis quelque chose de plus profond aujourd'hui. je me suis aperçu qu'il n'avait rien oublié. L'enseignement que je lui ai donné il y a plusieurs mois s'est enraciné en lui, des rejets en montent comme ceux d'une vigne, cherchant où s'accrocher pour fleurir et fructifier. Fengmo sera toujours désœuvré tant qu'il n'aura pas découvert de quoi absorber son esprit et son intelligence. »

Madame Wu écoutait tout cela :

« Vous essayez de me persuader, vous voulez que

je vous permette de lui enseigner votre religion, dit-elle.

— Vous ignorez quelle est ma religion, répondit Frère André.

— Si, je le sais. Petite Sœur Hsia m'a souvent lu vos livres sacrés et m'a expliqué vos façons de prier et toutes ces choses-là.

— Ma religion n'est pas la sienne, ni la sienne la mienne, répondit cet homme étrange.

— Expliquez-moi la vôtre.

— Je ne l'expliquerai pas, car c'est impossible. Petite Sœur Hsia peut vous faire la lecture et vous parler de sa façon de prier, mais ce n'est pas la mienne. Je lis beaucoup de livres ; je n'ai pas de façon spéciale de prier.

— Alors, où se trouve votre religion ?

— Dans le pain et dans l'eau, répondit-il, dans le sommeil et la marche, dans le nettoyage de ma maison, la culture de mon jardin, dans la nourriture que je donne aux enfants égarés que je trouve et ramène sous mon toit, dans mes leçons à votre fils, mes veilles auprès des malades et l'aide à ceux qui doivent mourir pour qu'ils meurent en paix.

— J'aurais voulu vous appeler quand Vieille-Dame est morte, dit tout à coup Madame Wu. C'est étrange, j'en avais le désir. Mais j'ai craint que la famille, malgré cela, ne réclamât les prêtres du temple.

— Je n'aurais pas éloigné vos prêtres. Je ne repousse jamais ceux qui peuvent apporter de la consolation. Nous en avons tous besoin.

— Vous aussi ?

— Certainement, moi aussi.

— Vous êtes si solitaire ! s'écria-t-elle. Vous n'avez personne de votre sang.

— Tous sont de mon sang. Il n'y a pas de différence entre un sang et un autre.

— Le vôtre ressemble-t-il au mien ?

— Il lui est semblable ; tous les sangs humains sont faits d'une même matière.

— Alors, pourquoi êtes-vous simplement prêtre ? », demanda-t-elle.

Puis, sentant l'impolitesse de la question, elle se hâta d'ajouter :

« Pardonnez-moi, je suis trop curieuse. Je sais qu'on ne doit jamais demander à un prêtre pourquoi il l'est devenu. Mais je sens que vous n'avez pas commis de crime et que vous n'avez pas besoin d'un sanctuaire.

— Ne vous excusez pas, répondit Frère André. Moi-même, je ne sais vraiment pas très bien comment cela s'est fait, à moins que ce ne soit parce que j'ai commencé par être astronome.

— Vous connaissez les étoiles ? fit-elle, très surprise.

— Madame, personne ne les connaît. Mais j'étudie leur lever et leur coucher, leurs allées et venues à travers le ciel.

— Et continuez-vous encore ? »

Elle avait honte de sa curiosité pour ce qui concernait cet homme, mais elle ne pouvait la refréner.

« Oui, Madame, je continue, une fois mon travail de la journée achevé et quand il n'y a pas de nuages. »

Ses manières étaient si franches, si tranquilles, que ce calme éveillait l'intérêt de Madame Wu. Il répondait à ses questions parce qu'elle les lui posait et qu'il n'avait rien à cacher, mais toutefois comme si ces choses ne la regardaient point.

« Vous êtes bien seul, fit-elle brusquement. Toute la journée au milieu des pauvres, et la nuit parmi les étoiles.

— C'est vrai, répondit-il, très calme.

— N'avez-vous jamais désiré avoir une maison, une femme et des enfants ?

— Madame, j'ai aimé une femme. Nous devions nous marier. C'est alors que je suis entré dans la solitude et n'ai plus aimé cette femme. Je n'avais plus besoin d'elle.

— C'était très injuste pour elle, il me semble, dit Madame Wu d'un ton plein de dignité.

— Oui, en effet, je l'ai bien senti, mais je n'ai pu que lui dire la vérité. Et je me suis fait prêtre pour rester solitaire.

— Mais votre foi ? »

Il tourna vers elle son profond et sombre regard.

« Ma foi ? — Ma foi ? Elle est dans l'espace et dans le vide, dans le soleil, les nuages et le vent.

— N'y a-t-il pas un Dieu dans tout cela ?

— Il existe. Mais je n'ai pas vu Sa face.

— Alors comment pouvez-vous croire en Lui ?

— Il est aussi dans ce qui m'entoure, répondit Frère André. »

Sa voix grave prononça ces grandes et simples paroles :

« Il est dans l'air et dans l'eau, dans la vie et dans la mort. Dans l'humanité.

— Mais vos enfants trouvés ? Si vous aimez votre solitude et si vous n'avez besoin de personne, pourquoi avez-vous pris ces enfants du hasard ? »

Il abaissa ses yeux sur ses mains énormes, usées par le travail :

« Ces mains, elles aussi, il faut qu'elles vivent et qu'elles soient heureuses, dit-il, comme s'il s'agissait de créatures indépendantes. Il faut bien donner du travail à la chair pour qu'elle laisse l'âme tranquille. »

Madame Wu le considéra avec une curiosité grandissante :

« Y a-t-il d'autres hommes pareils à vous ? demanda-t-elle.

— Aucun homme n'est tout à fait semblable aux autres », dit-il.

Son visage hâlé prit une expression chaude, presque souriante, comme si une lumière montait en lui.

« Mais votre fils, Madame, le jeune Fengmo, pourrait, je crois, devenir comme moi. Peut-être le deviendra-t-il ?

— Je le défends bien, dit Madame Wu d'une voix impérieuse.

— Ah ! »

Et Frère André sourit. Ses yeux illuminés, mystérieux, brillèrent un instant sur elle, puis il prit congé.

Elle resta à contempler la poignée d'étoiles au-dessus de sa cour. Par deux fois, Ying sortit, et pour se fâcher.

« Laissez-moi tranquille, dit Madame Wu. J'ai besoin de réfléchir.

— Vous ne pourriez pas réfléchir dans votre lit au lieu de rester à l'air froid de la nuit ? »

Et, Madame Wu ne répondant pas, Ying alla chercher une robe de fourrure dont elle lui enveloppa les jambes. Madame Wu n'avait pas bougé. Elle s'appuya en arrière, dans son fauteuil, les yeux fixés sur les étoiles. Les murs de la cour découpaient un carré du ciel, comme celui qu'ils limitaient sur le sol, mais, en haut et en bas, au-dessous et au-dessus, les pensées de Madame Wu plongeaient profondément et s'élevaient très haut.

Dans la terre, sous cette maison, des racines humaines s'enfonçaient, des racines invisibles, inconnues de tous les membres de la famille Wu qui avaient vécu là, y étaient nés et y étaient morts. Les fondations restaient inébranlables. Et cependant d'autres les avaient précédés. Vieux-Monsieur lui avait répété ce que lui avait dit son père, qui le tenait du sien : lorsqu'on édifia la maison Wu, les mains qui creusèrent la terre n'avaient pas posé les moellons sur de la terre, mais sur des débris, des éclats de porcelaine et de faïence et des fragments de tuiles.

« Aucune maison ne peut atteindre le fond de notre terre, lui avait dit Vieux-Monsieur. Ville par ville, nos ancêtres en ont construit cinq les unes sur les autres. L'homme a bâti au-dessus de l'homme et d'autres construisent au-dessus de nous. »

Dans les millénaires à venir, la maison Wu prendrait sa place pour servir de fondations à d'autres maisons, et d'autres yeux que les siens contempleraient les étoiles.

Elle devinait ce que devait être la solitude de Frère André et, cependant, elle comprenait pourquoi il y trouvait le bonheur. Elle frémissait elle-même, au bord de cette solitude, en levant les yeux vers les étoiles.

Ying lança un appel désespéré de la maison :

« Madame ! »

Mais Madame Wu n'entendit pas sa voix.

Ying finit par prendre peur. Elle s'avança sur la pointe des pieds et regarda le visage de Madame Wu. Il était pur, froid et comme figé. Ses grands yeux noirs continuaient à contempler le ciel. Dans la pénombre de la cour, simplement éclairée par un rayon de lumière qui partait de la bibliothèque où brûlait une bougie, sa figure semblait presque transparente dans sa blancheur laiteuse.

« Hélas ! son âme s'est envolée », murmura Ying. Puis elle frappa ses mains contre sa bouche. Elle recula, terrifiée par le spectacle, et traversa la cour sans bruit.

Madame Wu l'entendit vaguement, sans s'en soucier, sans savoir non plus ce qui faisait peur à Ying. Elle était libérée de ces murs. Ils n'atteignaient pas le ciel comme elle l'avait cru, taillant un carré parmi les étoiles. Et, quand elle les eut dominés, elle aperçut l'univers entier étendu devant elle, les sept océans, les pays et les peuples dont elle ne connaissait l'existence que par des livres, les deux pôles de la terre avec leur glace et leur neige qui ne fond jamais, les tropiques avec la vie qui y déborde de la terre.

« Du haut des astres, se dit-elle, sûrement on voit toutes choses. »

Pour la première fois de sa vie, elle désira sortir de ces quatre murs, parcourir le monde entier, tout voir et tout connaître.

« Mais il resterait encore les étoiles, se dit-elle. Comment atteindre les étoiles ? »

Elle pensa à Vieille-Dame, dissoute en une âme impalpable, ou poussière enfermée dans le cercueil : du moins l'âme de Vieille-Dame demeurait en suspens dans cette maison.

« Quand je serai libérée, se dit Madame Wu, je quitterai cette maison. Je monterai tout droit jusqu'à ce que je voie de quoi sont faites les étoiles. »

En rêvant ainsi, Madame Wu oublia que Ying avait traversé la cour et s'en était allée, et elle ne la vit pas qui revenait avec ses trois fils : Liangmo, Tsemo et Fengmo, arrivés ensemble et qui restaient là, à regarder leur mère. Liangmo parla le premier.

« Mère ! »

Il adoucissait sa voix, car il craignait que l'âme n'eût quitté le corps ; et, quand cela arrive, il faut la charmer, l'enjôler, sans l'effrayer, de crainte qu'elle

ne revienne jamais. Car le corps est la cage et l'âme
l'oiseau, et, une fois la porte laissée ouverte et l'oiseau
libre, pourquoi reviendrait-il dans la cage ? Il faut l'attirer, ruser avec lui.

« Chère Mère, dit Liangmo doucement, vos enfants
sont là, vos enfants vous attendent. »

Mais Madame Wu était en transe. Elle n'entendait
aucune voix. Ses fils se regardèrent, terrifiés.

« Appelle notre père », dit Liangmo à Tsemo.

Au bout de quelques minutes, Tsemo se hâta
d'obéir, tandis que les autres attendaient en silence,
de peur que l'âme évadée ne s'échappât plus loin.
Mr. Wu accourut. Ch'iuming le suivait, mais passa
inaperçue.

« Comment est-ce arrivé ? demanda Mr. Wu à
Ying.

— Le prêtre étranger l'a laissée comme ça. »

Ils se regardèrent, repris de frayeur.

Mr. Wu l'appela doucement :

« Mère de mes fils ! »

Sa large face était couleur de papier.

Madame Wu ne répondit pas.

« Ailien ! », s'écria-t-il.

Il n'osait pas la toucher. Les mains de sa femme
pendaient aux poignets comme des fleurs blanches et
molles.

Mais Ch'iuming n'ouvrit pas la bouche. Elle s'agenouilla aux pieds de Madame Wu, lui enleva ses
étroits souliers de satin, ses bas de soie blanche, et
frictionna ses pieds nus. Ils étaient froids et elle les
mit contre sa poitrine.

« Vous allez la réveiller trop vite, dit Mr. Wu à
plusieurs reprises.

— Oh ! non, parce qu'elle n'a pas peur de moi »,
répondit Ch'iuming.

Agenouillée, elle levait les yeux vers eux tous, le père et les fils, dans cette maison où le ciel l'avait poussée.

« Elle n'a peur de personne, fit Mr. Wu avec dignité.

— Elle n'a pas peur de moi parce qu'elle ne m'aime pas », dit Ch'iuming d'une manière étrange, baissant les yeux sur les étroits pieds nus qu'elle tenait.

A ce moment, Madame Wu ramena ses regards des étoiles et vit ses trois fils :

« Tous les trois ? Vous ! Que désirez-vous ? »

Ch'iuming lui remit rapidement ses bas et ses souliers. Madame Wu ne sembla pas la voir, mais elle aperçut son mari.

« Pourquoi êtes-vous ici ? », lui demanda-t-elle d'une voix froide et distante.

Tous se rendaient compte que son âme ne revenait qu'à regret.

« Mère, je crois que Meng va avoir un enfant, dit Liangmo.

— Mère, s'écria Tsemo, je voudrais que vous appreniez à Rulan à faire des gâteaux de miel.

— Mère, dit Fengmo à voix basse, je vous ai menti aujourd'hui. »

Un à un, ils la rappelaient. Mr. Wu prit son tour :

« Mère de mes fils, la maison a besoin de vous. Avez-vous oublié qu'il est temps de faire le partage des semences de blé pour les terres ? »

Elle finit par revenir à eux :

« Oh ! vous tous, murmura-t-elle, n'en aurez-vous jamais fini avec vos ennuis ?

— Non, dit Liangmo, jamais. »

Les mains de Madame Wu tâtaient la robe qui enveloppait ses genoux ; elle se leva et laissa tomber l'étoffe. Elle redescendait des étoiles et, de nouveau, se retrouvait dans sa maison. Elle regarda autour d'elle, comme éblouie.

« Où est Ying ? Je me sens lasse, j'ai besoin de dormir. A demain, à demain. »

Les hommes se reculèrent et permirent à Ying de la conduire dans sa chambre. Seule, dans l'obscurité, Ch'iuming se glissa au-dehors. Mais les hommes attendirent, silencieux, dans le salon de Madame Wu ; ils se regardaient, ils avaient l'oreille au guet jusqu'à ce que Ying revînt leur dire :

« A présent, elle est tirée d'affaire — elle s'est endormie. »

Alors ils s'en allèrent.

« Pouvez-vous expliquer cela, Père ? demanda Liangmo en sortant de la cour. Jusqu'ici, son âme n'avait jamais quitté la maison, n'est-ce pas ?

— Je me demande ce qui a passé sur elle. Elle a été si étrange depuis son quarantième anniversaire. »

Mais Fengmo secoua la tête.

« Personne de vous ne comprend notre mère aussi bien que moi. Je sais bien ce qu'elle sent. Elle sent qu'elle a des ailes et qu'il ne lui a jamais été permis de voler. Voilà ce qu'elle sent. »

Son père, Liangmo et Tsemo le regardèrent comme s'il avait perdu l'esprit et, un instant après, tous se souhaitèrent gravement bonne nuit.

*

* *

Madame Wu se réveilla le lendemain, très effrayée de ce qui lui était arrivé la veille au soir. Rien dans sa vie ne lui avait paru aussi doux que ces instants de liberté absolue, pendant lesquels son âme avait abandonné son corps. Elle sentait bien que cette liberté risquait de devenir une ivresse pour l'âme, une liqueur à laquelle cette âme ne peut pas plus résister qu'un ivrogne à son vin. Car, pendant que son âme errait parmi les étoiles, elle-même avait négligé tout le reste, laissant tomber tous les tracas de cette grande maison. Elle les avait rejetés, et complètement abandonnés aussi, comme une nonne qui fuit les douleurs de l'enfantement, ou un prêtre qui secoue le fardeau de la virilité. Ce matin, elle était irritée contre Frère André, parce qu'il l'avait entraînée vers cette liberté, et elle avait peur d'elle-même, car elle y avait cédé. Lorsqu'elle s'éveilla, le sentiment de sa faute lui pesait autant que si elle se fût donnée en secret à un amant.

Elle se leva aussitôt, d'humeur sévère. Elle reprocha sèchement à Ying des fautes infimes. Elle montra du doigt la poussière amassée derrière un grand fauteuil qu'on remuait rarement, une toile d'araignée qui pendait d'une poutrelle cirée. Après son déjeuner, elle fit ses comptes avec le cuisinier et lui donna des ordres pour la nourriture des jours suivants.

« A présent que l'hiver n'est pas loin, lui dit-elle, il serait temps de ne plus nous donner de la soupe de melon ou de concombre, et des choses aussi rafraîchissantes. Il serait temps de faire rôtir du porc, de faire frire du bœuf dans les fèves et d'ajouter de la viande aux légumes. »

Il ouvrit tout grands ses petits yeux en entendant cela :

« Où avez-vous donc mangé, Madame, pour ne pas vous être aperçue que j'avais déjà commencé ces menus-là ? Au bout de tant d'années, est-ce que j'ai besoin qu'on me rappelle les saisons ? »

Le ton bref de Madame Wu le surprenait, car ce parfait cuisinier avait dans cette maison une place de tout repos ; il se montrait insolent quand cela lui plai-

sait, car il avait le caractère irascible de tout maître
queux. Mais Madame Wu ne baissa pas le ton.

« Sortez, dit-elle. Ne me racontez pas ce que vous
faites ou ne faites pas. »

Ce jour-là, elle ne réserva pas un seul instant pour
elle-même. Dès que l'un sortait, un autre rentrait. Elle
n'était pas encore remise de son entrevue avec le cuisinier lorsqu'elle vit arriver Mr. Wu dans sa cour. Il
n'avait pas l'habitude de se lever si tôt.

« Entrez, Père de mes fils, dit-elle. Je viens de
compter avec le cuisinier. Parfois je me dis que nous
devrions changer de chef. Il devient par trop impertinent.

— Mais il est le seul qui sache préparer les crabes
à mon goût, dit Mr. Wu très inquiet. Vous savez que
j'ai fait des recherches dans sept ou huit villes avant
de le découvrir, et je lui ai fait épouser votre servante,
pour le fixer ici.

— Ying, elle aussi, est impertinente », dit Madame
Wu.

Cette manière de parler lui ressemblait si peu que
Mr. Wu en fut tout dérouté. Il s'assit, sortit sa pipe
de sa manche, la bourra et l'alluma.

« Voyons, Mère de mes fils, dit-il, vous ne vous
sentez pas bien ce matin. Vos yeux sont ternes.

— Je vais très bien », dit-elle d'un ton sans réplique.

Mr. Wu tira deux bouffées et posa sa pipe.

« Ailien, dit-il tout bas, regardant d'abord autour
de lui pour s'assurer que personne ne pouvait l'entendre, vous avez grand tort de vous séparer de moi.
Vrai, hommes et femmes ne gagnent rien en santé à
rester éloignés l'un de l'autre. Ce n'est pas seulement
une question de postérité. C'est une question d'équilibre. Allons, regardez-vous, telle que vous êtes. Vous

n'êtes pas édentée, vos cheveux sont aussi noirs que jamais, votre chair aussi ferme, votre sang vif. Avez-vous donc oublié comme nous...

— Arrêtez-vous là, lui dit-elle, très ferme. Vous savez que je ne suis pas une femme changeante. J'ai arrangé ma vie. Vous sentez-vous mécontent, pour venir ici me tenir ces propos ?

— Certes, je serais heureux de vous reprendre, car je vous aime plus qu'aucune autre, et jusqu'à ma mort. Mais ce n'est pas à moi que je pense, »

Elle insista :

« Inutile de songer à moi.

— Je dois bien y songer. »

Un instant, l'atroce soupçon l'effleura que sa femme, par quelque étrange déformation de sa nature, s'était attachée, en esprit, à ce prêtre étranger. Mais il eut honte de lui exprimer cette idée. Il connaissait sa délicatesse en toutes choses. Outre son caractère sacerdotal, cet homme était un étranger ! Même autrefois, quand Mr. Wu était jeune et ardent, il sentait qu'il eût mieux valu pour lui de contenir son impatience, de se baigner, de parfumer son haleine et son corps avant d'approcher sa femme. Mais les étrangers sont puants jusqu'aux os, à cause de la grossièreté de leur chair, de l'abondance de leur sueur et de l'épaisseur de leurs cheveux laineux. Il écarta cette monstrueuse pensée, de crainte qu'avec son intuition magique elle n'en vînt à la deviner et à lui en faire grief.

Il eut donc recours au seul procédé qui devait infailliblement attirer son attention. Il prit un ton chagrin et se plaignit de sa santé.

« Ah ! vous avez raison, je vieillis, moi aussi, dit-il. J'ai des grondements dans mon ventre ; je me réveille deux ou trois fois par nuit et, le matin, je me sens las. »

Mais elle resta cruelle :

« Ne prenez qu'un peu de bouillon au souper et dormez seul pendant quelques nuits. »

Il laissa tomber la conversation et resta assis, avançant la lèvre inférieure ; elle tapa du pied sur le carrelage et soupira. Puis elle se leva, lui versa du thé. Il vit les doigts menus de sa femme trembler en soulevant le couvercle de la théière, mais il se tut. Il but son thé et elle en prit aussi dans un bol, puis il se leva à son tour et s'en alla.

Il n'avait pas atteint la porte qu'elle le rappelait, de cette voix pure et claire qui avait la dureté de l'argent :

« Encore cette fois, vous avez oublié votre pipe. »

Il se retourna, la face cramoisie :

« C'est vrai, je l'ai oubliée », dit-il.

Elle se tenait sur le seuil, montrant la pipe du doigt comme une chose répugnante, et il revint, de l'air d'un gamin battu, prit brusquement la pipe et passa devant Madame Wu, la bouche pincée et les joues rouges. Elle le suivit des yeux et éprouva dans sa poitrine une douleur subite, comme si un coup venait de la frapper.

Mais elle n'avait pas eu le temps de s'en alarmer, lorsque Petite Sœur Hsia surgit. La pauvre femme pâle ne pouvait tomber plus mal mais que faire, sinon lui dire d'entrer et la prier de s'asseoir ?

« Je ne vous ai pas vue depuis si longtemps », dit Petite Sœur Hsia de sa façon brusque et entrecoupée.

Madame Wu avait appris à comprendre le sens de ses paroles sans les distinguer, car Petite Sœur Hsia ne savait pas plus modérer son souffle que sa langue. Les sons se précipitaient, ternes quand ils devaient être aigus, aigus quand ils auraient dû être ternes, et

sa voix s'élevait, s'abaissait sans le moindre rapport
avec les mots.

« Avez-vous été malade, Petite Sœur ? demanda
Madame Wu.

— Non, mais, la dernière fois, j'ai eu l'impression
d'être importune.

— Oh ! pouvez-vous l'être ? murmura poliment Madame Wu.

— Vous êtes trop aimable », dit Petite Sœur.

Elle acceptait cette phrase polie en toute innocence.

« Aujourd'hui, je suis venue vous parler de quelque chose de très spécial. Chère Madame, je vous en
prie, j'ai formé un projet et, si vous approuvez...

— Quel est ce projet ?

— Vous connaissez ce prêtre ? demanda Petite
Sœur Hsia.

— Le précepteur de mon fils ? murmura Madame
Wu.

— Il a une maison avec des enfants trouvés. Je me
dis depuis longtemps qu'une femme devrait surveiller
un peu les petites filles. Il n'a qu'une vieille servante.
Mais il faudrait aussi les instruire, Madame. N'êtes-
vous pas de cet avis ? Je me demandais si vous ne
voudriez pas lui en parler — c'est-à-dire que je tien-
drais à votre approbation avant de me présenter
comme institutrice.

— Pourquoi ne le lui demandez-vous pas vous-
même ?

— Vous devez le comprendre, dit Petite Sœur Hsia
gravement. Sa religion n'est pas la mienne.

— Combien de religions ont donc les étrangers ?
demanda Madame Wu. J'entends sans cesse parler
d'une nouvelle.

— Il n'y a qu'un seul vrai Dieu, répondit solennellement Petite Sœur Hsia.

— Croyez-vous en ce Dieu-là ? »

Petite Sœur Hsia ouvrit ses yeux d'un bleu pâle. Elle leva la main et repoussa sur sa joue une mèche jaune.

« Sinon, pourquoi aurais-je quitté ma demeure et mon pays pour venir dans cet étrange pays ?

— Notre pays est-il si étrange ?

— Il l'est à mes yeux.

— Votre Dieu vous a-t-il dit de venir ici ?

— Oui, il me l'a dit.

— Avez-vous entendu sa voix ? »

Petite Sœur Hsia rougit. Elle posa ses longues mains blanches sur sa poitrine.

« Je l'ai sentie, je l'ai entendue, là. »

Madame Wu la considéra :

« Mais vos parents n'ont-ils jamais cherché à vous fiancer ? », demanda-t-elle.

Petite Sœur Hsia crispa la main un peu plus fort sur sa poitrine.

« Dans mon pays, les parents n'arrangent pas les mariages. Les hommes et les femmes se marient par amour.

— Avez-vous jamais aimé ? », demanda Madame Wu de sa voix calme.

Les mains de Petite Sœur Hsia retombèrent sur ses genoux.

« Si, bien entendu, dit-elle simplement.

— Mais vous ne vous êtes pas mariée ?

— Dans mon pays, dit douloureusement Petite Sœur Hsia, l'homme doit demander la main de la femme. »

Madame Wu garda le silence. Elle aurait pu aisément poser la question suivante, mais elle était trop bonne pour cela. Elle savait qu'aucun homme n'avait brigué la main de Petite Sœur Hsia.

Petite Sœur Hsia leva bravement les yeux, bien qu'ils fussent humides.

« Pour moi, Dieu avait d'autres plans en réserve », dit-elle.

Sa voix prit un ton joyeux.

Madame Wu lui sourit avec bonté :

« Est-ce que je ne vous connais pas très bien ? »

Elle prit sa minuscule pipe d'argent, l'alluma et en tira deux bouffées, puis elle la reposa.

« Ici, dans mon pays, dit-elle, nous ne laissons pas des questions aussi importantes que celle du mariage aux hommes, aux femmes ou à Dieu. Le mariage est comme le boire, le manger et l'habitation. Il doit être arrangé par d'autres, sans quoi les uns auront trop et les autres pas assez. Dans ma maison, je règle la ration de tous, même des serviteurs. Chacun a droit à sa part. Certains mets, bien entendu, sont préférés à d'autres. Mais, si j'en laissais le choix, les enfants ne prendraient que des bonbons. Le père de mes fils ne mangerait que des crabes et des choses grasses. Certains de mes serviteurs sont gourmands, ils mangeraient trop et ne laisseraient rien aux plus timides, qui souffriraient de la faim. A chaque serviteur, j'alloue une certaine quantité, à chaque membre de la famille, une certaine qualité. En sorte que tous sont nourris par mes soins. »

Petite Sœur Hsia entrecroisait ses doigts.

« Je ne sais pas comment nous en sommes venues à parler de tout ça. J'étais venue vous demander quelque chose — vraiment j'ai oublié de quoi il s'agissait.

— Vous l'avez oublié parce que ce n'était pas réellement dans votre esprit, dit Madame Wu, bienveillante. Je vais vous répondre : Non, Petite Sœur Hsia, laissez Frère André tranquille, je vous le dis, il est comme un grand roc très haut, et dur, à cause de sa

hauteur. Il ne faut pas vous heurter à ce roc escarpé.
Vous seriez blessée, votre chair serait déchirée et votre
cerveau réduit en bouillie, mais lui, il ne s'en aper-
cevrait pas. Occupez-vous de votre Dieu — je vous
le conseille. »

Petite Sœur Hsia avait pâli jusqu'aux lèvres.

« Je ne comprends pas ce que vous voulez dire, balbutia-t-elle. Parfois, je crois que vous êtes une très
mauvaise femme. Vous avez de ces idées — vous glis-
sez des idées en moi, — je n'en ai pas de ce genre...

— N'ayez pas honte de vos pensées, dit Madame
Wu avec bonté. Ce sont de bonnes pensées, parce
que vous êtes une bonne femme ; mais vous êtes très
seule. Vous voudriez bien ne pas l'être. Mais il faut
que vous le soyez. C'est votre destinée. La vie ne
s'est pas montrée prévoyante envers vous. Votre pays
est un pays étrange et cruel. Vos parents eux-mêmes
n'ont rien prévu pour vous quand la vie s'y est refusée. Petite Sœur Hsia, j'arrangerais bien un mariage pour vous. Mais, ici, il n'y a pas un homme de
votre genre. »

Petite Sœur Hsia l'écoutait. Sa bouche s'ouvrit, se
referma, elle retint son souffle, puis brusquement fon-
dit en larmes rageuses.

« Vous êtes odieuse ! cria-t-elle à Madame Wu.
Vous... vous... je ne suis pas comme ça... vous êtes
toutes pareilles... vous autres Chinoises... vous ne
pensez qu'à... qu'à ces choses horribles. »

Madame Wu était profondément étonnée.

« Petite Sœur, lui dit-elle, je parle de la vie, de la
vie de l'homme, de la vie de la femme — je vous
plains, je vous viendrais en aide si cela m'était possible...

— Je ne veux pas de votre aide, dit Petite Sœur

Hsia au milieu de ses sanglots. Je veux seulement
servir Dieu.

— Pauvre créature, murmura Madame Wu ; eh
bien ! allez servir votre Dieu. »

Elle se leva, prit tendrement la main de Petite Sœur
Hsia, la conduisit à la porte et lui fit ses adieux, ré-
solue à ne plus jamais la revoir.

Elle venait de s'asseoir, très sereine, les yeux encore pleins d'une pitié attendrie, quand Ying accourut.

« Le premier jeune Seigneur. Sa femme est en travail ! s'écria-t-elle.

— Ah ! dit Madame Wu, faites demander sa mère.
En attendant, j'irai moi-même. »

Elle se leva, alla dans sa chambre, se lava les mains
avec grand soin et changea sa veste de soie pour une
autre en toile bleue toute propre. Puis, s'étant parfumé les mains et les joues, elle se rendit chez
Liangmo.

La nouvelle lui faisait plaisir. Rien de plus émou-
vant dans une maison que la venue au monde d'un
enfant. Madame Wu n'avait pas éprouvé pour elle-
même la joie de l'enfantement ; mais, après chaque
naissance, elle s'était sentie purifiée et renouvelée. Elle
n'éprouvait aucune crainte pour Meng. Meng était
jeune, saine et bâtie pour avoir des enfants.

C'était la journée des femmes, comme toujours dans
ce cas-là. Chez son fils, la pièce principale était remplie de femmes agitées, de servantes, de cousines
plus ou moins éloignées. Les enfants eux-mêmes se
démenaient en riant, cherchaient à aider, à porter des
seaux d'eau et des théières pleines. La grande maison
était pourtant bien peuplée, mais chacun accueillait
avec joie la venue d'un nouveau petit être. Et, comme
Meng était la femme du fils aîné, une dignité de
plus s'ajoutait à cette naissance.

« Il vaudrait mieux un autre fils, disait une vieille cousine, lorsque Madame Wu entra dans la cour. Car, s'il arrivait malheur au premier, il resterait toujours le second. Une maison avec plusieurs fils ne peut rien redouter. »

A l'arrivée de Madame Wu dans la pièce, toutes se levèrent. On lui avait gardé la meilleure place, elle s'assit. Au milieu du brusque silence, un murmure d'accueil se fit entendre. Rulan, en qualité de seconde bru, se leva et versa du thé. Elle-même se taisait.

« Ah ! Rulan », dit Madame Wu.

Elle lança sur la jeune femme un vif et rapide coup d'œil. Pâle — elle semblait pâle. Jamais Madame Wu n'apercevait Rulan sans se rappeler qu'une fois, la nuit, elle avait pleuré tout haut. Puis Madame Wu aperçut Linyi assise un peu à l'écart. Elle croquait des graines sèches de pastèque et soufflait les pelures à terre. Madame Wu retint une réprimande. Dans quelques minutes, Madame Kang serait là, mieux valait ne pas troubler Linyi. La jeune femme se leva lorsqu'elle sentit posés sur elle les regards de sa belle-mère.

« Oh ! Linyi ! », dit Madame Wu.

Puis elle s'occupa de l'accouchement :

« Comment cela se passe-t-il ? demanda-t-elle à la sage-femme qui sortait en courant de la chambre, ayant entendu le remue-ménage causé par l'arrivée de Madame Wu.

— Tout va bien », répondit la grosse femme.

C'était une femme vulgaire, bruyante, enjouée. Elle s'acquittait de sa tâche dans toutes les demeures, mais elle était enchantée lorsqu'il s'agissait d'une naissance dans une maison riche, car les dons l'étaient en conséquence surtout si l'enfant arrivait en vie et si c'était un garçon.

« C'est sûrement un garçon, dit-elle, la face épanouie, car l'épouse de notre premier fils le portait très haut. »

La voix de Meng s'entendit, claire, avec des cris aigus, et la sage-femme se sauva à la course. Moins d'une demi-heure après, Madame Kang arriva en hâte. Elle était presque informe, sous ses robes lâches. Un silence se fit, causé par la curiosité et la pitié, lorsqu'elle franchit le seuil. Elle s'en aperçut et masqua sa honte sous des paroles.

« Mes sœurs, s'écria-t-elle, vous voilà toutes ici. Comme vous êtes bonnes de vous occuper de ma fille ! »

Puis elle s'adressa à Madame Wu :

« Et vous, Sœur Aînée, dites-moi comment elle va ?

— J'attendais votre venue. Allons-y ensemble. »

Elles entrèrent dans la chambre où Meng était couchée sur un lit étroit. La sueur coulait le long de ses joues, mouillait ses longs cheveux. Les deux dames s'avancèrent et se tinrent de chaque côté d'elle, lui prenant les mains.

« Mère !... » Meng haletait. « C'est pire que la dernière fois.

— Mais non, bien sûr, répondit Madame Kang. Ça ira beaucoup plus vite.

— Ne parlez pas, dit Madame Wu. Voici le moment de faire des efforts. »

Meng s'accrochait à la main fraîche et mince de Madame Wu et à celle, grasse et chaude, de Madame Kang. Elle avait grande envie de poser sa tête sur la poitrine de sa mère et de pleurer, mais elle n'osait, car c'eût été manquer d'égards envers la mère de son mari. L'odeur forte du sang chaud remplit la chambre. La sage-femme s'affaira.

« Il arrive, le petit seigneur de la vie ! s'écria-t-elle, je vois sa tête. »

Meng frissonna, cria et tordit les deux mains qu'elle tenait. Ni l'une ni l'autre ne lâchèrent. Elle pencha la tête et mordit sa propre main, prise dans celle de sa mère. Madame Kang la serra et la retint fortement contre son sein.

« Pourquoi te blesser toi-même ? », dit-elle.

Mais Meng s'arc-bouta, fit de son corps une arche de douleur. Elle ouvrit la bouche toute grande et un gémissement en sortit, énorme, qui s'enfla et s'acheva en un dernier cri. Madame Kang laissa tomber sa main, écarta la sage-femme et, tendant les deux bras, saisit l'enfant.

« Un autre garçon », fit-elle avec vénération.

Comme s'il l'eût entendue, l'enfant, qui avait aspiré l'air, le rejeta en un cri strident.

Madame Wu sourit à la petite figure ridée, furieuse :

« Es-tu fâché d'être venu au monde ? demanda-t-elle, tendre et taquine, à l'enfant.

— Ecoutez-le, Meng, il nous fait des reproches à tous. »

Mais Meng ne répondit pas. Délivrée des douleurs, elle restait étendue, les yeux fermés, comme une fleur battue sur le sol après la pluie.

*

* *

Ce soir-là, Madame Wu et Madame Kang s'assirent ensemble. Tout allait au mieux dans la maison. L'enfant était bien portant. La jeune mère dormait. Les deux dames demeuraient dans un égal contentement. Madame Wu, pour épargner de la souffrance à son amie, n'avait pas fait la moindre allusion à,

cette honteuse enflure que montrait Madame Kang.
Tandis qu'elles causaient, l'une à côté de l'autre, des
affaires de famille et de mille petites choses mêlées
aux souvenirs de leur jeunesse, une ombre allongée
passa devant la porte ouverte. C'était Frère André,
venu donner à Fengmo sa leçon habituelle.

« Le prêtre étranger ? demanda Madame Kang.

— Il vient encore ici instruire Fengmo », dit Madame Wu.

La soirée précédente, où l'âme de cet homme avait
dominé les murs, lui paraissait très lointaine. Ce soir,
elle se retrouvait assujettie, retenue et attachée par
ce nouvel enfant, qui venait de naître aujourd'hui.
C'était une bouche de plus, un esprit de plus, dont
elle se sentait responsable.

« Je ne comprends pas plus un prêtre ou une nonne
qu'une langue étrangère », observa Madame Kang.

Madame Wu lui sourit.

« Oh ! vous, lui dit-elle, vous... »

Madame Kang se mit à rire d'un air futé et caressa son gros ventre.

« Quand je suis seule, je suis heureuse. Je suis
ravie d'avoir un enfant de plus. »

A sa grande stupéfaction, Madame Wu discerna
sur le visage rose de son amie, si éloigné de la jeunesse, le même contentement divin qu'elle avait vu,
la veille au soir, se refléter sur celui de Frère André.
Cette amitié des deux femmes avait toujours participé
de leur féminité commune. Madame Wu savait que
son amie n'avait jamais appris à lire. Lire était une
perte de temps, aux yeux de Madame Kang, quand
on pouvait donner naissance à un enfant.

« Meichen, dit Madame Wu, souriante et tendre.
Vous êtes insatiable. Vous n'avez pas envie de laisser les enfants aux jeunes femmes. C'est comme si

vous portiez votre petit-fils. Ne vous arrêterez-vous donc jamais ?

— Hélas ! » Et Madame Kang soupira avec un faux air de honte. « J'y trouve tant de plaisir.

— Ne désirez-vous donc jamais rien en dehors de ce qui fait votre vie ? demanda Madame Wu avec curiosité.

— Jamais. Si seulement je pouvais continuer à avoir un enfant tous les ans — à quoi puis-je servir, si je cesse de porter des fruits ? »

L'ombre mince et élégante de Fengmo passa devant le seuil de la porte. Madame Wu tourna la tête de ce côté-là.

« Fengmo va prendre sa leçon », dit-elle.

Les deux dames regardèrent s'éloigner l'ombre oblique.

« Linyi. »

Elles prononcèrent ce nom en même temps, puis elles s'arrêtèrent, chacune attendant que l'autre achevât.

« Continuez, dit Madame Kang.

— Non, vous êtes sa mère, dit en insistant Madame Wu.

— Mais non, je ne veux pas.

— Alors, dit au bout d'un instant Madame Wu, je commence : Fengmo n'est pas heureux avec votre fille, Meichen. C'est dommage que vous ne lui ayez pas appris à faire son bonheur.

— Comment ! Fengmo ! s'écria Madame Kang. » Le ton de celle-ci surprit Madame Wu. « Fengmo n'est pas heureux ? »

Et Madame Kang poursuivit avec un peu de mépris :

« Ailien, je peux vous le dire, c'est Linyi qui est malheureuse.

— Meichen ! dit Madame Wu de sa voix la plus argentine, revenez à vous.

— Oui, déclara Madame Kang. Vous croyez avoir bien dirigé Fengmo. Mais Linyi est malheureuse avec lui. Dans le mariage, il faut être deux. Peut-on applaudir d'une seule main ? Vous n'avez pas appris à Fengmo le rôle qui lui revient dans le mariage.

— Moi ! s'écria vivement Madame Wu.

— Parfaitement. Liangmo ressemble à son père. Il a des instincts d'homme et Meng est satisfaite de lui. Mais Fengmo est comme vous.

— C'est-à-dire qu'il demande quelque chose qui dépasse l'ordinaire », dit amèrement Madame Wu.

Madame Kang secoua la tête :

« Alors que lui, il le cherche en dehors. Laissez-le étudier ses livres et trouver du travail ailleurs pour noyer son mécontentement, qui n'a rien à faire avec Linyi.

— Meichen, vous me faites affront ! s'écria Madame Wu.

— Linyi ferait mieux de revenir quelque temps à la maison, répondit Madame Kang. Vous et Fengmo pourrez étudier vos livres et vous passer d'elle jusqu'à ce que vous reconnaissiez sa valeur. »

Madame Wu sentit que cette amitié si chère vacillait et s'effondrait.

« Meichen, est-ce que nous allons nous disputer ? », s'écria-t-elle.

Madame Kang répondit, passionnée :

« J'ai toujours été une bonne amie pour vous, je ne vous ai jamais jugée, même quand je me suis aperçue que vous aviez des pensées au-dessus de celles qu'une femme doit avoir. Mais j'ai toujours compris que vous aviez trop de sagesse, trop d'intelligence pour être heureuse, je l'ai dit au père de vos fils.

— Vous avez parlé de moi ensemble ? », demanda
Madame Wu.

Sa voix était trop calme.

« Simplement par affection pour vous », répondit
Madame Kang.

Elle se leva en parlant, ramena autour d'elle ses
amples vêtements et, pesamment, s'éloigna.

*

* *

Tard, ce même soir, lorsque sa maîtresse fut couchée, Ying lui dit :

« Saviez-vous que Madame Kang a emmené la
femme de votre troisième fils ?

— Je le sais », répondit Madame Wu.

Elle ferma les yeux comme si elle allait dormir.
Mais elle n'en fit rien. Jamais elle n'eût pensé Madame Kang capable de venir dans cette maison et d'y
reprendre sa fille, comme si Linyi lui appartenait encore. Madame Wu resta allongée, mais dormit à peine,
cette nuit-là, tant elle se sentait irritée.

Si Madame Wu eût été une nature plus mesquine,
elle se fût mise simplement en colère contre son amie,
tout en se sentant satisfaite d'elle-même, mais elle se
fit, au contraire, des reproches sur sa négligence. Elle
avait toujours su que son amitié avec Madame Kang
était une amitié de maison, de famille, de terre et
d'argile. Pourquoi ne s'en était-elle pas contentée au
lieu d'ouvrir une porte, ce qui avait effrayé son amie ?
Chaque créature est prise de peur quand elle se voit
entraînée au-dessus de son niveau. Et cette négligence
n'avait fait qu'élargir le fossé qui divisait Fengmo et
Linyi. Car il est très grave, certainement, d'enlever
une jeune femme de la maison de son mari et de la

ramener dans l'abri de son enfance. Madame Wu fit
venir Fengmo. Il arriva, pâle, mais calme.

« Mon fils, dit-elle, je t'ai fait appeler pour te confesser mes fautes. Je me suis disputée avec la mère
de Linyi. Comme deux femmes stupides, nous avons,
chacune, pris le parti de notre propre enfant, et elle a
ramené sa fille chez elle. Je tenais à te dire cela pour
que tu ne fasses pas tout retomber sur Linyi. Il faut
que nous lui demandions de revenir chez nous. »

Horrifiée, elle vit Fengmo secouer la tête.

« Laissez les choses en l'état où elles sont, Mère.
Linyi et moi sommes mal assortis.

— Comment peux-tu dire cela ? »

Madame Wu sentait son cœur heurter contre l'épais
satin de sa veste, tant il battait fort. La matinée était
froide et elle avait mis un vêtement doublé.

« N'importe quel homme et quelle femme peuvent
s'entendre avec l'intelligence, dit-elle. Le mariage est
affaire de famille, Fengmo. C'est une discipline. On
ne doit pas songer qu'à soi.

— Mère, je sais qu'on vous a appris cela, répondit Fengmo. Et c'est ce que vous nous avez appris,
vous aussi. Si j'étais votre fils unique, je pourrais
l'accepter par devoir. Mais j'ai deux frères aînés.
Mère, laissez-moi libre. »

Madame Wu, assise dans son fauteuil, se pencha
en avant, les mains jointes :

« Fengmo, dis-moi ce qui s'est passé entre Linyi et
toi ? Je suis ta mère.

— Rien », dit Fengmo d'un air têtu.

Mais Madame Wu prit ces mots à la lettre :

« Rien ! répéta-t-elle, effarée. Tu veux dire que
vous étiez tous les deux dans le même lit et que rien
ne s'est passé ? »

Fengmo gémit :

« Oh ! Mère. Pourquoi vous imaginez-vous que c'est la seule chose qui puisse exister entre un homme et une femme ? »

Madame Wu insista :

« Mais c'est le principal. »

Fengmo pinça les lèvres :

« Eh bien ! alors, Mère, oui, c'était le principal. Mais, ensuite, j'espérais davantage.

— Qu'espérais-tu ? »

Il lança en avant ses grandes mains maigres.

« Une conversation quelconque, une compréhension, de la camaraderie — quelque chose qui suivrait le prélude. Je veux dire, après, quand on en a fini avec les corps — alors quoi ?

— Mais à ton âge on n'en a jamais fini avec le corps », répondit Madame Wu.

Elle commençait à s'apercevoir qu'elle n'avait pas compris Fengmo. Elle avait considéré tous les hommes uniquement comme des mâles. Elle avait ri autrefois d'un récit étranger qu'elle avait lu, une ancienne histoire grecque, d'une femme qui s'était éprise d'un autre homme que son mari, parce qu'il avait l'haleine pure. Car cette femme, n'ayant jamais connu que son mari, s'était figurée qu'une mauvaise haleine était un attribut masculin et que tous les hommes avaient la même. Madame Wu s'aperçut qu'elle était aussi sotte que cette femme en jugeant tous les hommes de la même façon. Elle-même avait donné naissance à un homme qui était plus qu'un mâle. Cela l'étonnait à tel point qu'elle resta un moment à considérer son fils.

Mais Fengmo ne semblait pas apercevoir ce regard attentif. Assis, le corps penché, les coudes sur ses genoux écartés, il laissait pendre vers la terre ses mains jointes.

« Je sens que je ne puis rien t'ordonner, fit-elle enfin d'une voix basse. Je m'aperçois que j'ai fait violence à ton être. »

Il leva la tête et vit des larmes dans les yeux de sa mère.

« Qu'est-ce que tu appelles ta liberté ? demanda-t-elle. Dis-le moi et je te la donnerai.

— Je voudrais m'en aller. Sortir de cette maison. »

Ces paroles déchirèrent le cœur de Madame Wu. Mais elle demanda simplement :

« Où voudrais-tu aller ? Si Frère André n'était jamais entré ici, dit-elle, prise de remords, aurais-tu songé à cela ?

— J'y aurais pensé, répondit-il, mais je n'aurais pas su comment m'y prendre. Frère André m'a indiqué le chemin. »

Elle ne répondit rien. Elle garda le silence, pensive.

Puis elle soupira et dit enfin :

« Très bien, mon fils. Va et sois libre. »

IX

A peine un mois plus tard, lors de la première chute
de neige légère, Fengmo partit. Toute la maisonnée,
pour assister à son départ, se trouvait au portail. La
rue qui passait devant ce portail aboutissait à la rivière, et, sauf Madame Wu, seuls les hommes accom-
pagnèrent le jeune homme jusqu'au bord de l'eau.
Cent mains l'aidèrent à porter ses bagages, à embar-
quer dans le canot balancé qui devait le conduire à
une petite chaloupe, laquelle l'amènerait à un vapeur
sur le fleuve. Ce vapeur, à son tour, irait jusqu'à
l'océan, où un gros navire attendait. Au-dessus du
sol blanchi pesait un doux ciel gris. On écarta le canot de la rive ; les flocons de neige fondaient sur les
rames des matelots. Des cris d'adieu retentirent et
suivirent Fengmo. Madame Wu n'en poussa pas un.
Elle se tenait debout, petite silhouette très droite
enveloppée de fourrures, et regardait son fils entraîné
loin des rives natales. Elle était effrayée et triste,
mais elle se consolait avec ces mots : « Il est libre. »

Puis, s'enroulant dans son manteau, elle revint dans
ses murs.

Fengmo parti, Frère André devait cesser ses leçons.

Mais Madame Wu lui demanda de les continuer et
de prendre Linyi comme élève, à la place de Fengmo.

« Quand mon fils reviendra des contrées lointaines,
dit-elle à Frère André, de son ton calme et gracieux,
je voudrais que sa femme ait appris un peu de ce qu'il
saura. »

Voici comment Fengmo et Linyi avaient été rap-
prochés de nouveau. Un jour, Madame Wu était allée
chez les Kang et avait parlé très doucement à Linyi
en présence de sa mère.

Elle avait annoncé à Linyi le départ prochain de
Fengmo et lui avait demandé de revenir à lui : ainsi,
il pourrait, en partant, la laisser enceinte.

« Je vous demande cela non seulement dans l'intérêt de la maison, mais pour vous-même, de crainte
que vous ne restiez inféconde. »

En prononçant ces mots, elle étudiait le visage de
Linyi — une jolie figure égoïste, se disait Madame
Wu. Les bonnes mères ont toujours des filles égoïs-
tes. Meichen était trop bonne. Elle rendait ses filles
trop heureuses. Elles considéraient leur maison et leur
mère comme le ciel et la terre.

« Il n'est pas bon pour une femme de ne pas être
fécondée lorsque son mari s'en va », poursuivit Madame Wu.

Madame Kang avait renchéri de tout cœur. Depuis
sa querelle avec son amie, elle s'était repentie de sa
colère, aidée en cela par Linyi, car, si Madame Kang
avait ramené sa fille chez elle par un élan de pitié
maternelle, elle ne manqua pas, au bout de quelques
jours, de retrouver en elle une petite personne obstinée. Linyi, femme mariée, revenait chez ses parents.
Mais elle s'y comportait comme lorsqu'elle était jeune
fille dans une maison riche. Elle se levait tard, flâ-
nait dans les cours : elle ne daignait même pas ramas-

ser son mouchoir s'il tombait de sa poche ; elle appelait une servante. Madame Kang se mit à blâmer Linyi en bien des petites choses, à se dire que peut-être Fengmo avait eu des raisons de se plaindre. Lorsqu'elle apprit le départ de son gendre, elle désira vivement que Linyi retournât chez lui.

« Tu n'appartiens plus à cette maison, répétait-elle souvent à sa fille, tu appartiens à la maison Wu. »

« Comment arriverai-je, se disait Madame Wu, à faire de cette méchante gamine fluette une vraie femme, une épouse ? Non seulement dans l'intérêt de ma maison, mais pour son propre bonheur ? »

Et c'est alors que, de nouveau, elle avait songé à Frère André. Elle voyait d'ici ce colosse patient, ce bon visage basané. Mais saurait-il instruire une jeune épouse !

« Il faut que tu rentres aujourd'hui même chez ton mari », déclara Madame Kang.

Et elle congédia Linyi avec la même ardeur qu'elle avait mise à la ramener. Linyi s'en alla sans mot dire. Elle n'était pas sotte et, visiblement, comprenait le changement de sa mère : son ciel et sa terre lui manquaient soudain. Non sans en souffrir beaucoup, elle réintégra donc le pavillon de Fengmo. Celui-ci avait été très occupé à ses préparatifs de départ. Mais, sachant qu'il allait être libre, il se montra plein de gaieté et d'insouciance. Puisqu'il s'en allait, peu importait que Linyi fût là ou non.

« Je suis de retour », dit-elle.

Il n'en exprima aucune joie ; elle ne demanda pas s'il en éprouvait. Elle l'aida avec une docilité nouvelle à plier ses vêtements et elle épousseta ses livres. La nuit, ils dormirent ensemble. Il la prit, elle lui céda, un peu par devoir envers la maison, mais aussi parce qu'ils étaient tous les deux jeunes et ardents. Au

matin, ils s'étaient séparés, toujours sans rien dire.
Par décence, elle ne l'accompagna pas hors de la
cour.

« Jusqu'à notre prochaine rencontre, avait-il dit.

— Que le ciel vous accorde un voyage sans encombre », avait-elle répondu, et elle s'était appuyée au
montant de la porte pour le regarder s'éloigner.

Une légère inquiétude passa dans son cœur ; mais
elle n'était pas encore prête à découvrir ses propres
torts...

« J'ai sommeil », se dit-elle, avec un large bâillement, sans même voiler sa bouche vermeille ; elle retourna au grand lit, se roula dans les couvertures de
soie et dormit comme une petite chrysalide.

Sitôt après le départ de Fengmo, Madame Wu
l'éveilla de ce sommeil.

« Allons, Linyi, assez dormi, lui dit-elle. Il faut
vous réveiller et commencer votre éducation.

— Mon éducation ? balbutia Linyi.

— Le matin, vous apprendrez la cuisine et la broderie, avec Cousine Ancienne. Puis, une heure avant
le repas de midi, vous viendrez chez moi et je vous
enseignerai les classiques. Dans l'après-midi, ce sera
Frère André pour les langues. Le soir, vous aiderez
les bonnes à coucher les enfants. Il faut que vous
sachiez vous occuper des enfants. »

Linyi leva la tête hors des couvertures, ses grands
yeux écarquillés de surprise, ses cheveux tout en
désordre.

« Tout de suite ? », demanda-t-elle.

— Oui, tout de suite », dit fermement Madame Wu.

Elle tenait à la main une légère canne de bambou ;
elle en frappa le sol :

« Lavez-vous, coiffez-vous, puis venez me trouver », lui dit-elle.

Madame Wu retourna dans sa cour, la bouche pincée, ce qui la défigurait.

« Je fais cela pour Fengmo, se dit-elle. La chose faite, je songerai de nouveau à ma liberté. »

L'après-midi, n'ayant guère confiance en Linyi, elle resta avec elle lorsque Frère André arriva. Il ne fallait pas que Linyi demeurât oisive. Et puis, en l'absence de son fils, elle devait présider, par respect des usages, aux heures que sa belle-fille passerait avec ce prêtre étranger. Elle savait bien que Frère André était une âme, mais, sauf elle, qui donc prendrait ce grand corps pour une simple coquille ?

Chaque jour donc, Madame Wu se tint dans le plus grand fauteuil de la bibliothèque, tenant entre les mains sa canne à tête de dragon, héritée de Vieille-Dame. Elle écoutait tout ce que Frère André apprenait à Linyi. Mais, tandis que la jeune femme suivait difficilement, à contrecœur, les étapes les plus pénibles de cet enseignement, l'esprit de Madame Wu s'élançait et vagabondait sur mille chemins détournés où foisonnaient les émerveillements.

C'est ainsi qu'elle apprit que la terre et les eaux sont réunies en une grande boule qui se balance parmi les étoiles et les planètes, elle comprit la marche du soleil et de la lune, le passage des vents et des nuages. Mais tout cela ne compta plus lorsqu'on en vint aux langues humaines. Elle prit plaisir à choisir un mot tel que vie ou mort, haine, nourriture, air, eau, faim, sommeil, maison, fleur, arbre, herbe, oiseau, et elle l'apprit en toutes les langues que connaissait Frère André. Ces langues étaient les voix de l'humanité. Elle apprit tout cela sous prétexte d'aider Linyi.

Et à mesure qu'elle s'instruisait, ces questions qui l'avaient obsédée toute sa vie prirent un sens. Autrefois, elle avait cherché à comprendre pourquoi elle devrait passer son existence dans ce cercle ininterrompu de naissances, de morts et encore de naissances. Entre ces quatre murs où l'homme procréait, où la femme concevait afin d'éviter la chute de la maison Wu, elle s'était souvent demandé quelle importance aurait la disparition d'une maison. Mais elle refusait de chercher une réponse aux questions que lui posait son âme, en ces années de découragement, où trop de filles naissaient, où un avorton tombait avant terme d'une matrice, en ces années surtout où elle ne songeait qu'à sa quarantaine. A un de ces moments-là, Petite Sœur Hsia était venue la voir.

« Puis-je vous faire la lecture du livre sacré, Madame ? », avait-elle demandé.

Madame Wu, lasse à mourir, car, pour comble, elle se savait enceinte de nouveau, n'avait pas voulu, par courtoisie, refuser la requête d'une visiteuse :

« Si ça vous fait plaisir, lisez. »

Et Petite Sœur Hsia avait pris le livre sacré et, de sa voix puérile et entrecoupée, elle avait lu des mots comme ceux-ci :

« L'homme vaut-il que tu te souviennes de lui, et le fils de l'homme que tu en prennes soin ? Les jours de l'homme mortel sont comme l'herbe...

— Taisez-vous ! » s'était écriée Madame Wu.

Cette exclamation lui avait échappé sur un ton si extraordinaire chez elle, que Petite Sœur Hsia l'avait regardée, stupéfaite.

« Sont-ce là des paroles pour consoler une pauvre âme ? avait demandé Madame Wu. Le langage d'un dieu ? D'un démon plutôt ! Si j'écoutais cela, Petite Sœur Hsia, j'irais me pendre. Ne me lisez plus de votre livre, j'en mourrais. »

Mais ces paroles lui étaient restées dans l'esprit.

Elle les avait méditées et s'en souvenait encore. Oui,
c'était vrai, la chair de l'homme est comme l'herbe.
Quand lui était venu un enfant mort-né, et qu'elle
tenait entre ses bras ce petit corps immobile, ces mots
lui étaient revenus à l'esprit. A présent, en écoutant
les voix de l'humanité, qui criaient en différentes langues un mot, toujours le même, elle avait éprouvé un
étonnement nouveau.

« Tous les hommes élèvent-ils un cri vers Dieu ?
demanda-t-elle à Frère André.

— Tous les hommes », répondit-il gravement, et il
prononça des syllabes sonores qui frappèrent l'oreille
de Madame Wu comme un roulement de tambour :
« Dieu — Dieu — Dieu — Dieu » en vingt langues — toutes les langues humaines.

— Sur toute la surface de la terre, nous crions vers
ce vieux Ciel », dit-elle, songeuse, et les tambours faisaient écho dans son âme.

Ces nuits-là, elle ne pouvait dormir. En silence, elle
laissait Ying lui faire sa toilette, puis elle montait
sur la haute estrade du lit en bois de cèdre. Sous les
courtines, elle s'abandonnait à son âme et méditait
sur tout ce qu'elle avait appris. Frère André devint
à ses yeux un puits large et profond, un puits de
science. Dans l'obscurité, elle réfléchissait à beaucoup
de questions qui exigeaient des réponses. Parfois,
lorsque sa mémoire pliait sous le nombre, elle se levait, allumait sa bougie, puis elle prenait son pinceau
de poil de chameau et, de sa fine écriture, elle notait
les questions sur une feuille de papier. L'après-midi
suivant, lorsque Frère André arrivait, elle les lui lisait en ordre et écoutait attentivement chacune de ses
réponses.

Sa façon de répondre était fort simple, justement
parce qu'il était très instruit. Il n'avait aucun besoin,

comme l'homme médiocre, de parler à côté de la question, loin du sujet. Il savait au contraire, comme les Taoïstes de l'antiquité, enfermer dans une poignée de mots la quintessence de la vérité. Il enlevait les feuilles, cueillait le fruit, faisait craquer la coque, pelait la coquille intérieure, fendait la pulpe, en tirait les pépins, la divisait, et il en restait le noyau pur et net.

L'intelligence de Madame Wu était, à cette période de sa vie, si aiguisée, si tranchante, qu'elle pénétrait ce noyau et, dès lors, comprenait tout. La jeune Linyi, assise entre les deux, ouvrait de grands yeux, tandis que des mots brefs s'échangeaient, et il semblait visiblement que tout cela la dépassait. Son esprit, dans les langes, dormait encore.

Madame Wu étonnait Frère André.

« Vous avez vécu toute votre vie derrière ces murs, lui dit-il un jour, et cependant, quand je vous parle comme jusqu'ici je n'ai parlé qu'à un ou deux de mes savants collègues, vous devinez tout ce que je veux dire. »

Elle répondit :

« Vous m'avez expliqué qu'il y a une vitre magique qui transforme les petites choses en grandes. Un grain de poussière, m'avez-vous dit, peut devenir aussi vaste que le désert, et que, si on comprend ce qu'il y a dans ce grain, on connaît le désert. Cette maison est le grain de poussière et, grâce à elle, je comprends tout. A l'intérieur de ces quatre murs, la vie entière est enclose. »

Elle aperçut alors le jeune visage hostile de Linyi.

« Mère ! Est-ce que vous dites que nous sommes de la poussière ?

— Non, mon enfant, je dis que vous êtes la vie. »

Par-dessus la jeune tête, les yeux de Madame Wu rencontrèrent ceux de Frère André.

« Instruisez donc cette enfant », lui dit-elle.

Et Linyi fit la moue :

« Mère, je ne suis pas une enfant. »

Madame Wu sourit. Cet après-midi-là, pendant que Frère André ramassait ses livres, elle lui dit humblement :

« Oserais-je vous demander de me prendre, moi aussi, comme élève ?

— Ce désir m'honore, répondit-il de son air grave.

— Alors une heure, peut-être, après la leçon de Linyi. »

Il inclina la tête. Dès lors, chaque soir, pendant une heure, il répondait aux questions de Madame Wu. Elle avait, malgré son âge, des scrupules de convenance et elle pria Ying de s'asseoir sur un siège, près de la porte, pendant ses entretiens avec Frère André.

*

* *

« Madame, lui dit Ying un matin, il faut que je vous demande quelque chose. Si ça vous fâche, alors renvoyez-moi.

— Pourquoi me fâcherais-je depuis tant d'années que vous me dites ce qui vous passe par la tête ? », répondit Madame Wu.

Elle posa son livre, mais elle laissa son pouce entre les pages, prête à reprendre sa lecture dès qu'elle en aurait terminé avec Ying.

« Ce que j'ai à dire ne vous plaira pas. Mais, dans la maison, tout va de travers. La nourrice du second enfant de la femme de votre aîné perd son lait. L'enfant maigrit. La nuit, on se dispute dans le pavillon de votre cadet. La servante de sa femme dit qu'il n'y a pas de signes de grossesse. Quant à la Seconde Epouse et à notre Maître... Eh bien ! Madame, je ne veux rien imaginer. Mais ce n'est pas bien, je trouve, qu'une dame comme vous se retire dans ses livres comme vous le faites. Ce n'est pas tout à fait à tort que nos ancêtres ont dit que les femmes ne devaient savoir ni lire ni écrire. »

Ying débita ce discours comme si elle l'avait appris par cœur. Madame Wu écoutait comme d'habitude, avec son demi-sourire. Mais son pouce glissa hors du livre. Elle ferma le volume et le posa sur la table.

« Merci, ma bonne », lui dit-elle.

Elle se leva, alla dans sa chambre. La matinée était fraîche ; elle mit une veste de fourrure avant de sortir. Dans la cour, les orchidées étaient flétries par la gelée et leurs feuilles s'enfonçaient dans la terre molle. Mais les graines en grappes des bambous indiens devenaient rouges et alourdies. Un merle, perché sur un rocher, les picorait, et Ying, qui suivait Madame Wu, courut à lui pour le chasser. Ying avait trouvé sa maîtresse si patiente sous les reproches qu'elle-même s'accusait d'insolence et cherchait à se faire pardonner avec du bavardage. Mais Madame Wu écoutait sans répondre. En traversant la cour de Vieille-Dame, l'idée lui vint que ce serait très bien si Liangmo amenait là sa famille, pour habiter près d'elle, ce qui lui permettrait de mieux s'occuper des enfants. Elle installerait alors Rulan et Tsemo dans le pavillon de Liangmo, et de se trouver plus au large apporterait peut-être un peu de paix au ménage de Tsemo.

La journée était belle. Madame Wu marchait, sous le clair soleil, dans un bien-être qu'elle ne comprenait pas elle-même. Ce morceau de terre entouré de murs était gorgé de soucis humains, mais elle se sentait capable d'affronter ceux-ci, et même d'en triompher, car elle ne faisait plus partie de ce monde. En se séparant de Mr. Wu dans la chair, elle avait coupé toutes

les cordes qui l'entravaient. Elle méditait sur ce lien
secret, si fort, qui lie un corps à un autre et qui, une
fois tranché, libère non seulement la chair, mais l'âme.
Or son âme à elle suivait les sentiers qui s'ouvraient
devant elle sur toute la terre. C'est dans ces dispositions qu'elle entra dans la cour de Liangmo, détachée,
mais secourable comme une déesse.

Les plaintes aiguës d'un enfant qui pleurait blessè-
rent son oreille. Elle oublia tout et se hâta vers le
pavillon. Meng était assise, et la nourrice aussi, tenant
l'enfant affamé contre son sein vide. Des larmes coulaient sur ses joues pâles. L'enfant tétait et détournait la tête pour hurler de colère quand le lait n'arrivait pas.

« Qu'y a-t-il donc, demanda Madame Wu. Comment votre lait a-t-il tari ? »

La jeune femme déposa le bébé sur les genoux de
sa mère pendant qu'elle pleurait.

« Lui avez-vous donné de la soupe au crabe et des
œufs pochés ? », demanda-t-elle à Meng.

— Nous avons tout essayé, répondit Meng. J'ai cru
d'abord que ce n'était rien, un rhume, une indiges-
tion, et nous avons battu de la fécule de riz pour l'enfant. Ça dure depuis deux jours et il a faim. La chair
lui fond sur les os. »

La nourrice de l'autre enfant entra.

« J'ai offert mon lait, dit-elle, mais il est trop vieux
pour ce bébé, il l'a vomi. »

En disant cela, elle paraissait contente d'elle.

« Moi, je n'ai jamais perdu mon lait, Dame Aînée,
alors, comment saurais-je ce qu'il faut faire ?

— Allez-vous-en », lui dit Madame Wu, qui s'aperçut de sa vanité et la savait toujours en quête de cadeaux.

La jeune nourrice continuait à pleurer. Madame

Wu s'assit près d'elle, les deux mains appuyées sur le pommeau de sa canne à tête de dragon, et la regarda.

« Votre lait a tari parce que vous êtes triste, lui dit-elle. Quel ennui avez-vous ? »

La jeune femme ne répondit pas. La tête baissée, elle essuyait ses yeux de ses manches, chaque fois que les larmes en débordaient.

« Curieux que vous ayez assez d'eau pour vos larmes et pas de lait pour mon fils ! dit Meng hors d'elle.

— Taisez-vous, lui dit Madame Wu. C'est une créature humaine. Parlez, ma bonne fille. »

Ainsi encouragée, la jeune fille balbutia d'une voix indistincte :

« Je n'ai pas vu mon enfant à moi. Je ne sais pas comment elle va — je suis ici depuis un mois. La semaine prochaine viendra le premier anniversaire de cette petite, et je ne sais pas si elle va bien. »

A ces mots, Meng se mit très en colère. Elle avança ses lèvres rouges et ouvrit ses yeux noirs :

« Comment pouvez-vous penser à votre enfant et laisser tarir votre lait ? s'écria-t-elle.

— Taisez-vous, dit de nouveau Madame Wu. Faites venir son enfant ici.

— Pour être nourri avec le mien ? s'écria Meng.

— Pour sauver votre fils », répondit Madame Wu.

La jeune nourrice tomba à genoux devant Madame Wu.

« Oh ! Dame Aînée, dit-elle en haletant, vous n'êtes pas méchante ! Ils disaient que vous étiez méchante !

— Qui a dit cela ?

— L'intendant — à la campagne — il m'a dit qu'il ne fallait pas que je vous désobéisse — que personne n'osait vous désobéir. Je ne voulais pas venir ici, Madame. J'ai ma petite maison, mon mari travaille sur votre terre, nous avons notre enfant — une fille, il est vrai — mais c'est notre premier enfant. J'étais si fière d'elle, j'avais tellement de lait. L'intendant m'a dit que, si je refusais de venir, il chasserait mon mari de la terre que nous avons louée.

— Il n'avait pas reçu d'instructions pareilles, dit Madame Wu. Je lui ai simplement dit de me trouver une nourrice.

— Dans nos villages, il nous terrorise en parlant de vous. Sur les terres, nous avons tous peur de vous, à cause de lui. »

En entendant ces paroles, Madame Wu se sentit décontenancée, mais, devant cette servante, elle ne voulait pas laisser paraître sa confusion. Dans une grande maison, ceux qui commandent ne doivent pas se mettre à la merci de ceux qui obéissent. Elle inclina la tête et dit doucement :

« Je vais ordonner aujourd'hui même qu'on vous amène l'enfant. La petite dormira près de vous, mais pas dans la même chambre que mon petit-fils.

— Vous me sauvez la vie », dit la femme, et, tombant à genoux devant Madame Wu, elle se frappa le front sur les carreaux.

Mais le bébé pleurait de nouveau, la femme se releva et le prit. Les larmes séchèrent sur ses joues, et elle reprit le petit garçon à son sein. Il se jeta sur le bout, le lait coula.

« Vous reteniez votre lait ! cria Meng. Vous l'empêchiez de descendre ! »

Mais la femme la regarda timidement, interdite. C'était une paysanne sans beauté.

« Je n'ai pas fait exprès, Madame. Je ne sais pas où mon lait s'est enfui, ni pourquoi il est revenu, mais, quand notre Dame Aînée a dit que ma petite viendrait, j'ai senti que mon cœur se desserrait et le lait est descendu. »

Meng restait fâchée.

« Vous êtes une rustre, et vraiment trop sotte ! »

Madame Wu se leva :

« Puisque la vie de votre fils dépend d'elle, il vaudrait peut-être mieux ne pas vous fâcher contre elle, Meng ; et vous, lorsque votre petite viendra, n'oubliez pas votre devoir envers mon petit-fils. »

La jeune femme regarda humblement Madame Wu.

« Je n'oublierai pas, Dame Aînée, dit-elle tout bas. Je le nourrirai toujours le premier. »

Une nuance dans l'expression de cette femme, dans cette voix, arrêta Madame Wu. Sous ce calme, elle sentait quelque chose d'obstiné, de fort. Mais elle ne posa aucune question. Elle n'avait jamais trop cherché à deviner les ennuis des étrangers à sa propre famille, par crainte de s'y trouver mêlée. Elle s'adressa donc à Meng :

« Je donne l'appartement de notre Vieille-Dame à mon fils aîné et à vous. Je me trouverai plus près de mes petits-fils. »

La chose ne semblait guère sourire à Meng, ce qui renforça Madame Wu dans sa décision.

« Je vous enverrai des serviteurs pour vous aider à déménager aujourd'hui », dit-elle, et, sans donner à Meng le temps de répondre, elle alla trouver son fils Tsemo.

A cette heure-là, Tsemo aurait dû être dehors, à ses affaires, c'est-à-dire en train de surveiller les marchés où les Wu vendaient leurs récoltes. Mais il était encore là. Madame Wu l'aperçut dans la cour, se rinçant la bouche comme s'il venait tout juste de manger.

Elle entra, il cracha très vite et mit le bol de côté.

« Vous venez de bonne heure, Mère, dit-il.

— Je fais ma tournée, répondit-elle. Je m'arrêtais ici pour te faire part de ma décision, je te donnerai le pavillon de Liangmo, qui ira dans celui de Vieille-Dame, pour que je sois à côté de mes petits-fils.

— Je le dirai à Rulan. »

A l'appel de ce nom, elle crut voir une ombre de froideur passer sur la figure de Tsemo et elle parla franchement, selon son habitude, quand elle sentait que les choses n'allaient pas :

« On m'a dit que Rulan pleurait la nuit.

— Qui vous a dit cela ? demanda-t-il d'un ton sec.

— Les domestiques, répondit-elle, et c'est une honte que les ennuis de la famille leur soient un sujet de conversation.

— Vous aviez raison, Mère, je n'aurais pas dû épouser cette femme.

— L'amour entre vous est-il déjà passé ? », demanda Madame Wu.

A cette question, il ne voulut répondre ni oui ni non. Il arpenta la petite cour, dix pas dans un sens, seize dans l'autre.

« Nous ne pouvons rien nous dire sans que cela tourne en dispute, répondit-il enfin.

— Comment se fait-il qu'elle ne soit pas enceinte ? demanda Madame Wu. Les querelles surgissent toujours entre les hommes et les femmes quand il n'y a pas d'enfant.

— Est-ce que je peux le savoir ? répondit-il en haussant les épaules. Elle ne conçoit jamais. Ce n'est pas de ma faute.

— Il ne peut pas y avoir de conception là où il y a de la dispute, lui dit Madame Wu. Les cœurs en tumulte dessèchent les humeurs du corps et empoisonnent le sang. Entre un homme et une femme, le cours des forces vitales ne doit pas être entravé. »

Elle regarda ce fils, si beau.

« Les disputes naissent toujours facilement entre hommes et femmes. La différence naturelle entre eux est si grande qu'à moins de s'unir pour créer la nouvelle génération ils se séparent comme l'eau et l'huile. Une épouse sans enfant est une créature contre nature, elle se révolte contre le ciel et la terre ; alors l'homme ne compte pas. Il faut que tu sois patient avec elle jusqu'à ce qu'elle ait conçu. Après cela, tu trouveras en elle une tout autre femme.

— Alors, je ne compte pas pour Rulan ? demanda-t-il, hautain.

— Elle t'aime trop, et voilà pourquoi elle te déteste. Son amour ne porte pas de fruits. Il la tourmente. Elle n'a contre toi aucune défense. Aucun refuge. Pas un endroit où se cacher de toi, pour être elle-même. »

Madame Wu s'aperçut qu'elle le blessait par ses paroles.

« Va donc faire un voyage n'importe où. Puis, quand tu reviendras, sois doux, sans arrogance. Ne lui rappelle pas qu'elle est plus âgée que toi ; ni qu'elle a pris les devants pour t'épouser.

— Comment savez-vous qu'elle a pris les devants ? », demanda-t-il.

Il s'arrêta pour regarder fixement sa mère.

« Vous savez toujours tout, dit-il à la fois rieur et vexé.

— J'ai des yeux pour voir », répondit-elle.

Elle appuya son menton rond sur ses mains jointes posées sur la tête de dragon de sa canne.

« Elle te craint et elle déteste ses craintes, elle t'aime et elle redoute ton amour. Oui, absente-toi et laisse-la-moi. Il existe un ordre naturel entre homme et femme ; Rulan et toi, vous lui avez échappé. Regarde Meng — avec elle, tout se passe comme le ciel l'a décrété, aussi vois l'harmonie qui règne dans sa maison ! Il lui naît des fils sans interruption et Liangmo est content d'elle. Ni l'un ni l'autre n'est amoureux de façon excessive ; mais, ensemble, ils créent la nouvelle génération.

— Meng est à l'ancienne mode, dit Tsemo avec impatience. Elle est un peu sotte. Rulan, au moins, est intelligente.

— Il n'est pas indispensable qu'une femme soit sotte ou non, répondit patiemment Madame Wu. C'est affaire de proportion. Dans le mariage, l'homme et la femme doivent être assortis l'un à l'autre. C'est pourquoi j'ai choisi Meng pour Liangmo. Il est plus intelligent qu'elle, mais elle l'est assez pour comprendre ce qu'il lui dit. Tandis que Rulan et toi, vous êtes trop égaux, alors vous vous heurtez.

— Vous avez plus de sagesse que mon Père », dit Tsemo.

Il lança à sa mère un regard si perçant et si brillant qu'elle en fut troublée.

« Ah ! ma sagesse, je l'ai acquise, répondit-elle vivement. J'en ai eu assez pour empêcher entre ton père et moi le moindre incident. Et je lui ai envoyé Ch'iuming pour qu'il soit heureux en vieillissant.

— Et vous-même ? »

Tsemo la scrutait durement.

« Moi aussi, je suis toujours très heureuse », dit-elle tranquillement.

Rulan sortit de chez elle : elle ne pouvait plus prétendre qu'elle n'entendait rien de ce qui se disait dans la petite cour devant sa fenêtre. Madame Wu,

qu'elle avait écoutée par courtoisie, n'en laissa rien
paraître.

« Je disais à Tsemo que, si cela vous plaît, ma fille,
vous pourrez vous installer dans le pavillon de Liangmo, qui est plus grand, car je mets les aînés dans
celui qui touche au mien pour mieux surveiller mes
petits-fils.

— Nous vous remercions, Mère », répondit Rulan.
Mais ni sa voix ni son expression ne montraient
de gratitude. Rulan était mal habillée, d'une vilaine
robe à carreaux gris et verts qui lui faisaient paraître plus que son âge.

« Dès que Tsemo s'en ira, se disait Madame Wu,
j'apprendrai à Rulan à ne pas s'enlaidir. »

Elle restait assise et, songeuse, considérait sa
belle-fille. Tsemo, suivant des yeux le regard de sa
mère, eut de nouveau envie de critiquer sa femme.

« Je déteste cette robe, fit-il violemment.

— Achète-m'en une autre », répondit-elle avec insolence, renvoyant en arrière ses cheveux courts.

Madame Wu se leva aussitôt. Elle ne voulait pas
rester à entendre leur dispute et devoir rétablir la
paix entre eux. Mais elle ne put retenir tout son
mécontentement.

« Tsemo va s'en aller quelque temps, dit-elle à Rulan. Je lui en ai donné la permission. Restez tranquille
jusqu'à son départ. Occupez-vous à déménager vos
affaires demain, dans votre nouveau pavillon.

— Si Tsemo part, je m'en vais », dit Rulan.

Elle se tenait très droite dans sa vilaine robe ; ses
mains crispées pendaient à ses côtés. Madame Wu,
aussi droite qu'elle, appuyait ses mains sur sa canne.

« Vous ne vous en irez pas, dit-elle distinctement.
Vous resterez ici avec moi, vous avez beaucoup à
apprendre, et je vous instruirai. »

De nouveau, elle ne laissa pas à sa belle-fille le temps de répondre. Elle s'en alla sans se retourner.

« Ah ! ces brus, se dit-elle. Quels ennuis elles me causent ! J'aurais dû prendre, dans ma maison, des petites filles, les élever, les dresser pour devenir les épouses de mes fils ! Quand nous amenons ici des étrangères, pour nous donner des petits-fils, nous semons la discorde. »

Elle souhaitait ardemment la venue du soir et de la paix, l'heure où, guidée par Frère André, elle oublierait son corps et, l'âme nue, s'échapperait vers le monde.

*
* *

Dans la cour qu'elle venait de quitter, Rulan regarda son jeune mari avec des yeux mécontents et douloureux :

« Tu veux t'en aller et me laisser ! marmotta-t-elle.

— Ce n'est rien qu'une idée de ma mère », répondit-il d'un ton léger.

Il rejeta la tête en arrière et lissa la mèche sur son front. Rulan regarda ses mains pâles, furieuse de sentir qu'elles tenaient son cœur...

« Je me sauverai », dit-elle de la même voix maussade.

Il se mit à rire :

« Pas avec moi — je n'oserais pas revenir à la maison.

— Tu as peur de ta mère.

— C'est vrai. »

Cette facilité à céder devant sa femme était une ruse de Tsemo. Que de fois il avait abdiqué, la laissant désarmée !

« Si mes fils avaient peur de moi, j'aimerais mieux n'en pas avoir, de fils, déclara-t-elle.

— Eh bien ! tu n'en as pas », répondit Tsemo de sa voix tranquille.

Elle sentit son cœur se briser, devant ce reproche chargé de mépris. Malgré ses efforts, elle ne pouvait pas se libérer de son pouvoir.

« Tsemo, est-ce que tu me détestes vraiment ? », murmura-t-elle en se rapprochant de lui.

Il abaissa les yeux :

« Pourquoi es-tu toujours à me déchirer au lieu de me laisser la paix ? dit-il entre ses dents.

— La paix, moi ? s'écria-t-elle.

— Oui, la paix — tout simplement la paix.

— La paix pour que tu puisses m'oublier, dit-elle avec passion.

— C'est pour ça, je le sais, que tu veux me mettre en colère, tu veux m'obliger à m'occuper de toi, au moins de cette façon-là. »

Il lui avait arraché une vérité qu'elle se dissimulait à elle-même, car, positivement, quand, après son mariage, il eut cessé de penser à elle nuit et jour, il était devenu indifférent et elle l'avait irrité tout exprès pour l'attirer de nouveau. Elle préférait souffrir par lui — oui, souffrir, tout plutôt que rien !

Elle le vit détourner les yeux et en fut ulcérée.

« Il faut que je trouve mon salut en dehors de lui, se dit-elle. Il faut que je découvre le moyen d'échapper à l'amour. C'est trop dur. »

Chose curieuse, au moment même où elle désirait se libérer de son mari, elle songea à Madame Wu. Impulsive, elle passa devant Tsemo, en courant à travers les cours, et ne s'arrêta que lorsqu'elle trouva sa belle-mère dans la bibliothèque, fumant sa petite pipe.

« Mère, s'écria-t-elle. Donnez-moi ma liberté à moi aussi. »

Madame Wu entendit ce cri qui semblait être l'écho de son âme. Elle posa sa pipe sur la table et regarda sa bru :

« Calmez-vous, lui dit-elle. Asseyez-vous et ôtez ces cheveux qui vous tombent sur les yeux. Pendant que j'y songe, laissez-moi vous dire de ne plus jamais remettre cette robe. Vous devriez toujours porter des couleurs vives. Cela éclairerait votre teint brun. Voyons, comment voulez-vous que je vous laisse partir, que je vous laisse libre ?

— Je veux quitter cette maison — quitter Tsemo », dit Rulan.

Elle n'obéit pas au geste de Madame Wu qui lui faisait signe de s'asseoir. Elle resta debout, n'ayant rien entendu des paroles de sa belle-mère, et les deux femmes restèrent à se regarder.

« Je vous ai dit que Tsemo s'en allait, dit Madame Wu. Vous serez libérée de lui.

— Je veux l'être à tout jamais, s'écria Rulan. Je n'aurais jamais dû me marier. J'ai horreur des sentiments que j'éprouve pour lui. J'en suis esclave. Il me désire d'une façon, mais pas de celle que je voudrais.

— Est-ce donc à blâmer ? demanda Madame Wu.

— Laissez-moi partir », répéta Rulan.

Malgré elle, Madame Wu se reprit d'affection pour cette étrange créature courroucée.

« Où irez-vous ? lui dit-elle. Qu'est-ce qui existe pour une femme en dehors de la maison de son mari ? Même si je vous laisse quitter cette maison, serez-vous libre ? Une femme sans mari est méprisée de tous. Elle ne peut être libérée que par son mari et par ses enfants. »

Rulan la regarda, horrifiée :

« Dites-moi alors comment je pourrais me libérer »,
murmura-t-elle.

Madame Wu sentit jaillir en elle une grande pitié :

« Hélas ! mon enfant, dit-elle doucement, je ne
peux pas vous le dire, car je n'en sais rien.

— N'avez-vous donc jamais aimé personne ? »

Madame Wu regarda à terre sans répondre. Elle
pensait que peut-être Tsemo avait mal jugé cette jeune femme. Mais comment l'eût-il comprise ? Il s'était
contenté d'être lui-même, et ce n'était pas sa faute
si cela ne suffisait pas à Rulan. Madame Wu s'aperçut combien elle-même avait bien fait de ne pas se
laisser aller à trop aimer Mr. Wu. A un moment
donné, elle avait risqué ce danger, quand elle était
très jeune. Mais sa propre délicatesse l'en avait pré-
servée, tandis que Rulan manquait de raffinement.

« Si vous aviez un enfant, dit-elle enfin, vous
seriez libérée de lui. Au moins, vous auriez un amour
en commun. L'enfant réclame beaucoup, et vous êtes
forcée de le lui accorder. Ou bien, si vous n'avez pas
d'enfant, vous pourriez entreprendre des études, de
la peinture, quelque chose de ce genre. Il faut vous
partager, ma fille. Vous avez laissé toutes vos forces
s'épancher dans un rivière étroite et profonde. A
présent, creusez des biefs, des rigoles, et laissez
écouler un peu de votre amour deçà et delà.

— Les travaux forcés, dit amèrement Rulan.

— S'il en est besoin, fit Madame Wu avec douceur. Mais c'est le seul chemin de la paix. Sinon,
vous périrez sûrement. Tsemo vous prendra en haine,
je vous l'affirme. Il est tout au bord de cette haine
en ce moment, il en frémit. C'est pourquoi je lui ai
dit de s'éloigner un peu. »

Rulan humecta ses lèvres blêmes :

« Tous les hommes sont-ils comme lui ? murmura-t-elle.

— Les hommes se ressemblent comme des goujons, dit Madame Wu de sa jolie voix cristalline. C'est lorsque les femmes découvrent cette vérité qu'elles se sentent libres.

— Alors pourquoi est-ce que je n'aime que Tsemo ? dit finement Rulan.

— Par un charme de sa personne, poursuivit Madame Wu : il a toujours sa jolie voix, une façon de remuer ses sourcils, la ligne de sa bouche, le maintien de ses épaules sous sa veste, ses mains...

— Comment savez-vous tout ça ? » murmura Rulan, stupéfaite.

Madame Wu se mit à rire :

« Le ciel a tendu des tas de pièges pour perpétuer la race », répondit-elle.

Elle ne pouvait se sentir irritée contre cette jeune femme qui n'était qu'une pauvre créature prise au trébuchet. Madame Wu lui pardonnait par pitié, en voyant comme Rulan aimait Tsemo.

Elle avança sa fine menotte et, écartant les mains de Rulan, les caressa l'une après l'autre.

« Plus de désespoir, dit-elle, enjôleuse, je n'aime voir personne malheureux sous mon toit. Vous voyez, je passe ma vie à chercher votre bonheur à tous. Que désirez-vous, enfant, pour être heureuse ici ? »

Rulan ne put que céder à ce beau visage séduisant, à cette voix bienveillante et mélodieuse. Elle se laissa glisser jusqu'à ce qu'elle se trouvât, comme une enfant, aux genoux de Madame Wu.

« Laissez-le partir, dit celle-ci, d'une voix apaisante. Ne pleurez pas quand il s'en ira. Aidez-le à faire ses bagages et dites-lui au revoir gaiement, mê-

me si vous pleurez au fond de vous-même. La nuit,
dormez profondément, sans vous réveiller. Qu'il dorme mal — mais pas vous.

— Et si ça m'est impossible de dormir sans lui ? »,
dit naïvement Rulan.

Madame Wu rit tout haut de cette franchise.

« En ce cas, levez-vous, promenez-vous dans votre
cour. En ce moment, l'air de la nuit est très froid et,
quand vous aurez froid, votre lit chaud vous endor-
mira, même si vous couchez seule. »

Les deux femmes se regardèrent sans broncher,
les yeux dans les yeux. Madame Wu pénétrait le
désarroi de cette jeune âme brûlante, tremblante ; et
toute sa pitié déborda. Une loyauté foncière, qui
l'emportait sur les devoirs de la famille, monta à la
surface et répandit un baume sur cette âme qui était
femme aussi.

« Vous serez libre quand vous vous serez retrou-
vée, dit Madame Wu. Vous pouvez l'être aussi bien
entre ces quatre murs que n'importe où sur terre. Et
comment le seriez-vous, même en vagabondant très,
très loin, si vous conserviez en vous-même cette obses-
sion de lui ? Cherchez votre place dans le courant
de la vie. Laissez le flot couler en vous, frais et fort.
Ne l'endiguez pas avec vos deux mains, de peur
qu'il ne brise ses digues et vous échappe. Laissez
Tsemo partir, et vous serez libre aussi.

— Je ne veux pas vivre sans mon amour, balbutia
Rulan.

— Alors pendez-vous ce soir ! dit calmement Madame Wu, car je vous affirme qu'il ne vous aimera
que si vous le laissez libre tout d'abord. L'amour ne
subsiste que dans la liberté.

— Je pourrais être son esclave s'il m'aimait.

— Vous n'êtes pas une esclave ! s'écria Madame

Wu. Vous cherchez, par votre amour, à le dominer.
Et cela, il le sent et il refuse... Il faut qu'il se libère
de vous puisque vous l'aimez trop. Oh ! la sotte,
comment puis-je vous obliger à trouver le bonheur ? »

Rulan retomba à genoux :

« Je comprends. »

Elle sanglotait :

« Je sais ce que vous voulez dire et j'ai peur. »

Mais Madame Wu ne la laissa pas pleurer.

« Levez-vous, levez-vous », dit-elle et, se redres-
sant, elle souleva Rulan et la mit debout. « Si vous
avez peur, fit-elle sévèrement, alors j'ai fini avec
vous. Ne revenez plus jamais me voir, je n'aurai pas
de temps à vous donner. Parfaitement, je vous laisserai tout de bon quitter la maison. »

Rulan, abaissant les yeux sur cette exquise créature fine et indomptable, sentit, dans sa poitrine, son
cœur inquiet et plein d'amertume se calmer. Madame
Wu, solitaire et tranquille, lui apparut comme étant
la seule créature heureuse qu'elle eût jamais connue. Sa mère à elle avait été irritable et maussade,
ses sœurs querelleuses et agitées, comme toutes les
femmes de Shanghaï. Mais Madame Wu était aussi
paisible et profonde qu'une anse dormante au détour
d'un torrent de montagne.

« Je vous obéirai, notre Mère », fit-elle humblement.

Après son départ, Madame Wu pensa, avec un
étonnement tranquille, qu'elle venait de renvoyer
deux de ses fils à cause de deux jeunes femmes
qu'elle n'aimait ni l'une ni l'autre, et qu'elle avait
recueilli ce double fardeau.

« Moi qui aspire à ma propre liberté ! », s'écria-
t-elle.

Et, stupéfaite de cette contradiction intime, elle se

remit aux mains de Ying, qui l'aida à se préparer
pour la nuit.

*
* *

« Je n'arrive pas à comprendre, dit-elle le lendemain à Frère André, après lui avoir parlé du départ
de Tsemo.

— Une explication est-elle nécessaire ? », demanda Frère André en souriant.

Madame Wu avait souvent observé ce sourire. Il
débutait dans l'épaisseur des sourcils et de la barbe,
comme une lumière qui poindrait dans un taillis.
L'immensité de cette tête, cette taille, toute cette
masse poilue l'aurait terrifiée autrefois. A présent
elle y était habituée.

« A quoi pensez-vous ? lui demanda-t-il d'une
manière curieuse, un peu craintive.

— Vous dites souvent que nous sommes tous, en
ce monde, de la même famille, alors comment expli-
quez-vous votre aspect à vous ?

— Qu'est-ce que vous lui trouvez donc d'étrange ?
demanda-t-il toujours de sa voix un peu timide.

— Vous êtes trop grand, fit-elle doucement — et
trop poilu.

— Vous ne pouvez pas vous comprendre vous-
même, peut-être sauriez-vous m'expliquer ce que je
suis », répondit Frère André.

Les lumières dans le taillis brillaient. Elle vit luire
les dents blanches dans l'obscurité de sa barbe et le
rire qui pétillait dans les yeux noirs.

« J'ai lu que les étrangers sont poilus parce qu'ils
sont plus près des animaux.

— Peut-être », répondit-il.

Et il ouvrit sa vaste bouche, un formidable éclat
de rire en sortit... Dans les profondeurs de la nuit,

301

étendu, solitaire, sur sa couche de bambou, il avait
remercié Dieu de ne pas avoir rencontré Madame Wu
quand elle était jeune fille.

« Je n'aurais pas répondu de mon âme, ô Dieu ! »,
disait-il farouchement dans l'obscurité.

Mais, à présent, il avait maîtrisé son grand corps
et cette femme l'amusa simplement.

« En ce cas, lui dit-il, ne serait-ce pas vrai que
Dieu, m'ayant créé le premier, a perfectionné son
dessin primitif en vous créant ? »

Elle joignit son rire au sien et le profond éclat de
l'un se mêla au timbre délicat et argentin de l'autre.
Au-dehors, dans la cour, une esclave lavait les fins
dessous de Madame Wu ; et Ying, assise à côté, lui
expliquait la besogne. Elle surprit le regard étonné
de l'esclave qui relevait la tête.

« Ne frottez pas le savon sur la soie, paquet d'os,
s'écria Ying, et gardez vos yeux sur votre travail. »

Mais elle se demandait comment ce sombre prêtre
pouvait faire rire de si bon cœur Madame, sa maîtresse. Elle ne cherchait pas à se dissimuler son propre étonnement, car, malgré ses ennuis domestiques,
Madame Wu atteignait secrètement à une sorte de
floraison exquise. Elle voyait débuter chaque journée
avec joie et satisfaction. Elle ne s'impatientait que
pour ses devoirs de maîtresse de maison, mais elle
s'obligeait à les accomplir avec une ferme discipline.
Et Ying, guettant le plus léger changement, se rendait bien compte que Madame Wu n'éprouvait plus
aucun intérêt pour la maison.

Pas un instant, Ying n'osa croire qu'il pût exister
une vilaine liaison entre ce prêtre et Madame Wu.
Madame était trop sérieuse pour cela. Et puis elle
était plus calme que jamais, plus cristalline, plus
limpide, plus mesurée — et plus gaie cependant. Ying

l'observa de près en une ou deux occasions, lorsque
Frère André s'était fait excuser de ne pouvoir donner sa leçon. Madame Wu resta tout à fait indifférente. Elle s'assit seule, dans la bibliothèque, l'air
heureux comme si son professeur s'y trouvait. Comment expliquer cela ?

L'esclave ricanait :

« Et la famille Wu, elle aussi... murmura-t-elle.
L'avez-vous entendu dire ?

— Dire quoi ? demanda Ying, indignée. Je n'écoute
pas miauler les chats.

— Je pense que vous savez que, pendant que votre
maîtresse reste à écouter les leçons d'un prêtre, notre
maître va dans les maisons de fleurs.

— Ce n'est pas vrai », déclara Ying.

Elle était assise sur un petit escabeau de bambou
et, se penchant, elle gifla l'esclave, sa main laissa
une marque rouge sur la joue. Les yeux de la fille
étincelèrent, puis elle présenta l'autre joue.

« Frappez-moi encore, dit-elle, car il est très vrai
qu'il y va avec le vieux Kang — tous les deux. A
quoi ça mène-t-il ? »

Ying prétendait n'avoir rien entendu dire, mais,
en réalité, elle avait surpris certains murmures, bien
que les serviteurs la redoutassent au point de se
taire quand elle entrait.

« Ce vieux Kang, songea-t-elle, à présent, c'est
lui qui l'entraîne. »

Et elle fit de tristes réflexions sur les hommes :
on ne pouvait répondre d'aucun d'eux, même pas de
son propre cuisinier.

...Dans la vaste pièce tranquille, Madame Wu
avait oublié sa maison. Elle contemplait la face de
Frère André, et lui, transporté par ce regard, instruisait cette âme comme il n'avait jamais fait pour au-

cune autre. C'était une âme si transparente, si sage
et cependant si jeune. Elle avait vécu dans cette
demeure et elle avait appris de sa propre expérience ;
que son intelligence était ouverte, pleine de maturité ! Son esprit ressemblait à une coupe de cristal
qui, sortie des mains de l'artiste, n'attendait plus que
d'être remplie.

Comment Frère André pouvait-il s'empêcher de
lui dire tout ce qu'il savait ? Dans ce magnifique vase
de cristal, il déversait toute la science qu'il avait
jusqu'ici gardée pour lui-même, ne trouvant personne
qui désirât la partager avec lui. Il raconta à Madame
Wu l'histoire du monde, la grandeur et la décadence
des peuples, la naissance de nations nouvelles. Il lui
parla de la découverte de l'électricité et du radium ;
il expliqua comment les ondes, dans l'air, transportent les paroles des hommes et la musique d'un bout
à l'autre du monde.

« Avez-vous un instrument qui rende ces paroles
et cette musique ? lui demanda-t-elle ce jour-là.

— J'en ai un, je l'ai fabriqué moi-même.

— Voudrez-vous me l'apporter ? », demanda-t-elle
avec ardeur.

Il hésita :

« Hélas ! beaucoup de fils le retiennent au mur.
Ne pourriez-vous pas ?... Viendriez-vous le voir dans
ma pauvre demeure ? »

Elle réfléchit à cela. Comment irait-elle, même
accompagnée, dans la maison d'un étranger ? Tout
à coup, elle se sentit craintive :

« Peut-être, fit-elle en détournant la tête.

— Que cela ne vous trouble pas, dit-il. Il n'y a
rien en moi qui puisse vous troubler. L'homme que
j'étais est mort, Dieu l'a tué. »

Il se retira en prononçant ces mots étranges et,

après son départ, elle se sentit réconfortée, comme toujours. Il lui laissait beaucoup de choses dans l'esprit. Elle resta à réfléchir, souriant à demi, fumant sa petite pipe, et son esprit parcourut ce monde dont il venait de lui parler.

« Je me demande si je sortirai jamais de cette ville, songea-t-elle, si je naviguerai dans ces bateaux ou si je volerai sur ces ailes ? »

Pour la première fois, elle s'affligea de la brièveté de la vie... Quarante ans ? Elle en avait déjà passé autant sans franchir sa porte !

« Qu'est-ce que je connais de ma propre ville ? Et il y a déjà notre pays au milieu des mers et des montagnes ! »

L'émerveillement du monde s'était emparé de Madame Wu.

Tous les jours, elle circulait, souriante, parmi les siens. Ils se réunissaient aux repas, elle prenait sa place au milieu d'eux et les regardait tous sans les voir.

Ying interrompit brusquement cette quiétude, un jour qu'elle nettoyait les bijoux de sa maîtresse. On était au milieu de l'hiver, et Madame Wu avait placé sur la table une coupe pleine de cailloux dans laquelle poussaient des lis, et, à travers les fenêtres à treillage, le soleil tombait à la fois sur les lis et les bijoux.

« Regardez comme fleurs et bijoux se ressemblent, les perles, les émeraudes, les topazes, et le jaune, le blanc et le vert de ces fleurs ! », s'écria Madame Wu.

Ying tenait un bracelet à la main, elle leva les yeux :

« Madame, vous qui êtes si prompte à voir ces

choses-là, c'est curieux que vous n'aperceviez pas ce qui se passe dans votre maison, dit-elle.

— Qu'est-ce que je ne vois pas ? », demanda Madame Wu, se sentant un peu coupable.

Elle pensa aussitôt à ses deux brus.

« Notre Seigneur... commença Ying.

— Qu'est-ce qui lui arrive ? demanda vivement Madame Wu.

— Les maisons de fleurs, dit Ying d'un ton bref.

— Il ne ferait pas ça.

— Mais si. Ce n'est pas terrible ; bien des hommes y vont, mais il pourrait amener à la maison quelque chose qui ne devrait pas s'y trouver. »

Madame Wu réfléchit profondément, puis elle dit : « Demandez à Seconde Epouse de venir ici. »

Ying se leva, avec l'air d'un important messager, et s'éloigna. Madame Wu prit ses bijoux et les regarda. Chacun d'eux, sauf les bracelets donnés par sa mère le jour de son mariage, lui rappelait Mr. Wu. Il avait apporté les boucles d'oreilles de jade au matin qui suivit leur nuit de noces pour lui exprimer le bonheur qu'il avait trouvé en elle. Ses bagues d'émeraudes venaient d'un magasin étranger, à Shanghaï, et jamais elle n'en avait vu jusque-là. Il lui avait acheté à Hong-Kong cet oiseau en diamants, et les diamants lui étaient inconnus. Ces rubis provenaient d'une province lointaine, et les ornements de cheveux en jade du Yunnan, où Mr. Wu les avait trouvés. Il y avait aussi des bijoux moins précieux qui lui avaient plu lorsque les joailliers venaient dans la maison sur sa demande. Elle ne s'était jamais acheté grand-chose elle-même. Deux épingles à cheveux ornées de papillons en filigranes d'argent et de jade pâle lui rappelèrent la soirée où les femmes attrapaient les papillons et les piquaient sur la porte. Elle

tourna et retourna dans sa main une de ces épingles.
C'était du filigrane de Canton, très fin, et qui frémissait tant il était délicat. Les antennes en fil d'argent, minces comme un cheveu et semées de points
de jade pas plus gros que des têtes d'épingle, tremblaient comme si le papillon eût été vivant.

Ch'iuming entra à ce moment-là. Elle était alour-
die par l'enfant qu'elle portait et son visage avait
changé. Ses yeux étaient agrandis, sa bouche semblait plus rouge.

Madame Wu lui tendit les papillons en épingle :
« Je vous les donne, dit-elle. Je ne les porte plus. »

Ch'iuming avança la main, prit les épingles et les
examina sans rien dire :

« Elles sont trop belles pour moi, dit-elle. Je ne
saurais pas comment les mettre.

— Gardez-les quand même », dit Madame Wu.

Du doigt, elle retournait les bijoux dans le coffret.
Elle eût aimé donner à Ch'iuming tout ce qui lui
venait de Mr. Wu, mais elle ne le pouvait pas. Elle
aperçut deux fleurs de rubis et perles ; les pierres
étaient rondes et imparfaitement ciselées.

« Ces deux aussi, dit-elle. Prenez-les. Elles iront
bien à vos oreilles. Je pense qu'il vous donne des
bijoux ?

— Non, dit lentement Ch'iuming. Mais je n'en
désire pas. »

Madame Wu prit sa petite pipe, la remplit, en tira
deux bouffées et la posa. Un peu de cendre tomba
sur la table. Ch'iuming se pencha et la balaya dans
sa main.

« Voyons, dit Madame Wu, est-ce qu'il va dans
les maisons de fleurs ? »

Ch'iuming devint très rouge.

« On le dit, fit-elle simplement, mais il ne m'en parle pas.

— Ne vous en apercevez-vous pas vous-même ? Quel degré d'amour a-t-il pour vous ? »

Ch'iuming baissa les yeux :

« Trop pour moi, en tout cas, car je ne peux pas l'aimer. »

Elle prononça ces mots tristement, avec fermeté.

Madame Wu écouta et, à sa grande stupéfaction, elle fut prise de pitié pour Mr. Wu.

« Vous et moi, nous lui avons fait du mal, moi avec mon âge, vous avec votre jeunesse. Avez-vous essayé de l'aimer ? »

Ch'iuming leva ses yeux noirs, si honnêtes.

« Oh ! oui, j'ai essayé, dit-elle simplement, n'est-ce pas mon devoir ?

— En effet, c'est votre devoir, répondit Madame Wu.

— Je le sais. »

Puis Ch'iuming ajouta avec la même humble tristesse :

« Je lui obéis en tout. Au moins j'y réussis.

— Sait-il que vous ne l'aimez pas ?

— Oui, car il me l'a demandé et je le lui ai dit.

— Hélas ! vous n'auriez pas dû. Qu'arriverait-il si toutes les femmes disaient la vérité aux hommes ?

— Je suis trop sotte, dit Ch'iuming.

— Alors il va dans les maisons de fleurs ? »

Madame Wu resta songeuse. Puis elle poussa un gros soupir.

« Enfin, entre homme et femme, les ennuis ne cessent guère. Quand l'enfant doit-il naître ?

— Le mois prochain, dit Ch'iuming.

— Cela vous rend heureuse ? », demanda brusquement Madame Wu.

Ch'iuming, chaque fois qu'elle se taisait, retombait toujours dans la même pose, ses mains légèrement croisées sur ses genoux, les yeux baissés, les épaules affaissées. Quand on lui parlait, ses mains se serraient et elle relevait les paupières.

« Cela me fera quelque chose à moi dans cette maison. »

Et elle baissa de nouveau les yeux.

Madame Wu ne voyait rien de plus à en tirer.

« Retournez, dit-elle. Je lui parlerai et je saurai où il a mis son cœur. »

Ch'iuming se leva, simple et patiente, s'inclina et sortit. L'instant d'après, elle revint et avança la main. Les bijoux brillaient sur la paume brune.

« J'ai oublié de vous remercier, dit-elle.

— C'est inutile, répondit Madame Wu. Portez-les et j'y verrai un remerciement.

— Merci vraiment, Sœur Aînée », dit Ch'iuming.

Et elle s'en alla de nouveau.

Ce jour-là, Madame Wu se fit excuser auprès de Frère André et, un peu plus tard, avant le repas du soir, elle chargea Ying d'annoncer sa visite à Mr. Wu. Il reçut l'avis et s'empressa d'accourir.

« Permettez-moi de venir moi-même chez vous, Mère de mes fils », dit-il avec courtoisie.

Elle fut surprise de le trouver maigri, plus pâle, et s'en fit des reproches. Elle se leva, lui fit accueil, et ils s'assirent. Plus Madame Wu le regardait, plus elle s'inquiétait. Il n'avait pas l'air bien portant. Ses yeux, toujours si brillants, si vifs, étaient ternes et décolorés, ses lèvres charnues.

« Vous avez l'air malade, dit-elle. L'êtes-vous ?

— Pas le moins du monde. »

Elle insista :

« Mais vous n'allez pas bien ? »

— Assez bien.

— Et la Seconde Epouse ?

Il leva la main :

« Elle fait de son mieux.

— Mais elle n'est pas à votre hauteur ? »

Mr. Wu parut embarrassé :

« Je vous assure, Mère de mes fils, que c'est difficile pour une jeune femme. Vous comprenez, moi je
vieillis. »

Madame Wu se décida à tirer les choses au clair :

« J'entends dire cependant que vous fréquentez
les maisons de fleurs. »

Il haussa les épaules et répondit sans la moindre
honte :

« J'y vais parfois avec le vieux Kang. Il est plus
facile de payer des femmes sans s'attendre à leur
amour. Pas besoin de prendre une attitude. La difficulté, c'est de faire semblant. Avec vous, Ailien,
c'était inutile, je vous aimais tant. Mais cette Seconde
Epouse, je ne peux ni l'aimer, ni ne pas l'aimer. » Il
se frottait la tête d'un air éberlué. « Il est plus simple d'aller dans une maison de fleurs.

— Mais, le mois prochain, votre enfant naîtra.

— Oui, je sais. »

Perplexe, il se frotta de nouveau la tête.

« C'est curieux, je n'ai pas l'impression que ce soit
le mien ! Après tout, vous et moi, nous avons nos
quatre garçons.

— Il me semble alors que Ch'iuming ne sert de
rien dans la maison », dit Madame Wu au bout
d'un moment.

Mr. Wu se frotta encore la tête.

« Ma foi, peut-être, répondit-il.

— Je crois que vous ne l'avez pas très bien trai-
tée », dit-elle d'un ton sévère.

Il parut s'excuser :

« Je suis très bon avec elle.

— Vous ne lui avez pas fait le moindre cadeau. »

Il parut surpris :

« C'est vrai. J'ai oublié. J'oublie continuellement. »

Madame Wu s'impatienta :

« Dites-moi un peu ce que vous demandez à une femme ? »

Il parut embarrassé :

« A quelle femme ?

— N'importe laquelle. »

Mr. Wu, voyant l'impatience de son épouse et toujours désireux de lui plaire, appliqua sa pensée à la question.

« Eh bien ! dit-il, je... »

Il sentit qu'il avait mal débuté et il reprit :

« Ce n'est pas tellement ce que je désire d'une femme, c'est ce que moi, je désire. Par exemple, j'aime à rire — vous savez, j'aime à entendre dire des choses intéressantes : vous m'en racontiez beaucoup. Et vous vous rappelez combien je riais à tout ce que vous me disiez. Eh bien ! tout ça... »

Il hésita, resta dans le vague.

« Je ne peux pas continuer éternellement à vous amuser, fit-elle vivement.

— Non, bien sûr. » Il acquiesça. « Alors, vous voyez, je vais dans les maisons de fleurs.

— Qu'est-ce qui s'y passe ? demanda Madame Wu, étonnée d'éprouver cette curiosité.

— Pas grand-chose. En général, nous mangeons un peu, nous buvons. On joue à des jeux de hasard pendant que les filles grattent du luth.

— Des filles ? Combien y en a-t-il ?

— Cinq, six ; quand il y en a une de libre, le vieux

Kang et moi... Enfin, nous avons bon cœur et, en général, elles... »

Sa voix traîna de nouveau sur les mots.

« Et alors ? », demanda-t-elle.

Il reprit avec un certain effort :

« Alors, vous comprenez, la soirée passe très vite. Les filles racontent des histoires et connaissent un tas de tours. »

Il sourit inconsciemment.

« Y passez-vous toute la nuit ?

— Pas en général », fit-il évasivement.

Elle étudia le visage inexpressif de Mr. Wu. Elle y aperçut des lignes qui ne lui plaisaient pas. La jeunesse, qu'elle avait crue si durable, se fanait. Elle soupira et sentit son impatience augmenter.

« Aimeriez-vous amener une de ces filles à la maison ? demanda-t-elle brusquement. Je n'approuverais pas, mais je vous demande si vous le feriez ? »

Il parut surpris :

« Oh ! moi ! Pourquoi ?

— Vous allez là uniquement pour vous amuser ?

— Peut-être bien.

— Que vous êtes enfant !

— Je ne suis pas aussi intelligent que vous, Ailien, dit-il, plein d'humilité. Je n'ai jamais pu lire de livres. Et, à présent, je n'ai pas grand-chose à faire, Liangmo s'occupe de tout. Il s'en tire malgré l'absence de Tsemo et de Fengmo. On n'a guère besoin de moi. »

Il s'interrompit ; il ajouta avec cette humilité qu'elle ne pouvait supporter :

« Si vous voyez quelque chose que je devrais faire, je le ferai. Je désire agir comme je le dois. »

Elle ne trouva rien à répondre. Il était vrai qu'on n'avait aucun besoin de lui. Il était assis là, beau, bienveillant, rempli de bonne volonté, et elle n'eut pas le cœur de lui faire de reproche.

Lorsqu'ils se séparèrent, elle vit avec tristesse qu'il avait repris son entrain parce qu'ils avaient causé ensemble. Elle sentit que tant qu'elle vivrait, elle ne pourrait se libérer de lui. Par sa chair, il avait pénétré son âme. Ne l'avoir jamais aimé, cela ne suffisait pas. L'amour et la solidarité sont deux choses bien différentes.

« Oh! ciel! s'écriait en elle-même Madame Wu. Devrai-je rester éternellement solidaire de lui? »

Et elle sentit les ailes de son âme qui planaient, déployées, se replier et chanceler vers la terre.

X

Mr. Wu s'en alla tout droit à la maison de fleurs que désapprouvait sa femme. Au début, il avait suivi Mr. Kang un peu contre sa volonté, et certainement contre sa conscience. Puis il s'était arrangé avec toutes les deux et il en avait triomphé. Sa volonté avait si bien cédé qu'il songeait à présent avec plaisir à ses innocentes visites là-bas, et sa conscience était réduite à la confusion, à un silence temporaire.

Il ne comprenait pas Ch'iuming. Elle n'avait pas la sagesse de Madame Wu, qu'il adorait avec la constance d'un prêtre devant la Kwanyin qu'il sert journellement. Ch'iuming, elle, n'était ni déesse, ni femme. Lorsqu'il la traitait en déesse, elle en était tout ahurie. Quand il la traitait en femme, il la scandalisait ; alors, confus, il ne s'aventurait pas plus loin. Les choses en étaient arrivées au point qu'il ne savait plus quelle conduite tenir avec elle, et il la laissait tranquille.

Cette expérience avait encore augmenté son adoration pour Madame Wu : elle était arrivée, il s'en apercevait à présent, à se montrer tour à tour déesse et femme, mais jamais les deux à la fois. Mais, puisqu'elle s'obstinait décidément à ne pas redevenir fem-

me et semblait devoir rester déesse, il s'était vu réduit
à chercher une femme ailleurs.

Il l'avait découverte en une petite personne ron-
douillette et joyeuse, dans la maison des Fleurs de
Pivoine, dans la rue du Joueur de Luth Aveugle. La
maison était ancienne, en apparence une maison de
thé, mais aussi une maison de jeu et de tolérance. Les
filles étaient toujours propres, jeunes et gaies. Mr.
Kang, client depuis de nombreuses années, affirma
qu'il n'en avait jamais trouvé qui fussent autrement.
De plus, il était inutile de s'engager davantage. Si un
homme désirait se contenter de la vue d'une de ces
filles, tout en buvant et mangeant, il lui était facile de
s'en tenir là. S'il la demandait pour tenir compagnie
à un ami, on s'arrangeait aussi. Une petite combinai-
son était du reste nécessaire pour dépasser ce stade,
car il y avait toujours une liste de clients qui attendaient. Mr. Wu, en sa qualité de chef d'une grande
famille, obtenait facilement d'être placé en tête de
liste.

Il entra, avec l'allure d'un habitué, dans la galerie
aux décorations pimpantes et, de tous côtés, reçut bon
accueil. Le propriétaire appela un de ses aides et lui
cria très haut :

« Dites à Jasmin que Mr. Wu est là. »

Mr. Wu, aimable, s'avança à l'intérieur vers une
pièce où on lui servit aussitôt du thé et, peu après, en
guise de rafraîchissements légers, du vin et un bol de
bouillon, où surnageaient de petits gâteaux bouillis. Il
se servit ; il n'avait pas encore terminé quand Jasmin
entra dans la pièce.

Elle était en train de parfumer ses longs cheveux
noirs lorsqu'on l'appela, et elle arriva, coiffée de deux
rouleaux sur les oreilles. Comme on la nommait Jasmin, elle usait du parfum de ce nom, si bien qu'il était

devenu le sien propre : et elle glissait en général une ou deux fleurs de jasmin dans son chignon. Sa figure était poudrée à blanc, sa bouche rouge et ses yeux ronds très noirs. Elle était grasse, ses lèvres souriaient toujours. Elle vint en courant sur ses petits pieds, se percha sur les bras du fauteuil de Mr. Wu et frotta sa joue parfumée contre la sienne.

Il parut ne pas s'en apercevoir, elle fit la moue et pleurnicha :

« J'ai faim. »

Il enfonça sa cuiller de porcelaine dans le bouillon aux pâtes et lui en fit avaler gravement, tandis qu'elle se penchait comme une enfant pour recevoir chaque cuillerée. A eux deux, ils vidèrent le bol, puis Mr. Wu repoussa la chaise de la table et Jasmin se glissa sur ses genoux.

« Qu'avez-vous fait aujourd'hui ? », demanda Mr. Wu.

Elle examina ses ongles écarlates :

« Oh ! je vous ai attendu. Je ne fais que ça.

— Je ne peux pas être constamment ici, répondit Mr. Wu. J'ai mes affaires. Je suis un homme d'affaires. J'ai les magasins, les marchés et les terres à surveiller. Rien ne peut se faire sans moi.

— Vous travaillez trop, dit-elle. Il me semble que vos fils pourraient vous aider.

— Oh ! mes fils ». Il grommela : « Ils ne pensent qu'à eux et à leur famille. Deux sont partis — et l'aîné, il fait son possible, mais je ne peux pas tout lui confier. »

Il jouissait de la pression du petit corps rond contre son épaule. Il aimait l'odeur des cheveux de Jasmin. Son haleine elle-même était parfumée. Il se rappela la question de Madame Wu. Avait-il envie de l'amener chez lui ? Livré à lui-même, il en eût été ravi, mais il ne pouvait se décider à mettre une fille de maison de fleurs dans la demeure de ses ancêtres. L'ombre de son père le lui interdisait.

Comme si elle suivait ses pensées, Jasmin se serra contre lui et passa son bras autour de son cou.

« Je voudrais habiter chez vous, lui dit-elle. Je serais très bonne. Je ne causerais aucun ennui à toutes ces grandes dames. Je resterais toujours seule à vous attendre.

— Non, non, fit-il vivement. Je ne veux pas de vous là-bas ; j'aime sortir de chez moi et vous trouver ici. Si vous étiez chez moi, vous feriez partie de la maison et je ne saurais où aller pour mon plaisir. Il faut qu'un homme soit lui-même quelque part. »

Elle s'attendait à cela. Elle avait une vieille mère qui avait été fille de fleurs dans sa jeunesse et qui lui avait appris à sauvegarder ses intérêts.

« Concubine si possible ! lui avait dit la vieille Lotus, ou, sinon, une maison à toi. »

« Ne pourriez-vous pas m'acheter une petite maison, Mr. Wu ? Je n'y laisserais pas entrer d'autres hommes que vous. Je vous y attendrais jour et nuit. Alors vous pourriez être vous-même chaque fois que cela vous plairait. »

Mr. Wu avait songé à cette éventualité. L'assurance avec laquelle on prononçait son nom lorsqu'il entrait dans cette maison de fleurs lui déplaisait. Après tout, il était le chef de la maison Wu, un homme plus haut placé qu'aucun autre parmi l'aristocratie de la ville.

Mais Madame Wu tenait les comptes de la famille ; comment pourrait-il lui réclamer une somme suffisante pour acheter une maison à Jasmin ?

« Vous savez, ma petite fleur, dit-il tendrement, la mère de mes fils est une femme remarquable. Elle tient les comptes. Que lui dirais-je si je voulais vous donner une maison ?

— Ne pourriez-vous pas vendre une pièce de terre sans qu'elle le sache ? »

Elle se redressa et le regarda d'un air suppliant. Elle avait une petite voix enfantine qui lui allait droit au cœur.

« Je ne l'ai jamais trompée, dit-il, troublé.

— Est-ce qu'elle sait ce qu'il en est, pour moi ? demanda Jasmin, étonnée.

— Approximativement, répondit-il.

— Qu'est-ce que c'est : approximativement ?

— Cela veut dire : à peu près.

— Comment peut-elle le savoir à peu près ? Elle sait ou elle ne sait pas.

— Admettons qu'elle sache, c'est toujours plus sûr. »

Jasmin fit une nouvelle tentative. Elle cacha sa figure sur l'épaule de Mr. Wu.

« Je crains d'avoir le bonheur en moi, murmura-t-elle. Voilà pourquoi je demande une maison. Je ne veux pas avoir un enfant ici. »

Mr. Wu fut effrayé. Il la souleva de ses genoux, la mit debout et elle se tint devant lui, les mains cachant son visage :

« Voyons ! dit-il, sévère. Il y en a eu d'autres avant moi. Vous n'étiez pas vierge, si jeune que vous soyez ! »

Elle retira ses mains de sa figure, la poudre était intacte.

« Mais mon amah peut vous certifier qu'il n'y a eu personne depuis vous. La chose remonte à trois mois. Vous êtes venu avant cela. »

Elle détourna la tête et essuya ses yeux avec le bord de sa manche.

« Ça ne fait rien. » Sa voix puérile était triste.
« C'est ma destinée. Des filles comme moi — ça peut
arriver malgré nous, surtout quand nous aimons réellement un homme. J'ai fait erreur. »

Si elle avait insisté, réclamé, il se serait levé et
serait parti peut-être pour ne plus revenir. Mais il
avait le cœur tendre.

« Maintenant, dit-il, que ce soit votre faute ou
non, vous savez qu'il y a des moyens de vous débarrasser. Voici de quoi vous y aider. »

Il mit sa main à sa bourse, mais elle refusa de
prendre l'argent qu'il lui tendit. De ses deux petites
mains, elle repoussa celle de Mr. Wu.

« Non, je vous en prie, dit-elle. Je garderai l'enfant. Je veux le garder. »

Mr. Wu insista :

« Il ne faut pas. »

A ce moment-là, de grands cris partant de la salle
extérieure les interrompirent. Le propriétaire appelait :

« Mr. Wu ! Mr. Wu ! »

La porte s'ouvrit brusquement et Mr. Wu vit paraître son domestique Peng Er.

« Maître ! Maître ! s'écria-t-il. On vous réclame à
la maison, la Seconde Epouse s'est pendue dans le
vieux grenadier.

— Mon Dieu ! », murmura Mr. Wu.

Il bondit et sortit à grands pas, tandis que Jasmin,
au milieu de la pièce, le suivait des yeux, les sourcils froncés par la rage.

Le brouhaha de la maison passait par-dessus les
murs de l'enceinte et Mr. Wu l'entendit en chemin.
On avait fait venir les prêtres ; ils tapaient sur leurs
gongs et appelaient à grands cris l'âme perdue de
Ch'iuming. Mr. Wu courut à travers le portail

ouvert où personne ne veillait, il se précipita dans
la cour des pivoines. Les prêtres s'y trouvaient et
toute la maisonnée s'était réunie pour se lamenter,
pleurer et crier le nom de Ch'iuming. Mr. Wu les
écarta et là, sur les pavés de la cour, il la vit étendue.
Madame Wu, à genoux près d'elle, tenait sa tête
sur son bras — mais la tête pâle de Ch'iuming pendait, elle semblait sans vie.

« Est-elle morte ? cria Mr. Wu.

— Nous ne lui trouvons plus signe de vie, répondit
Madame Wu. J'ai fait appeler le prêtre étranger.
Puisque nous avons là tous ces prêtres, pourquoi pas
lui ? »

A ce même instant, Frère André parut et, devant
lui, la foule se fendit, comme la mer quand passe le
vent. Les autres prêtres gardaient un silence jaloux.
Au milieu de ce silence, Frère André tomba à genoux,
enfonça une aiguille dans le bras de Ch'iuming et l'y
maintint.

« Je ne vous demande pas ce que vous faites, lui
dit Madame Wu, mais je sais que c'est sage.

— Un stimulant, répondit Frère André. Mais il
est peut-être trop tard. »

Il retira si vite l'aiguille que personne ne s'en aperçut, sauf Mr. et Madame Wu.

Non, il n'était pas trop tard. Les lèvres de Ch'iuming frémirent. Ils ne la quittèrent pas des yeux et
ils virent trembler ses paupières. Madame Wu soupira :

« Ah ! elle est vivante. Alors l'enfant aussi est
vivant.

— Mais pourquoi s'est-elle pendue ? s'écria Mr.
Wu.

— Ne posons pas de question jusqu'à ce qu'elle
puisse nous répondre, dit Madame Wu. Annoncez

aux prêtres que son âme est de retour. Payez-les
bien, Père de mes fils. Laissez-les croire qu'ils ont
réussi, pour qu'ils s'en aillent et que nous ayons la
paix. »

Mr. Wu lui obéit, appela les prêtres et les emmena dans la cour extérieure. Les femmes de la famille demeurèrent, les cousines les plus âgées compli-
mentèrent les prêtres, et Meng, Rulan et Linyi se
penchèrent doucement sur le visage de Ch'iuming
qu'elles connaissaient à peine, bien qu'elle habitât
leur maison. Elle était de leur génération, mais liée
à la précédente, ce qui leur causait une certaine gêne ;
aussi l'avaient-elles oubliée.

Mais le drame les rapprochait d'elle. Ch'iuming
était malheureuse : elle n'entendait pas appartenir
aux aînées. Un intérêt pour elle s'éveilla dans le
cœur de ces jeunes femmes, mêlé de pitié dans le
cœur de Meng, de curiosité dans celui de Linyi et
de révolte chez Rulan. Chacune à sa manière, elles
résolurent d'apprendre à connaître Ch'iuming et à
découvrir comment elle en était arrivée là.

On n'eut guère le temps de s'appesantir là-dessus,
car, à mesure que Ch'iuming revenait à elle, on s'apercevait que l'enfant allait naître avant terme. Il fallut
la porter sur son lit et demander la sage-femme. Sur
quoi, Frère André se disposait à partir, lorsque
Ch'iuming parla.

« Ai-je vu le prêtre étranger ? murmura-t-elle.

— Il est sur le point de s'en aller », répondit Madame Wu.

Elle se tenait près du lit de fécondité pendant que
les servantes préparaient Ch'iuming pour l'accouchement.

Ch'iuming supplia :

« Dites-lui de venir un instant. »

Madame Wu était surprise. Elle ne savait pas que Ch'iuming connût le géant étranger. Mais la jeune femme était encore si près de la mort que Madame Wu n'osa pas refuser. Elle alla elle-même retenir Frère André.

« Ch'iuming vous réclame, dit-elle. Entrez un instant. »

Frère André revint sur ses pas, baissa la tête pour passer sous le chambranle de la petite porte qui menait à la chambre où, sur le vaste lit, Ch'iuming reposait. Mr. Wu resta en arrière, brusquement raidi, embarrassé. A quelle catastrophe avait-il conduit la famille ? Il ne doutait pas que Ch'iuming s'était pendue à cause de Jasmin. A sa manière silencieuse, elle avait protesté en renonçant à la vie.

Quand Frère André se pencha sur le lit, Ch'iuming parla, mais d'une voix si faible qu'il ne put l'entendre. Il se pencha encore et ces quelques mots lui parvinrent :

« Si c'est une fille, je vous la donne, quand je mourrai — elle ne sera qu'un enfant trouvé.

— Comment un enfant trouvé pourrait-il naître dans cette maison ? dit-il doucement.

— Mais, moi, je ne suis qu'un enfant trouvé — et elle sera la fille d'un enfant trouvé. »

En disant ces mots, elle ferma les yeux et s'abîma dans la douleur. Frère André s'éloigna, le visage grave. Il ne répéta à personne ce qu'elle venait de lui dire, personne ne l'avait entendue, tant sa voix était faible.

Tard cette nuit-là, une fille naquit à Ch'iuming, une créature si menue que Madame Wu la prit, l'enveloppa dans un lange de coton et la mit contre elle pour la garder en vie. Puis, bien vite, elle alla chez elle, laissant Ch'iuming à la sage-femme et à Ying.

Arrivée à sa chambre, elle coucha l'enfant dans son lit, s'allongea à côté d'elle pour la tenir au chaud. Une servante vint demander si sa maîtresse avait besoin de quelque chose.

« Faites chauffer des briques et apportez-les-moi, dit Madame Wu. Cette enfant est un bouton qu'il faut ouvrir délicatement.

— Oh ! Maîtresse, dit la femme. Pourquoi ne pas la laisser mourir ? Une fille, et qui deviendra sûrement un pauvre être maladif qui ne causera que des ennuis.

— Obéissez », dit Madame Wu.

La femme s'en alla, marmottant, et Madame Wu regarda la petite créature. Elle respirait encore.

Deux jours après, Frère André confia à Madame Wu l'étrange requête de Ch'iuming. L'enfant n'était pas morte. Elle ne pouvait pas téter, étant née trop tôt, mais elle avala quelques gouttes du lait maternel qu'on lui glissa dans la bouche avec une cuiller. La montée du lait avait eu lieu, mais Ch'iuming était trop faible pour parler, elle n'avait même pas répondu lorsque Madame Wu lui avait dit que l'enfant vivait.

« Elle n'est certainement pas un enfant trouvé, dit avec dignité Madame Wu. Elle est née sous notre toit.

— Je savais que vous me répondriez cela, dit Frère André, et vous avez raison. Mais pourquoi la jeune mère prétend-elle en être un ?

— Elle l'était jusqu'à son arrivée ici », répondit Madame Wu.

Elle hésita, puis, à son propre étonnement, elle raconta pour la première fois à Frère André comment elle-même avait fait venir Ch'iuming dans cette maison.

Frère André écoutait, les yeux baissés, ses grandes mains croisées sur ses genoux. Madame Wu ne voyait jamais ses mains sans se demander pourquoi elles étaient si calleuses. Elle le questionna brusquement :

« Pourquoi avez-vous des mains si calleuses ? »

Il était habitué à la voir changer de sujet :

« Parce que je cultive la terre pour donner de la nourriture aux enfants, répondit-il sans dissimuler ses mains, qu'elle continua à regarder, tout en poursuivant son récit.

— A mon avis, un prêtre comme vous ne doit pas comprendre les hommes et les femmes, dit-elle.

— Etant prêtre, je comprends et les hommes et les femmes.

— Alors, dites-moi ce que j'ai fait de mal. »

Ses regards passèrent des mains du prêtre à son visage, et elle se demanda pourquoi elle avait choisi, entre tous, ce prêtre étranger pour lui ouvrir son cœur, alors qu'il était né dans un pays au-delà des mers et dont elle ne connaîtrait jamais les eaux et les vents.

Il lui répondit :

« L'homme n'est pas fait entièrement de chair, vous n'avez pas pris cela en considération ; même un homme comme votre mari doit être en communion avec Dieu. Vous l'avez traité avec mépris.

— Moi ! s'écria-t-elle. Mais je n'ai pensé qu'à son bien-être.

— Vous n'avez songé qu'au bien-être de son ventre et à la douceur de son lit, répondit nettement Frère André. Et, encore pis, vous avez acheté une jeune fille comme vous auriez acheté une livre de porc. Mais une femme, n'importe quelle femme, vaut davantage, et vous, plus que toute autre, devriez le savoir. Vous avez commis trois fautes.

— Des fautes ? répéta-t-elle.

— Vous avez méprisé votre mari, vous avez méprisé une sœur et vous vous êtes considérée vous-même comme unique et supérieure aux autres. Ces fautes ont troublé votre maison. Sans savoir pourquoi, vos fils se sont trouvés bouleversés et leurs femmes malheureuses. Quel était votre but, Madame ? »

Sous le regard de ces yeux calmes et limpides, elle trembla :

« Simplement d'être libre, balbutia-t-elle. Je croyais qu'ayant rempli mon devoir envers tous, je serais libre.

— Qu'entendez-vous par libre ?

— Oh ! peu de chose, répondit-elle avec humilité. Seulement être maîtresse de ma personne et de mon temps.

— Vous réclamez beaucoup pour vous-même. Vous réclamez tout. »

Elle se sentait plus près des larmes qu'elle ne l'avait été depuis des années. Le prêtre venait d'ébranler le fond calme de son cœur, la conscience de sa propre rectitude, et elle avait peur. Si, dans cette maison, elle avait mal agi et agissait mal, elle dont chacun dépendait depuis si longtemps, qu'adviendrait-il d'eux tous ?

« Que dois-je faire ? demanda-t-elle d'une voix faible.

— Vous oublier vous-même.

— Mais, pendant toutes ces années, dit-elle, j'ai si fidèlement rempli mes devoirs.

— Toujours avec votre idée de liberté dans l'esprit. »

Cela, elle ne pouvait le nier. Elle demeura immobile, les mains jointes sur le satin gris perle de sa robe.

« Conseillez-moi, fit-elle enfin.

— Au lieu de songer à votre propre liberté, cherchez donc à libérer les autres », dit-il avec douceur.

Elle leva la tête et il ajouta avec la même douceur :

« Oui, les libérer de vous-même. »

Elle n'avait jamais été religieuse et elle le considéra avec un certain doute :

« Parlez-vous d'après votre religion étrangère ? En ce cas, je n'arriverai pas à la comprendre.

— Je ne parle pas au nom d'une religion étrangère, dit-il.

— Voulez-vous faire de moi une nonne ? s'écria-t-elle.

— Je ne veux rien faire de vous. »

Il se leva de toute sa hauteur, lui sourit et, selon son habitude, s'en alla sans adieu. Cette omission, qui eût paru impolie chez un autre, donnait simplement à Madame Wu l'impression qu'aucune interruption ne séparait ce moment qu'ils venaient de passer ensemble et le prochain où il se présenterait.

Longtemps elle resta sans bouger. Sur le sol carrelé de gris, le dessin des fenêtres à treillage se reproduisait, alternant les ombres et le soleil. L'air était encore frais, mais il ne faisait pas froid dans la pièce. Un grand brasero se trouvait devant la table, appuyé au centre du mur intérieur, et, des braises étouffées sous la cendre, partaient des rais de chaleur, incolores, qui tremblotaient et luisaient dans l'espace. Rien, songeait-elle, n'était aussi simple qu'elle l'aurait cru. La liberté n'était pas une chose que l'on machine. Elle avait considéré la liberté sous l'aspect d'une pêche suspendue à un arbre. Elle avait soigné l'arbre et, lorsqu'il avait fructifié, elle s'était emparée du fruit et l'avait trouvé vert.

Elle soupira, puis elle entendit dans la chambre à côté pleurer le bébé de Ch'iuming : elle y alla, le prit dans ses bras, l'apporta dans la bibliothèque et s'assit à côté du brasero. Etait-ce la chaleur, l'impression d'être tenue ? Toujours est-il que la petite se calma, cessa de pleurer et resta couchée, les yeux levés sur Madame Wu.

« Je n'aime pas cet enfant, se disait Madame Wu. Peut-être n'ai-je jamais aimé aucun enfant ? Peut-être tout le malheur vient-il de ce que je n'ai jamais pu aimer personne ? »

Mais, même sans l'aimer, Madame Wu, obéissant à la nature, tenait l'enfant avec grand soin ; lorsque Ying vint chercher le bébé, Madame Wu en surveilla de nouveau la nourriture, contente de voir que le bébé avalait si bien.

Une fois rassurée là-dessus, elle dit à Ying :

« Rendez-moi l'enfant, que je l'apporte à sa mère. Ce petit bout de femme vivra, il rattachera sa mère à la vie. »

Un peu plus tard, elle emporta l'enfant dans ses bras à travers les cours ensoleillées jusqu'à la chambre où Ch'iuming était couchée dans le grand lit, dont les courtines s'ornaient encore des symboles de la fécondité. Ch'iuming reposait les yeux fermés, les lèvres serrées. Elle était affreusement pâle. Ses mains, rugueuses et fortes à son arrivée, après une vie de travail, paraissaient maigres et blafardes et s'ouvraient à l'abandon, sur le couvre-pied de soie.

« Voici votre fille, lui dit doucement Madame Wu ; elle a si bien bu qu'elle peut venir vous voir et dormir sur votre bras. »

Ch'iuming ne fit aucun mouvement, et Madame Wu lui souleva le coude, posa le bébé dans le pli du bras et le recouvrit. Le bras de Ch'iuming se resserra.

« Il faut me pardonner si je ne vous ai pas donné un fils pour payer ma dette, répondit-elle humblement.

— Voyons, je sais bien que fils et filles viennent également du ciel ! Et puis, de nos jours, il est bon aussi d'avoir des filles », répondit Madame Wu.

Puis, se rappelant les paroles de Frère André, elle ajouta vivement :

« Il ne faut pas vous figurer que vous avez des devoirs envers moi. Vous n'en avez aucun. »

Ch'iuming parut surprise.

« Mais, alors, pourquoi suis-je ici ? »

Madame Wu s'assit au bord du lit :

« On m'a démontré que je vous ai causé un grand tort, ma sœur. Il est vrai que vous avez été amenée ici comme si j'avais acheté une livre de porc. Comment ai-je osé me comporter ainsi envers un être humain ? Je comprends à présent que je n'avais pas songé à votre âme. Que puis-je faire pour réparer ? »

Elle disait cela de sa jolie voix, sans la lever ni la forcer, et Ch'iuming parut effrayée :

« Mais où irai-je ? », balbutia-t-elle.

Madame Wu s'aperçut que Ch'iuming ne l'avait pas comprise : elle croyait qu'à la manière des grands, des riches, on lui signifiait qu'elle était inutile et qu'on n'avait aucun besoin d'elle.

« Je ne veux pas que vous alliez ailleurs, dit Madame Wu. Je disais simplement que je vous ai fait tort. Laissez-moi l'exprimer ainsi : Au cas où vous seriez indépendante, sans avoir à vous occuper de personne, que feriez-vous ?

— Ne m'occuper de personne ? mais comment pourrais-je ? demanda Ch'iuming, perplexe. Il y a mon seigneur et il y a vous. Et, en dehors de vos honorables personnes, il y a toute la famille.

— Pourquoi avez-vous demandé au prêtre étranger de prendre votre enfant si vous mouriez ?

— Je ne voulais pas vous charger d'une fille, dit Ch'iuming.

— Pourquoi avez-vous cherché à mourir avant l'heure prescrite ?

— Parce que Ying m'avait dit qu'avec ma conformation je donnerais naissance à une fille, et je me suis dit à moi-même : nous nous en irons ensemble, sans ennuyer personne.

— La mort peut causer des ennuis autant que la vie.

— Oh ! pas la mienne, dit Ch'iuming innocemment : je ne compte pour personne. »

Madame Wu ne trouva plus de réplique. Elle se leva, car, pour l'instant, elle se sentait tout à fait impuissante.

« N'ayez plus de ces pensées ! s'écria-t-elle. Si vous mouriez, nous aurions beaucoup de peine à élever cette petite, et, vous savez, je n'ai jamais été de celles qui trouvent qu'on doit laisser mourir une fille.

— Vous êtes bonne, dit Ch'iuming », et elle ferma de nouveau les yeux.

Des larmes glissaient sous ses paupières. Madame Wu s'en aperçut, mais elle vit que le bras de Ch'iuming serrait l'enfant contre elle ; c'était bon signe. Madame Wu se retira.

En traversant la cour, elle rencontra Mr. Wu qui rentrait. Ils se trouvèrent face à face, à l'improviste, et elle devina aussitôt qu'il venait de faire quelque chose qui ne lui plaisait pas, car il rougit et une légère sueur perla sur son front.

« Mère de mes fils ! s'écria-t-il.

— Je viens de voir notre Seconde Epouse, dit-elle aimablement. Il faut que nous réfléchissions sur son

cas. Elle a voulu se tuer parce qu'elle craignait d'avoir
une fille et qu'elles deux seraient un fardeau pour
la maison.

— Quelle absurdité ! s'écria-t-il. Comme si nous
étions des gens de peu qui font attention à une bouche de plus ou de moins.

— Je vais retourner avec vous, dit Madame Wu.
J'ai besoin de votre sagesse. »

Ils revinrent ensemble dans la grande pièce carrée
où ils avaient passé tant d'heures de leur vie commune. Plus loin se trouvait la chambre où Ch'iuming
reposait, son enfant sur son bras ; mais, pour eux,
aucun danger d'être entendu. Au-dessus d'eux, le
plafond se perdait très haut, entre les poutrelles, et
absorbait toute voix humaine.

« A présent qu'elle est vivante dans la maison, dit
Madame Wu, que ferons-nous d'elle et du petit être
qu'elle a amené ? Car je vois qu'elle ne vous tient pas
à cœur. Cependant elle est ici, et je m'en excuse
auprès de vous. »

Mr. Wu ne paraissait pas à son aise. Il avait mis
une pelisse de trop, ce matin-là, et la journée était
plus douce que la matinée. Du reste, n'importe quelle
gêne lui donnait chaud, même en hiver.

« J'ai honte qu'après votre bonne intention... »
Il balbutia. « Enfin Ch'iuming est assez bonne. Mais
vous savez ce qui en est. La bonté, chez la femme,
c'est très bien, mais...

— J'ai été très égoïste », dit-elle simplement.

Elle conservait sa pose habituelle, assise, les mains
jointes sur ses genoux. Elle ne regardait pas son
mari, elle contemplait d'un air songeur, à ses pieds,
les ombres projetées par le bambou d'hiver, juste
devant la porte ouverte au soleil, et le vent faisait
danser les feuilles en forme de flèches. Elle pensait

à Frère André et comprit tout à coup ce qu'il avait voulu dire. Elle ne serait affranchie que lorsqu'elle se serait livrée complètement, et elle n'y arrivait qu'en se forçant à ce qui lui coûtait le plus.

« Je reconnais mes torts, dit-elle sans lever les yeux. Que tout se passe comme vous le désirez. Nous renverrons Ch'iuming, si vous voulez. Et je reviendrai. Nous oublierons tous les deux ces derniers mois. »

Elle s'attendait à un cri de joie, mais le cri ne vint pas. Lorsque le silence devint trop pénible, elle leva les yeux et aperçut la face rouge de son mari, ruisselante de sueur. Il eut un misérable rire en voyant le regard de sa femme posé sur lui ; il ouvrit son col, tira son mouchoir de soie et s'épongea la figure.

« Si j'avais su (il haletait), si j'avais pu songer... »

Madame Wu sentit son cœur saisi par un froid glacial. Il ne voulait pas d'elle. Ce qu'on lui avait dit était vrai. Il avait trouvé pour lui-même quelqu'un d'autre.

« Parlez-moi d'elle », fit-elle doucement.

Avec des arrêts, des bredouillements, les grognements d'un rire embarrassé, il expliqua qu'il lui faudrait peut-être installer Jasmin dans une maison à part. Elle était jeune et très enfant.

« Je ne veux pas ajouter à vos soucis sous ce toit », dit-il.

Elle ouvrit tout grand ses yeux allongés et si beaux :

« Si vous êtes heureux, comment cela pourrait-il augmenter mes soucis ? demanda-t-elle de sa voix la plus cristalline. Qu'elle vienne ici, habiter sous notre toit. Pourquoi notre maison serait-elle divisée ? »

Il se leva, s'avança vers elle, lui prit la main et la garda, fraîche et inerte entre ses gros doigts.

« Vous êtes une bonne femme, dit-il solennellement, il n'est pas donné à tout homme d'obtenir ce
qu'il désire et, en même temps, de vivre en paix sous
son toit. »

Elle sourit et retira sa main.

Mais, longtemps après s'être séparée de lui, elle
demeura stupéfaite de cette froideur, mêlée de satisfaction, qu'elle avait éprouvée. Choisir elle-même
une femme pour la remplacer, très bien, mais la lui
voir choisir était une autre affaire. Elle s'étonna des
complications que la vie peut amener entre l'homme
et la femme. Elle s'était crue affranchie de lui parce
qu'elle ne l'aimait pas. Mais il n'en était rien ; sa
fierté blessée, en apprenant qu'il avait cessé de l'aimer, le prouvait assez. Frère André avait eu raison,
elle pensait toujours, et uniquement, à elle.

« Comment pourrais-je me débarrasser de moi-
même ? demanda-t-elle à Frère André.

— Ne pensez qu'aux autres, répondit-il.

— Cela veut-il dire que je devrai toujours céder ?

— Si résister implique que vous pensiez à vous-
même, il faut céder.

— Le père de mes fils veut amener une autre
femme dans la maison. Dois-je céder ?

— C'est par votre faute que la première a été amenée ici. »

Ces paroles l'irritèrent. Elle eut une de ces bouffées de colère qui sortaient de son cœur en tourbillon :

« A présent, vous parlez comme un prêtre, dit-elle
cruellement. Vous ne pouvez pas comprendre ce que
c'est que de se voir forcée de livrer son corps à un
homme, pendant des années, contre sa propre volonté. »

Elle éprouva l'étrange désir de lui faire partager

son malheur et elle poursuivit, **ne lui** épargnant rien :

« De remettre un corps délicat à des mains indélicates, de voir la concupiscence monter, brûlante, mais sa propre chair se glacer — se sentir le cœur faible, l'esprit malade, et cependant être contrainte à cet abandon pour la paix de la famille. »

Le visage du prêtre resta pur et impassible :

« Il y a bien des façons d'offrir le corps en sacrifice à l'âme », dit-il.

Madame Wu soupira :

« Dois-je permettre à cette seconde femme de venir ?

— Ne vaut-il pas mieux l'avoir sous ce toit, et avec votre consentement, que, sans lui, sous un autre.

— Je n'aurais jamais cru qu'un prêtre étranger pût me donner ce conseil », dit-elle avec un nouvel accent de malice.

Elle ouvrit son livre sans en dire davantage et, sous la direction du prêtre, elle étudia les psaumes hébraïques.

A mesure que l'heure s'écoulait, elle fut profondément remuée en voyant ce que ces textes contenaient. Là, le cœur humain criait vers ce qu'il pouvait adorer. Et qu'est-ce que l'adoration, sinon la confiance et l'espoir que la vie et la mort ont un sens, ayant été créées et voulues par le ciel ?

« Est-ce que notre ciel est votre Dieu, et votre Dieu notre ciel ?

— Ils sont une seule et même chose.

— Mais Petite Sœur Hsia m'avait affirmé que **non**. Elle nous a toujours dit de croire en un seul vrai Dieu, et pas en notre ciel. Elle a déclaré qu'ils étaient différents.

— Il se trouve toujours dans un temple quelques

créatures inaptes, dit-il avec douceur. Il n'y a qu'un seul vrai Dieu, mais il porte plusieurs noms.

— Alors n'importe où sur la terre ronde, auprès de n'importe quel océan, ceux qui croient en leur Dieu croient au vrai Dieu ?

— Et par conséquent sont frères, répondit-il.

— Et si je ne crois en aucun d'eux ? demanda-t-elle, obstinée.

— Dieu est patient, dit-il, Dieu attend. N'a-t-il pas l'éternité ? »

Madame Wu eut l'impression qu'un étrange courant chaud les traversait l'un et l'autre. Mais il ne prenait pas naissance en lui et ne se terminait pas en elle. Eux semblaient simplement le transmettre, d'un bout de la terre à l'autre.

Elle répéta :

« Le ciel est patient, le ciel attend. »

*
* *

Ils se séparèrent sur ces mots. Frère André enveloppa ses livres dans un vieux mouchoir noir et les mit sous son bras. Elle resta à la porte de la bibliothèque et le regarda traverser la cour. Sa haute silhouette commençait à se courber légèrement, comme si sa tête grisonnante était un fardeau sur ses vastes épaules. « Ou bien, se dit-elle, est-ce parce qu'il marche de plus en plus les yeux fixés sur son chemin, juste devant lui ? » Il levait rarement la tête pour regarder ce qui se passait au bout de la rue.

Elle se retourna et revint dans la bibliothèque, comme elle faisait toujours, la leçon terminée. Elle passait souvent une heure à fixer dans son esprit les choses que Frère André lui avait enseignées, à relire ce qu'ils avaient lu ensemble, à regarder les gravures qu'il lui avait laissées et à réfléchir aux paroles qu'il avait prononcées.

Mais ce jour-là, au bout d'une heure à peine, elle entendit de grandes clameurs dans les cours extérieures et elle leva la tête pour écouter. Ying allait venir lui dire ce qu'il en était. Madame Wu avait à peine eu le temps de se le dire que Ying accourait dans le jardin. Elle poussait des cris, des lamentations, puis elle jeta son tablier par-dessus sa tête et se mit à pleurer.

Madame Wu se leva aussitôt ; le livre qu'elle tenait tomba à ses pieds. Elle songea d'abord à Liangmo, son fils aîné, mais, ce matin-là, il avait quitté la maison comme d'habitude. Elle songea à Mr. Wu..., mais Ying se trouvait déjà sur le seuil : elle retira brusquement le tablier qui cachait sa figure et s'écria :

« Hélas ! le prêtre étranger !

— Que lui est-il arrivé ? demanda vivement Madame Wu. Il est sorti d'ici il y a quelques instants à peine.

— Il a été frappé dans la rue ! s'écria Ying. Son crâne est fendu ! »

La voix de Madame Wu fit écho :

« Il a été frappé !

— Ce sont ces jeunes gens, Ying sanglotait. La Bande Verte — la racaille ! Ils étaient en train de piller le magasin de l'usurier, le prêtre a aperçu le prêteur qui criait et qui maudissait le ciel ; il s'est arrêté pour lui porter secours et les jeunes gens sont sortis et l'ont frappé, lui aussi, et sur la tête encore. »

Madame Wu avait à peine entendu parler de la Bande Verte. Mais elle savait qu'il s'agissait de jeunes vauriens qui parcouraient les routes de la contrée et les rues de la ville. L'intendant des terres ajoutait toujours sur ses comptes un **article** : « Versement à la Bande Verte. »

« Où est Frère André ? s'écria-t-elle.

— Ils l'ont transporté chez lui et il repose sur son lit, mais le portier est là, il dit que le prêtre vous demande.

— Il faut que j'y aille, dit Madame Wu. Aidez-moi à mettre ma robe.

— Je vais donner l'ordre aux porteurs.

— Non, je n'ai pas le temps, dit Madame Wu. Je vais prendre un pousse-pousse au portail. »

Quelques minutes plus tard, la maisonnée savait que Madame Wu allait, pour la première fois de sa vie, dans un endroit inconnu, la demeure du **prêtre** étranger. Elle se tenait très droite dans le pousse-pousse, et, derrière le dos du coureur, elle lui dit :

« Je vous payerai le **double** si vous doublez votre allure habituelle.

— Triplez mon salaire et je triplerai mon allure ! », cria-t-il par-dessus son épaule.

Loin derrière elle, Ying suivait dans un autre pousse-pousse, mais, cette fois, Madame Wu ne s'inquiétait pas du qu'en-dira-t-on. Elle n'avait qu'une idée dans l'esprit : arriver aux côtés du prêtre à temps pour l'entendre une dernière fois et recevoir ses instructions pour le reste de sa vie.

Elle descendit devant une porte de bois unie et sans peinture, fixée au centre d'un mur bas, en briques. Et, sans regarder autour d'elle, elle entra. Une vieille femme l'attendait en pleurant.

« Où est notre Frère André ? », demanda Madame Wu.

La vieille femme se retourna et la conduisit, en passant une porte ouverte, dans une maison de briques, très basse, une cour emplie d'une foule d'enfants qui sanglotaient, enfin dans une chambre.

Frère André reposait sur un lit de bambou étroit. Des hommes et femmes des rues, en haillons, l'entouraient. Ils s'écartèrent pour permettre à Madame Wu d'approcher du lit et, comme s'il sentait sa présence, Frère André ouvrit les yeux. Sa tête était grossièrement bandée avec un linge blanc rugueux sous lequel le sang coulait le long de sa joue et imbibait l'oreiller sous sa tête.

« Me voici, dit-elle. Dites-moi ce que je dois faire. »

Pendant un long moment, il lui fut impossible de parler. Il était mourant. Elle apercevait le vide au fond de ses yeux sombres ; ensuite la volonté s'y concentra en lumière. Il la regarda et ses lèvres s'écartèrent, sa poitrine se souleva en une large aspiration, et il prononça distinctement :

« Paissez mes agneaux. »

Puis elle vit venir la mort. La respiration s'arrêta, les paupières tremblèrent, la volonté se retira. Le grand corps frissonna et Frère André projeta ses mains hors du lit, elles retombèrent de chaque côté et frappèrent le sol de briques froides. Madame Wu se pencha et souleva la main droite, un homme en haillons s'avança et prit la main gauche, puis tous les deux les gardèrent dans les leurs. Madame Wu posa les yeux par-dessus le corps, sur ceux de l'homme en face d'elle. C'était n'importe qui, rien : un serviteur, un mendiant. Il la regarda humblement et posa la main de Frère André sur la poitrine immobile, et elle plaça par-dessus la droite qu'elle tenait. Les enfants accoururent dans la chambre, se précipitèrent en essaim autour de cette couche devenue funéraire. Tous criaient :

« Père ! Père ! »

Il n'y avait que des filles, l'aînée n'avait pas plus de quinze ans, les plus grandes portaient les plus petites, qui ne marchaient pas encore. Elles s'appuyèrent contre Frère André, le tâtèrent avec leurs petites mains, lui essuyèrent le sang qui coulait de son visage avec le bord de leurs vestes.

« Qui êtes-vous ? demanda Madame Wu d'une voix étrange et calme.

— Nous sommes ses agneaux ! crièrent-elles en un chœur décousu.

— Des enfants perdus, fit l'homme en haillons. Le prêtre ramassait les petites en dehors des murs de la ville, là où on les jette. Les plus grandes sont des esclaves qui se sont enfuies. Il prenait n'importe qui. »

Madame Wu aurait aimé pleurer toute seule, pour elle-même, mais les enfants se jetaient sur Frère André, l'enveloppaient de leurs bras.

« Oh ! il est froid », dit une petite fille en sanglotant.

Les larmes luisaient sur ses joues. Elle tint la main de Frère André contre sa joue mouillée.

« Sa main est si froide. »

Madame Wu restait immobile au milieu de cette bizarre famille. Elle s'aperçut alors qu'elle ne savait pas encore ce qui s'était passé.

« Qui l'a amené sur ce lit ? », demanda-t-elle tout bas.

L'homme en haillons se frappa la poitrine :

« C'est moi. Je l'ai vu tomber. Tout le monde, dans la rue, avait peur. Les Voleurs Verts se sont sauvés quand ils l'ont vu mourant. L'usurier a fermé ses contrevents et il s'est réfugié dans sa maison. Mais moi, je ne suis qu'un mendiant, qu'est-ce que j'aurais à craindre ? Ce prêtre étranger me donnait quelquefois un peu d'argent, surtout en hiver, et d'autres fois il m'a amené ici, dans cette maison, j'y dormais jusqu'au matin, et il me donnait à manger.

— Vous l'avez porté jusqu'ici ! s'écria-t-elle.

— Les frères mendiants et moi, dit-il (et Madame Wu aperçut une demi-douzaine d'hommes déguenillés). Il est trop grand pour qu'on le porte à un ou deux. »

Madame Wu abaissa ses regards sur le visage paisible de Frère André. Elle était venue dans l'espoir d'obtenir quelques mots pour elle-même. Au lieu de cela, il lui avait dit :

« Paissez mes agneaux. »

Tous ces enfants étaient là et, avec le rapide instinct des enfants, ils la regardaient à leur tour ; ils l'examinaient, transférant leur espoir de la forme silencieuse de Frère André à la sienne, immobile, mais vivante.

Madame Wu hésitait :

« Que vais-je faire de vous ?

— Madame, qu'est-ce que notre Père vous a dit de faire ? », demanda anxieusement une petite maigrichonne.

Elle tenait un gros bébé joyeux dans ses bras.

Madame Wu ne put que répondre la vérité.

« Il m'a dit de vous nourrir », dit-elle.

Les enfants se regardèrent. La fillette maigre fit passer le bébé sur son autre bras.

« Avez-vous assez de nourriture pour nous toutes ? demanda-t-elle gravement.

— Oui », répondit Madame Wu.

Elle restait debout, les regards posés sur les enfants.

« Nous sommes vingt, poursuivit la petite. J'ai quinze ans — à seize, il s'occupe de nous trouver quelque chose.

— Quelque chose ? », répéta Madame Wu.

La vieille femme était entrée :

« Quand elles ont seize ans, il leur trouve un foyer et un bon mari », dit-elle.

Elles parlaient comme si la grande forme tranquille, étendue sur le lit, vivait encore.

Madame Wu regarda Frère André. Ses yeux étaient fermés et ses mains croisées sur sa poitrine.

« Sortez de cette chambre, dit-elle brusquement. Laissez-le en paix. »

Obéissants, ils se retirèrent, les mendiants, les petites filles ainsi que la vieille femme, et Madame Wu demeura seule. A la porte, Ying restait debout, très raide.

« Allez-vous-en, Ying, dit Madame Wu.

— Je vais rester derrière la porte », répondit Ying.

Madame Wu ferma cette porte. Ce qu'elle faisait là attirerait les bavardages. Pourquoi une dame désirait-elle rester avec un prêtre étranger, même mort ? Mais cela lui était indifférent. Pour elle, il n'était plus prêtre ni étranger. Il était le seul être au monde qu'elle eût jamais adoré. Vieux-Monsieur lui avait beaucoup appris. Mais Vieux-Monsieur redoutait beaucoup de choses. Frère André ne craignait personne. Il ne craignait ni la vie, ni la mort. Elle n'avait jamais songé à lui, comme à un homme, pendant qu'il vivait ; à présent qu'il était mort, elle voyait l'homme en lui, mais privé de vie. Il avait dû être extrêmement beau dans sa jeunesse. Son grand corps étendu devant elle avait des proportions majestueuses. Sa peau, pâle dans la mort, se faisait translucide.

Ses yeux s'ouvrirent tout à coup : « Vous que j'aime ! », murmura-t-elle, dans le plus profond étonnement.

Elle se dit cela et l'admit aussitôt, et elle sentit se transformer son être entier. Bien qu'elle ne fît au-

cun mouvement, des frémissements parcoururent son
corps, le sang frappa son cœur, et son esprit devint
limpide. Elle se sentit tout entière à la fois légère et
forte. Elle releva la tête et regarda autour d'elle. Les
quatre murs demeuraient, mais elle se sentait libre et
pleinement elle-même. Le corps demeurait étendu sur
sa couche, comme au moment de sa mort, mais, abaissant les yeux sur lui, elle comprit qu'il avait échappé
à cette mort. Elle était profondément sceptique. Depuis des années, elle n'était entrée dans un temple
pour y brûler de l'encens. Son père l'avait lavée de
la superstition commune aux femmes, et Vieux-Monsieur avait achevé ce travail. Maintenant encore, elle
ne croyait pas à un Dieu invisible, mais elle avait la
certitude que cet homme continuait à vivre.

« André. »

Elle prononça son nom d'une voix basse et nette,
jamais plus elle ne l'appellerait Frère.

« Vous vivez en moi. Je ferai mon possible pour
préserver votre vie. »

Elle n'avait pas plutôt articulé ces paroles que la
paix jaillit dans tout son être. Si profonde, apaisante
et satisfaisante que, pour la première fois de sa vie,
elle sentit que jusque-là elle n'avait jamais su ce
qu'était la paix. Debout, immobile dans la chambre
nue, en face de cette dépouille, elle se sentait heureuse.

Et ce bonheur n'était pas un état de transe, mais
une énergie qui commençait à agir dans son esprit et
dans son corps. Son devoir présent lui apparut très
clair. Il fallait enterrer ce corps sans prêtres et sans
prières, disposer des quelques objets qui lui avaient
appartenu ; cela, elle le ferait elle-même. Et puis, simplement, elle continuerait tout ce qu'il avait bien pu
faire.

Elle sortit tranquillement de la chambre, elle entra dans la pièce où Ying, la vieille femme, les mendiants et les enfants attendaient. Elle s'assit sur une des chaises de bois.

« Voyons, dit-elle. Pour son enterrement, a-t-il laissé des instructions ? »

Tous se regardèrent. Les enfants, saisis de crainte, se taisaient. La vieille femme sanglotait et s'essuyait les yeux avec son tablier.

« Il ne pensait certainement pas à mourir ! s'écria-t-elle. Nous non plus, nous n'avions jamais songé à pareille chose.

— A-t-il des parents ? En ce cas, il faudrait leur envoyer son corps. »

Personne n'avait entendu parler de sa famille. Il était simplement arrivé ici, on ne savait en quelle année, il n'était jamais reparti.

« Recevait-il des lettres ? demanda Madame Wu.

— Quand il en recevait, il ne les lisait jamais. Il les laissait traîner sans les ouvrir et je les prenais au bout d'un certain temps pour les coudre dans les semelles des enfants.

— Et il n'en écrivait pas ? demanda encore Madame Wu.

— Jamais.

— Et à vous ? demanda-t-elle au mendiant, ne vous a-t-il rien dit ?

— Il ne m'a jamais parlé de quelqu'un des siens. Il n'était question entre nous que des gens de la ville ou des environs qui, d'une manière ou d'une autre, avaient besoin d'aide. »

Madame Wu réfléchit : André lui appartenait entièrement, à elle seule. Elle lui achèterait un cercueil noir très simple. Quant au terrain, c'est sur son propre sol qu'elle ferait ensevelir son corps. Elle pensait à certain coin qu'elle affectionnait, sur le cercle de collines qui dominaient des champs de riz ; là où poussait un très vieil arbre gingko sous l'ombre duquel elle se reposait quand elle allait surveiller les plantations de printemps.

Elle se leva :

« J'irai, cet après-midi, veiller à ce qu'on creuse la tombe. »

Lorsqu'elle se leva, les enfants et la vieille femme la regardèrent anxieusement, et elle comprit leur inquiétude.

« Que va-t-il advenir de nous ? », devaient-ils se dire.

« Cette maison, demanda Madame Wu, examinant les pièces à peu près vides, lui appartenait-elle ? »

La vieille femme secoua la tête :

« C'est une maison louée, dit-elle, et nous l'avons eue très bon marché, parce qu'elle est hantée. Personne, excepté nous, ne veut y loger, parce qu'elle est habitée par des fouines qui transportent l'esprit du mal. Mais les mauvais esprits le craignaient et nous avons vécu en sécurité pour un prix très bas.

— Il ne possédait rien ? demanda Madame Wu.

— Rien en dehors de deux séries de vêtements de rechange. Ceux qu'il portait sur lui et les autres que je lavais. Il possédait quelques livres et sa croix. A un moment donné, il avait dans sa chambre une très jolie image clouée à une croix de bois, au-dessus de son lit. Mais, une nuit, c'est tombé, tout s'est cassé, et il ne l'a jamais remplacée. Il possédait aussi un rosaire, une des petites a joué avec, le cordon a craqué et il ne l'a jamais renfilé. Des perles ont roulé et se sont perdues, et il a dit qu'il n'en avait plus besoin. »

Madame Wu regardait autour d'elle tout en écoutant la vieille femme.

« Qu'est-ce que c'est que cette boîte noire ? demanda-t-elle en la montrant du doigt.

— C'est une boîte à voix magique, dit la vieille. Il avait l'habitude d'écouter les voix dans la nuit. »

Madame Wu se rappela qu'il lui en avait parlé. Elle s'approcha de la boîte et y colla son oreille, mais elle n'entendit rien.

La vieille femme expliqua :

« Elle ne parle pour personne d'autre.

— Ah ? alors, nous l'enterrerons avec lui.

— Il y a encore quelque chose de magique. » La vieille hésitait. « Il nous défendait d'y toucher.

— Où est-ce ? »

La vieille femme se glissa sous le lit et en tira une boîte en bois, très longue. Elle l'ouvrit. La boîte contenait un instrument en forme de tube.

« Il le mettait à son œil droit, toutes les fois que la nuit était claire, et il regardait le ciel », dit la vieille.

Madame Wu comprit aussitôt que c'était par ce moyen qu'il contemplait les étoiles.

« Je l'emporterai avec moi, dit-elle. Et maintenant donnez-moi ses livres ; ses vêtements et sa croix doivent être enterrés avec lui. Quant à cette maison, on la rendra à son propriétaire. Dites-lui que je lui affirme qu'elle est exorcisée, délivrée des mauvais esprits. Il pourra la louer de nouveau un bon prix. »

Tous les enfants se serrèrent autour de la vieille femme et écoutèrent en silence, retenant leur respiration et remplis de crainte. Leur demeure leur était enlevée. Rien ne leur restait.

Madame Wu leur sourit. Elle comprenait leurs pensées avec une tendresse toute neuve.

« Quant à vous toutes, et vous aussi, Vieille Sœur, vous viendrez habiter chez moi. »

Les petites poussèrent un grand soupir. Elles

étaient sauvées. Avec la confiance facile des enfants, elles acceptèrent cette nouvelle sécurité et devinrent excitées.

« Quand ça ?... Quand ça ?... crièrent-elles.

— Je crois que vous devriez rester ici jusqu'à demain. Puis nous irons tous ensemble sur la tombe. Mais vous ne reviendrez pas ici. Vous rentrerez avec moi.

— Bon cœur. » La vieille sanglotait. « Bon cœur bienveillant ! Il savait... soyez certaine qu'il le sait ! »

Madame Wu sourit sans répondre à cela.

« Avez-vous assez de riz pour leur repas ? Elles auront besoin de nourriture pour aujourd'hui et demain matin. Elles prendront le repas de midi chez moi.

— Il avait toujours dans la maison de la nourriture pour un jour d'avance. » Et la vieille sanglotait encore. « Nous avons ce qu'il faut jusque-là.

— Alors, je reviendrai demain », dit Madame Wu.

Elle laissa les enfants se serrer contre elle un moment, sachant que ces fillettes avaient l'habitude de se grouper autour du prêtre pour sentir sa présence corporelle et qu'elles avaient besoin d'éprouver, auprès d'elle, cette même sécurité. Puis elle leur dit avec douceur :

« A demain, mes petites. »

Et elle quitta la maison où reposait le corps du prêtre mort. Il sortait de là une créature différente de la femme qui y était entrée.

Elle revint dans sa cour et y resta longtemps, seule avec son être transformé. Elle acceptait la mort d'André. S'il avait vécu, le moment serait sûrement venu où elle eût découvert qu'elle l'aimait. Il ne lui serait resté alors qu'une alternative : chercher une excuse pour ne plus le revoir ou bien remettre son cœur entre

ses mains et lui avouer son amour. Et cela aussi, elle
en était sûre, les aurait séparés.

Cette nuit-là, elle resta assise, éveillée, et solitaire
pendant des heures, refusant de laisser Ying lui faire
sa toilette.

Elle ne voulait pas se coucher dans un lit. Elle
voulait rester assise, vivante, alerte, seule, à mesurer
l'étendue de ce qu'elle venait de découvrir. Elle aimait
un homme, un étranger, venu de loin, un homme qui
n'avait pas une seule fois avancé la main pour toucher la sienne, dont le contact même eût été incon-
cevable. Au bout d'un long moment, dans l'obscurité,
elle sourit. Autour d'elle, la maison était sombre et
silencieuse, mais une bougie brûlait, toute proche, et
son cœur parlait tout haut.

« Si je vous avais tendu la main, dit-elle, auriez-
vous eu peur de moi ? »

Mais elle savait que Frère André n'avait peur de
personne. Il avait son Dieu. L'idée vint à Madame
Wu que les dieux des hommes sont les ennemis des
femmes. Pour la première fois de sa vie, elle éprouva
un sentiment de jalousie.

Les vrais dieux, pour les femmes, sont impossibles.
Elle en chercha qui les adoraient. Petite Sœur Hsia
parlait constamment de son dieu. Mais Petite Sœur
Hsia n'avait personne autre de qui parler, ni mari, ni
enfants, ni famille, ni amis. Du fond de ce vide, elle
avait regardé autour d'elle et découvert un dieu pour
elle-même. Non, la véritable pierre de touche, pour
une femme, c'est, possédant tout le reste, comme les
hommes, de rejeter ce tout et de trouver un dieu.
Parmi les femmes qu'elle connaissait le mieux et avait
connues pendant sa vie, pas une seule ne s'était mise
à la recherche de Dieu. C'est-à-dire pas une n'aurait
pu agir comme André lorsque, jeune homme, il avait

écarté de lui la femme qu'il aimait, la fortune probable
et la célébrité qui lui serait venue de sa science, en
voulant tout simplement consacrer sa vie à Dieu.

Elle interrompit ses rêveries pour songer un moment à la femme qu'André avait aimée dans sa jeunesse et à laquelle il avait renoncé pour la solitude.
Elle devait être jeune et belle, sans nul doute. La jalousie de Madame Wu ne provenait pas seulement
de l'amour qu'André avait eu pour cette femme, mais
surtout de ce que cette femme, inconnue et oubliée
depuis longtemps, avait contemplé André lorsqu'il
était jeune et avant qu'il se fît prêtre.

« J'aurais aimé le voir : un jeune géant », se disait
Madame Wu.

Elle restait assise, dans une paix parfaite, une quiétude absolue, ses mains posées l'une sur l'autre, et ses
bagues allumaient une faible lueur sur ses doigts. Oui,
André, jeune homme, avait certainement été beau à
voir pour une femme. Il l'était encore dans son âge
mûr, mais, jeune, il devait être lui-même un dieu. Puis
Madame Wu se mit à plaindre cette femme qu'il avait
repoussée. Sans doute, maintenant était-elle mariée et,
qui sait ? mère de beaucoup d'enfants. Une femme ne
meurt pas parce qu'un homme ne veut pas d'elle, mais
quelque part, dans son cœur, le souvenir d'André devait subsister — amour ou haine. Une femme au petit
cœur l'eût détesté mais, si elle possédait un grand
cœur, loin de le blâmer, elle l'aimerait encore. Peut-
être aussi ne pensait-elle plus à lui, la lassitude l'ayant
rendue simplement insensible, comme lorsqu'on a trop
épuisé les réserves du cœur et du corps. C'est la faiblesse des femmes qu'en elles le cœur et la chair sont
entremêlés comme les fils de la trame, si bien que,
lorsque la chair a trop servi, le cœur, lui aussi, se
trouve usé, à moins qu'il ne renferme un amour comme

celui qu'elle-même éprouvait pour André. La mort
l'avait délivrée du corps de l'homme. S'il avait vécu,
ils auraient pu perdre leurs âmes, en proie aux ten-
tations de la chair. Madame Wu, à cette pensée, fut
surprise par un soudain et riche afflux de sang dans
ses organes vitaux.

« Malgré tout, je suis une femme », se dit-elle avec
un certain amusement.

La seule pensée du grand corps d'André enri-
chissait son être. Quel péril pour sa paix s'il avait
été là, vivant, devant elle... Elle éprouva un élan
de gratitude envers ces bandits de la Bande Verte
qui avaient supprimé ce péril. Puis, à travers la porte,
elle remarqua comme était exquis le clair de lune
tombant sur ses orchidées, s'infiltrant sous les bambous. Il était cruel d'être heureuse alors que les yeux
d'André étaient fermés.

« Ce n'est pas que je sois heureuse de votre mort,
lui disait-elle, mais simplement de ce qu'un grand
malheur nous soit épargné à l'un et à l'autre, et
qu'aussi nous puissions conserver notre grand bonheur. Car, certainement, vous savez que je vous
aime. »

En murmurant ces paroles, elle comprit qu'André
la comprenait très bien. Il fallait cela pour lui donner
un sentiment si immédiat d'aisance absolue et de contentement. Elle comprenait bien qu'André aurait souffert autant de trahir sa prêtrise qu'elle de trahir les
devoirs envers sa famille. Ils se seraient mutuellement
prêché le renoncement, mais, pour le mettre en pratique, il eût fallu ne jamais se rencontrer. A présent,
aucun renoncement n'était nécessaire. Elle pouvait
penser à lui tant qu'elle le voulait et sans danger.

« Mais, bien sûr, je suis transformée », songeait-
elle.

Elle restait en apparence immobile, tout en se demandant en quoi elle était changée. Elle n'en savait rien. Il lui faudrait se découvrir elle-même. Son cœur n'était plus le même. « Je suis étrangère à moi-même, se dit-elle avec un certain étonnement. Je me demande comment j'agirai et quelle sera ma conscience. »

Pendant une heure après cette découverte, elle resta figée dans son attitude immobile.

« J'ignore de quelle manière j'agirai, songea-t-elle. Les ressorts de mon être sont tout nouveaux. Je ne vivrai plus par devoir, mais par amour. »

Ce fut là la découverte qu'elle fit d'elle-même — par amour.

Et, de nouveau, elle sentit, cet étrange enrichissement affluer dans tout son être, suivi d'un contentement plein de sérénité.

A ce moment-là, elle pensa à l'instrument pour les étoiles. Elle avait demandé qu'on le rapportât avec elle, il se trouvait dans la bibliothèque. Elle le souleva hors de la boîte avec difficulté, car il était lourd, et elle le posa sur le trépied qui l'accompagnait, puis, visant le ciel, devant la porte, elle regarda au travers...

Elle s'attendait à découvrir aussitôt la forme des étoiles et la lune dans sa course. A sa grande déception, elle ne vit rien, bien que la nuit fût claire. Elle chercha de côté et d'autre, mais le ciel lui demeura scellé et, avec un soupir, elle posa l'instrument. Elle n'y connaissait rien.

« Il n'appartient qu'à lui, se dit-elle, je l'enterrerai avec lui, à côté de la boîte des voix de la nuit. »

Ayant pris cette décision, elle se coucha et dormit.

*
* *

L'enterrement ne ressembla en rien à ceux qui

avaient eu lieu jusqu'ici dans la ville. Madame Wu
ne désirait pas un enterrement comparable à des
obsèques de famille. Mais elle voulait qu'on fît honneur au précepteur de son fils. Les enfants étaient
revêtus de drap blanc sans ourlets, et les mendiants
qui avaient transporté Frère André chez lui demandèrent à prendre le deuil, eux aussi. Madame Wu
ne portait aucun signe de deuil extérieur.

Avant la cérémonie, elle avait pensé qu'il vaudrait
mieux faire part de cette mort aux quelques étrangers qui demeuraient dans la ville. Petite Sœur Hsia,
et, certainement le médecin étranger.

Madame Wu n'avait jamais rencontré ce médecin
et, à présent, n'avait aucune envie de le voir. On
prétendait que ces sortes de médecins sortent toujours
avec des couteaux dans leurs mains, prêts à découper
les malades. Parfois ils se montrent adroits, enlèvent
des tumeurs, des excroissances, mais ils tuent les gens,
et on n'a aucune juridiction à invoquer contre un médecin étranger, comme on en a pour l'un des leurs
lorsqu'ils tuent au lieu de guérir. C'est pourquoi on
ne les approchait guère, à moins d'être déjà sûr de
mourir.

Elle envoya un message, par un serviteur, aux quelques Occidentaux de la ville, et l'homme revint, disant que, Frère André n'étant pas de leur religion, ils
le considéraient comme étranger et ne viendraient
pas.

Le résultat fut que l'enterrement se passa selon la
décision de Madame Wu. Il n'eut pas lieu le lendemain, comme elle le pensait, car on ne trouva pas
de cercueil assez grand et on dut en fabriquer un. En
travaillant sans relâche, le menuisier le termina ; il y
mit deux nuits et la journée entre les deux ; alors, le
matin de bonne heure, avant le réveil de la ville, Ma-

dame Wu, dans sa chaise à porteurs, précéda le cortège qui suivait à pied derrière elle et André dans son cercueil. Elle-même avait assisté à la mise en bière de ce grand corps.

Elle était restée debout, tandis que les hommes avaient soulevé André et l'avaient déposé dans le cercueil ; et elle y plaça la boîte des voix et l'instrument pour les étoiles avant que le couvercle fût cloué : elle avait rapporté l'instrument chez le prêtre pour qu'on pût l'enterrer avec lui. Elle se tint encore impassible, sans retarder d'un signe ou d'un mot la mise en place du lourd couvercle. Elle vit André endormi, elle le pleura en secret, le couvercle s'abaissa et elle ne le vit plus.

Elle ne pleura pas non plus. Pourquoi se serait-elle dévoilée en pleurant ? Elle entendit cogner les clous dans le bois et vit attacher les cordes aux grandes perches. Vingt hommes avaient été loués pour soulever l'énorme coffre, ils l'emportèrent dans les rues et à travers la porte de la ville qui menait aux collines de l'Ouest. A présent, c'est Madame Wu qui conduisait et les autres qui suivaient. Sous l'arbre gingko, la colline était prête à recevoir Frère André.

Personne ne parla pendant que l'on abaissa le cercueil dans la fosse préparée. Les enfants pleuraient et la vieille femme se lamentait, mais Madame Wu restait immobile et silencieuse ; la terre s'entassa dans la fosse et on éleva le monticule.

Un instant, son cœur se noua de souffrance — un nœud dur et sec, — car elle ne verrait plus André, sinon dans son souvenir, où il vivrait éternellement.

Lorsque tout fut terminé, Madame Wu reconduisit le cortège à la maison. Elle amena les petites filles dans son enceinte et, de ce jour-là, elles cessèrent d'être sans foyer.

XI

Le lendemain matin, en regardant autour d'elle,
dans cette chambre qui lui était si familière, elle se
rendit compte que le monde était exactement semblable à ce qu'il était chaque matin. Cependant, au
lieu de s'éveiller avec lassitude et l'ennui de commencer sa journée, elle se sentait une nouvelle énergie.
Cette énergie découlait d'une source jusque-là inconnue. Ce qu'elle avait éprouvé dans sa jeunesse
pour son mari avait certainement été une sorte
d'amour. Il eût été impossible de ne pas aimer Mr. Wu
quand il était jeune. Il était trop bel homme, trop plein
de santé, trop enjoué, pour n'avoir pas attiré l'affection et provoqué le désir. Mais cet amour n'avait
eu rien qui fût propre à Madame Wu, il avait été
aussi instinctif qu'un réflexe musculaire. Le cœur
n'est en somme que le muscle central du corps.

Elle savait cela. Elle avait regardé autrefois son
vieux grand-père saisir dans ses mains le cœur encore
vivant d'un tigre mort ; c'était le temps où l'on croyait
absorber la force du tigre en mangeant son cœur.
Elle se rappelait cette scène aussi nettement que si
elle se déroulait actuellement sous ses yeux. Elle

n'avait que huit ans, peut-être neuf. Les montagnards avaient pris le tigre au piège, ils l'avaient amené, rugissant, dans la cour, emprisonné dans des filets de corde. Tout le monde était accouru pour admirer sous le soleil hivernal l'animal aux taches dorées : en voyant ces gens, il avait ouvert sa vaste gueule rouge et hurlé sa haine impuissante. Les femmes avaient poussé des cris, mais Ailien était restée immobile, les regards fixés sur les féroces prunelles jaunes. Comme s'il eût senti la puissance de ce regard, le tigre avait refermé les mâchoires et dirigé ses yeux sur elle. Inconsciemment, elle avait fait un pas en avant, mais son grand-père poussa un cri. Un montagnard bondit, plongea son poignard dans le cœur du tigre. La lame crissa à travers le pelage, l'animal retomba en arrière. Le montagnard retira le cœur entier, qui battait encore, et le tendit au grand-père de la petite Ailien.

Mais ce qu'elle éprouvait à présent au fond d'elle-même, pour André, ne rappelait point ce cœur palpitant. Cet amour, tranquille et fort, était comme le soleil de midi. Elle en était réchauffée, fortifiée, assurée en elle-même. Pour bien faire, il ne lui restait plus qu'à obéir à cette chaleur, à cette lumière. L'amour pénétrait son cerveau aussi bien que son corps. André n'était pas mort. Il vivait, il demeurait avec elle, puisqu'elle l'aimait. L'opposition du corps avait disparu, désormais inutile. Elle, qui toute sa vie avait été sceptique jusqu'au profond de ses moelles, qui avait souri des prêtres, des mômeries du temple, qui avait levé ses regards au ciel sans y voir de dieux, et pour qui les esprits de la nature ne représentaient que des fables enfantines, elle se trouvait certaine à présent qu'André était vivant et près d'elle.

« Je l'aimais quand il allait et venait dans ces cours

mais je n'en savais rien. Il a fallu que je contemple
son cadavre pour savoir à quel point je l'aime. »

Et puis, étant femme, elle se demanda s'il l'avait
aimée, lui aussi. En se posant cette question de l'amour
partagé, elle reçut la première impression de sa solitude.

« Comme je ne peux pas entendre sa voix, je ne le
saurai jamais », se dit-elle.

Elle tourna la tête vers la cour : le bruit des grands
pas sur les dalles lui manqua et puis, tandis qu'elle
écoutait sans rien entendre que le gazouillis des petits
oiseaux dans les bambous, le visage de Frère André
se dressa lentement sur le rideau sombre de son souvenir. Ses yeux la regardaient, pleins de chaleur, ses
lèvres dans sa barbe souriaient, de cet air d'intelligence un peu amusée qui était son expression habituelle ; tout cela lui apparaissait si nettement qu'elle
lui sourit en retour. Elle ne pouvait pas entendre sa
voix, mais elle se sentit tout à coup certaine qu'André
l'aimait. Sa qualité de prêtre dressait entre eux un
mur, à l'abri duquel, de son vivant, il l'avait aimée. A
présent, il n'était plus prêtre ; le mur avait disparu.
Aucune raison pour que, sans attendre cet appel, il
ne pût pénétrer dans son esprit. Son corps à lui était
mort, mais, grâce au sien, à elle, ils pourraient vivre
réunis.

Elle se dit que désormais elle aurait une sagesse
nouvelle que, toute seule, elle n'avait jamais atteinte.

« Que j'ai été stupide songea-t-elle en levant les
yeux sur les rideaux bleus de son lit. Quel désordre
j'ai mis chez les hommes et les femmes de ma maison ! »

Par égoïsme, elle avait cherché à s'affranchir d'eux
en se retirant en elle-même. Elle avait désiré les voir
heureux, chacun à sa manière, mais sans vouloir as-

sumer la charge de faire leur bonheur ; elle n'avait pas su leur dire comment l'acquérir. Elle leur procurait la nourriture, les vêtements, maintenait l'ordre et la discipline, et, nonobstant, toute la maison était en proie au trouble, et personne n'y semblait heureux. Elle leur en voulait à tous de cet échec. Elle s'aperçut à présent de l'absurdité de cette rancune.

Ying entra dans la chambre, l'air maussade :

« N'allez-vous pas vous lever ce matin, Madame ? demanda-t-elle d'une voix irritée.

— C'est une journée de pluie, dit Madame Wu en souriant.

— Comment le savez-vous, Madame ? demanda Ying d'un ton aigre. Vous n'avez même pas écarté vos rideaux.

— Votre voix me le dit, et il y a des nuages sur votre figure.

— Je n'aurais jamais cru que je verrais arriver ici une fille de maison de fleurs, reprit Ying, ni les fils de chez nous errer par le monde, ni plus ni moins qu'une concubine congédiée qu'on doit entretenir tout de même !

— Alors la fille Jasmin est ici ?

— Elle est là qui attend, dans l'arrière-cour. »

Tout en parlant, Ying s'affaira autour de la table de toilette de sa maîtresse.

« On m'a demandé ce qu'il fallait faire d'elle, et je n'en sais rien. »

Ying avança la lèvre inférieure :

« Cette fille prétend qu'elle est attendue. Je lui ai répondu que, moi je ne l'attendais pas. »

Madame Wu se leva et glissa ses pieds étroits dans ses pantoufles brodées de fleurs.

« Est-elle venue seule ?

— Une vieille édentée l'accompagnait, mais elle a

filé aussitôt. Oh ! la fille nous restera sur les bras »,
fit Ying d'un ton de plus en plus aigre.

Madame Wu ne répondit pas. Elle prit son bain,
mit sa robe brochée de satin gris perle sur ses dessous
en souple soie blanche, puis Ying la coiffa avec soin,
mais toujours la lèvre maussade.

« Allez me chercher mon déjeuner », dit Madame
Wu.

Elle s'assit et, quelques instants plus tard, mangea
avec plaisir. Son appétit avait augmenté, lui aussi, et
Madame Wu s'en amusait. Ne prétendait-on pas que
l'amour vous le coupe ? Puis elle se rappela que ce
n'était qu'au seul cas d'un amour non partagé.

« André m'aime », se dit-elle, triomphante.

Moins d'une demi-heure après, elle se leva et se
dirigea vers l'arrière-cour, pour parler à la fille Jasmin.

« Est-ce que je ne ferais pas mieux de vous l'amener
ici ? demanda Ying. Elle se sentira trop fière si vous
allez la trouver.

— Non, dit calmement Madame Wu. J'irai la
trouver.

Elle désirait voir le moins de gens possible dans
son pavillon. « Il faut y laisser en paix l'esprit d'André », se dit-elle. Puis, sur le seuil du portail de la
Lune, elle sentit ses pieds coller au marbre, comme
retenus par des mains invisibles. Une nouvelle pensée
lui traversa l'esprit.

« André n'a jamais écarté personne, songea-t-elle.
Il se serait entretenu librement avec cette fille et aurait
vu ce qu'il y a à faire pour elle. Ici, son esprit me
guidera. »

Elle se retourna vers Ying.

« Après tout, amenez-la-moi. »

Pendant l'absence de Ying, elle s'assit.

En passant devant la porte, on eût pu l'apercevoir,

fine silhouette argentée, la tête penchée, un sourire
sur son pâle visage en forme d'amande. Mais la cour
était vide et, peu après, Ying revint, précédant une
jeune fille ronde et rose, assez petite. Madame Wu
constata aussitôt qu'elle était du genre qui lui déplaisait le plus : robuste créature, terre à terre, gros-
sière et instinctive. Elle détourna les yeux, elle sentait son âme flotter entre ses dégoûts d'hier et ses
décisions d'aujourd'hui. Sa chair délicate frissonna.

Mais le visage d'André se détachait de nouveau
sur l'écran sombre du souvenir, faisant taire toute
protestation. Elle contemplait en elle-même cette
image et se mit à poser des questions d'un ton doux
et affable. Ying recula de quelques pas et resta à
écouter, le regard fixe. Ce n'était pas du tout l'habituelle voix de Madame Wu. Nette et cristalline, celle-ci n'avait rien de dur, mais ce n'était pas non plus
la voix, certes, qu'on lui connaissait lorsqu'elle s'adressait aux enfants. Cette voix était absolument nouvelle.

« Dites-moi pourquoi vous voulez venir habiter ici »,
demanda Madame Wu.

Jasmin baissa les yeux vers les pavés. Elle regrettait
de n'avoir pas mis sa veste et ses pantalons de coton
bleu au lieu de ce costume en satin vert.

« Je voudrais m'installer avant la naissance de mon
enfant.

— Comptez-vous en avoir un ? »

Jasmin leva la tête et, avec un bref regard à Madame Wu :

« Oui, lança-t-elle d'une voix forte.

— L'enfant n'existe pas », répondit Madame Wu.

Jasmin releva de nouveau la tête, ouvrit la bouche
pour protester et plongea les yeux dans ceux de Ma-

dame Wu, qui la dévisageaient, clairs et perçants ; elle éclata en sanglots.

« Ainsi, il n'y a pas d'enfant », répéta Madame Wu. Ying s'écria :

« Madame, nous n'avons pas besoin de la garder. »

Madame Wu leva sa longue main fine :

« C'est à moi de décider. Allez-vous-en, je vous prie, Ying.

— Quoi ! vous laisser avec cette ordure ?

— Vous n'avez qu'à rester derrière le portail de la Lune. »

Elle attendit le départ de Ying, puis elle fit signe à la fille de s'asseoir sur un siège de jardin en porcelaine. Jasmin s'assit, se frotta les yeux avec ses poings, ravala ses sanglots. Madame Wu parla :

« Vous savez, dit-elle à Jasmin, que c'est une chose très grave que d'entrer dans la maison d'un homme, surtout quand il s'agit d'une grande et honorable famille comme la nôtre. Vous pouvez, en y entrant, y détruire tout le bonheur. Ou bien vous pouvez ajouter à son bonheur par votre présence. Tout cela dépend de vos véritables dispositions. Si vous venez ici pour avoir du riz et un abri, dites-le moi, je vous en prie, je vous promets l'un et l'autre. Vous les aurez gratuitement sans avoir à les payer avec votre corps. »

Jasmin lança un regard matois à Madame Wu.

« Comment donnerait-on quelque chose à une femme pour rien ? »

Madame Wu se surprenait elle-même. Un mois plus tôt, elle eût méprisé la vulgarité de cette fille. Mais, à présent, elle la comprenait.

« Vous n'avez jamais obtenu gratuitement des vivres ou un toit, murmura-t-elle. Alors, il vous est difficile de me croire.

— Je ne crois personne », dit Jasmin.

Elle tira de son sein un mouchoir de soie rouge. Un coin était fixé à un bouton et elle tortilla l'autre autour de ses doigts.

« Alors, c'est vraiment pour avoir un toit que vous venez ici ? », demanda Madame Wu. Jasmin secoua la tête :

« Je ne dis pas cela », déclara-t-elle.

Elle releva ses lourdes paupières et une expression rusée parut dans ses yeux ronds, bien noirs.

« D'autres hommes m'ont promis un toit.

— Mais, enfin, vous venez bien ici avec un but ? » Madame Wu insista :

« Est-ce pour l'honneur d'appartenir à notre famille, même si vous habitez dans une arrière-cour ? »

Jasmin devint écarlate sous sa poudre.

« La vieille bobine me plaît... », murmura-t-elle, dans l'argot de la rue.

Madame Wu comprit qu'elle parlait de Mr. Wu, mais elle ne fit aucun reproche. La vérité sortait, à l'état pur, du cœur de cette fille.

« Il est beaucoup plus âgé que vous, mon enfant, dit Madame Wu.

— J'aime les vieux, dit la fille en tremblant.

— Pourquoi tremblez-vous ? Pas besoin de trembler devant moi.

— Je n'ai jamais connu d'homme noble, dit Jasmin, effrayée. Lui, il est très noble.

— Qu'entendez-vous par noble ? »

Madame Wu n'eût jamais employé ce terme pour Mr. Wu. Impétueux, impatient, obstiné, stupide, bienveillant parfois, égoïste toujours — ces mots pouvaient lui convenir, mais pas celui de noble.

« Je veux dire... noble », dit Jasmin. Elle leva son bras. « Voyez ce bracelet. Il est en or massif. Un jeune homme m'en aurait donné un en bronze avec un petit placage en jurant qu'il était d'or pur, il aurait juré jusqu'à ce qu'il m'eût quittée. Mais non, le vieux m'en a donné un en or véritable. »

Elle le mordit et montra les marques de ses dents à Madame Wu :

« Voyez donc.

— Oui, c'est de l'or.

— Et il est si patient, continua-t-elle avec ardeur. Quand je ne me sens pas bien, il s'en aperçoit — il n'insiste pas. Les jeunes gens s'en moquent — ils font tout à leur guise. Mais ce vieux-là me demande toujours comment je me sens.

— Vraiment ? », répondit Madame Wu.

Ce n'était pas là le Mr. Wu qu'elle connaissait.

La fille se rassit et tourna le bracelet sur son bras.

« Si je n'ai pas d'enfant...

— L'enfant n'a pas d'importance. »

Jasmin regarda du coin de l'œil Madame Wu, qui poursuivait :

« La seule chose qui compte, la voici : apporterez-vous du bonheur à cette maison, ou bien lui en enlèverez-vous ? »

Jasmin leva la tête et répondit avec ardeur :

« Je lui apporterai du bonheur, je vous le promets, Madame...

— Demain, je prendrai une décision », dit Madame Wu.

Tout en parlant elle se leva, Ying accourut et reconduisit la fille.

Après son départ, Madame Wu suivit une allée que le soleil venait d'éclairer ; les rayons frappaient les dalles jusqu'au seuil du portail. La lumière éblouissait Madame Wu, mais le soleil réchauffait ses pieds.

« J'ai bien agi, se disait-elle, avec un certain étonnement. Comment ai-je si bien pu ? »

Alors elle comprit. Si Jasmin aimait réellement
Mr. Wu, cet amour, lui aussi, devait être permis.
Mr. Wu, de son côté, aimait-il Jasmin ? En ce cas,
du bonheur serait ajouté dans la maison. Tout le
malheur dans les maisons vient du manque d'amour.

« Quand je me serai reposée, dit-elle à Ying, j'irai
au pavillon du Père de mes fils.

— Oh ! oui, Madame. Peut-être pourriez-vous le
ramener à la sagesse. Il y a trop de femmes dans cette
maison. »

« Est-ce que vous devez rester ? avait-elle demandé
à Jasmin en la reconduisant.

— Je n'en sais rien, avait balbutié Jasmin. Elle m'a
dit qu'elle me donnerait sa réponse demain.

— Notre dame se décide toujours très vite. »

Ying n'avait pas ajouté sa pensée : si sa maîtresse
n'avait pas dit « oui » tout de suite, demain ce serait
« non ». Ying avait fait sortir la fille par la porte de
derrière et tiré la barre de fer.

« Je vais le prévenir, Madame », dit-elle à présent.

Ses yeux indiscrets brillaient à nouveau. Madame
Wu s'en aperçut, comprit et eut un sourire

*
* *

Madame Wu s'éveilla comme d'habitude, en pleine
conscience, le cœur serein. Toute sa vie elle avait lutté
pour atteindre le calme et la sérénité ; elle s'était
constituée prisonnière de sa propre volonté, qui s'imposait à son corps : oui, la volonté ordonnait au corps
d'agir dans un tel sens, à tel moment, sans avoir
égard à ses répulsions ou à ses désirs. A présent, elle

sentait qu'elle n'aurait plus jamais besoin de s'imposer quoi que ce fût.

« André, se disait-elle, n'est-il pas étrange qu'il ait fallu que vous mouriez avant que je vous comprenne ? »

La réponse d'André arriva à son esprit :

« Non, rien d'étrange. Mon grand corps nous séparait. Vous regardiez un visage et des traits qui n'avaient rien à faire avec moi. Ils m'ont été légués au hasard par mes ancêtres, qui sont des étrangers pour moi. Même quand je voulais les considérer comme tels et me séparer d'eux, j'étais retenu par leur chair. A présent, je suis vraiment moi-même.

— André, lui disait-elle, au fond de son cœur, devrais-je encore vous appeler Frère ?

— Inutile de donner un nom à nos rapports ! »

C'est ainsi qu'en secret elle croyait l'entendre.

Madame Wu s'allongeait, droite et gracieuse, dans son lit.

Elle était effrayée par cette conversation qui se tenait uniquement dans son for intérieur. La sceptique qu'elle était eût ri d'une apparition surnaturelle, même de celle d'une personne aimée. Mais il n'y avait pas eu apparition, ni voix d'aucune sorte. La chambre austère restait exactement semblable à ce qu'elle était lorsque Madame Wu avait fermé les yeux. Elle n'avait entendu que dans son cerveau la réponse d'André. Il ne s'agissait peut-être que d'une hantise causée par une mort et par la découverte qu'elle aimait cet homme. Comprendre en quelques secondes que l'on aime un homme qui vient de mourir, voilà de quoi ébranler le ciel et la terre. Rien de surprenant que le cerveau se fût replié sur lui-même dans sa confusion. Elle se rappelait ce qu'André lui avait dit sur la manière dont la pensée était transmise le long des cellules qui forment la matière cérébrale. La conscience de ses sentiments pour André, en faisant irruption dans ces cellules, avait dû, sans nul doute, bouleverser toute sa ligne de pensée précédente.

« Je ne sais pas ce que je vais devenir maintenant », se dit-elle.

Elle écouta, attendant une réponse. Mais il lui souvint tout à coup de l'expression d'André quand il souriait. Elle vit la lumière jaillir dans la profondeur des yeux sombres et, en retour, elle sourit.

Ying entra dans la chambre, l'air inquiet :

« La cour de devant est pleine des petits mendiants, dit-elle d'un ton irrité, et la prostituée est de nouveau assise dans l'entrée. Elle prétend que vous l'avez convoquée. »

Madame Wu se mit à rire :

« J'ai envie, ce matin, de manger un petit pain blanc », dit-elle.

Ying la dévisagea :

« Vous avez l'air changée, Madame. Votre peau est rose comme celle d'un enfant. Vous n'avez pas la fièvre ? »

Elle s'approcha de l'immense lit, s'empara de la petite main de Madame Wu et la tint contre sa joue.

« Pas la moindre fièvre, dit Madame Wu. Rien que de la santé. »

Elle retira doucement sa main, repoussa le couvre-pied de soie. Puis elle se leva et se laissa laver et habiller par Ying. Mais elle refusa de mettre la robe grise que Ying avait préparée. Elle choisit à la place une robe vieux rose qu'elle avait mise de côté la veille de ses quarante ans, pensant qu'elle ne porterait plus de ces teintes-là.

Aujourd'hui, cette robe lui parut plus seyante que jamais. La dernière fois qu'elle l'avait mise, elle avait trouvé que le ton en jaunissait son teint pâle. Mais, ce matin, cette robe lui donnait des couleurs.

« J'ai eu tort de la mettre de côté », songea-t-elle en se regardant dans la glace.

Sa coquetterie naturelle en fut stimulée.

« Dommage qu'il ne m'ait jamais vue ainsi. »

Elle se sourit dans la glace et lança à Ying un coup d'œil pour voir si la fille s'en était aperçue. Mais Ying pliait la robe grise, une manche sur l'autre.

Madame Wu alla dans la bibliothèque. Elle aurait dû normalement trouver sa vie bien compliquée par tant de problèmes sans solution. Vingt enfants l'attendaient dans la cour ; la jeune prostituée était assise dans l'entrée. La responsabilité de Mr. Wu lui incombait plus que jamais ; il y avait aussi le nouveau-né et sa mère — ses propres fils et leurs femmes. Mais Madame Wu n'éprouvait pas devant les gens son habituel recul. Elle s'aperçut que, pour la première fois de sa vie, personne ne lui déplaisait. Toute son existence, elle avait lutté contre cette aversion du genre humain ; nul ne lui plaisait complètement. Elle n'avait pas aimé sa mère à cause de son ignorance et de sa superstition. Quant à son père, elle l'eût aimé si elle ne lui avait trouvé un cœur trop éloigné du sien, un air inaccessible. Et, bien que Mr. Wu, quand elle l'avait épousé, fût un beau jeune homme, il y avait eu en lui certains recoins qui lui déplaisaient. Même lorsqu'elle partageait ses ardeurs, elle ne pouvait ignorer certaines formes ou odeurs et, tout en acceptant son contact, elle se sentait violentée par lui. Vieux-Monsieur lui avait été très cher, mais elle était trop raffinée pour oublier, tout en l'appréciant, ce qui chez lui lui paraissait pénible. Vieux-Monsieur avait un bon cœur, une claire intelligence, mais ses dents étaient gâtées et son haleine forte.

« Si André avait vécu quand j'ai découvert mon amour pour lui, je me demande si j'aurais... »

Avant d'avoir pu, en elle-même, achever cette pensée, une autre lui vint, en guise de réponse :

« Vous voyez quelle sagesse il y a dans la mort, elle supprime le corps de l'homme et en libère l'esprit.

— Mais si j'étais plus jeune, se dit-elle, me serais-je contentée de votre esprit ? »

Elle abaissa ses regards sur les dalles grises, unies. Aurait-elle pu, dans sa jeunesse, aimer un étranger ? car, bien entendu, André était un étranger, un homme d'un autre pays et d'une autre race. Elle chercha à se le figurer jeune et ardent, à la façon des hommes, et tout son sang s'émut d'une étrange colère.

« Oh ! non, pas ça ! »

Ce cri jaillit à son esprit et elle promit :

« Non, pour moi, rien de pareil. »

Ying entra et plaça avec soin le déjeuner sur la table en une petite rangée de plats. Madame Wu prit ses baguettes.

« Les enfants, dans la cour, ont-ils eu à manger ?

— Certainement pas, Madame, fit Ying d'un ton bref. On n'a pas eu d'ordre pour tant de rations !

— Alors, je vais le donner, dit doucement Madame Wu. Qu'on fasse immédiatement cuire du riz, qu'on achète du pain et qu'on prépare du thé pour leur repas de midi.

— Heureux qu'il ne pleuve pas, dit Ying, nous serions bien lotis s'il nous fallait mettre ces gens-là sous notre toit.

— Il y a place pour tous », répondit Madame Wu.

Elle fut stupéfaite de voir Ying se mettre à pleurer, porter à ses yeux le bord de sa veste bleue et quitter la pièce en sanglotant, en criant :

« Vous n'êtes plus la même, plus la même ! »

Mais à midi il y avait dans la cour de grands seaux de riz et, quand Madame Wu y alla, ce fut pour voir les fillettes manger joyeusement et nourrir les plus petites en enfonçant du riz dans leur bouche ouverte. La vieille femme qui avait eu soin d'elles se leva, les joues gonflées de riz, et cria aux enfants de saluer Madame Wu comme leur mère.

« Oui, je suis votre mère, à présent que votre père n'est plus là », leur dit Madame Wu en souriant.

Les orphelines la regardèrent avec amour, et, soudain, pour la première fois de sa vie, Madame Wu ressentit en elle le véritable choc de l'enfantement. Son être parut s'ouvrir et se fondre à nouveau dans une autre nature bien supérieure à la sienne. Ces enfants étaient les siens et ceux d'André.

« Vous êtes tous mes enfants », leur dit-elle, s'étonnant de ces paroles sur sa bouche.

Au son de cette voix, les enfants se précipitèrent pour l'étreindre, la toucher, s'appuyer contre elle. Elle abaissa les yeux, aperçut, autant que leur beauté, leurs tares et leurs défauts, mais elle n'éprouvait aucun dégoût.

« Votre père a fait de son mieux pour vous, dit-elle en souriant, mais vous avez aussi besoin d'une mère. »

Elle toucha une cicatrice sur la joue d'une petite fille :

« Ça fait-il encore mal ?

— Un peu, répondit l'enfant.

— Et comment c'est-il arrivé ? », demanda Madame Wu.

L'enfant baissa la tête.

« Ma Maîtresse a appuyé le bout de sa cigarette sur moi, là...

— Pourquoi ? demanda Madame Wu.

— J'étais son esclave — je ne pouvais pas marcher assez vite. »

Elle mit sa main dans celle de Madame Wu :

« Voulez-vous me donner un nom ? »

Elle suppliait :

« Il devait m'en donner un, mais il est mort trop tôt. Toutes les autres ont des noms.

— Elles me les diront, et après je saurai lequel te donner. »

L'une après l'autre, les petites égrenèrent leurs noms, et chacun d'eux était un nom prononcé par André.

Pitié ; Foi ; Humilité ; Grâce ; Vérité ; Miséricorde ; Lumière ; Chant ; Etoile ; Rayon de Lune ; Rayon de Soleil ; Aube ; Joie ; Clarté — voilà les noms qu'il avait donnés aux aînées. Ceux des plus petites étaient amusants : Chaton ; Boule de Neige ; Pétale de Rose ; Bague de Marron ; Or et Argent.

« Parce qu'il a dit qu'il manquait d'Argent et d'Or avant notre arrivée », déclarèrent ces deux petites créatures.

Elles se mirent à rire de cette drôlerie.

« Il nous faisait rire tous les jours », dit Or.

C'était une petite boulotte qui tenait bien fort Argent par la main.

« Vous êtes sœurs ? demanda en souriant Madame Wu.

— Nous sommes toutes sœurs, répondirent vingt voix.

— Ah ! c'est vrai ! dit Madame Wu. Je suis trop sotte. »

L'enfant à la cicatrice se serra contre elle.

« Et mon nom ? » demanda-t-elle.

Madame Wu regarda le petit visage plein de tendresse.

« Je t'appellerai Amour, dit-elle.

— Je m'appelle Amour », répéta l'enfant.

La cour à présent était bordée de spectateurs silencieux. Les serviteurs trouvaient des prétextes pour passer là, s'arrêter, ouvrir de grands yeux, mais les enfants de la maison et les membres subalternes de la famille ne cherchaient aucun prétexte. Ils restaient bouche bée devant la nouvelle Madame Wu. A la longue, Jasmin, lasse d'attendre dans l'entrée, se leva et vint elle-même dans la cour, escortée de sa suivante. Jasmin s'était préparée à être très énergique et à réclamer ses droits comme quelqu'un qui porte en elle l'espoir d'un fils pour la maison.

Mais, au lieu de la dame hautaine et sévère qu'elle s'apprêtait à trouver ce matin-là, elle vit une belle personne très douce qui riait au milieu de petites mendiantes. Madame Wu sentit qu'on remuait derrière les piliers de la véranda et, levant les yeux, rencontra ceux de Jasmin.

« Vous voyez, j'ai beaucoup d'enfants, dit Madame Wu, mais je ne vous ai pas oubliée. Lorsque j'aurai trouvé l'endroit où ils devront dormir et jouer, je m'entretiendrai avec vous. »

Elle se tourna vers ses parents. Il n'y avait parmi eux ni ses fils, ni ses brus. Rien que de vieux cousins, des neveux pauvres qui, n'ayant de toit nulle part, étaient revenus à la demeure ancestrale pour y trouver, de-ci, de-là, un coin et un lit.

« Où vais-je loger mes enfants ? demanda-t-elle.

— Notre Sœur, répondit une vieille veuve, si vous faites une bonne œuvre, mettez-les dans le temple de famille. »

Madame Wu, quoique sans inquiétude, se demandait vraiment où mettre ces enfants. Elle accepta aussitôt la suggestion.

« Comme vous avez raison ! dit-elle à la veuve avec reconnaissance. Aucun logement n'aurait pu être mieux choisi que notre temple. Il y a des cours pour jouer, le bassin et la fontaine. Les dieux familiaux auront à présent quelque chose à faire. »

Elle passa devant pour montrer le chemin ; les enfants couraient derrière elle au soleil ; la vieille suivait clopin-clopant. Tout au fond des cours de la maison Wu se trouvait un grand temple ancien, construit par une aïeule, deux cents ans plus tôt. Elle avait désiré se faire nonne après la mort de son mari, et cependant elle ne voulait pas quitter sa demeure pour habiter un temple public. Alors elle fit édifier, à l'abri de l'enceinte privée, un magnifique temple où elle vécut avec les dieux jusqu'à sa mort, à l'âge de cent ans environ. Depuis cette époque, un prêtre avait été affecté aux soins du temple, mais personne n'était admis à cet office avant d'avoir atteint cinquante ans, tant il y avait de jeunes femmes dans la maison.

Madame Wu, bien que sceptique, avait permis au prêtre de rester ; elle avait maintenu le temple, payé tous les dix ans la dorure des dieux et, une fois l'an, donné une certaine somme pour l'encens. Les membres de la famille qui le désiraient pouvaient venir y prier, et on considérait comme un privilège, pour les femmes, de n'avoir pas à sortir pour visiter les temples et y risquer la rencontre de prêtres débauchés.

C'est dans ce temple qu'elle conduisit les enfants. Elle s'arrêta un instant sur le large seuil de pierre. Les dieux, gardiens de l'entrée, l'un blanc, l'autre noir, la dominaient de leur taille.

— Est-ce que ces dieux offenseront André ? se demanda-t-elle. Sa religion n'a pas de ces dieux-là. »

Elle crut entendre son grand rire retentir en écho parmi les solives peintes, bien au-dessus de la tête des dieux.

Elle sourit à son tour et, tenant la main de l'enfant qu'elle avait appelée Amour, elle enjamba la haute marche de bois, entra dans le temple. L'air embaumait l'encens et les lis. L'encens brûlait devant les dieux et des lis fleurissaient dans les cours. Le prêtre, entendant un bruit de pas, accourut de la cuisine. Il venait de brûler de l'herbe pour cuire son repas ; sa figure et ses mains étaient barbouillées de suie.

Ses regards étonnés allaient de la foule des enfants à Madame Wu.

« J'apporte des offrandes, fit-elle. Dites-lui vos noms, enfants. »

Elles se nommèrent de leur voix douce et joyeuse.

« Et celle-ci, dit Madame Wu pour terminer, c'est Amour. Toutes sont des offrandes pour le temple. »

Le vieux prêtre avait entendu parler de ce qui s'était passé. Il comprit que Madame Wu désirait offrir de bonnes œuvres au Ciel, en sorte qu'il ne put s'y opposer, malgré les difficultés que cela représentait pour lui. Il s'inclina, joignit ses mains couvertes de suie, il recula, heurtant un dieu après l'autre ; il se retira devant Madame Wu, qui entra dans le temple, désignant des salles où jusqu'ici, face aux pavillons de la famille Wu, les dieux seuls s'étaient tenus en silence.

« Ici, la chambre des plus petites, car la déesse de la Miséricorde s'y trouve et elle veillera sur les enfants de la nuit. — Là, on mettra les grandes, parce qu'il y a de la place pour toutes et qu'elles devront aider à la tenir très propre. »

Puis elle s'aperçut que l'enfant appelée Amour s'accrochait à elle :

« Laissez-moi aller avec vous ! »

Elle supplia Madame Wu :

« Je laverai vos vêtements et vous servirai à manger. Je sais tout faire. »

Le cœur de Madame Wu brûlait de tendresse. Mais elle était juste. Elle savait qu'André n'aurait eu de faveur spéciale pour aucune d'elles.

Elle secoua la tête :

« Il faut que tu restes, pour aider les autres, dit-elle. Voilà ce que ton père aurait voulu. »

Puis elle comprit que ce n'était pas simple affaire de justice. Elle ne voulait avoir personne auprès d'elle, pour partager sa vie avec lui.

« Où est-ce que nous dormirons, notre Mère ? demandèrent les enfants.

— Ce soir, il y aura des lits. En attendant, amusez-vous toute la journée. »

Et, les voyant heureuses, elle les laissa avec les dieux.

*

* *

Jasmin avança ses lèvres rouges et regarda fixement le coin de son mouchoir de soie aux brillants ramages. L'autre coin se trouvait fixé à un bouton de verre sur son épaule gauche, et le mouchoir en pendait comme une écharpe. Elle s'en servait pour se cacher la figure ou jouer avec lorsqu'elle ne voulait pas regarder son interlocuteur.

« Ça m'est difficile de parler, dit-elle à Madame Wu.

— Sûrement, il n'y a pas grand-chose à dire.

— Si, il y a beaucoup à dire, répondit Jasmin d'un ton impertinent. Si je n'ai pas d'enfant maintenant, j'en aurai. »

Elle plaqua ses mains sur son ventre.

Madame Wu la considéra avec intérêt :

« Vous devez être capable d'avoir un bon gros bébé, dit-elle. Vous semblez vigoureuse. »

Jasmin fut interloquée :

« Mais quelle sera ma situation dans la maison ? demanda-t-elle.

— Quelle situation désirez-vous ?

— Je devrais être la troisième épouse », dit sèchement Jasmin.

Il était curieux qu'une jolie créature, si jeune, parût agressive. Ses yeux ronds et brillants, son petit nez droit, ses joues roses, sa bouche charnue, tout cela lui donnait un air déluré et piquant.

« Oui, pourquoi pas ? dit aimablement Madame Wu.

— Ça vous est donc égal ? »

Jasmin murmura ces mots. Son expression agressive s'effaça, ses traits s'adoucirent.

« Pourquoi cela me déplairait-il ? demanda simplement Madame Wu.

— Vous voulez dire que je pourrai vivre ici — dans cette grande maison — être appelée Troisième Epouse, et quand mon enfant...

— Je ne veux pas de bâtard chez nous. Ce ne serait pas digne de notre nom. Vous êtes le vase qui reçoit la semence. Vous avez droit à des honneurs. »

Jasmin la regarda de ses yeux noirs qui s'ouvraient tout grands, et puis elle se mit à pleurer à gros sanglots vulgaires :

« Je croyais que vous me détesteriez. Je me préparais à votre colère. Maintenant, je ne sais plus que dire.

— Vous n'avez rien à faire, dit Madame Wu avec calme. Je vais demander à une servante de vous conduire à vos chambres. Elles sont petites et il n'y en a que deux à la gauche du pavillon de mon seigneur. La Seconde Epouse loge à sa droite. Vous n'aurez pas à vous rencontrer. Je vais aller prévenir mon Seigneur de votre arrivée. »

Elle hésita, puis elle ajouta avec une franchise pleine de délicatesse.

« Vous verrez qu'il est très juste. S'il laisse sa pipe sur votre table, ce sera son billet doux. S'il la garde à la main en s'en allant, ne vous fâchez pas. Voilà ce que je vous demande en échange de ce toit. N'amenez pas de bisbille dans cette maison. »

Madame Wu regarda la vieille femme flegmatique qui était restée assise près de Jasmin sans dire un mot.

« C'est votre mère ? »

La vieille femme ouvrit la bouche, mais Jasmin la devança :

« Elle fait partie de la maison d'où je viens.

— Eh bien ! qu'elle y retourne », dit Madame Wu.

Elle sortit des pièces d'argent d'une poche intérieure de sa veste et les posa sur la table. Elles y brillaient si fort que la vieille ne put que se lever et se confondre en salutations.

Mais Jasmin interrompit ces cérémonies en se jetant à genoux devant Madame Wu, en se frappant la tête sur les dalles.

« On me disait que vous étiez juste ; à présent, je sais que vous êtes bonne. »

La rougeur monta du cou aux joues de Madame Wu.

« Si vous étiez venue un autre jour, dit-elle franchement, je n'aurais ressenti que de la colère, mais ce jour-ci diffère de tous ceux qui l'ont précédé. »

Elle se leva, laissant Jasmin à genoux, et sortit vivement de la pièce.

« Je suis une méchante créature, se dit-elle. Toutes les femmes peuvent arriver dans ce pavillon si ça leur chante, cela m'est indifférent, mon cœur est plein. »

Elle s'arrêta, attendant une réponse à cette remarque. Mais aucune ne vint, à moins que la profonde paix dont elle fut inondée n'en fût une.

« Si j'avais découvert ce que j'éprouvais pour vous, quand vous viviez, aurions-nous gardé le silence ? »

Aucune réponse non plus, et elle sourit de ce silence. Même devenu pur esprit, André craignait encore l'amour. La règle de sa vie continuait. Ce silence fut rompu peu d'instants plus tard. En entrant dans la cour principale, elle aperçut, qui attendaient, trois hommes de bonne apparence. Ils étaient bien habillés et firent semblant de ne pas la voir ; lorsqu'elle s'avança, ils lui tournèrent le dos, comme à une jeune femme. Le compliment lui fut agréable, mais elle l'ignora.

« Je suis Madame Wu, dit-elle. Qu'y a-t-il ici pour votre service ? »

A ces mots, ils se présentèrent de biais, et le plus âgé répondit, toujours avec une grande courtoisie, sans la regarder :

« C'est bien à Madame Wu que nous voulions nous adresser. Nous sommes venus demander si les morts ne devraient pas être vengés. Cette Bande Verte est un péril pour toute la cité ; certes, jusqu'ici, il n'y avait pas eu de mort. Et il est vrai que ce n'était qu'un étranger et un prêtre. Mais, si ces gens commencent à tuer les étrangers et les prêtres, demain ce sera notre tour. La ville ne devrait-elle pas demander justice au nom de cet homme ? En ce cas, Madame Wu voudrait-elle se charger de la plainte ? »

Elle éprouva un mouvement de protestation. Elle

voyait les yeux d'André qui, farouchement, refusaient vengeance et elle répondit aussitôt :

« Il ne voudrait certainement pas qu'on le venge. Il parlait souvent de pardonner à ceux qui ne savent pas ce qu'ils font. Mais ces voleurs, qui sont-ils ?

— De jeunes vauriens de la ville, des aventuriers, ceux qui veulent s'élever non par un travail honnête, mais en effrayant les autres ! dit avec indignation le plus âgé des trois.

— Existe-t-il beaucoup de gens de cette sorte ? » fit-elle, surprise.

Les hommes riaient, mais sans bruit, par respect pour elle.

« Il y en a beaucoup de nos jours, dit l'un d'eux.

— Et pourquoi ? demanda Madame Wu.

— Les temps sont mauvais », répondit un autre.

C'était un petit homme flétri, à la figure ridée, mais dont les cheveux restaient noirs. Madame Wu se tenait en plein soleil, dans sa robe rose, et les yeux de l'homme laissaient paraître son admiration. Mais elle était à l'abri de toute admiration masculine.

« Pourquoi les temps sont-ils si mauvais ? », demanda-t-elle.

Elle posait la question, tout en sachant à quoi s'en tenir.

« Madame, vous avez vécu derrière ces grands murs, reprit l'homme. Vous ne pouvez pas vous figurer dans quelle tourmente le monde se trouve... Cela a commencé dans le plus méchant des pays étrangers, d'où partent continuellement des menaces de guerre. Aucun de nous ne peut y échapper. Cela agite les jeunes, un peu partout. Ils se demandent pourquoi se soumettre à d'anciennes coutumes qui doivent bientôt changer. Ils n'ont rien de nouveau à offrir ; alors ils regrettent ce qui est ancien et retardent la venue de ce qui est nouveau ; ils vivent sans loi. »

Madame Wu regarda les hommes. Tout le reste, elle pouvait le mettre en doute, mais elle était certaine de ce qu'eût pensé André.

« Il ne permettrait pas qu'on le venge », dit-elle.

Ils s'inclinèrent et partirent. Mais elle se sentit troublée après leur départ. Elle poursuivit son chemin, à la recherche de Mr. Wu, car elle voulait connaître ce qu'il pensait, à présent. Tout en marchant, elle réfléchissait à ce que venaient de dire les hommes. Aurait-elle dû envoyer ses fils au loin par des temps aussi troublés ?

« Si je me sentais seule, se dit-elle, je pourrais avoir peur. »

Mais elle n'était pas seule. Réconfortée par cette pensée, elle se rappela qu'elle devait annoncer à Mr. Wu la venue de Jasmin et elle se rendit aussitôt chez lui.

*

* *

Elle entra par la porte de la Lune ; elle aperçut Mr. Wu qui enfonçait l'embouchure en bronze de sa pipe dans le terreau des pivoines. Il portait une robe de satin bleu foncé, doublée, et il avait mis ses souliers de velours ouatés, doublés de soie. Il maigrissait. Dans sa jeunesse, il était bien en chair et, dans son âge mûr, presque trop gras. A présent, sans qu'il fût svelte, sa graisse intérieure fondait et sa peau brune et lisse se relâchait.

« Allez-vous bien, Père de mes fils ? demanda-t-elle avec courtoisie.

— Très bien, Mère de mes fils, répondit-il en continuant à gratter la terre.

— Vous allez abîmer votre pipe, observa-t-elle.

— Je tâte les racines des pivoines, répondit-il, pour voir si elles sont formées. Il a tellement plu que j'ai craint de les trouver pourries.

— Ces terre-pleins sont bien drainés, dit-elle. J'y ai fait placer des tuiles, vous vous souvenez, l'année de la naissance de Tsemo. Nous avions fait surélever le fond pour que, de mon lit, je puisse voir les orchidées.

— Vous vous rappelez tout, dit-il. Restons-nous dehors, ou bien nous asseyons-nous à l'intérieur ? Il vaut mieux rentrer. Les vents sont perfides. Ils tournoient sur le sol et vous gèlent les pieds. »

Madame Wu était très étonnée de se sentir si à l'aise avec Mr. Wu. Elle n'eût certainement pas pu lui expliquer ses sentiments pour André. Il aurait cru qu'elle avait perdu l'esprit — Un étranger ? Un prêtre ? Un mort ?

Elle suivit Mr. Wu dans la pièce principale, là où le soleil formait un grand carré sur les dalles, auprès de la porte ouverte. Ses sentiments envers lui n'avaient pas changé. A cette pensée, une pitié pour son mari s'éveilla en elle. Quelle tristesse pour lui qu'elle ne fût jamais arrivée à l'aimer ! Elle avait privé cet homme de la plénitude de la vie. Elle n'avait rien fait pour lui. Pas plus l'offrande de son corps que le don de ses fils ne compensaient le manque d'amour de son cœur. Sa seule excuse, c'était que Mr. Wu et elle avaient été livrés l'un à l'autre sans leur volonté, et elle avait agi de son mieux. Mais, si elle l'avait choisi librement, volontairement, elle ne se fût jamais pardonné. Rien ne peut dédommager un homme du manque d'amour chez celle qui a été sa femme.

« Il faut donc que, d'une manière ou d'autre, je lui procure de l'amour », se dit-elle, et elle ajouta tout haut, tranquillement :

« Je viens de parler à cette Jasmin. »

Madame Wu s'assit à la gauche de la table, et son époux prit, à droite, sa place habituelle. C'est ainsi qu'ils se tenaient le soir, pendant leur vie conjugale, tandis qu'ils causaient des affaires de cette maison qui leur appartenait à tous deux.

Mr. Wu s'occupa à bourrer sa pipe. Madame Wu, avec sa finesse, devina qu'il avait peur d'elle. A un autre moment, elle s'en fût amusée. La crainte qu'elle inspirait ne lui déplaisait pas, elle y voyait la preuve de sa propre supériorité. Mais, à présent, elle s'attrista en constatant les regards furtifs de son mari et le léger tremblement de ses grosses mains. Où la peur existe, il ne saurait y avoir d'amour. André n'avait jamais eu peur d'elle, ni elle de lui. Elle comprit et cela lui donna une curieuse commotion, mais non pas douloureuse, que Mr. Wu non plus ne l'avait jamais aimée ; sinon il ne l'eût pas crainte aujourd'hui.

« Dites-moi vos sentiments envers cette fille », lui demanda-t-elle.

Devant la gentillesse de cette voix, il regarda Madame Wu à travers la table, et elle découvrit dans ses yeux une sorte de timidité qu'elle ne lui connaissait pas.

« Je sais l'effet que vous fait cette fille, dit-il. Bien entendu, elle est inférieure à tous points de vue. Je le vois bien, moi aussi. Mais elle me fait de la peine. Et, après tout, quelles chances a-t-elle eues dans la vie ? Son histoire est triste, pauvre fille !

— Racontez-la-moi. »

La grande maison semblait si tranquille qu'ils auraient pu s'y croire seuls. Les murs étaient très épais ; une cour succédait à l'autre. Dans cette vaste pièce, les lourdes tables et les sièges n'avaient pas changé de place depuis des siècles, et Mr. et Madame Wu n'étaient que deux êtres dans la longue chaîne d'hommes et de femmes qui avaient vécu sous les poutres énormes de l'immense toit. Mais, cependant, un élément nouveau y avait pris place : l'ordre ancien était rompu.

« Non, il n'y a certainement rien d'extraordinaire chez cette Jasmin, continua Mr. Wu en manière d'excuse.

— Si elle a conquis votre amour, alors elle est extraordinaire », fit Madame Wu avec son étrange et récente bonté.

Mr. Wu parut tout interloqué :

« Est-ce que vous vous sentez bien, Mère de mes fils ? Votre voix me semble plus faible que de coutume.

— Je ne me suis jamais sentie plus forte, répondit Madame Wu. Parlez-moi encore de cette fille que vous aimez. »

Mr. Wu hésita :

« Je ne suis pas certain de l'aimer, c'est-à-dire que je n'éprouve pas pour elle ce que j'éprouvais pour vous. Je ne l'admire pas. Elle n'a aucune instruction. Je ne lui demanderais avis sur rien. »

Il se sentit plus à l'aise lorsqu'il vit, dans l'expression de Madame Wu, plus de chaleur que d'habitude, dans son regard, plus d'encouragement. Elle n'était pas du tout mécontente.

« Votre bon sens est admirable, dit-il. Dois-je continuer ?

— Je vous en prie, Père de mes fils. Dites-moi de quelle manière elle vous touche ; alors je pourrai peut-être vous aider à savoir si vous l'aimez vraiment.

— Pourquoi cela vous intéresse-t-il ?

— Mettons que je sente qu'en vous envoyant Ch'iuming je vous aie causé du tort.

— Vous l'avez fait dans une bonne intention, fit-il, très courtois.

— J'ai agi égoïstement. »

Sa voix prenait encore plus de douceur.

« Il n'existe personne qui vous vienne à la cheville, lui dit-il, retrouvant un peu de son ancienne impétuosité. Je répète encore que, sans votre quarantième anniversaire, je ne me serais pas aperçu qu'il pût y avoir une autre femme au monde. »

Elle sourit de nouveau :

« Hélas ! pour les femmes, le seul choix est entre ce quarantième anniversaire ou la mort. »

Si elle avait aimé Mr. Wu, elle eût choisi la mort plutôt que de voir Jasmin dans cette maison.

« Ne parlez pas de mort, fit-il, toujours courtois. Alors, vous me demandez comment cette fille me touche. Elle fait que je me sens fort, vous comprenez. Oui, voilà l'effet qu'elle me produit.

— Fort ? répéta Madame Wu.

— Elle est si petite, si ignorante, si faible. »

Un gros sourire bonasse parut sur les lèvres de Mr. Wu.

« Personne n'a jamais pris soin d'elle. En réalité, c'est une enfant. Elle n'a pas eu de toit. Personne ne l'a vraiment comprise. Elle paraît simple et ordinaire, mais elle a des qualités de cœur. Ce n'est pas une intelligence, mais elle a des émotions profondes. Elle a constamment besoin d'être guidée. »

Madame Wu écoutait avec stupéfaction. De toute sa vie, elle n'avait jamais entendu Mr. Wu exprimer autre chose que ses propres plaisirs ou désirs.

« Mais vous l'aimez vraiment ! », s'écria-t-elle.

Une note d'admiration perçait dans sa voix.

Mr. Wu répondit avec une fierté mêlée de modestie.

« Si ce que je vous explique est de l'amour, alors je l'aime », dit-il.

Ils ne s'étaient jamais trouvés si près l'un de l'autre. Elle ne lui savait pas tant de cœur. Lui aussi, il était renouvelé. Cette découverte l'emplit d'étonnement. Il n'y avait rien de surprenant à ce qu'un homme comme André eût éveillé l'amour en elle. Mais que cette Jasmin, cette créature toute rose, cette vulgaire fillette des rues, cette ignorante et innocente, si au ras de terre, eû pu communiquer à Mr. Wu un peu de cette même énergie, cela tenait du miracle.

« Alors, ça ne vous fait rien ? », demanda Mr. Wu.

Sa figure tournée vers elle exprimait la tendresse et l'imploration.

« Je m'en réjouis », fit-elle très vite.

Ils se levèrent ensemble et se rejoignirent au milieu de la barre de soleil qui coulait sur les dalles. L'élan de Madame Wu appela chez son mari une réponse. Il saisit la main de sa femme ; pendant ce court instant, ils furent unis et se regardèrent dans les yeux. Elle avait un tel désir de lui expliquer pourquoi elle était heureuse et pourquoi ils se sentaient si proches l'un de l'autre ! Ce miracle d'amour en lui, elle aurait tant voulu qu'il sût comme elle le prenait. Dans l'amour, qu'il vienne d'un homme supérieur ou d'un gibier de maison mal famée, d'un prêtre ou d'une prostituée, le miracle est le même. Cachée au fond de son pavillon, Madame Wu en avait été touchée, et ce même miracle l'atteignait, lui, venant d'une maison de fleurs, et il les transformait l'un et l'autre. Mais elle savait bien qu'elle n'aurait pas réussi à lui faire comprendre le miracle. Elle ne pouvait que l'aider à le parfaire.

« Il n'y a pas au monde une seule femme comme vous, dit-il.

— Peut-être », et, doucement, elle retira sa main.

A ce moment-là, Ying survint. Selon son habitude, elle avait commencé par se planter au coin de la porte pour observer ses maîtres. Elle fut très surprise, puis ravie de les voir qui se tenaient la main. Sûrement, cela signifiait la réconciliation ; on allait renvoyer la fille du lupanar ! Ying se recula, toussota et sembla revenir, chargée d'un urgent message.

« Madame, un homme est arrivé au portail, en courant, il prévient que le travail est commencé pour Madame Kang : cela se passe mal et Mr. Kang vous réclame tout de suite, car vous êtes son amie et sa sœur. »

Madame Wu se leva aussitôt. Elle s'était rassise en entendant toussoter.

« Oh ! ciel, murmura-t-elle. Est-ce possible ! L'homme a-t-il expliqué ce qui n'allait pas ?

— L'enfant refuse de naître, dit Ying d'un ton lamentable. Il ne veut pas quitter la matrice.

— Il faut que j'y aille immédiatement », s'écria Madame Wu.

Elle se hâta vers la porte, puis s'arrêta un instant pour dire encore quelques mots à Mr. Wu.

« Et vous, Père de mes fils, laissez parler votre cœur, et soyez tranquille. La jeune fille viendra sans bruit dans votre pavillon. Moi-même, j'imposerai silence à toutes les langues. Je ne réclame qu'une chose, qu'on permette à Ch'iuming de s'en aller.

— Je ne demande pas mieux qu'elle reste, dit Mr. Wu avec bienveillance. C'est une très bonne fille, et où irait-elle à présent, si vous la renvoyez ?

— Je ne la renverrai pas, répondit Madame Wu. A mon retour, je prendrai une décision pour elle ; en attendant, elle peut venir chez moi. »

Elle se tourna vers Ying.

« Vous avez entendu ce que j'ai dit, Ying. Arrangez-vous pour que ce soit fait. »

Ying était collée contre le mur, s'accrochant aux briques avec ses ongles :

« La grue doit-elle rester ?

— Ce n'est pas une grue, répondit Madame Wu d'un ton sévère. C'est le choix de mon Seigneur. »

En disant ces mots, elle se hâta de sortir ; au bout de quelques instants, assise dans sa chaise à porteurs, elle fut soulevée sur les épaules des hommes et emmenée le long des rues.

« Nous empruntons votre lumière. Nous empruntons votre lumière », chantaient les porteurs en avançant, et, devant leur appel monotone, la foule s'écartait.

XII

Dans la maison des Kang, tout était à l'envers. Madame Wu s'en aperçut, elle entendit le bruit au moment même où l'on déposait sa chaise à porteurs. Les esclaves de tout âge couraient de-ci de-là, pleurant, se querellant, les serviteurs restaient silencieux et troublés. A l'arrivée de Madame Wu, l'intendant accourut et, avec une courbette, il la pria d'entrer aussitôt dans la cour intérieure. Elle le suivit ; dès qu'elle apparut, la confusion cessa. Tous les regards se dirigeaient vers elle avec un nouvel espoir. Sa sagesse était connue, et on avait confiance en sa profonde affection pour la maîtresse.

« Elle lit beaucoup de livres », murmura une femme.

Et toutes espéraient que, grâce à ces livres, elle saurait quel remède apporter.

Dans la pièce principale qui donnait sur la cour intérieure, Mr. Kang était assis et pleurait. Madame Wu l'avait souvent aperçu durant toutes ces années, mais ne lui avait jamais adressé la parole, ni entendu de sa part le moindre mot qui lui fût destiné. Ils s'étaient salués de loin, dans une même pièce, comme, par exemple, aux mariages de Meng et de Linyi, à la manière de parents éloignés. Madame Wu ne le connaissait que par sa femme.

Autant dire qu'elle le connaissait très bien. Elle savait ses préférences à table, il préférait le canard au vin et à l'ail, il n'aimait pas les œufs de cent ans ; en revanche, il pouvait avaler au même repas sept petits pains fourrés au porc ; il fallait deux cruchons de vin pour le griser, mais, une fois gris, il s'endormait simplement et le vin ne le rendait jamais brutal. Il était fier du nombre de ses enfants, mais, si l'un pleurait en sa présence, il le renvoyait aussitôt. Madame Wu savait que Mr. Kang laissait chaque soir ses pantoufles devant le lit de sa femme, et que, quand il omettait de le faire, c'était signe qu'il allait dans une maison de fleurs ; sa femme alors pleurait la moitié de la nuit, ce qui le mettait en colère. Madame Wu savait aussi qu'il avait un grain de beauté noir sur le cœur, signe de longue vie ; qu'il souffrait d'aérophagie et que ses paupières étaient irritées lorsque le vent de tempête venait du nord, apportant du sable des déserts ; le crabe lui donnait de l'urticaire aux joues, mais il en mangeait quand même. Bref, Madame Wu était au courant de tout ce qui concernait ce gros homme assis là, ses grosses mains appuyées sur les genoux, et pleurant parce que sa femme était mourante. Mais lui ne savait rien d'elle, sinon ce que personne n'ignorait en ville : à quarante ans, elle avait choisi pour son mari une concubine.

Mr. Kang se leva à son arrivée, des larmes livides coulaient sur ses joues rondes.

« Elle... elle... commença-t-il à dire.

— Je sais. »

Madame Wu détourna les yeux. L'idée que son amie pouvait aimer cet homme l'eût de nouveau surprise si elle ne savait à présent quelle étrange chose peut être l'amour. Elle s'avança vivement vers les tentures de satin qui séparaient la chambre de la grande pièce...

« J'y vais tout de suite, si vous le permettez.

— Entrez... entrez... sauvez-lui la vie », dit-il en pleurant.

Madame Wu entra aussitôt. La lourde odeur de sang répandu s'élevait dans la pièce. Une lampe à huile tremblotait sur le grand lit creux où Madame Kang était couchée ; une femme se penchait au-dessus d'elle. Deux servantes se trouvaient à portée, l'une au pied, l'autre à la tête du lit. Madame Wu écarta celle qui se trouvait à la tête et abaissa les yeux sur le visage de son amie, semblable à celui d'une morte.

« Meichen », dit doucement Madame Wu.

Madame Kang ouvrit lentement les yeux.

« Vous... murmura-t-elle. Vous voilà !... » Sa figure se plissa, pitoyable. « Je vais mourir. »

Madame Wu tenait entre ses doigts le poignet de son amie et ne répondit pas. Le pouls était très faible.

« Arrêtez-vous. Ne tirez pas sur l'enfant », dit-elle à la sage-femme.

La vieille leva la tête :

« Mais c'est un garçon ! » s'écria-t-elle.

Madame Wu se redressa :

« Laissez-nous seules, allez-vous-en, toutes. »

Les femmes la regardèrent avec stupéfaction.

« Vous en prenez la responsabilité ! s'écria la vieille sage-femme en pinçant les lèvres.

— J'en prends la responsabilité », répondit Madame Wu.

Pendant que les femmes s'en allaient, elle attendit. Puis, dans le silence, elle se pencha de nouveau sur son amie.

« Meichen, m'entendez-vous ? », demanda-t-elle nettement.

Les yeux de Madame Kang s'étaient refermés, elle les ouvrit à grand effort. Elle ne put parler, mais, au fond de son regard, il restait de la connaissance.

Madame Wu continua :

« Vous allez rester bien tranquille pendant que je vais vous chercher du bouillon à boire. Vous l'avalerez et vous vous reposerez. Puis vous serez de nouveau forte, et alors je vous aiderai à mettre l'enfant au monde. A nous deux, ce sera facile. »

Les paupières tremblèrent et s'abaissèrent. L'ombre d'un sourire effleura les lèvres de Madame Kang. Madame Wu la couvrit chaudement et passa dans la pièce à côté. La sage-femme était partie, furieuse, mais les servantes étaient restées. Elles versaient du thé à Mr. Kang, l'éventaient, le suppliaient de prendre du repos. A l'entrée de Madame Wu, elles se tournèrent, mais celle-ci les ignora. Elle s'adressa à Mr. Kang :

« J'ai besoin de votre aide.

— Est-ce qu'elle vivra ? s'écria-t-il.

— Si vous m'aidez, répondit-elle.

— Je ferai n'importe quoi, n'importe quoi ! »

Elle interrompit son radotage. Puis elle dit à une servante :

« Apportez-moi un bol du meilleur bouillon que vous ayez prêt.

— Il y a du bouillon de vache, de poulet ou de poisson.

— Le bouillon de poisson, dit-elle. Ajoutez-y deux cuillerées de sucre roux et qu'il soit bien chaud. »

Elle se retourna de nouveau vers Mr. Kang.

— C'est vous qui me l'apporterez, à la place de la servante. »

Il bégaya :

« Mais moi… je suis très maladroit, je vous assure.

— Vous me l'apporterez », répéta-t-elle.

Elle retourna dans la chambre sombre et reprit entre ses doigts le poignet de Madame Kang. Le pouls était toujours le même, pas plus faible. Elle attendit et bientôt elle entendit les pas de Mr. Kang qui marchait pesamment sur la pointe des pieds. Il tenait à deux mains le pot de bouillon bien chaud.

« Nous allons le verser dans la théière », dit Madame Wu.

Elle vida rapidement le thé dans un crachoir de bronze et, prenant le pot de bouillon des mains de Mr. Kang, en versa le contenu dans la théière, puis elle revint près du lit.

« Meichen, dit-elle, vous n'avez qu'à avaler. »

Elle goûta le bouillon pour en éprouver la chaleur, mit le bec de la théière sur les lèvres de Madame Kang et laissa le bouillon couler doucement dans sa bouche. Madame Kang n'ouvrit pas les yeux, mais elle avala cinq ou six gorgées.

« Maintenant, reposez-vous », lui dit son amie.

Madame Wu ne parlait pas à Mr. Kang ; elle le laissait debout, en train de la regarder ; elle posa la théière sur la table, releva ses manches de satin et noua autour de sa taille une serviette qu'elle trouva pendue à une chaise.

« Je ne devrais pas assister… », murmura-t-il.

Mais elle lui fit signe d'approcher, et il lui obéit, plein d'épouvante. Il avait procréé beaucoup d'enfants, mais il ne s'était jamais préoccupé des suites que cela entraînait. Il les avait procréés avec plaisir et insouciance.

Madame Wu rabattit les couvertures et se pencha sur son amie.

« Meichen, dit-elle d'une voix claire, ne faites pas d'efforts. Laissez votre corps se reposer, je travaillerai pour vous. »

Malgré tout, Madame Kang poussa un gémissement au moment où Madame Wu toucha la chair douloureuse. Mr. Kang battit sa bouche de ses doigts et détourna la tête.

« Tenez-lui les mains. Donnez-lui votre force. »

Il ne pouvait désobéir. Les grands yeux de Madame Wu étaient fixés sur lui, avec une ferme autorité. Il s'avança, prit les mains de sa femme. Cela seul pouvait permettre à Madame Kang d'ouvrir les yeux. En effet, elle les ouvrit lorsqu'elle sentit ses mains dans celles qu'elle connaissait si bien.

« Vous ! lui dit-elle, le souffle court. Vous... Père de mes fils ! »

Madame Wu profita de ce retour de conscience pour glisser ses mains étroites et fortes autour de l'enfant, et Madame Kang poussa un cri.

Mr. Kang ruisselait de sueur. Il gémissait, ses mains se crispaient sur celles de sa femme.

« Oh ! maintenant, pourvu que vous viviez, marmotta-t-il. Si vous mourez, je me pendrai.

— Ne jure... pas. » Elle haletait. « Je suis heureuse : ton enfant.

— Les enfants ne comptent pas à côté de vous ! cria-t-il. Si vous mourez, je me pendrai. »

La sueur coulait sur sa figure.

« Alors, vous, vous m'aimez. »

La voix était faible comme un souffle, si faible que pendant un moment Madame Wu fut effrayée de ce qu'elle avait entrepris.

« Cœur de mon cœur ! » Mr. Kang pleurait. « Ne mourez pas ! ne mourez pas !

— Je ne vais pas mourir », dit Madame Kang à voix haute.

À ce moment-là, Madame Wu retira l'enfant du corps de la mère. Un flot de sang, mais Madame Wu l'arrêta avec des poignées d'ouate que la sage-femme avait laissées à portée.

Mr. Kang continuait à serrer les mains de sa femme.

« C'est fini ? marmotta-t-il.

— Complètement fini, répondit Madame Wu.

— L'enfant ? », murmura Madame Kang.

Madame Wu enveloppa le petit corps déchiré dans la serviette qu'elle avait sur elle.

« L'enfant est mort, dit-elle tranquillement, mais, vous deux, vous n'avez pas besoin de lui.

— Oh ! sûrement pas, fit-il, incohérent ; Meichen, je vous en conjure, plus d'enfants, jamais, jamais plus, je vous le promets.

— Ne dites rien, dit sévèrement Madame Wu. Ne faites pas de promesses que vous ne pouvez pas tenir. »

Elle toucha la théière qui était encore chaude et en mit le bec aux lèvres de son amie.

« Buvez, dit-elle, vous avez promis de vivre. »

Madame Kang but. Ses yeux se refermèrent, mais son pouls, lorsque Madame Wu le tâta de nouveau, était plus fort, quoique à peine perceptible.

Madame Wu fit signe à Mr. Kang de lâcher les mains de sa femme.

« Il faut qu'elle dorme, dit-elle. Je vais rester auprès d'elle. Vous, emportez le petit pour l'enterrement. »

Elle prit le menu cadavre, déposa ce fardeau dans les bras de Mr. Kang et le retint.

« Que cet enfant soit le témoignage de ce que vous lui avez promis. Rappelez-vous toujours ce poids sur

vos bras. Rappelez-vous qu'il est mort pour sauver la
vie de sa mère — et pour vous.

— Je me souviendrai, répondit Mr. Kang. Je vous
promets que je me souviendrai.

— Ne faites pas de promesses que vous ne pouvez
pas tenir », répéta Madame Wu.

Toute cette journée-là et la nuit suivante, elle resta
auprès de son amie. Les servantes lui apportèrent à
manger et du thé chaud, mais elle ne leur permettait
pas de franchir le seuil. Mr. Kang entra pour la remercier et pour voir dormir sa femme. Car Madame Kang
dormait, sans même ouvrir les yeux pour avaler du
bouillon chaud. Madame Wu y avait ajouté des herbes qui épaississent le sang et l'empêchent de couler,
et une certaine poudre de moisissures, qui évite l'in-
fection. Elle avait appris ces choses dans des livres
anciens très peu connus.

Meng et Linyi étaient revenues chez leur mère,
mais, à elles non plus, Madame Wu ne leur permit
pas d'entrer. Elle ne laissait pénétrer par la fenêtre
que l'air indispensable à toutes les deux, car le vent
était frais, et elle ne voulait pas faire apporter de brasero, de crainte que le charbon ne corrompît l'atmosphère.

Sous ses couvre-pieds de soie, Madame Kang dormait, lavée, propre et, à peu près d'heure en heure,
nourrie de bouillon et de médecines, et d'une heure à
l'autre elle revenait à la vie.

Le matin du second jour, Madame Wu, ayant trouvé le pouls satisfaisant, quitta enfin la chambre de
son amie. Mr. Kang attendait encore, tout seul, derrière la porte. Il ne s'était pas lavé, n'avait ni mangé
ni dormi, et il avait abdiqué toute prétention, toute
courtoisie, toute dissimulation. Il était fatigué, terro-
risé et réduit à son être réel. Madame Wu s'en aper-

çut, le prit en pitié et s'assit sur un siège à côté de lui.

« Je vous dois la vie, dit-il en penchant la tête.

— Il ne faut pas la remettre en danger, dit doucement Madame Wu.

— Je promets... », commença Mr. Kang.

Mais Madame Wu leva la main.

« Pourrez-vous le promettre quand elle sera guérie ? Et, si vous faites cette promesse, comment la tien-
drez-vous ? L'ai-je ramenée à la vie pour qu'elle soit
triste, qu'elle ait du chagrin de vous voir courir les
maisons de fleurs ? Quand même vous lui épargne-
riez d'autres enfants à mettre au monde, sera-ce une
consolation pour elle si vous répandez une folle semence ailleurs ? C'est un malheur qu'elle vous aime tant,
à moins que vous ne l'aimiez en retour.

— Je l'aime, dit Mr. Kang.

— Mais à quel degré ? »

Madame Wu insista :

« Assez pour lui assurer le bonheur ? »

Il la regardait fixement, et elle le considéra avec
de grands yeux sombres.

« Mieux vaudrait qu'elle meure que d'être toujours
malheureuse, dit calmement Madame Wu.

— Je ne lui ferai pas de chagrin », dit-il.

Son regard se troubla, il tira sur sa lèvre :

« Je ne savais pas... Je n'aurais jamais cru... Elle
ne m'a pas dit...

— Quoi donc ? », demanda Madame Wu.

Elle savait ce qu'il allait dire, mais, pour le bien
de cet homme, elle le força de continuer.

« Je ne connaissais pas la vie, marmotta-t-il. Ce
qu'elle vient difficilement ! elle coûte trop cher !

— Trop cher, en effet. Mais l'amour de Meichen
a surpassé ce que ça lui coûtait.

— A-t-elle souffert autant chaque fois ? »

Elle insista de nouveau :

« Comment ? Autant ?

— Si près de la mort ?

— De mettre au monde, cela amène toujours une femme près de la mort, répondit-elle. À présent, pour la vôtre, c'est à vous de choisir. Si elle a des enfants, elle meurt. Vous ne pouvez plus avoir les deux. »

Il mit sa main sur ses yeux :

« Je choisis sa vie, murmura-t-il. Toujours, toujours. »

Elle se leva silencieusement, profitant de ce qu'il ne la voyait pas, et sortit de la chambre. Elle ne le rencontrerait peut-être jamais plus. Dans leur existence, les hommes et les femmes demeuraient séparés, et elle ne se retrouverait peut-être plus en présence de Mr. Kang. C'était inutile. Cet homme simple et vulgaire était terrifié à présent par l'amour, son amour pour sa femme.

Madame Wu revint donc chez elle, très lasse et un peu écœurée par tout ce qu'elle avait vu et fait. Se retrouver dans son pavillon propre et tranquille, cela valait un bain pour l'âme. Dans cette cour, André avait été avec elle ; ici, il avait marché et parlé. Cette communion qu'elle éprouvait avec lui pouvait-elle avoir quelque chose de commun avec l'âme vulgaire de Mr. Kang et l'amour qu'il éprouvait pour sa femme ?

Elle alla dans la bibliothèque, dont la tiédeur l'enveloppa. Ying avait allumé le brasero, au-dessus duquel les braises laissaient échapper une lueur vacillante. Par une fenêtre éloignée, le soleil se répandait à travers le treillage.

Si elle n'avait pas connu dans son propre cœur la chaleur de l'amour, elle n'aurait pu sauver la vie de Meichen. L'horreur de la chair l'aurait submergée,

l'odeur du sang, le relent de la mort, la laideur de Mr.
Kang, de son visage en pleurs, le dégoût de ce gros
corps, de cet esprit sordide. Mais elle se rendit compte
que l'amour l'avait soulevée au-dessus d'elle-même.

Ying entra, grondeuse :

« Vous ! s'écria-t-elle. Madame... Madame... regardez votre veste..., il y a du sang dessus, et vous
êtes si pâle... »

Madame Wu abaissa les yeux sur elle-même, elle
vit le sang sur son vêtement de satin. Et elle, si raffinée, se contenta de murmurer :

« Je ne pensais plus à moi-même. »

*
* *

Il ne faut pas croire que Madame Wu comprit pleinement le changement qui s'était opéré en elle. Elle
se rendait bien compte qu'elle ne savait plus, d'un
moment à l'autre, où elle se dirigeait. Elle n'avait
aucun plan. Mais elle croyait marcher sur une route
de lumière. Tant qu'elle y maintiendrait ses pas, tout
irait bien. Mais, si elle s'aventurait dans l'ombre, en
déviant d'un côté ou de l'autre, elle serait perdue. Son
amour pour André éclairait cette route de sa lumière.
Sans se questionner sur la direction à prendre, elle
n'avait qu'à penser à lui et elle le saurait aussitôt.

C'est ainsi que le lendemain, quand Ying lui apporta la petite fille de Ch'iuming, elle se sentit prise
d'une grande tendresse pour l'enfant. Car cet enfant
avait lié Ch'iuming, une étrangère, à la maison Wu.
Jusque-là, cependant, elle n'y voyait qu'un fardeau
de plus et des complications pour tout ce qui touchait
à Ch'iuming. A présent, fardeau et complications
s'effaçaient. Elle n'avait qu'à traiter la mère et l'enfant comme l'eût désiré André.

« Que fait Ch'iuming ? demanda-t-elle à Ying.

— Elle s'occupe dans la cuisine et dans les jardins.

— Est-elle heureuse ?

— Celle-là ne sera jamais heureuse. Il faudrait la renvoyer. Ça porte malheur de voir une figure triste. Ça fait tourner le lait dans le sein des nourrices et ça met les enfants de mauvaise humeur.

— Dites à Ch'iuming de venir me voir. »

C'était au lendemain de la journée passée chez Madame Kang. Sitôt levée, Madame Wu avait envoyé un messager s'informer de la santé de son amie, et il en avait rapporté de meilleures nouvelles. Madame Kang, après une bonne nuit, avait mangé du gruau de riz mêlé de sucre roux, un plein bol ; le sang de ses blessures se coagulait, et il ne s'était pas produit d'autre hémorragie. A présent, elle dormait de nouveau.

Le jour était calme et gris. Le soleil de la veille avait disparu, et on sentait dans l'air l'odeur de brume qui montait de la rivière. Madame Wu le huma délicatement.

Auprès d'elle, couché dans sa corbeille, le bébé jouait avec ses mains. De temps à autre, il les perdait de vue, et une expression de surprise passait sur le minuscule visage. Puis l'enfant les retrouvait, les agitait, les regardait et les perdait de nouveau. Madame Wu rit doucement en observant ce jeu.

« Comme nos débuts sont modestes ! se disait-elle. J'ai été couchée comme cela dans un berceau — et André, lui aussi. » Elle chercha à se figurer André enfant, petit enfant, et elle songea à sa mère. Sans doute cette mère, dès le début, savait ce qu'était son fils, un homme qui, rien qu'en vivant, semait des bénédictions autour de lui.

Par cette matinée grise et silencieuse, Ch'iuming se glissa entre les grandes portes à cause du froid.

Lorsque la jeune femme entra, Madame Wu leva la
tête. Ch'iuming semblait faire partie de la brume
grise, immobile et froide, de cette matinée-là. Son
visage pâle avait une expression fermée, ses lèvres
étaient pâles ainsi que ses paupières qui pesaient sur
ses yeux sombres.

« Regardez votre fille, lui dit Madame Wu. Elle
me fait rire parce qu'elle perd ses mains, les retrouve
et les perd de nouveau. »

Ch'iuming s'approcha et abaissa les yeux sur le
berceau, et Madame Wu s'aperçut qu'elle n'éprouvait
pas d'amour pour l'enfant, qu'elle lui restait étrangère.

Un autre jour, à un autre moment, Madame Wu
n'eût guère envie d'en parler, ou bien elle eût détourné la tête, se disant qu'il lui était bien égal que
cette fille ignorante aimât ou non l'enfant. Mais, à
présent, elle demanda :

« Est-il possible que vous n'aimiez pas votre
enfant ?

— Je ne la sens pas à moi.

— Cependant vous l'avez mise au monde !

— C'était contre ma volonté. »

Les deux femmes se turent et chacune d'elles observait le bébé inconscient. Quelque temps auparavant,
Madame Wu se fût répandue en reproches contre la
mère pour ce manque de tendresse, mais, en silence,
l'amour l'enseignait.

Une fois, lui avait dit André, un enfant était né à
une jeune femme ; on ne connaissait pas son père.
Tout petit, il émanait de lui un tel rayonnement que
les hommes et les femmes l'adoraient encore comme
un dieu parce qu'il était né de l'amour.

« Et pourquoi ne connaissait-on pas son père ? »
avait demandé Madame Wu.

— Parce que la mère ne prononçait jamais son nom.

— Qui s'occupait d'eux et qui les nourrissait ?

— Un homme très bon, appelé Joseph, et qui les adorait et ne demandait rien pour lui.

— Et qu'est-il advenu de l'enfant rayonnant ?

— Il est mort très jeune, mais les hommes ne l'ont jamais oublié », avait répondu André.

Se rappelant ces paroles, elle se sentit elle-même illuminée. Ch'iuming n'aimait pas cette enfant parce qu'elle n'aimait pas le père, Mr. Wu. Et, si elle savait cela, c'est qu'elle connaissait le nom de celui qu'elle aimait.

« Qui aimez-vous ? », demanda Madame Wu, tout à coup.

Elle ne fut pas surprise de voir le visage de la jeune femme rougir très fort. Ses petites oreilles elles-mêmes devinrent écarlates.

« Je n'aime personne », dit-elle.

Le mensonge était si visible que Madame Wu se mit à rire.

« Comment puis-je vous croire ? dit-elle. Vos joues et vos oreilles disent la vérité. Avez-vous peur de laisser vos lèvres en faire autant ? Vous n'aimez pas cet enfant — cela veut dire que vous n'aimez pas son père. Admettons. On ne peut forcer l'amour. On ne peut ni l'enjôler, ni plaisanter avec lui. L'amour vient du ciel sans qu'on le réclame ni qu'on le pourchasse. Pourrais-je vous en faire un reproche ? Je connais mes torts. Mais, lorsque je vous ai amenée ici, je ne comprenais pas moi-même l'amour. Je croyais que les hommes et les femmes pouvaient être appariés comme les mâles et les femelles des animaux. A présent, je sais que les hommes et les femmes se haïssent lorsqu'on les apparie de cette façon-là. Car nous ne sommes pas des animaux. Nous pouvons nous unir sans le contact des mains, sans même un regard. Nous pouvons aimer même quand la chair est morte. Ce n'est pas la chair qui nous lie. »

Cette manière de parler était étrange et extravagante de la part de Madame Wu, dont les paroles avaient toujours tant de clarté, un sens si pratique ; et Ch'iuming la regardait comme on regarde un fantôme. Ses yeux étaient brillants, et son corps, malgré sa finesse, plein de vigueur. Une sorte de vie nouvelle la possédait, Ch'iuming s'en apercevait bien.

« Allons, fit Madame Wu, avouez le nom que vous avez dans votre cœur.

— Je meurs de honte », dit Ch'iuming.

Elle tortillait le bord de sa veste entre ses doigts.

« Je ne vous laisserai pas mourir de honte », répondit Madame Wu avec bonté.

Ainsi encouragée, et avec beaucoup d'hésitation et de doutes, Ch'iuming prononça quelques mots entrecoupés :

« Vous m'avez donnée comme concubine au vieux... mais... »

Elle s'arrêta là.

« Mais il y avait quelqu'un à qui vous auriez préféré qu'on vous donnât. »

Madame Wu poussa jusque-là pour lui venir en aide, et Ch'iuming fit un signe affirmatif.

« Est-il dans la maison ? »

Elle acquiesça de nouveau.

« Est-ce l'un de mes fils ? », demanda Madame Wu.

Cette fois, Ch'iuming la regarda et se mit à pleurer.

« C'est Fengmo », dit Madame Wu, certaine qu'il s'agissait de lui.

Ch'iuming continua à pleurer.

« Quelle complication dans tout cela, quelle confusion entre hommes et femmes ! », se dit Madame Wu. Voilà le fruit de sa propre stupidité, de son manque d'amour !

« Ne pleurez plus, dit-elle à Ch'iuming. C'est le résultat de la faute que j'ai commise, et il faut que je trouve moyen de la réparer, mais je ne vois pas encore très bien ce qu'il y a à faire. »

A ces mots, Ch'iuming tomba à genoux et posa sa tête à terre, sur ses mains.

« J'ai dit que j'en mourrais de honte, murmurat-elle. Laissez-moi mourir. Une créature comme moi est inutile.

— Aucune créature n'est inutile, répondit Madame Wu. » Elle releva Ch'iuming. « Je suis contente que vous m'ayez dit ça. Il vaut mieux que je le sache. A présent, je vous en prie, attendez patiemment dans cette maison. La lumière me sera accordée et je saurai ce que je dois faire pour vous. En attendant, aidez-moi à soigner les enfants trouvés que j'ai amenés ici. Vous me rendrez un grand service. Ils sont là, et je n'ai pas assez de temps pour m'occuper d'eux. »

Ch'iuming s'essuya les yeux :

« Je soignerai les enfants trouvés, Madame. Pourquoi pas ? Ces petites sont mes sœurs. »

Elle se baissa et prit le bébé dans sa corbeille.

« Je l'emporte avec moi — elle aussi est une enfant trouvée — une orpheline, je pense, puisque sa mère ne peut pas l'aimer, pauvre crapaud ! »

Madame Wu ne répondit pas. Elle se demandait où trouver du bonheur pour Ch'iuming. Le temps en déciderait.

*
* *

De son pavillon, Madame Wu observait la famille,

tandis que les jours se changeaient en semaines et en mois.

« Si j'étais méchante, se dit-elle, on pourrait me comparer à une araignée qui file sa toile autour de tous les habitants de notre maison. »

Un oiseau chanta dans les bambous. Elle entendit sa voix, un peu familière, et le reconnut. Deux fois par an, le bulbul brun des Indes passait dans ces parages. Sa voix était mélodieuse, mais rude. Elle se bornait à marquer le début du printemps.

Madame Wu poursuivit ses rêveries.

« Et comment savoir si je ne suis pas méchante ? Si ce que je considère comme bien est réellement le bien ? »

Selon son habitude, elle se posa cette question en évoquant André.

Un jour, elle se rappelait très bien cela, tous deux étaient assis dans la bibliothèque, là où elle se trouvait en ce moment, lui d'un côté de la grande table sculptée, et elle de l'autre, sans se faire face, sans être obligés de se regarder, oui, séparés par la table, et tous les deux tournés vers les portes ouvertes sur la cour. La journée était aussi belle que celle-ci, l'air très pur et le soleil si fort que la grisaille des dalles qui pavaient la cour prenait des teintes bleues et roses avec des veines d'argent. Les orchidées fleurissaient, d'un pourpre sombre, et, dans le bassin, les poissons rouges se jetaient sur les rayons de soleil qui obliquaient dans l'eau.

André venait de lui raconter l'antique légende de la chute de l'homme dans le péché. La main d'une femme en était cause, avait-il dit, la main d'Eve, qui avait donné à l'homme le fruit défendu.

« Et comment cette femme pouvait-elle savoir que le fruit était défendu ? avait demandé Madame Wu.

— L'esprit du mal, sous la forme d'un serpent, le
lui avait murmuré.

— Pourquoi à elle, plutôt qu'à l'homme ?

— Parce qu'il savait que l'esprit et le cœur de la
femme sont dirigés, non sur l'homme, mais sur la continuation de la vie, avait-il répondu. L'homme se sentait assez heureux, rêvant qu'il possédait la femme et
le jardin. Pourquoi eût-il tenté de désirer autre chose ?
Il avait tout. Mais la femme pouvait être tentée, par
la pensée d'un meilleur jardin, d'un plus grand espace,
de possessions plus nombreuses, car elle savait que
d'autres êtres naîtraient de son corps, et c'est pour
eux qu'elle complotait et forgeait des plans. La femme
ne songeait pas à elle-même, mais aux nombreux êtres
qu'elle créerait. Elle était tentée à cause d'eux. Et, à
cause d'eux, elle sera toujours tentée. »

Madame Wu avait regardé André. Comme elle se
souvenait de la sagesse profonde et triste qu'exprimaient les yeux sombres !

« Comment se fait-il que vous connaissiez si bien
les femmes ? lui avait-elle demandé.

— Parce que je vis seul. Je me suis libéré très tôt.

— Et pourquoi vous êtes-vous libéré ? Pourquoi
vous êtes-vous écarté du courant de la vie ? N'en fai-
sons-nous pas tous partie ? Est-il juste de s'en libérer ? »

Ce fut alors la seule fois, pendant les trois mois
qu'elle l'avait connu, où il montra des doutes :

« Vous me posez une question à laquelle je n'ai
jamais pu répondre, avait-il dit. J'ai commencé à me
libérer par vanité. Oui, je le sais, et je l'admets. Lorsque j'étais comme les autres hommes sur le point de
me marier et de procréer, je me suis cru aimé d'une
femme. Mais, trop tôt pour mon bonheur. Dieu m'a
rendu clairvoyant sur les êtres humains. J'ai vu cette

femme, comme Eve, faisant des plans pour d'autres
humains, qu'elle créerait — avec un peu d'aide de ma
part, bien sûr, mais qu'elle formerait dans son propre
corps. Et je voyais ma faible part, une si brève satisfaction de la chair, et ensuite ma vie entière qui passerait à bêcher et à creuser la terre, comme Adam, pour
que notre jardin devienne plus grand, ses fruits plus
beaux. Alors je me suis demandé si c'était bien moi
qu'elle aimait. Sans doute, mais seulement pour l'instant, parce qu'elle avait besoin qu'on la servît. Et j'ai
pensé : ne vaut-il pas mieux servir Dieu, qui ne me
demande rien, si ce n'est d'agir avec justice et de
marcher humblement devant lui ? Et, ce jour-là, je me
suis fait prêtre.

— Et avez-vous été heureux ? lui avait-elle demandé, non sans malice.

— Je me suis possédé moi-même... » s'était-il borné
à répondre.

A présent, seule dans la bibliothèque où elle se
tenait toujours parce qu'elle y sentait la présence
d'André, elle se mit à songer à l'homme et à la
femme. Elle trouvait qu'on ne devait pas blâmer Eve,
car en elle avait été déposé l'éternel désir de transmettre la vie. L'homme, laissé à lui-même, n'irait pas
au-delà de son être propre. Il avait fait de la femme
une partie de soi-même pour user d'elle et pour en
tirer son plaisir. Mais elle, en toute ignorance et innocence, se servait de lui dans son éternelle création
de vies nouvelles. Tous les deux n'étaient que des
instruments, mais seule la femme s'en rendait compte
et s'abandonnait à la vie.

« Voilà, dit-elle à André, la différence entre
l'homme et la femme, entre vous et moi. »

L'air pénétrait, tiède et doux, dans la pièce où elle
se tenait seule ; pas le plus léger souffle de vent. Un

petit lézard à queue bleue, sorti d'une crevasse entre
le mur de brique et le sol dallé, resta à se chauffer
dans un rai de soleil. Madame Wu restait si immobile qu'il la prenait pour une partie de la pièce, et cet
être menu frétilla, tourna sa tête plate de côté et
d'autre, remua sa queue brillante. Ses yeux luisaient,
vides. Madame Wu ne bougea pas. Cela porte bonheur d'avoir chez soi de petits animaux. Ils sentent
cette maison éternelle et y font leur demeure.

Madame Wu continuait ses rêveries tandis que le
lézard jouait. Voilà donc le malheur qui divise les
hommes et les femmes. L'homme croit en sa propre
valeur individuelle, mais la femme sait qu'elle n'a de
valeur que pour accomplir son devoir en créant d'autres vies. Les hommes aiment les femmes comme une
partie d'eux-mêmes, tandis que celles-ci ne les ont
jamais aimés que pour le rôle qu'ils jouent dans ces
créations. Tel est ce discord qui fait que l'homme est
toujours insatisfait. Il ne peut posséder la femme, car
elle est déjà possédée par une force qui la dépasse.

La femme n'avait-elle pas créé l'homme aussi ?
Peut-être était-ce la raison pourquoi il ne pouvait lui
pardonner, il la haïssait et la combattait secrètement,
la dominait, l'opprimait, la gardait emprisonnée dans
des maisons, les pieds bandés, la taille serrée, lui défendait de gagner de l'argent, d'avoir du talent, de
s'instruire, il la forçait à rester veuve lorsqu'il mourait, et parfois la faisait brûler, réduire en cendres
sous prétexte qu'elle le désirait par fidélité.

Madame Wu, se moquant de l'homme, rit tout
haut, et le lézard s'enfuit dans sa cachette.

Une fois, lorsque André était assis dans le fauteuil
en face du sien, elle lui avait dit :

« Est-ce que l'homme est uniquement homme, et la
femme uniquement femme ? En ce cas, ils ne pour-

ront jamais s'unir ; s'il vit pour lui-même et elle pour
la vie universelle, ils sont en opposition. »

André avait répondu avec assez de gravité :

« Dieu nous a accordé à tous un reliquat qui n'appartient qu'à nous, c'est-à-dire un reliquat simplement
humain, qui n'est ni mâle ni femelle. On l'appelle
l'âme. Elle ne change pas, elle ne peut pas changer.
Elle peut aussi comprendre le cerveau avec ses fonctions.

— Mais le cerveau d'une femme n'est pas le même
que celui d'un homme ? avait-elle demandé.

— Il ne devient le même que lorsqu'il est libéré des
besoins de la chair, avait répondu André. C'est ainsi
qu'une femme peut utiliser son cerveau uniquement
pour ses devoirs de femme et l'homme user du sien
à pourchasser des femmes pour lui-même. Mais le
cerveau est un instrument, et on peut le mettre à tous
usages que l'on désire. Si je coupe des choux avec un
couteau affilé, cela ne veut pas dire que je ne saurai
l'employer à tailler une image du Fils de l'Homme.
Si le Fils de l'Homme est dans mon cœur et dans le
champ visuel de mon âme, alors je peux me servir de
mon outil, le cerveau, pour rendre cette image visible.

— Ainsi l'âme est un reliquat qui n'est ni mâle ni
femelle ? avait-elle répété.

— C'est cela.

— Et en quoi consiste la substance de l'âme ? »
Elle le poussait à continuer.

« En cette part que nous n'héritons de personne.
Ce qui fait mon moi me rend légèrement différent de
ceux qui m'ont précédé, quel que soit mon degré de
ressemblance avec eux. C'est ce qui m'a été donné
pour moi-même, un don de Dieu.

— Et si je ne crois pas en Dieu ?

— Cela ne fait rien. Vous pouvez croire ou non. Vous voyez par vous-même que vous n'êtes semblable à personne au monde, et non seulement vous, mais la plus humble, la plus laide créature possède aussi ce précieux reliquat. Si vous l'avez, vous savez qu'il existe. Cela suffit. La foi au donateur peut attendre. Dieu n'est pas déraisonnable. Il sait que, pour croire, nous aimons à voir de nos yeux et à entendre de nos oreilles, à tenir entre nos mains. Ainsi l'enfant ne comprend que ce que lui apprennent ses cinq sens. Mais il existe d'autres sens, qui se développent à mesure que l'être grandit, et lorsqu'ils ont atteint leur développement complet, nous mettons autant de confiance en eux que dans les premiers. »

En se rappelant ces paroles, Madame Wu porta ses regards de l'autre côté de la table. Le fauteuil était vide, et elle n'entendit aucune voix. Mais le visage d'André lui apparut aussi nettement, avec son grave sourire, sa voix profonde, que si elle l'avait tout de bon vu et entendu.

« Je commence seulement à comprendre, murmura-t-elle. Mais, vraiment, je commence, et de toute mon âme, je l'aime.

— L'amour et l'amitié ne peuvent-ils pas exister entre les âmes ?

— C'est possible », lui dit-elle.

Madame Wu était une femme pratique, et ce qu'elle apprenait, elle l'utilisait. Dans cette maison, qui était son monde à elle, se trouvaient deux créatures indisciplinées, c'est-à-dire dont les rapports avec la maison — et par conséquent avec l'univers — étaient sans harmonie. Il s'agissait de Rulan et de Linyi.

Sans hâte, et laissant passer bien des jours, Madame Wu vit approcher le moment de leur parler. Elle commencerait par Rulan, la plus âgée des deux.

Tsemo et Fengmo étaient partis depuis bien des
mois. Tous deux, bons fils, donnaient régulièrement
de leurs nouvelles. Leurs lettres étaient adressées à
leurs parents. Madame Wu les lisait la première, les
méditait, puis les envoyait à Mr. Wu qui, à son tour,
les faisait passer à Liangmo. Celui-ci assumait de plus
en plus la charge des terres et des magasins, se pré-
parant au jour où il serait chef de famille. Il lisait les
lettres de ses frères, puis il les rangeait dans les ar-
chives familiales.

D'après leurs lettres, Madame Wu se rendait
compte que ses deux fils prenaient des directions op-
posées. Fengmo avait désiré faire ses études à l'étranger. Elle le lui avait permis, elle avait envoyé l'argent nécessaire. Il fallait se hâter, disait-il, car les
routes de l'Océan se fermaient en vue de la guerre
menaçante ; mais, s'il ne se trouvait pas bloqué, il
reviendrait par bateau au lieu de suivre le long par-
cours sur terre qui ramenait chez lui.

S'il avait été fils unique, Madame Wu n'y eût jamais consenti ; or, il avait plusieurs frères ; elle ne le
pressa donc pas de revenir avant d'avoir atteint son
but. Il s'était embarqué par un jour tardif, et ses lettres portaient un cachet et un timbre étrangers. Elles
venaient d'Amérique, ce qui n'apprenait rien de particulier à Madame Wu, car, à ses yeux, toutes les contrées de l'extérieur étaient également dignes d'intérêt,
et toutes semblables, à condition de se trouver au-delà
des quatre océans ; Fengmo poursuivait les études
commencées avec André, et il ne s'agissait, au grand
soulagement de Madame Wu, ni de prêtrise ni de religion. Il n'était pas question des dieux, mais des hommes.

Tsemo, lui, n'avait pas demandé à traverser les
mers. Il avait trouvé une belle situation dans la capi-

tale, grâce à la richesse et à l'influence de sa famille.
Mr. Wu et sa femme n'en furent pas surpris. Car
Madame Wu, malgré sa largeur d'esprit, trouvait très
naturel que sa famille fût connue partout. Tsemo expliqua pour quelle raison il avait été si privilégié. La
guerre menaçait ; si elle éclatait, le gouvernement se
retirerait à l'intérieur, où il aurait besoin des citoyens
les plus haut placés et de leurs familles, parmi lesquelles celle des Wu était une des plus distinguées et
des plus anciennes. Tsemo avait donc été particuliè-
rement choisi et il se trouvait en butte à beaucoup de
jalousie et d'envie. Mais, jeune et ferme, il se frayait
son chemin tout seul.

D'après ses lettres, Madame Wu ne pouvait se
faire une idée de ce qu'il était au fond. Elle comprenait mieux Fengmo. Celui-là, comme elle, mais à sa
manière, ouvrait son cœur et son esprit. Il devenait
un homme. Et, mieux encore, son propre reliquat,
comme disait André, s'accroissait aussi. Tsemo, lui,
semblait possédé. Mais par quoi ?

En ce qui concernait le second, les choses se précipitèrent. Les gens de l'océan de l'Est attaquèrent la
côte cette année-là. Madame Wu l'apprit, elle fit venir des journaux qu'elle n'avait pas l'habitude de lire,
pour découvrir ce qui s'était passé. Elle vit qu'il s'agissait d'un cas assez fréquent dans l'histoire de la Chine.
D'autres attaques avaient eu lieu dans les siècles passés, menées par d'autres peuples ; la nation avait toujours tenu bon. Elle tiendrait encore ; et Madame Wu
n'éprouvait aucune inquiétude. Les ennemis n'arrive-
raient pas à percer à travers ces centaines de milles
jusqu'à l'intérieur du pays, et vers cette province où
la maison Wu était amarrée depuis si longtemps. Heureusement, les générations précédentes des Wu n'a-
vaient pas, comme tant d'autres, suivi la mode nou-

velle de se rapprocher de la côte pour y construire des maisons. La famille Wu avait édifié la sienne sur ses terres ancestrales, elle y était demeurée et, aujourd'hui, elle s'y trouvait en sécurité. Il est vrai que l'ennemi attaquait aussi par l'air. Mais les grandes villes étaient très éloignées et les gens ignorants de l'océan de l'Est ne devaient pas connaître le nom de leur famille, bien qu'il fût illustre. Dans sa maison, Madame Wu se sentait à l'abri.

L'attaque entraîna de grands changements. Le gouvernement se retira à l'intérieur des terres et Tsemo le suivit. Il écrivit qu'au début de l'automne prochain il viendrait passer dix ou douze jours chez lui.

Cette lettre décida Madame Wu à ne pas différer son entrevue avec Rulan. Elle lui envoya Ying la prier de venir.

Madame Wu n'était pas restée tout ce temps sans voir sa belle-fille. Elle la rencontrait à table, parmi les autres, et aux fêtes habituelles du printemps et de l'hiver. Rulan y assistait, tranquille et vêtue de teintes sobres. Parfois aussi, lorsque Madame Wu avait eu besoin d'écritures pour les dossiers de la famille, ou au sujet des récoltes, elle avait appelé Rulan, car, de tous, c'était elle qui traçait les lettres les plus nettes.

Madame Wu avait constamment témoigné de la bonté à sa jeune belle-fille et, une fois, elle lui avait même dit :

« Il est agréable d'avoir une belle-fille instruite. »

A cela, Rulan n'avait répondu que par quelques brèves formules de remerciement. Mais Madame Wu n'avait jamais attiré sa belle-fille hors de la place assignée. Cette fois-ci, la dernière lettre de Tsemo en main, elle sentit le moment venu.

Sans bruit, Rulan traversa les cours. Elle ne portait plus les durs souliers de cuir ramenés de Shanghaï. Elle les avait remplacés par des chaussures en velours, à semelles de drap. Madame Wu ne l'entendit pas venir, et, lorsque l'ombre allongée tomba sur le sol, elle leva la tête, surprise.

Une fois les bonjours échangés :

« Ma fille, comme vous marchez doucement ! fit-elle, étonnée.

— J'ai mis de côté mes souliers de cuir, Mère », répondit Rulan.

Elle s'assit, non pas sur le côté, mais d'aplomb sur sa chaise, appuyée au mur, en contrebas du fauteuil qu'occupait Madame Wu. Toutes deux, elles se trouvaient dans le petit salon.

Madame Wu n'aborda pas aussitôt le sujet qu'elle avait dans l'esprit.

Au contraire, elle demanda avec courtoisie :

« Les dernières semaines, je voulais m'informer de votre famille à Shanghaï. Lorsque l'ennemi a attaqué, a-t-elle pu s'échapper ?

— Mon père a emmené tout le monde à Hong-Kong, répondit Rulan.

— Ah ! c'est loin ! dit Madame Wu avec bonté.

— Pas assez loin ! répondit Rulan, assez énergiquement.

— Croyez-vous que l'ennemi oserait attaquer à cette distance ? demanda Madame Wu, frappée malgré elle de la vivacité de sa belle-fille.

— La guerre sera longue, répondit Rulan.

— Vraiment ?

— Oui, continua Rulan, car on a mis longtemps à s'y préparer.

— Expliquez-moi cela, je vous prie », dit Madame Wu, amusée par le ton de certitude de la jeune femme.

Rulan répondit :

« Mère, le peuple de l'océan de l'Est a peur. Il a peur depuis des siècles. Il redoute les attaques de l'étranger. Il voit un pays après l'autre attaqué et conquis. C'est de l'ouest que les conquérants arrivent, et, lorsque Gengis Khan est venu nous conquérir, le peuple de l'océan de l'Est a commencé à trembler. Puis des hommes sont arrivés du Portugal, d'Espagne, de Hollande et de France pour s'emparer de diverses contrées. Ainsi, l'Angleterre a pris les Indes, nous avons failli y passer, nous aussi, maintes et maintes fois, à cause de ces voraces Occidentaux. Et les gens de l'océan de l'Est se disent : Pourquoi serions-nous épargnés ? Par peur, ils accaparent terres et peuples ; or nous sommes leurs plus proches voisins. »

Ce raisonnement, chez une jeune femme, semblait incroyable et Madame Wu en demeura stupéfaite. André lui-même n'avait pas dit de choses semblables.

« Où avez-vous appris tout cela ? demanda Madame Wu.

— Tsemo m'écrit chaque semaine », répondit Rulan.

Madame Wu, soulagée, sentit son cœur se détendre. Elle sourit :

« Vous deux, dit-elle, êtes-vous de nouveau, bons amis ? »

Rulan rougit. En général, elle était pâle, sauf ses lèvres vermeilles, et sa rougeur ne pouvait passer inaperçue, cependant elle ne détourna pas la tête.

« Nous nous entendons admirablement quand nous ne sommes pas ensemble, dit-elle. Dès qu'il reviendra, nous recommencerons à nous quereller, je le sais. Je le lui ai dit. Nous le savons tous deux.

— Mais, si vous le savez, dit en riant Madame Wu, ne pouvez-vous pas y parer ? Lequel de vous deux commence, vous ou lui ? »

Elle était amusée, mais aussi très satisfaite de la franchise de Rulan.

« Nous n'en savons rien, répondit-elle. Nous nous sommes promis, cette fois, dans nos lettres, que n'importe qui de nous deux commencerait, l'autre élèverait la voix pour l'arrêter. Mais je me demande si nous en serons capables. Je connais les sautes d'humeur de Tsemo. Elles surgissent comme l'orage en été. Sans raison, sa colère monte, et quand il se fâche, je me fâche aussi. »

Rulan s'interrompit et fronça le sourcil. Elle se scrutait elle-même, et Madame Wu lui en laissa le temps.

Puis Rulan continua :

« Il y a quelque chose en moi qu'il déteste. C'est parfaitement vrai. Il prétend que non, mais c'est exact. Lorsque nous sommes séparés, il ne s'en aperçoit plus. Quand nous sommes ensemble, ça reparaît. Si je savais d'où ça provient, je prendrais un couteau pour le trancher et m'en débarrasser.

— Peut-être n'est-ce pas une chose qui est en vous, mais, au contraire, une chose qui n'y est pas », dit doucement Madame Wu.

Rulan leva la tête. Ses yeux, qui faisaient sa beauté, exprimèrent un saisissement.

« Je n'avais jamais songé à cela », dit-elle.

Puis, de nouveau, elle parut abattue :

« En ce cas, ce sera très dur. Il était plus facile de retirer une chose en moi que d'y ajouter ce qui me manque.

— Peut-être ! Tout dépend de votre amour pour Tsemo. Si vous considérez le mariage comme ne regardant que vous seuls, alors vous vous disputerez toujours, à moins de prendre la décision de vivre séparés.

— Vous voulez dire... »

Rulan ne termina pas la phrase commencée. Dans toute la partie féminine de son être, elle restait très timorée.

« Oui, c'est bien ce que je veux dire. »

Et Madame Wu continua à s'exprimer avec une sagesse qui provenait, elle le sentait bien, de sa propre connaissance de l'amour. Elle avait appris qu'entre l'homme et la femme la question du devoir ne se pose pas. Il y a l'amour — ou le manque d'amour.

Elle prit sa pipe d'argent et, sans se presser, la bourra. Elle ne regardait pas sa belle-fille, mais son jardin fleuri, en cette saison, d'orchidées jaunes. Les feuilles des bambous s'agitaient dans la brise légère comme des pompons. C'était le genre de journée qu'elle et André appréciaient le plus à cause de sa paix.

« Tout d'abord, dit enfin Madame Wu, il faut que vous sachiez que chacun de vous ne doit rien à l'autre. »

Rulan l'interrompit avec stupeur :

« Mère, jamais une belle-mère n'a dit à sa bru une chose aussi extraordinaire.

— Je n'ai appris cela que récemment », dit Madame Wu.

Elle sourit avec une secrète malice :

« Croyez-moi, mon enfant, j'apprends encore. »

Elle attirait à elle le cœur de Rulan. La jeune femme était venue en s'attendant à trouver sa belle-mère irritée contre elle, et elle s'était préparée à recevoir humblement ses reproches. A présent, l'espoir lui revenait. A la place de la colère redoutée, c'est une sagesse qu'on lui dictait. Elle se pencha en avant, comme un grand lis qui attend la pluie.

« Les malentendus entre homme et femme viennent

toujours de la croyance qu'il existe des devoirs réci-
proques, poursuivit Madame Wu. Une fois qu'on a
renoncé à cette idée, le chemin est tout tracé. Chacun n'a de devoir qu'envers soi. Et lequel ? Uniquement celui d'atteindre à sa plénitude. Et, si l'un des
deux y arrive d'une façon parfaite, l'autre l'atteint
aussi. »

Madame Wu s'interrompit, alluma sa pipe, en fuma
deux bouffées et souffla sur la cendre ; puis elle continua :

« Et pourquoi est-ce vrai ? Parce que, pour employer
la parole des sages : « Le mari n'est pas aimé pour lui-
même, mais pour soi ; et lui, il aime la femme non pas
pour elle, mais pour soi-même. » Quand l'un est heureux, l'autre le devient : tel est le seul bonheur possible pour les deux. »

Rulan restait immobile. Elle écoutait.

Madame Wu dit encore :

« Quant à la procréation, ce n'est pas un devoir envers vous ou envers lui, mais envers notre race. Là où
vous avez fait erreur, c'est en confondant les devoirs
de la maternité avec votre amour pour Tsemo. Et
cette confusion, vous l'avez produite chez Tsemo.
Voilà pourquoi il est si facilement irrité contre vous. »

Rulan supplia :

« Mère, parlez-moi encore, vous pénétrez jusqu'au
cœur.

— Vous vous êtes écartés, Tsemo et vous, de la
tradition habituelle, dit nettement Madame Wu. Vous
vous êtes choisis parce que vous vous aimiez. C'est
dangereux ; car cela diminue beaucoup les chances de
ce qu'on appelle le bonheur. Tsemo et vous n'avez
pensé qu'à vous-mêmes, sans songer ni à vos enfants,
ni à votre famille, ni à votre devoir de continuer notre
race. Vous n'avez pensé qu'à vous, comme deux êtres

en dehors de tous les autres. Mais vous n'êtes pas en dehors, sauf pour une petite part de vous-mêmes. A présent, vous vous efforcez d'y faire entrer tous vos genres de vies. Procréer, concevoir, enfanter, la vie commune dans tous ses détails, manger, dormir, se vêtir, entrer et sortir — tout cela, vous cherchez à le concentrer dans cette petite parcelle de vos êtres. Mais elle ne peut contenir tant de choses. Elle est encombrée ; vous étouffez l'un et l'autre en buvant à vos sources. Vous êtes trop proches. Vous vous détesterez parce que la part de vous qui est vous-même, votre reliquat, n'a pas la place de respirer et de grandir. »

Madame Wu regarda Rulan. La jeune femme écoutait de tout son être.

« Opérez un dédoublement en vous-même, Rulan. Laissez-lui en faire autant de son côté. Acceptez la venue des enfants comme une chose qui va de soi, un devoir envers votre race. Procréer et concevoir n'ont rien à faire avec vos âmes. Ne mesurez pas le degré de son amour par la manière dont s'exprime la chaleur du sang. A ces moments-là, il ne pense pas à vous. Il pense à lui. Pensez à vous, vous aussi. Est-ce que l'ardeur d'un homme diffère de celle d'un autre ? Absolument pas. Ainsi la gestation est semblable chez toutes les femmes. Dans ces sortes de choses, nous sommes pareilles. N'allez pas vous imaginer que vous ou lui différez de l'homme ou de la femme les plus vulgaires. »

Elle s'interrompit, prise d'une étrange sensation d'épuisement.

« Vous me donnez l'impression que le mariage ne compte pas, murmura Rulan. Je pourrais avoir épousé n'importe qui aussi bien que Tsemo. »

L'énergie revint à Madame Wu :

« Je n'ai pas terminé, dit-elle. En un sens, vous avez raison. N'importe quelle jeune femme saine peut épouser n'importe quel jeune homme sain et remplir avec lui son devoir envers la vie. C'est pourquoi il est bon que nos vieilles traditions soient maintenues. Des personnes plus âgées font certainement un meilleur choix pour la race que les jeunes pour eux-mêmes. Voyez Liangmo et Meng, ils sont heureux. Mais il est certain qu'ils n'ont pas le bonheur complet que vous demandez, vous et Tsemo. Leur vie consiste à mettre au monde leurs enfants. Liangmo n'a d'autre ambition que d'être bon père et bon mari. Ni l'un ni l'autre ne désirent davantage. En ce cas, il vaut mieux que les aînés choisissent les deux époux, s'ils sont comme Liangmo et Meng.

— Mais nous ne sommes pas comme eux, observa Rulan avec chaleur.

— Non, vous réclamez l'amitié et la camaraderie mutuelles. Ah ! vous demandez beaucoup au mariage, ma fille. Le mariage n'est pas destiné à porter ce poids additionnel.

— Alors, qu'aurions-nous dû faire ? Vivre hors du mariage ? demanda Rulan sans intention impolie.

— Peut-être, peut-être, se surprit à dire Madame Wu. Mais cela aussi c'est difficile, puisque vous êtes homme et femme et que le corps réclame ses droits. »

Madame Wu s'interrompit, cherchant des mots tout nouveaux pour elle ; elle finit par les trouver.

« Tsemo et vous avez énormément de chance. Vous vous aimez de toutes les manières. Alors, aimez-vous, mon enfant. La vie est trop courte pour un tel amour. Aimez-vous et ne perdez pas une heure à des crises de colère. Séparez votre amour de votre ardeur et ne confondez pas entre les deux. Un jour, lorsque cette division sera nette et solidement établie par l'habitude, quand vos enfants seront nés et grandiront, que vos corps vieilliront et que l'ardeur s'éteindra, car elle s'éteint, miséricordieusement, vous connaîtrez le meilleur de tous les amours. »

Et, tout à coup, Madame Wu sentit intensément qu'elle était toute seule, sans André ; la certitude de ne jamais revoir sa figure vivante la transperça d'une angoisse aiguë. Elle ferma les yeux et souffrit le supplice. Puis, au bout d'un moment, elle s'aperçut que Rulan lui prenait la main et la pressait contre ses joues chaudes.

Les yeux toujours fermés, Madame Wu dit encore :

« En secret, c'est la femme qui doit mener le jeu. Oui. En secret, elle doit tout mener, car la vie repose sur elle et elle seule. Je vous préviens ; pour rendre votre mariage heureux, mon fils ne vous sera d'aucune aide. »

Lorsque Madame Wu ouvrit les yeux, Rulan avait disparu.

*
* *

Ce soir-là, lorsque Ying la déshabilla pour la nuit, Madame Wu lui parla au sortir d'un silence si long et si profond que Ying n'avait osé l'interrompre par son bavardage habituel.

« Ying !

— Oui, Maîtresse. »

Ying regarda dans la glace par-dessus la tête de Madame Wu. Elle lui peignait ses longs cheveux noirs et soyeux, qui commençaient seulement à laisser paraître quelques mèches blanches aux tempes.

« J'ai une tâche à vous confier. Ying, dit Madame Wu.

— Oui, Maîtresse.

— Dans moins d'un mois, mon second fils reviendra à la maison.

— Je le sais, Maîtresse, nous le savons tous.

— Voici la tâche dont il s'agit. Chaque soir, quand vous en aurez terminé avec moi, vous irez chez la femme de mon second fils et ferez pour elle ce que vous aviez l'habitude de faire pour moi. »

Ying sourit au miroir, mais Madame Wu ne répondit pas à ce sourire. Elle continua, sans rencontrer les yeux de Ying :

« Vous n'oublierez rien de ce que je faisais — le bain odorant, les sept orifices à parfumer, les cheveux à lisser, avec de l'huile, et puis le parfum.

— Oh ! je sais bien, Madame. »

La voix de Ying était pleine de zèle et de confidence. Puis elle s'interrompit, la brosse en main :

« Et que ferai-je si elle me le défend ? Celle-là ne tient pas à sa beauté.

— Elle ne vous le défendra pas. Elle a besoin d'aide, la pauvre enfant, comme toutes les femmes. Et elle le sait à présent.

— Oui, Maîtresse », répondit Ying.

XIII

T'semo rentra chez lui le cinquième jour du neuvième mois de la lune. La nouvelle de son arrivée parvint à la ville au moyen d'une lettre électrique ; de là,
un messager, à pied, l'apporta à la maison Wu. Mr.
Wu la remit lui-même à sa femme. Il n'entrait pas
souvent dans le pavillon de celle-ci, et, quand elle
l'aperçut, elle comprit qu'il s'agissait d'un de ses fils.
Il lui tendit le papier.

« Notre second fils revient », fit-il avec un large
sourire.

Elle prit la lettre, la lut, la tourna et la retourna
dans sa main. C'était la première fois qu'elle voyait
une lettre électrique. Elle savait, car André le lui avait
expliqué un jour, que le papier lui-même n'est pas
soufflé sur les fils comme elle l'avait cru. On ne prononçait même pas les mots. Les signes, tapés sur une
machine, transmettaient les messages.

« Les tambours des sauvages, battus dans la jun-
gle, avait-elle observé.

— Bien des choses accomplies par les hommes ne
sont qu'un raffinement de la sauvagerie », avait-il
répondu.

Elle se rappela ces paroles en réfléchissant à la lettre électrique.

« Il faut que nous préparions un festin de bienvenue, dit-elle tout haut.

— J'inviterai tous mes amis », dit Mr. Wu.

Elle commença à dresser des plans.

« Nous devrions donner une fête secondaire pour les commis des magasins et les ouvriers agricoles.

— Oui, il faut bien cela », fit-il à sa manière ample et seigneuriale.

Madame Wu le regarda à la dérobée. Elle le retrouvait tel qu'il était. Jasmin avait une bonne influence sur lui. Il avait repris confiance en sa propre valeur. Il s'était senti mortifié d'avoir été repoussé par sa femme, il n'avait pas réussi non plus auprès de Ch'iuming, et ce double échec lui avait fait du mal. Il était de ce genre d'hommes qui ont besoin, constamment, de se sentir du succès auprès de leurs femmes. Madame Wu le savait bien, elle qui, tant d'années, s'était fait un devoir de lui procurer ce succès. Mais Ch'iuming, jeune, innocente, n'avait pas compris cela. Jasmin, au milieu de ses simagrées, mettait de la sincérité dans une affaire qui lui procurait le vivre et le couvert. Madame Wu, au fond de son être, éprouva un soulagement mêlé de mépris et d'indifférence. Elle en avait honte pourtant ; autrefois elle eût accepté cela comme faisant partie de l'humaine nature.

Elle avait dit un jour à André :

« Je ne suis pas une femme sans péché, si j'accepte votre conception du mal — la pensée secrète, le désir caché ! — je peux atteindre à la rectitude extérieure, mais qui peut maîtriser son cœur ?

— Quelques-uns peuvent y parvenir, et vous êtes de ceux-là », avait-il répondu : si elle voulait continuer à se sentir près d'André, il lui faudrait atteindre les hauteurs où il vivait, car lui ne s'abaisserait pas jusqu'à elle.

Elle s'entretint patiemment avec Mr. Wu, qui était le père de ses fils :

« Qu'on fasse tout comme vous l'entendez », lui dit-elle.

Il se pencha en avant, les mains posées sur ses gros genoux. Il souriait et baissait la voix, prenait un ton de confidence :

« Peut-être ne savez-vous pas que Tsemo est mon préféré ? C'est pourquoi j'ai toujours été contrarié de lui voir une femme irascible. Tsemo aurait dû épouser quelqu'un de doux et de raisonnable ».

Madame Wu n'arrivait pas toujours à dissimuler l'âpreté de son caractère :

« Pour Tsemo, vous faites erreur », dit-elle, et sa voix résonnait à ses propres oreilles, trop métallique, trop acerbe. « Tsemo est intelligent. Rulan l'est aussi. À mesure que le temps passe, j'ai une meilleure impression d'elle. »

Mr. Wu prit un air alarmé comme chaque fois qu'il était question d'intelligence, et il battit en retraite :

« C'est bon, c'est bon, dit-il sur son ton habituel. Alors vous arrangez tout cela ? ou si c'est moi ?

— Je donnerai des ordres pour tout ce qui concerne la maison, vous ferez les invitations et vous vous occuperez des vins. »

Ils se saluèrent et se séparèrent. Lorsqu'il partit, elle sentit bien que le lien de la chair, seul, les avait unis. Il lui répugnait. Et cependant n'avaient-ils pas accompli le devoir qu'elle prêchait à Rulan ? Ils avaient perpétué la famille pendant leur génération, satisfait aux instincts de la race et, leur tâche terminée, repris chacun leur liberté. Elle voyait à présent que, si André lui avait fait découvrir le reliquat de sa

personnalité, Jasmin en avait fait autant pour Mr.
Wu. Aucun lien n'avait été rompu, la maison continuait comme avant et leurs situations n'avaient subi
aucun changement. Elle appréciait la sagesse d'avoir
amené Jasmin sous ce toit, un toit assez vaste pour
abriter toute la famille, jusqu'au plus infime de ses
membres. Le péché suprême de donner naissance à un
enfant sans nom, un bâtard, ne serait pas commis. Les
enfants de Jasmin auraient leur place dans l'ordre
humain.

La paix lui vint à mesure qu'elle vaquait aux devoirs de la journée. Il ne lui resta pas un moment à
elle. Elle dut convoquer le cuisinier, l'intendant et
le serveur en chef, puis les servantes et les couturières. Il fallait examiner les vêtements des enfants, en
confectionner de neufs à ceux qui en avaient besoin.
Yenmo, son jeune fils, devait revenir de la campagne.

« Il est temps, dit-elle à l'intendant des terres, que
mon plus jeune fils revienne de la campagne. Les
choses sont réglées, à présent, dans la famille. »

L'intendant se mit à rire :

« Madame, ce fils sera celui qui prendra la direction des terres après vous. Notre jeune Seigneur,
l'aîné, s'en tire bien dans les magasins, mais le quatrième petit Seigneur est destiné à la terre. »

Madame Wu n'avait pas aperçu son quatrième
fils depuis plusieurs mois ; elle se demandait comment
elle le trouverait. Elle avait toujours dit que, durant
les années qui transforment un enfant en homme, tous
les garçons se ressemblent. Ils ont simplement besoin
de nourriture, d'apprendre les mêmes choses, de vivre
beaucoup au grand air, d'être écartés des maisons de
jeu, des maisons mal famées et des discussions de famille. C'est pour cette raison qu'elle avait installé
Yenmo à la campagne, auprès de ses cousins et des

fermiers. A présent, il fallait qu'il revînt pour qu'elle
pût juger ses capacités.

« Faites préparer les deux petites pièces dans le
pavillon de mon fils aîné, dit-elle à Ying. Ces pièces
sont pleines de caisses et de débris, et personne ne
s'en sert. Il faudra les meubler pour Yenmo, elles
seront à lui jusqu'à son mariage. »

D'après la coutume, Yenmo aurait dû loger près
de son père, mais Madame Wu n'y consentit pas. Elle
ne voulait pas non plus près d'elle ce jeune garçon
ardent, vigoureux, en pleine croissance. Liangmo et
Meng seraient gentils pour lui, et les enfants s'amu-
seraient avec leur oncle.

Ainsi tout fut prêt. En dernier ressort, Madame
Wu fit venir Rulan pour passer l'inspection. C'était
le jour même du retour. Tsemo arriverait un peu après
midi, mais personne ne pouvait dire l'heure exacte,
car il devait prendre le bateau. Malheureusement, l'automobile ne pouvait aller le chercher à cause de l'étroi-
tesse de la route et parce que les paysans invoquaient
le ciel, si les grosses roues passaient sur leurs terres.
L'automobile restait donc dans une pièce spéciale près
du portail, sujet d'étonnement et d'émerveillement
pour ceux qui la voyaient, mais de peu d'utilité. Cependant Mr. Wu se serait cru rétrograde et à l'ancienne mode s'il ne l'avait pas achetée, et c'était récon-
fortant même pour Tsemo de pouvoir dire dans une
société : « L'auto occidentale de mon père... »

Rulan se tenait devant Madame Wu, très docile
et même timide. Elle avait mis une robe neuve d'un
rouge foncé, mais soutenu, et cette teinte fraîche
seyait à son teint pâle et à ses lèvres vermeilles. Madame Wu approuva la coupe collante, la longueur et
ne critiqua pas les manches un peu courtes, car Rulan
avait des bras et des mains admirables. Madame Wu

demanda à Ying d'ouvrir son coffret à bijoux, choisit
une bague épaisse, en or, garnie de rubis. Elle la passa
au troisième doigt de Rulan, à la main droite, et Rulan leva cette main pour l'admirer :

« Je n'aime pas les bagues en général, Mère, mais
celle-ci me plaît.

— Elle vous va bien, répondit Madame Wu, et ce
qui va à une femme la rend belle. »

Rulan avait lavé ses cheveux, mais sans huiles, et
ils reposaient sur ses épaules comme de la soie floche.
Ying en avait coupé l'extrémité, d'une façon régulière,
bien nette. C'était une mode toute nouvelle pour les
jeunes femmes que de porter leurs cheveux dénoués,
et elle ne plaisait pas à Madame Wu. Elle aurait fait
des objections si Meng l'eût adopté. Mais aujour-
d'hui elle s'aperçut combien cette douceur enca-
drait bien le visage de Rulan et elle ne protesta pas.
On doit accepter tout ce qui embellit une femme.

« Ouvrez la bouche », lui dit Madame Wu.

La jeune femme obéit et sa belle-mère regarda à
l'intérieur. Elle était rouge et pure comme celle d'un
enfant, les dents paraissaient blanches et saines. Cette
bouche exhalait une haleine fraîche et parfumée.

Madame Wu releva la jupe de Rulan et examina
les dessous. Ils étaient d'une blancheur de neige, joli-
ment brodés et fleuraient bon.

Elle retourna les mains et les sentit. Elles étaient
également parfumées ainsi que ses cheveux, et du
corps de la jeune femme montait le délicat arôme de
l'essence dont Madame Wu se servait autrefois.

« C'est très bien, mon enfant, lui dit Madame Wu.
Je ne trouve rien à redire à votre corps. Je ne peux
pas examiner votre cœur ni votre esprit — cela, vous
devez le faire à ma place. Le corps vient en premier
lieu, mais le reliquat, c'est ce qui demeure.

— Je n'ai rien oublié de ce que vous m'avez appris »,
répondit Rulan solennellement.

Tsemo était attendu d'un moment à l'autre, après
quatre ou cinq heures, mais qui aurait pu deviner que,
tandis que tout cela se passait dans la famille Wu,
Tsemo arrivait par les airs, et non par eau ? Ainsi, au
lieu d'atterrir au bord de la rivière, il descendit du ciel
et toucha le sol en dehors du mur bas, au sud de la
ville. Au chef-lieu, lorsque le commandant d'armes
avait entendu parler de ce retour d'un Wu à ses
foyers, il l'avait envoyé chercher par l'avion gouver-
nemental avec son propre pilote, tant le prestige de
la famille Wu était grand dans cette province.

Le pilote s'inquiéta en déposant son passager dans
un champ, car personne ne venait à sa rencontre. Mais
Tsemo se mit à rire :

« C'est ici ma ville natale, dit-il, je saurai trouver
mon chemin. »

Le pilote remonta donc dans le ciel et Tsemo prit
tranquillement la direction de chez lui. Tout le monde
le dévisageait, le saluait, lui demandait comment il
était arrivé, et les gens riaient, puis devenaient muets
d'étonnement lorsqu'il répondait :

« Je suis venu par l'air libre. »

Des enfants et des flâneurs coururent en avant
pour annoncer à la maison Wu l'arrivée du second
seigneur, mais Tsemo marchait à si grandes enjambées qu'il les suivit de près. Madame Wu et Rulan
avaient à peine entendu la femme du portier, toute
haletante, leur crier la nouvelle, que Tsemo apparaissait en personne. Il aurait dû se présenter d'abord
chez son père, mais, sûrement, Liangmo avait dû le
prévenir de ce qu'il y trouverait, et il lui déplaisait de
saluer une étrangère avant sa propre mère. C'est pourquoi Tsemo se rendit directement chez Madame Wu.

Il fut stupéfait de voir, auprès d'elle, Rulan, sa femme.

C'était un peu gênant, car, suivant l'ancienne tradition, il ne devait pas saluer sa femme avant sa mère.
Il fut surpris de voir Rulan lui venir en aide. Elle
s'écarta avec grâce, lui laissant du temps et le champ
libre.

« Enfin ! Mon fils, te voilà »

C'est ainsi que Madame Wu l'accueillit.

Elle tendit les mains, lui palpa les bras et les épaules, à la façon des mères.

« Tu es plus maigre, mais plus vigoureux, fit-elle.
Plus ferme et mieux portant, ajouta-t-elle en regardant le visage coloré.

— Je vais bien, dit-il, mais je suis très occupé —
occupé vraiment à en périr ! Et vous, mère, vous semblez bien mieux que lorsque je suis parti. »

Ils dirent encore quelques mots et Rulan attendait
toujours. Tsemo s'étonnait beaucoup de cette patience, car la patience ne lui était pas habituelle. Il fut
encore plus surpris lorsque sa mère se recula, prit la
main de Rulan et l'attira en disant :

« Elle a été très bonne et obéissante, elle a fait
beaucoup d'efforts et elle a réussi. »

Rien ne pouvait rendre Tsemo plus heureux que ce
compliment adressé de sa mère à sa femme. Comme
tous les fils de mères énergiques, il avait besoin de son
approbation. Madame Wu n'avait jamais rien dit
d'aimable sur Rulan, et c'était une des causes de la
rancune de Tsemo contre sa femme. Madame Wu le
comprit à l'expression heureuse qui s'étendait sur le
beau visage de son fils, à son sourire épanoui, à ses
yeux brillants. Il dit quelques mots à Rulan, d'un air
détaché, comme il se doit en présence d'un membre
de la génération précédente.

« Ah !... tu vas bien ?

— Très bien, merci... et toi ? »

Ils ne prononcèrent des lèvres que ces quelques mots, mais leurs regards en dirent plus long. Rulan leva les yeux sur Tsemo ; jamais il ne l'avait vue si près d'être belle ; le drap rouge de sa robe, serré autour de son cou, donnait du ton à la pâleur dorée de sa peau.

Il détourna les yeux et regarda sa mère, balbutiant et rougissant :

« Mère, je vous remercie beaucoup d'avoir pris le temps de l'enseigner... pris le temps... de... de... de... »

Madame Wu comprit et lui répondit :

« Mon fils, enfin tu peux te le dire : tu as bien choisi. »

Une tendresse inconnue jusqu'ici remplit son être en voyant paraître des larmes dans les yeux de Rulan. Comme les jeunes sont démunis et, malgré leur bravoure, quel besoin ils ont de l'approbation des vieux !

« Soyez tendres envers les jeunes, ils n'ont pas demandé à naître », lui avait dit André, un jour.

Elle s'en souvenait bien, car, ce jour-là, elle s'était fâchée contre Fengmo qui arrivait en retard à sa leçon.

« Moi non plus, je n'ai pas demandé à naître », avait-elle répondu.

André avait posé sur elle son regard ample et profond.

« Eh ! c'est parce que vous avez souffert qu'il ne faut pas faire souffrir les autres. Il n'y a que les êtres mesquins qui se vengent de leur souffrance. Vous, Madame, vous êtes au-dessus de cela. »

Elle avait accepté cette remarque en silence, rava-

lant son dépit. Il avait continué, passant de Madame
Wu à l'univers :

« Et quel sens aurait la douleur, disait-il, songeur,
si elle ne nous enseignait pas à nous, les forts, de
l'épargner aux autres ? On nous montre ce qu'elle est,
on nous en fait goûter l'amertume, pour nous pousser au désir de la chasser de ce monde. Sans quoi, ce
monde-ci serait l'enfer. »

En se rappelant ces paroles, elle éprouva l'intense
désir de faire la joie de ces deux êtres sous son toit.
Elle prit la main de Rulan et celle de Tsemo et les
réunit.

« Ton devoir envers moi est accompli, mon fils, dit-
elle. Emmène Rulan chez toi et passe cette demi-
heure seul avec elle. Il sera temps, après cela, d'aller
voir ton père. »

Elle les regarda s'en aller la main dans la main,
puis elle s'assit, souriante, et fuma sa petite pipe un
moment.

Les jours suivants, on vécut au milieu d'un véritable tumulte de fêtes domestiques. Chaque membre de
la famille, proche ou lointain, désirait voir Tsemo et
lui parler, lui demander son avis sur la nouvelle guerre, la translation du gouvernement vers l'intérieur,
sur le prix du riz, en conséquence de tous ces trou-
bles ; on voulait savoir si les étrangers de race blanche se battraient aux côtés de ces nains de l'océan de
l'Est, ou bien contre eux. Personne ne songeait à une
défaite possible. La seule question qui se posait était
celle-ci : y aurait-il une résistance ouverte et en
armes ou une résistance secrète avec l'aide du temps ?
Tsemo, étant jeune, penchait pour la résistance
armée, et Mr. Wu, ne connaissant rien à tout cela,
suivait l'idée de son fils.

Madame Wu, assise au milieu de sa famille, écoutait, fumant sa petite pipe, sans rien dire, sauf pour demander qu'on fit sortir un enfant qui en avait besoin, ou qu'on l'envoyât dormir, prier une servante de faire moins de bruit en remplissant les bols de thé, et diverses choses de ce genre ; mais elle était persuadée que, seule, une résistance secrète arriverait avec le temps à vaincre cet ennemi comme tant d'autres. Il lui déplaisait qu'on permît à des peuples étrangers de leur venir en aide. Qui donc en ce monde vient secourir quelqu'un qui n'est pas de son sang, sinon pour réclamer beaucoup en récompense ? Cela excède la justice que de donner sans recevoir, en dehors du cercle des siens.

Mais Madame Wu se taisait. Ici, elle n'était qu'une femme, encore que la plus respectée sous ce toit. Il y avait longtemps, avec André, dans cette liberté qu'elle n'avait connue que devant lui, ils s'étaient mis à discuter sur la nature humaine.

« Vous croyez en Dieu, et moi je crois en la justice, avait-elle déclaré. Vous vous efforcez d'atteindre l'un ; moi, l'autre. »

Et il avait répondu :

« C'est la même chose. »

Aujourd'hui, au milieu de sa famille, elle se sentait profondément seule. André n'était jamais venu là et n'y viendrait jamais.

« Ces étrangers, dit-elle brusquement à Tsemo, s'ils arrivent ici, sur notre sol, pourrons-nous les en chasser ?

— Nous ne pouvons songer qu'à l'immédiat et au jour le jour !

— Ça n'est pas la manière de notre peuple, nous avons toujours compté par centaines d'années.

— Dans des centaines d'années, répondit-il, nous arriverons à tous les chasser. »

Elle avait demandé un jour à André :

« Dans ce reliquat de la créature individuelle, les couleurs de peau comptent-elles ? les traditions, les nationalités et les antagonismes ? «

Et il lui avait répondu :

« Non, il n'existe que des étapes du développement. A tous les niveaux, on rencontre des âmes de tous les peuples.

— Alors pourquoi, demandait-elle, y a-t-il des guerres parmi les peuples et les nations ?

— Les guerres répondait-il, éclatent entre les êtres des étages inférieurs. Remarquez, dans chaque nation, combien peu partent vraiment en guerre, comme ils se battent à regret sans y mettre leur cœur. Ce sont les êtres incultes qui aiment la guerre. »

Elle réfléchissait à tout cela, tandis que Tsemo parlait avec animation de régiments, de tanks, de bombardiers et de tant de choses qui, pour elle, n'avaient aucun sens. A la longue, s'oubliant, elle bâilla si fort que tout le monde se tourna vers elle, et elle se mit à rire.

« Il faut me pardonner, dit-elle. Je vieillis, et ce jeune passe-temps de la guerre ne m'intéresse pas. »

Elle se leva, Ying s'empressa à ses côtés et, avec de petits saluts et des sourires, elle prit congé de tous et revint dans ses appartements.

Le onzième jour, Tsemo repartit. L'avion revint le chercher et, cette fois, il y eut un grand attroupement, les gens de la maison et ceux de la ville venaient le voir s'envoler. Madame Wu n'en était pas. Tout ce qu'il avait raconté pendant ces dix jours l'avait beaucoup fatiguée. Elle se disait que c'était folie pour un jeune homme de passer sa vie dans ces histoires de guerre et de mort. Cela ne présentait aucune valeur ni pour sa famille, ni pour lui-

même. La vie est la force triomphante, qui répond à
l'ennemi et à la mort : la vie, toujours plus de vie !
Mais, lorsqu'elle avait dit cela à son fils, il s'était
impatienté :

« Mère, vous ne comprenez pas. »

Madame Wu avait souri à ce cri universel de la
jeunesse, et elle s'était tue. Elle fit ses adieux à son
fils avec douceur et avec calme ; elle reçut ses remerciements et le laissa partir. Elle ne regrettait pas ce
départ. Les conversations de Tsemo avaient remué
toute la maison et surtout effrayé son plus jeune
frère : Yenmo était revenu, bruni et râblé, comme
un petit paysan, ayant grandi depuis son départ
de plusieurs centimètres. Sa mère ne lui avait pas
dit grand-chose en dehors des phrases d'accueil
habituelles, préférant attendre que le tumulte fût
calmé et qu'elle pût apprendre à connaître son fils
dans la tranquillité. Mais elle s'apercevait bien qu'il
avait peur.

Elle était assise, seule, dans la cour, et Rulan vint
la trouver après le départ de Tsemo. La jeune femme entra et s'agenouilla à côté de Madame Wu,
posant sa tête sur les genoux de sa belle-mère. Madame Wu sentit une humidité chaude traverser le
satin de sa robe.

« Que sont ces larmes ? dit-elle avec douceur. Des
larmes chaudes ?

— Nous avons été heureux, murmura Rulan.

— Alors ce sont de bonnes larmes », dit Madame
Wu.

Sans rien ajouter, elle caressa doucement la tête
de la jeune femme et, au bout d'un moment, Rulan
se releva, essuya ses yeux, sourit et se retira.

*
* *

430

Si on connaissait la vie un peu à l'avance, comment pourrait-on la supporter ? A cette même heure, la maison en fête et en liesse fut jetée dans le deuil le plus profond. Impossible de savoir ce qui se passe dans les nuages. Moins d'une demi-heure après que Tsemo fut monté très tôt, ce matin-là, vers le soleil levant, l'intendant accourut en hâte au portail et entra. Il entra suivi de tous les fermiers et des paysans de la famille Wu : ils se lamentaient, déchiraient leurs vêtements, et les femmes dénouaient leurs cheveux. Un bruit si fort emplissait les cours qu'il parvint jusqu'à Madame Wu. Elle venait d'entrer dans la bibliothèque pour y rester un peu seule après que Rulan l'avait quittée, et elle entendit de tels sanglots, mêlés d'appels de son nom, qu'elle devina aussitôt.

Elle se leva, sortit de la pièce et rencontra tout le monde à l'entrée de son pavillon. Mr. Wu précédait la foule, les larmes coulaient sur ses joues. Jasmin elle-même suivait en arrière et les orphelines du temple, la vieille femme, les serviteurs, les gens de la rue, les voisins et leur suite affluaient aux portes laissées ouvertes.

« Notre fils... »

Mr. Wu ne put pas continuer.

L'intendant parla à sa place :

« Nous avons vu un feu descendre du ciel en tourbillon au-dessus du champ le plus éloigné. Nous avons couru pour voir ce qu'il y avait. Hélas ! Madame, quelques fils de fer, un moteur étranger, des débris de choses inconnues — et c'est tout. Aucun corps ne reste. »

Ces paroles tombèrent sur le cœur de Madame Wu, mais elle les attendait.

« Rien ne reste, même à enterrer », murmura Mr. Wu.

Il regarda sa femme, ahuri :

« Comment ce qui était en vie, ce qui était notre fils il y a seulement une heure, peut-il ne plus exister ? »

Madame Wu s'attristait pour Tsemo, mais sa première pensée allait vers Rulan.

« C'est à sa jeune femme que nous devons songer à présent, dit-elle à son mari.

— Oui, oui. »

Tout le monde acquiesçait :

« Il se peut qu'elle ait du bonheur en elle, disait-on. Quelle bénédiction qu'ils aient eu dix jours ensemble ! S'il y avait un enfant, vous seriez réconfortés, Madame, Monsieur... »

Les larmes de Mr. Wu séchèrent devant ce nouvel espoir :

« Allez la trouver, dit-il à Madame Wu — consolez-la, nous vous la confions. »

Et Madame Wu se dirigea seule vers le pavillon où Tsemo venait de vivre si peu de temps avec sa jeune femme ; la foule, lentement, se dispersa. Mr. Wu retourna chez lui avec Jasmin et ferma le portail. L'intendant dit aux paysans de retourner sur les terres ; quant à lui, il attendait les ordres de Madame Wu. Il s'assit dans la loge du portier pour être sur place quand elle le ferait appeler.

Les enfants revinrent au temple où le vieux prêtre alluma de l'encens et marmotta des prières pour le fils mort.

« En ces jours, dit-il aux dieux anciens, les choses vont trop vite pour nous. Il n'y a pas le temps de prier pour les mourants. Ils vivent, et ils ne vivent plus, c'est tout ce que nous en savons. Cherchez son âme, oh ! vous qui habitez les espaces célestes. Trouvez-le parmi les autres et conduisez-le à ceux qui le connaissent et le consoleront, et, lorsqu'il naîtra de nouveau, faites qu'il naisse une fois de plus dans cette famille à qui il appartient. »

Ainsi pria le vieux prêtre.

*

* *

Dans le pavillon où elle avait été si heureuse, Rulan était prostrée, le front pressé contre la main de Madame Wu, qu'elle tenait. Toutes les deux se taisaient. Qu'y avait-il à dire ? Ces deux femmes étaient liées dans l'amour et le chagrin. Madame Wu avait ardemment souhaité parler à Rulan d'elle-même, de la contemplation qu'elle faisait d'André, d'un mort. Mais maintenant elle devait se taire, et à jamais. Le chagrin de Rulan dépassait le sien. Elle avait enseveli le corps d'André, et, de Tsemo, rien ne demeurait. Les vents s'étaient emparés de ses cendres fraîches et les avaient éparpillées sur la terre. Les vents l'avaient enterré où il leur avait plu. Et, au demeurant, que restait-il de Tsemo ? Elle-même, sa mère, gardait le souvenir de sa naissance et de l'enfant, du jeune garçon, de l'adolescent qu'il avait été, le souvenir de sa voix, discutant, affirmant, le souvenir de son visage si beau et plein d'ardeur, de confiance ; à présent, elle le savait, il était mort. Entre elle et son fils, rien ne s'était extériorisé, il ne demeurait de lui que ce qu'elle gardait dans sa propre chair.

Mais à Rulan, que restait-il ? Avaient-ils, en ces quelques jours, dépassé la chair ? La jeune femme pouvait-elle, à présent, s'accrocher à une chose qui manquait à la mère ?

Il était trop tôt pour le demander. Madame Wu restait silencieuse, immobile, et la chaleur de son être pénétra la jeune femme prostrée à côté d'elle.

Rulan fut la première à faire un mouvement, à se relever, à s'essuyer les yeux et à cesser de pleurer.

« Je vous bénirai à jamais, notre Mère, dit-elle, car, pendant ces dix jours, nous ne nous sommes pas disputés une seule fois.

— Vous sentez-vous capable de rester seule à présent ? », lui demanda Madame Wu.

Elle admirait beaucoup Rulan, et son amour pour elle grandissait outre mesure.

« Oui, je le peux, dit Rulan. Une fois que je serai restée un peu seule, je viendrai vous demander ce qu'il me faudra.

— Mes portes vous seront toujours ouvertes », répondit Madame Wu.

Elle se leva, acceptant l'aide de la main de Rulan. Cette main était brûlante mais forte, et ses doigts ne tremblaient pas.

« Nuit et jour, répéta Madame Wu, mes portes vous seront ouvertes.

— Je n'oublierai pas », répondit Rulan.

Madame Wu, s'éloignant, entendit la porte de la cour de Tsemo se refermer derrière Rulan, elle s'arrêta et se retourna à demi. La jeune femme n'allait-elle pas se cloîtrer pour faire un malheur ? Non, se dit Madame Wu, ce ne serait pas dans le caractère de Rulan. Elle resterait assise, toute seule, s'étendrait toute seule, et sans dormir, sur son lit, et, toute seule, elle trouverait moyen de revenir à la vie. Si Tsemo avait vécu, ils se seraient querellés de nouveau maintes et maintes fois. La grâce de ces dix jours n'aurait pas duré. Ils étaient trop égaux, ils s'aimaient trop farouchement. Chacun voulait dominer l'autre et lui refusait sa liberté. A présent, ils vivraient en paix éternellement.

« En paix, murmura-t-elle. Il n'y a pas de mot plus doux sur des lèvres humaines. »

*
* *

Bien qu'il ne restât pas de dépouille sur laquelle pleurer, le deuil dans la maison Wu n'en suivit pas moins son cours. Un cercueil fut amené et préparé, on y déposa les objets préférés de Tsemo, puis on le ferma et on le scella. Le jour de l'enterrement fut décidé par les devins de la ville ainsi que tout le cérémonial nécessaire pour honorer le mort, et les funérailles eurent lieu au jour indiqué. Le cercueil de Tsemo fut enseveli dans le cimetière familial, sur les terres ancestrales, et une plaque insérée dans la galerie des ancêtres parmi celles des morts, enterrés des siècles avant lui.

Pendant tous ces préparatifs, Madame Wu avait permis au chagrin de se donner partout libre cours. Elle pleurait aussi et, dans sa douleur, elle accepta l'aide de son amie, Madame Kang. Entre les deux maisons, les allées et venues s'étaient raréfiées. Madame Wu s'en était aperçue depuis des mois, mais elle n'avait éprouvé aucun désir d'y remédier. Ses propres intérêts, son constant souvenir d'André l'avaient sevrée de son amie. Et puis elle songeait encore avec répugnance à la nuit de l'accouchement.

Mais la perte d'un fils est trop grave pour laisser subsister une discorde quelconque : les deux dames se retrouvèrent de nouveau, moins proches cependant que par le passé, et Mr. Kang vint lui-même à l'enterrement. Sans cette mort, Madame Kang ne fût pas venue d'aussi bon cœur. Mais elle oublia tout

et, comme toujours, pleine de chaude sympathie, elle
entra dans le pavillon de Madame Wu en pleurant
tout haut.

« Nos enfants ont grandi ensemble ! s'écria-t-elle.
Il me semble que j'ai perdu un de mes fils. »

Madame Wu n'en doutait pas et elle accueillit
son amie ; toutes les deux, un moment, restèrent
assises ensemble, comme autrefois, et Madame Kang
insista pour porter le deuil dans le cortège des funérailles.

Cependant, leur amitié était finie, Madame Wu
s'en apercevait bien. Madame Kang ne lui pardon-
nerait jamais complètement, malgré sa gratitude,
d'avoir pénétré trop avant dans sa vie privée.

Cette gratitude, elle l'exprima généreusement :

« Si vous n'étiez pas venue ce soir-là, ma sœur,
je serais morte. Ma vie est à vous. »

Mais, même dans ces paroles, son expression mar-
quait une certaine réserve, car, tout en étant recon-
naissante d'avoir la vie sauve, elle l'était moins que
Madame Wu eût été présente à l'heure de sa plus
grande faiblesse. Elle en gardait une sorte de jalousie latente, et Madame Wu, qui s'en rendait compte,
s'écarta secrètement de son amie. Elle voyait que,
malgré le chagrin très sincère qu'éprouvait Madame
Kang de la mort de Tsemo, celle-ci n'était pas pré-
cisément désolée que la maison Wu eût perdu un de
ses fils. Dans le deuil, Madame Kang conservait
une certaine supériorité. Autrefois, Madame Wu s'en
fût montrée très irritée, mais à présent elle comprenait, sans les blâmer, les faiblesses de Madame
Kang.

« Devons-nous tolérer la bêtise et la malice des
inférieurs ? avait-elle demandé à André, voilà longtemps déjà.

— Oui, car les détruire serait nous détruire. Aucun de nous n'a en partage assez de bonté et de grandeur pour éviter qu'en détruisant une seule créature il ne détruise quelque chose en lui-même.

— Comment, alors, les supporterons-nous ? », avait-elle demandé ; et elle s'était souvenue, avec un choc au cœur, de l'enfant d'une servante, né dans la maison, et qu'on avait supprimé avec son consentement. C'était une fille mal conformée, un monstre. Ying était venue annoncer cette naissance en levant la main, le pouce tendu, et Madame Wu avait approuvé d'un signe de tête.

André avait répondu à sa question :

« Personne d'entre nous n'a le droit de retirer la vie à la plus infime créature. »

Elle n'avait pas eu le courage de lui parler de cette petite. A présent, assise dans sa chaise à porteurs, au milieu du cortège des funérailles de son fils, elle regretta de ne pas avoir fait cette confidence à André. Le poids de l'avorton mort retombait sur elle au moment de la perte de son fils. Comme un poignard, une pensée superstitieuse la traversa : le mal passé n'amenait-il pas en quelque sorte le mal présent ? Puis elle repoussa cette idée. Elle ne croyait pas à ces enchaînements. Hors de l'âme elle-même, tout est jeu de hasard. Les relations de cause à effet n'existent que dans l'âme seule. Que pouvait être sur elle l'effet de l'enfant mort ? Aucun, se dit-elle, puisque à ce moment-là elle n'avait pas compris ce qu'elle faisait. Mais, à présent, elle le comprenait et elle n'éprouverait donc aucune haine envers sa vieille amie, malgré la mesquinerie de celle-ci.

« Mais je ne peux pas non plus m'obliger à l'aimer », se dit-elle avec une certaine révolte.

Cette révolte, de nouveau, lui rappela André et une

discussion qui avait surgi entre eux. Il venait de lire,
très lentement, quelques paroles de son livre sacré :

« Aime ton prochain comme toi-même.

— Aimer ! s'était-elle écriée, le mot est trop fort. »

Elle avait toujours terriblement critiqué ce livre
sacré, jalouse peut-être parce qu'il le lisait beaucoup
et y puisait sa sagesse. Mais il était tombé d'accord !

« Vous avez raison. L'amour n'est pas le mot qui
convient. Dites plutôt : Connais ton prochain comme
tu te connais toi-même. C'est-à-dire : comprends ses
difficultés, sa position, supporte ses défauts aussi patiemment que tu supportes les tiens. Ne le juge pas
lorsque tu ne te juges pas toi-même. Voilà, Madame,
le sens du mot amour. » Et il avait continué à lire
avec cette voix puissante, profonde et douce, dont
elle entendait constamment le son.

Le jour de l'enterrement, le temps semblait trop
beau, pour un mort si jeune. L'eau était limpide dans
les étangs, le soleil luisait, chaud, beaucoup d'oiseaux
chantaient. Par la vitre de sa chaise, Madame Wu
voyait tout cela, ce qui la rendait encore plus triste.
Elle songeait à Rulan, dans la chaise à porteurs derrière la sienne, et elle jeta un coup d'œil par la vitre
du fond, se demandant si Rulan, elle aussi, regardait
au-dehors. Mais le rideau était fermé et Madame
Wu revint à la pensée de son fils. Comment avait-
il abordé la mort en plein ciel, parmi les nuages ?
Savait-il ce qu'il allait trouver ? Elle croyait être
Tsemo dans une ivresse de vitesse et de liberté, au-
dessus de la terre. Puis la machine avait failli... Il
mettait trop de confiance dans la mécanique.

Elle lui avait dit, inquiète, avant son départ :

« Peux-tu être à l'abri du danger, avec cette seule
machine occidentale pour te maintenir en l'air ? »

Il avait ri de cette ignorance.

« Mère, c'est de la magie ! »

Oui, il avait crié cela, mais la magie avait échoué. Quelques secondes lui avaient peut-être été accordées pour condenser tout ce qui était sa vie. Madame Wu sentit la terreur, la rage de son fils, puis sa fin ; en face de l'infini du ciel, son corps précipité vers la terre. Elle courba la tête et se couvrit les yeux de sa main.

Les funérailles suivirent leur cours habituel. Il y avait eu beaucoup d'enterrements dans la famille, et Madame Wu dut en supporter un de plus, celui de son propre fils. Un jour de l'été dernier, on avait retiré le cercueil de Vieille-Dame du temple où il attendait et on l'avait apporté là, dans les terres de la famille. Une dalle de marbre le recouvrait, du même modèle que celle de Vieux-Monsieur, mais plus petite. Un emplacement restait à gauche de la tombe de Vieux-Monsieur, réservé à Mr. Wu, un autre à côté, pour elle-même, et au-delà pour Liangmo et Meng. Au-delà encore, on avait creusé la fosse qui devait contenir le cercueil vide de Tsemo. On l'y descendit, puis on tua le coq blanc dont le sang fut répandu. On brûla des objets en papier, parmi lesquels un avion qu'on réduisit en cendres.

Quand tout cela fut fini, on recouvrit la tombe et, au-dessus, sur une grosse motte de terre, on fixa des banderoles de papier blanc. L'enterrement était terminé, la famille revint, laissant les pleureurs de louage qui se lamentaient derrière elle.

*
* *

Cette nuit-là, seule dans sa chambre, Madame Wu méditait sur sa douleur. En rentrant, elle ne désirait la compagnie de personne. Mr. Wu, elle s'en doutait,

chercherait aussitôt une diversion à son chagrin. Rulan, elle, devait souffrir jusqu'à ce qu'elle fût guérie.
Mais Madame Wu, allongée dans son lit, songeait à
son second fils et à tous les fils qui auraient pu naître de sa chair et ne verraient jamais le jour. Elle se
lamentait sur eux. Elle souffrait profondément à la
pensée de tant de places vides dans une génération.
Quand un jeune homme meurt, beaucoup meurent
avec lui. Elle maudissait les machines dangereuses
des étrangers, les guerres et les mœurs qui entraînent
la mort des jeunes gens. Elle se faisait des reproches
de n'avoir pas gardé tous ses fils à la maison pour y
vivre leur vie.

Sur l'écran noir de son esprit, elle vit paraître la
grande silhouette d'André. Ils avaient discuté ensemble un jour des études de Fengmo.

« Enseignez mon troisième fils, avait-elle dit à
André, mais ne lui apprenez rien qui puisse nous
enlever son âme.

— Madame, s'était écrié André, si vous emprison-
nez votre fils, il vous échappera d'autant plus sûrement, et, plus vous le retiendrez, plus il vous échappera !

— Vous vous êtes trompé, dit-elle à l'image qu'elle
évoquait et qui ressortait, si nette, sur l'obscurité de
son cerveau. Je ne l'ai pas emprisonné : or, c'est lui
qui, d'eux tous, s'est enfui le plus loin. »

Le matin l'éveilla de bonne heure, comme toujours ;
la journée était aussi limpide que la précédente. Elle
se leva, agitée. La campagne était si belle que, malgré tout son chagrin, elle désirait ardemment sortir
de ces murs. Mais quelle excuse trouver pour quitter
cette maison en deuil ? Elle circulait dans les pièces,
ne voulant ni sortir, ni rester. La maison était silencieuse, et tout le monde s'attardait au sommeil après

les fatigues de la veille. Ying vint, un peu tard, elle
aussi, pâle, les paupières rougies, et sans son bavardage habituel. Elle fit son travail, puis Madame Wu
la renvoya et se retira dans la bibliothèque, où elle
prit ses livres.

Par les fenêtres ouvertes, l'air entrait, d'une telle
douceur qu'elle le sentait sur sa peau comme une
huile odorante.

Au milieu de la matinée, un bruit de pas la tira de
sa rêverie ; elle leva la tête et aperçut, dans la cour,
Yenmo, son quatrième fils.

Il la salua gauchement, d'une façon à peine polie,
mais elle ne lui en fit aucun reproche, sachant qu'il
avait pris des manières de paysan.

« Entre, mon fils », lui dit-elle avec bonté.

Elle lui saisit la main et sentit contre sa paume, si
douce, les doigts rudes et jeunes. Elle fut surprise de
le trouver aussi grand qu'elle.

« Comme tu grandis vite ! » lui dit-elle, comme si
elle s'en plaignait.

Il ne ressemblait pas à ses autres fils. Les mots ne
lui venaient pas facilement, ni le sourire. Mais elle vit
ses yeux calmes, son manque de timidité. Simplement,
il ne cherchait à plaire à personne. Elle laissa retomber la main du jeune garçon et il se tint devant elle
dans sa robe de cotonnade bleue, les pieds chaussés
de lourds souliers à semelles de gros drap.

« Mère, dit-il, je veux retourner à la ferme. Je ne
veux pas habiter ici. »

Il paraissait si vigoureux, il avait tant de fraîcheur
avec ses gros yeux noirs, ses cheveux coupés ras, très
raides, ses dents blanches, qu'elle avait envie de rire.

« Où en es-tu de tes lectures ? lui demanda-t-elle.

— J'en suis à la cinquième année des *Nouveaux
Liseurs* et j'ai lu le *Livre des Changes*. »

C'était assez bien pour son âge.

« Mais, à présent, est-ce que tu ne devrais pas dépasser l'école du village ? lui dit-elle.

— Je déteste les livres, répondit-il aussitôt.

— Tu détestes les livres ! répéta-t-elle. Ah ! tu seras comme ton père. »

Il rougit et regarda ses pieds.

« Non, mère, je ne ressemblerai à personne. Et, si on ne me laisse pas retourner à la campagne, je me sauverai. »

Il leva les yeux sur elle et les baissa de nouveau. Malgré sa tristesse, elle se mit à rire.

« Ai-je jamais dit à l'un de mes fils de ne pas faire ce qu'il désirait ?

— Ces murs sont si hauts ! dit-il.

— Oui, ils sont très hauts.

— Je veux partir tout de suite.

— J'irai avec toi. »

Il parut sceptique :

« Et où dormirez-vous ? dit-il.

— Je reviendrai ce soir, mais il sera bon que j'aille voir les terres et examiner moi-même l'endroit que tu habites, parler à ton maître d'école, et après j'aurai le cœur tranquille en ce qui te concerne. »

Il alla donc préparer ses affaires, elle commanda sa chaise à porteurs et refusa d'emmener Ying.

« Dans la campagne, rien ne peut m'arriver », dit-elle, lorsque Ying ouvrit de grands yeux.

Ils partirent ensemble, elle dans sa chaise à porteurs et lui sur un poney gris, son préféré ; ils longèrent ainsi les rues, et tous savaient qui ils étaient, où ils allaient, et s'écartaient pleins de respect devant leur noblesse.

Dès qu'on eut dépassé les murs de la ville, Madame Wu sentit descendre sur elle l'âme paisible et vaste de la campagne. Elle écarta, ce jour-là, tout le reste et elle regarda la stature vigoureuse de son quatrième fils, qui trottait devant elle sur son poney. Le garçon montait bien, mais sans grâce. Il se tenait solidement en selle, comme s'il faisait corps avec la bête, s'élevant et retombant selon les pas du poney. Il n'éprouvait pas la moindre peur, brandissait sa cravache en crin de cheval et chantait. Il était visiblement content : elle se promit de lui accorder ce qui ferait son bonheur. Elle voyait avec reconnaissance que le bonheur pour ce fils, comme pour Liangmo, se trouvait dans les bornes fixées par la famille.

Madame Wu passa donc cette journée dans le plus gros village, elle prit son repas de midi chez l'intendant et écouta tous ceux qui vinrent lui parler. Les uns voulaient la remercier, d'autres apportaient leurs doléances, elle les reçut tous. C'était une bonne journée. Elle se sentait l'esprit rafraîchi par la simplicité de ces gens. Ils étaient intelligents, honnêtes, et ne cachaient pas leurs pensées. Les mères lui amenaient leurs enfants, elle les complimentait sur leur bonne apparence, sur leur santé. Elle inspecta les terres autour du village, elle examina les grains mis de côté pour diverses semailles. Elle regarda au fond du puits et convint qu'il manquait de profondeur ; il faudrait le creuser à nouveau. Elle compta les pots d'ordure, destinés à fertiliser les champs de choux. Elle se rendit à l'école, s'entretint avec le vieil érudit qui faisait office de maître d'école et qui fut surpris et ravi de sa visite. Elle rit lorsqu'il voulut faire des éloges de l'assiduité de Yenmo ; elle répondit qu'elle savait fort bien que Yenmo n'aimait pas les livres. Elle examina la chambre où il couchait, dans la maison de l'intendant, une pièce agréable, aux murs de terre, avec un grand lit et des couvertures propres. Puis, avant que le soleil descendit trop bas, elle dit adieu à son fils et remonta dans sa chaise à porteurs.

Une fois seule, elle fit ce dont elle avait grande envie depuis longtemps. Sur la colline, elle aperçut le grand arbre gingko sous lequel André était enterré. Si elle s'arrêtait sans donner d'explications, la chose paraîtrait bizarre aussi bien à la campagne qu'en ville, et chez elle ; car tout le monde était au courant de ses déplacements et rien de ce qui se passait dans la famille Wu ne pouvait demeurer caché. Aussi, bravement, dit-elle aux porteurs :

« Amenez-moi près de la tombe du prêtre étranger qui était le précepteur de mon fils. Je lui rendrai hommage, puisqu'il n'a personne pour le pleurer et que je passe si près. »

Ils la conduisirent sans s'étonner, admirant sa courtoisie, et elle descendit de sa chaise, à une certaine distance de la tombe, afin d'y être seule. Elle longea l'étroit sentier entre les champs, monta sur le coteau et arriva à l'ombre de l'arbre gingko. Le vent du soir agitait l'éventail des petites feuilles et le couchant tachetait l'herbe de leurs ombres. Madame Wu s'agenouilla devant la tombe et se prosterna trois fois jusqu'à terre, tandis que les porteurs restaient aux aguets, un peu plus loin. Puis elle s'assit sur le remblai de terre qui entourait la tombe, ferma les yeux et évoqua André. Il lui apparut très vite ; comme de son vivant, sa robe flottait autour de ses pieds, le vent soufflant dans sa barbe. Ses yeux étaient vifs et lumineux.

« Cette barbe, murmura-t-elle un peu amusée, elle me cachait votre visage. Je n'ai jamais vu votre menton ni votre bouche. »

Du reste, son corps aussi était toujours dissimulé. La soutane brune masquait les grandes lignes de son énorme charpente, ses gros souliers de drap, informes, cachaient ses pieds.

« Vos pieds, murmurait-elle, souriante, comme les enfants s'en amusent ! »

C'était vrai. Parfois, lorsque, le soir, elle allait visiter les enfants trouvés, car elle s'efforçait d'y aller souvent, ils lui racontaient quelles énormes semelles il fallait faire pour ses souliers. Les fillettes donnaient la dimension avec leurs petites mains.

« Comme ça, comme ça », lui disaient-elles en riant.

La vieille femme taillait les semelles et les côtés avec des chutes et des guenilles, puis elle trouvait un morceau de drap pour les recouvrir.

« C'est moi qui faisais les points les plus durs, avait-elle dit à Madame Wu.

— Mais nous aidions toutes, ajoutaient les enfants.

— C'est vrai, toutes y faisaient des points, même les plus petites enfonçaient l'aiguille une ou deux fois pendant que je tenais le drap. »

C'est ainsi que Madame Wu resta un instant à songer à lui, et puis elle revint chez elle, le cœur gonflé de reconnaissance. Pendant sa vie, il lui avait été donné de connaître et même d'aimer une créature vraiment bonne.

*
* *

Quelques jours plus tard, un artisan, venu d'un des magasins de la ville, apporta un objet de sa façon. Il avait peint sur une petite plaque d'albâtre le portrait d'André.

Madame Wu le considéra, légèrement effrayée.

« Pourquoi me l'avez-vous apporté ? » demanda-t-elle, n'arrivant pas à croire qu'on pût connaître ainsi

ses sentiments les plus intimes. Et pourtant l'étrange
sagesse des illettrés lui était familière.

« Je l'ai fait par reconnaissance, dit l'homme, très
innocemment. Une fois, lorsque nous avions eu des
ennuis à la maison, et que j'avais perdu ma situation,
il nous a nourris, il s'est occupé de nous, jusqu'à ce
que nous soyons tirés d'affaire. J'ai fait son portrait,
à ce moment-là, pour ne jamais l'oublier. Mais hier,
la mère de mes enfants m'a dit :

« — Ne devrions-nous pas le mettre dans le temple de la maison Wu, où habitent les enfants trouvés, pour qu'elles se souviennent de lui comme d'un
père ?

» Voilà pourquoi je l'ai apporté. »

Madame Wu sentit retomber son élan. Ce don ne
lui était pas destiné. Elle posa la plaque d'albâtre sur
la table. L'homme avait taillé un support en bois sur
lequel on plaça le portrait. L'artisan avait bien rendu
l'expression d'André, quoiqu'il en eût inventé certains
détails : les yeux trop en amande, les mains un peu
plus fines que nature, le corps trop svelte, mais c'était
bien André, malgré tout.

« Qu'est-ce que je vous dois pour cela ? demanda
Madame Wu.

— C'est un don, dit l'homme. Je ne peux pas le
vendre.

— Je l'accepte donc, pour les enfants », dit-elle.

Et l'homme s'en alla. Elle garda le portrait pour elle
tout un jour, puis, le soir, elle l'emporta au temple.
Les enfants dînaient, et leur table était dressée devant
les dieux, gardiens du portrait. Madame Wu s'arrêta
sur le seuil et admira la vue qui s'offrait à ses yeux :
au-dessus des dieux, de longues bougies rouges flam-
baient dans les chandeliers et l'encens sur l'autel s'élevait en hautes spirales formant un nuage parfumé.

Sortant de la lumière et de la fumée qui montait parmi les chevrons, les grands dieux d'argile peinte contemplaient les enfants à leurs pieds.

Les enfants étaient tout à fait habitués à leur demeure. Au début, ils avaient eu peur des dieux, maintenant ils n'y pensaient plus. Ils mangeaient et bavardaient. La vieille femme et le vieux prêtre les servaient, et les plus âgées des fillettes aidaient les plus jeunes. Une clameur s'éleva à l'entrée de Madame Wu, et elle sourit à cet accueil. Chose curieuse, de ses propres enfants, lorsqu'ils étaient petits, elle avait redouté le contact et, parfois, il lui était même désagréable de sentir leurs mains la toucher. Mais ceux-ci, elle ne les avait jamais repoussés. Ils n'étaient pas de sa chair, ni de celle d'André, mais ils appartenaient tout de même à celui-ci par le choix de l'esprit, et, quand elle était avec eux, elle était avec lui. Elle ne savait pas si elle accroîtrait leur nombre. Peut-être prendrait-elle un enfant de plus, mais le contraire était très possible.

Elle leva bien haut le portrait pour le montrer.

« J'ai un cadeau pour vous », leur dit-elle.

Les petites filles s'écartèrent pour permettre à Madame Wu de s'avancer, et elle posa la plaque d'albâtre sur la table, au-dessous des dieux et devant la grande urne d'encens en étain. André, de cette place, regardait les enfants qui, de leur côté, le contemplaient. Au début, il y eut un silence, car les petites filles n'avaient qu'un désir, celui de le contempler. Puis elles se mirent à parler, il y eut des soupirs, des murmures, des éclats de rire.

« Ah ! c'est notre père. Ah ! c'est lui... »

Et elles restaient là à regarder son image, à le regretter, et Madame Wu dit avec douceur :

« Il restera toujours auprès de vous, vous pourrez

voir son visage chaque jour, et le soir avant de vous endormir. »

Elle leur montra ensuite ce qui se trouvait de l'autre côté. L'artisan avait gravé quatre mots dans la pierre et il avait souligné en noir le contour des lettres. Ces mots étaient :

Notre Honorable Cœur Etranger.

Ensuite, elle remit le portrait sur la table, et, de ce jour-là, il n'en bougea plus.

Une fois rentrée chez elle, elle songea que Ch'iuming ne s'était pas trouvée dans le temple, et, ce soir-là, elle en fit la remarque à Ying.

« J'ai permis à notre Seconde Epouse d'habiter dans le temple avec sa petite, et cependant je ne l'ai pas vue. »

A quoi Ying répondit :

« Elle y habite, en effet, Madame, mais souvent elle va chez votre seconde belle-fille. Elles sont devenues amies, comme des sœurs ; elles se consolent l'une l'autre, car, depuis la venue de la troisième, de cette prostituée, notre Seconde Epouse est comme veuve. Notre Seigneur ne laisse jamais sa pipe sur la table. »

Madame Wu ne fit aucune remarque. Elle garda le silence et réfléchit, tandis que Ying, après le bain, la frottait d'huile. Dans une grande maison comme celle-ci, les cœurs semblables se rencontrent, et des liens se forment d'eux-mêmes. Si Ch'iuming pouvait consoler Rulan, tant mieux. Peut-être aussi Rulan serait-elle entraînée à s'occuper des enfants du temple et y trouverait du réconfort. Il fallait bien songer à instruire ces enfants d'une manière ou de l'autre. André eût désiré qu'on apprît à lire et à écrire à ces petites, qu'on leur enseignât la couture, la cuisine,

pour les préparer à mener la vie que mènent dans le
monde entier les hommes et les femmes. Ce soir-là,
Madame Wu s'endormit en faisant des projets pour
ses fillettes ; elle se disposait à installer une école pour
elles, sous son toit. Mais elle ne faisait jamais rien à
la légère. Ses plans devaient être précis et préparés
des jours à l'avance.

XIV

L'année suivante, une nouvelle lettre électrique arriva, venue de l'autre côté de la mer. Elle était de Fengmo, le troisième fils. Mr. Wu la reçut et envoya à sa place un serviteur la porter à sa femme. C'était une lettre étrange. Madame Wu eut beau la lire dans tous les sens, elle n'y comprenait rien. Il annonçait son arrivée, et voilà tout. Si vents et marées ne retardaient pas son voyage, il serait là d'ici un mois au plus tôt, deux au plus tard. Mais les années que devait durer son absence ne s'étaient pas encore écoulées, et il n'expliquait pas ce retour hâtif.

Plus elle relisait ces mots, plus Madame Wu se sentait perplexe. Elle aurait tellement souhaité la présence d'André, puisqu'il s'agissait de ce seul fils qu'elle avait partagé avec lui.

« Si seulement vous pouviez le regarder de là-haut, me dire pourquoi il revient si brusquement chez lui et m'assurer qu'il n'a rien fait de mal ?... »

Mais, lorsqu'elle ferma les yeux, cherchant dans l'obscurité l'image d'André, il lui apparut simplement, grave et silencieux, et elle ne se rappelait rien qui pût prêter une voix à cette ombre !

Elle ne voulait pas parler de ce fils à Mr. Wu, ni

à Rulan, encore moins à Ch'iuming. Cependant, plus elle considérait la question, plus elle se sentait intriguée et mal à l'aise ; elle en venait à redouter beaucoup l'arrivée de Fengmo, craignant que ce retour n'amenât de nouveaux ennuis. Elle se dit qu'il vaudrait peut-être mieux en parler à Madame Kang, la mère de Linyi.

L'éloignement entre elles avait duré jusqu'ici, et, s'il se fût trouvé à la campagne, le chemin qui séparait leurs deux maisons eût été envahi par les herbes. Madame Wu, bien que décidée à se rendre chez Madame Kang, ne le faisait qu'à contrecœur, ce qu'elle avait peine à s'expliquer. Elle s'assit, pour réfléchir seule et en découvrir la raison. Pourquoi se sentait-elle si éloignée de sa vieille amie, puisqu'elle en acceptait les petitesses ? Cela provenait de la grande différence qui existait entre elles, et Madame Wu finit par comprendre que l'amour excessif que Madame Kang portait à son mari en était cause ; car elle-même aimait André, et ces deux amours, bien que distincts et aussi éloignés l'un de l'autre que le ciel l'est de la terre, étaient cependant de même nature. Chacune de ces deux femmes savait ce que cela signifie d'aimer quelqu'un plus que soi-même. Mais Madame Wu était dégoûtée de voir Madame Kang aimer à ce point ce vieil homme bouffi et insouciant. Aimer de cette façon vulgaire insultait à une haute et magnifique dévotion. Mais, honnêtement, elle ne pouvait se dissimuler la vérité : Madame Kang et elle éprouvaient un même sentiment, semblable en qualité et en degré, mais à des niveaux tout autres. Madame Kang aimait son vieux mari avec l'élévation dont elle était capable, et elle n'en avait pas honte.

« Oh ! le vieux Kang ne devrait pas vivre et respi-

rer sous le même ciel qu'André », se disait Madame
Wu avec indignation.

Elle était assise dans la bibliothèque, roulant toutes
ces réflexions par une claire matinée. Au bout d'un
moment, elle se mit à rire tout haut, se moquant d'elle-
même. Pourquoi se mettre en colère contre l'amour ?
Comme le soleil et la pluie, il descendait sur le juste
et l'injuste, le riche et le pauvre, l'ignorant et le savant ; pouvait-elle s'irriter de cela ?

Le rire jaillit dans son cœur. Elle ferma les yeux et
vit André riant avec elle, elle resta à contempler ce
visage jusqu'à ce qu'il s'effaçât. Alors elle ouvrit des
yeux purifiés et fortifiés. Ying lui apporta sa robe de
sortie, aida à ses préparatifs et envoya un messager
annoncer sa visite, puis Madame Wu se rendit chez
Madame Kang.

La maison des Kang était toujours la même, aussi
désordonnée, avec des enfants de plus en plus nombreux. Depuis que Madame Wu avait franchi ces
portes, les femmes des fils et les concubines avaient
chacune apporté un enfant ou deux de plus, et tous
étaient aussi mal élevés que jamais, et aussi heureux.
Une esclave joviale la conduisit dans la cour où Madame Kang passait ses journées, assise dans un fauteuil de rotin, sous un saule, près d'un petit bassin.
Le fauteuil s'était si bien adapté à la corpulence crois-
sante de Madame Kang que les côtés tressés épou-
saient toutes les formes de son corps. Elle s'y asseyait
le matin et, quand il ne pleuvait pas, y demeurait jusqu'au soir.

Autour d'elle, les enfants jouaient et criaient, té-
taient leurs nourrices, les servantes cousaient, lavaient
les légumes et le riz dans le bassin, les belles-filles
bavardaient, les voisines s'arrêtaient pour donner des
nouvelles, les colporteurs apportaient leur marchan-

dise, et les dames d'autres grandes maisons venaient jouer au mah-jong. Lorsqu'on introduisit Madame Wu, Madame Kang l'accueillit avec des cris de bienvenue et ses excuses de ne pas se lever.

« Je prends tellement de poids que, la nuit venue, je jurerais que je suis plus lourde sur mes pieds qu'au matin! », s'écria-t-elle.

Dans la cour tout le monde se mit à rire, et un autre rire au milieu de la maison montrait que Mr. Kang avait entendu, lui aussi, mais il ne parut pas. En sa qualité d'homme, il ne pouvait que rester assis à une certaine distance, à écouter et à regarder, tout en feignant de lire ou de dormir.

Madame Wu, au milieu de tant de monde, ne pouvait pas parler comme elle le désirait de Fengmo et de Linyi. Sans hâte, avec sa courtoisie habituelle, elle s'installa sur le siège qu'une servante venait de placer à côté de Madame Kang. Celle-ci savait fort bien que son amie venait avec un dessein précis ; elle agita ses grosses mains, cria à tout le monde de s'en aller et de les laisser tranquilles. Après beaucoup d'exclamations, de galopades et un tohu-bohu général, pendant lequel Madame Kang, ses mains appuyées sur ses genoux, lançait d'une grosse voix des instructions à chacun, les deux dames se trouvèrent seules.

Madame Wu tendit alors à Madame Kang la lettre électrique de Fengmo. Mais celle-ci l'écarta en riant :

« J'ai oublié les quelques caractères que je savais, dit-elle, enjouée. Je n'en ai jamais eu besoin, et encore moins quand je vous ai près de moi, Ailien. »

S'il subsistait quelque éloignement entre elles, Madame Kang n'en laissait rien paraître. Elle se conduisait comme si elle avait vu journellement, et pas plus tard qu'hier, sa vieille amie.

Madame Wu sourit. Il était impossible de ne pas

sourire à cette femme, malgré le dégoût qu'elle pouvait inspirer. Elle lut donc à haute voix les mots de Fengmo :

« Je reviens immédiatement. »

« Ne dit-il rien de plus ? demanda Madame Kang, les yeux fixés sur le papier.

— Absolument rien. »

Et Madame Wu replia la lettre et la remit à l'intérieur de sa veste. Elle prit le bol de thé placé à sa portée, sur la table, mais le bol était sale et elle le posa aussitôt.

« Il est clair qu'il y a quelque chose. Il devait rester là-bas cinq ans.

— Est-il malade ? s'écria Madame Kang.

— Peut-être bien, mais il nous l'aurait fait savoir, je crois, en ce cas.

— Croyez-vous qu'il ait commis quelque mauvaise action ?

— Je ne saurais envisager une chose pareille. »

En effet, après l'enseignement donné par André, Madame Wu ne pouvait croire que Fengmo pût commettre une faute grave.

« C'est à propos de Linyi que je suis venue vous voir, dit-elle. Je me fais des reproches de n'avoir pas continué ses leçons après la mort du précepteur. »

En prononçant ces mots, elle détourna la tête, car elle connaissait la clairvoyance de Madame Kang, si prompte à deviner tout ce qui concernait les hommes et les femmes.

« Ça n'a aucune importance pour Linyi, dit Madame Kang, toujours enjouée. Elle n'a jamais osé vous le dire, Ailien, mais elle détestait ces leçons et elle n'aimait pas le prêtre. Elle prétend qu'il ne parlait que de sa religion.

— Mais il ne lui a jamais enseigné sa religion, fit

Madame Wu, très indignée. Je lui ai interdit de l'apprendre à Fengmo, et certainement, à Linyi, il n'en a pas soufflé mot. Il savait ce que j'en pensais.

— Il n'était pas question des dieux — Madame Kang céda sur ce point, — mais il ne faisait que lui ressasser quelles devaient être ses pensées, ses sentiments envers son mari, envers vous et tous ceux avec qui elle vivait sous le même toit.

— Ce n'est pas de la religion.

— Ça la troublait quand même. Elle prétend que ça l'empêchait de manger et de dormir.

— Ah ! un bon professeur vous remue l'âme ! dit tranquillement Madame Wu.

— Si Fengmo s'est mis à ressembler au prêtre étranger, dit Madame Kang en bâillant, ça ira mal entre eux. »

Elle regardait autour d'elle, paraissant chercher quelque chose.

« Que désirez-vous, Meichen ? demanda Madame Wu avec courtoisie.

— A cette heure-ci, je prends en général un bol de riz et de fèves mélangés dans du bouillon de poule. Je me sens creuse. »

Tous ceux qui avaient été congédiés revenaient un à un. D'abord les enfants accoururent pour s'amuser, car, dans la maison de Madame Kang, les enfants obtenaient vite ce qu'ils désiraient. Les nourrices se mirent à courir après eux, les prirent dans leurs bras, ce qui déchaîna des hurlements. Madame Kang criait :

« Laissez-les faire ! »

Les servantes parurent à leur tour, on apporta la bouillie que Madame Wu refusa de partager et que Madame Kang avala à grandes lampées, laissant les enfants, l'un après l'autre, en goûter sur le côté du bol, non sans qu'elle eût soufflé dessus pour la rafraîchir.

Madame Wu se leva et prit congé. Elle se disait que peut-être c'était sa dernière visite et qu'elle ne reverrait jamais sa vieille amie. Mais la séparation datait de loin.

Elle avait cependant appris une chose pendant cette visite et elle ne regrettait pas d'être venue. André avait enseigné à Linyi ses devoirs : elle découvrirait bien ce qu'il lui avait dit.

*

* *

Madame Wu ne s'occupa plus que des préparatifs pour le retour de Fengmo. Les enfants du temple attendraient leur école ; Rulan et Ch'iuming devraient patienter, elles aussi. Il fallait préparer Linyi à recevoir son mari, tel était le premier devoir à remplir.

Il n'y avait rien là de bien compliqué, car Madame Wu avait le droit de convoquer sa bru. Dans une maison aussi grande que la sienne, Madame Wu passait souvent plusieurs jours sans adresser la parole à l'un des membres de la famille. C'était le cas de Linyi. Elle voyait la jeune femme presque journellement, au principal repas et aux jours de fête, à ceux où l'on saluait les plaques des ancêtres et autres occasions de ce genre. Mais Madame Wu n'avait eu aucune raison pour réclamer la présence de la jeune femme. Linyi, dans la maison, se faisait servir par les domestiques ; elle rendait des visites à sa sœur et paressait, sauf pour remplir quelques devoirs que lui assignait Madame Wu, sur le rôle où, au début de chaque saison, elle inscrivait les diverses consignes de la maison. Ainsi, Madame Wu avait marqué pour Linyi des tâches de ce genre : nourrir les poissons rouges, s'occuper des fleurs dans la grande galerie, aérer et mettre au soleil les vêtements de fourrure et les robes de satin de Fengmo, surveiller en son absence le pavillon qu'elle habitait avec une vieille femme amenée de chez elle. Une ou deux fois, Linyi avait été malade, soignée par sa sœur, puis Meng avait fait dire à sa belle-mère que tout allait bien, et Madame Wu n'en savait pas plus.

A présent, elle voulait être mieux renseignée. Elle ne se faisait, du reste, aucune illusion. Ce n'était pas par simple intérêt pour son fils qu'elle voulait entendre de la bouche de Linyi ce qu'André lui avait appris. Elle désirait lui faire répéter les paroles du prêtre tout autant que savoir quelles racines elles avaient jetées dans le cœur de cette jeune femme.

Linyi arriva donc, habillée, peinte, poudrée et le bout de ses cheveux bouclés. Madame Wu l'accueillit avec son sourire habituel et un geste de la main qui l'invitait à s'asseoir, à se mettre à l'aise. Elle examina Linyi de la tête aux pieds avant de parler. La jeune femme était très jolie, elle le savait et ne redoutait nullement le regard de Madame Wu. Celle-ci sourit devant cette expression à la fois hardie et innocente — car les yeux n'étaient-ils pas innocents ? Oui, mais malicieux aussi, insouciants et gais.

« Je souris en voyant comme les temps sont changés, lui dit Madame Wu : Quand j'étais jeune fille, j'aurais pleuré en voyant mes cheveux friser. Ils devaient être raides, noirs et plaqués, voilà ce qu'on considérait comme la beauté capillaire ! Mais, à présent, ce sont les boucles qui sont belles, n'est-ce pas ? Meng doit être ravie, puisque les siens frisent naturellement, mais je m'imagine qu'elle les préfère lisses. »

Linyi se mit à rire, montra de petites dents blanches et une langue rose :

« Je pense que Fengmo doit être habitué aux boucles, dit-elle de sa voix haute et fraîche. Toutes les
étrangères sont frisées.

— Ah ! », dit Madame Wu.

Elle parut grave tout à coup :

« Dites-moi pourquoi vous avez toujours tant aimé
ce qui vient de l'étranger.

— Pas du tout, répondit Linyi en faisant la moue.
Je n'ai jamais aimé ce vieux prêtre poilu.

— Mais il n'était pas vieux, dit Madame Wu à
voix basse.

— Moi, je le trouvais vieux, répondit Linyi. Et
poilu. Oh ! que je déteste les hommes poilus ! »

Madame Wu trouva cette conversation indigne de
l'une comme de l'autre. Elle se demandait comment la
reprendre sur un autre plan :

« Mais il vous donnait de bien bonnes leçons, dit-
elle. Je crois que tout son enseignement était plein de
bonté et je voudrais que vous me le rappeliez, je vous
prie. »

Lorsque Madame Wu disait : « Je vous prie »,
c'était sur un ton qui obligeait Linyi à obéir, qu'elle le
voulût ou non. Elle fronça ses longs sourcils déliés et
tortilla autour de son doigt une mèche noire.

« Je n'ai guère cherché à m'en souvenir, dit-elle. Il
me répétait sans cesse que Fengmo était né pour faire
de grandes choses et que je devais y prendre part en
le rendant aussi heureux que possible, pour lui permettre de mieux travailler.

— Comment devez-vous le rendre heureux ?

— Le prêtre m'a dit d'écarter la paille, les morceaux de bois et les choses qui obstruent le courant ;
je dois faire mon possible pour laisser l'eau monter
à son niveau. Je ne dois pas être comme un roc au mi-

lieu du clair torrent, et qui le divise. Il ne faut pas
que j'amène de division dans la vie de Fengmo. »

En effet, se disait Madame Wu, ce sont bien là
des paroles d'André. Connaissant le tour d'esprit de
la jeune femme, il s'était servi de mots simples et
d'images.

« Continuez, mon enfant, dit-elle doucement. Ce
sont de bonnes paroles. »

Linyi poursuivit, elle lâcha sa mèche de cheveux, et
ses yeux devinrent pensifs lorsqu'elle parla :

« Il a dit aussi que je devais lire les livres qui inté-
ressent Fengmo pour que je comprenne ses pensées.
Il a dit que Fengmo resterait toute sa vie solitaire, si
je ne le suivais pas de très près. Fengmo a besoin de
moi », m'a-t-il dit.

Elle leva les yeux de nouveau sur Madame Wu :

« Mais je ne suis pas certaine que Fengmo ait besoin de moi ! »

Madame Wu rencontra le regard enfantin :

« L'aimez-vous ? », demanda-t-elle.

C'était, pour une dame, une étrange question à
poser à la femme de son fils. Qui donc, en dehors de
Madame Wu, s'en serait avisé ?

Les yeux de Linyi s'emplirent de larmes :

« Je pourrais l'aimer, dit-elle, s'il m'aimait, lui !

— Ne vous aime-t-il pas ? », demanda Madame
Wu.

Linyi secoua la tête si fort que les larmes tombèrent en gouttes sur le satin bleu pâle de sa robe.

« Non, murmura-t-elle, Fengmo ne m'aime pas. »

En prononçant ces mots, elle baissa la tête, l'en-
fouit dans ses mains, toujours pleurant. Madame Wu
attendait. Elle savait que rien ne vaut les larmes,
quand une femme a des tourments. Que de fois elle
avait souhaité pleurer, sans y parvenir !

Elle attendit jusqu'à ce que les sanglots de Linyi fussent calmés ; ensuite elle parla de nouveau :

« Ah ! dit-elle, Fengmo n'aime personne. C'est une tare chez lui. Il faudra l'en guérir. Je vous y aiderai, mon enfant. »

Ces paroles étaient brèves et simples, mais, dans cette maison, la confiance de chacun envers Madame Wu était telle que Linyi retira les mains de son visage et sourit, les cils encore mouillés.

« Merci, notre Mère, dit-elle. Merci et encore merci. »

Fengmo revint avant l'hiver, mais après les dernières chaleurs d'automne. Les récoltes étaient faites et serrées. La maison Wu et la ville, qui en dépendait, car elle donnait l'exemple de la sagesse et de la bonne administration, les villages où les gens travaillaient la terre et vivaient comme avaient vécu leurs ancêtres poussaient des racines de paix dans une nation qui, à l'est, se trouvait en pleine guerre. Partout ailleurs, on voyait des maisons détruites, des familles dispersées, chassées de chez elles, des champs à l'abandon. Mais ici, à l'intérieur, la maison Wu continuait.

Madame Wu attendait son fils. Les premières paroles qu'il prononça après l'avoir saluée eurent trait à cette paix. Il promena ses regards autour de lui, surpris de trouver tout à la même place, dans chaque pièce.

« Mais rien n'est changé ! s'écria-t-il.

— Pourquoi changerions-nous ? », dit Madame Wu.

Et, tout en prononçant ces mots, elle sentit qu'elle ne disait pas la vérité. Il y avait un grand changement en elle-même, ce changement intérieur qui, journellement, s'exprimait par ses paroles et ses actes, sa manière de diriger ceux qui cherchaient auprès d'elle des

conseils, un abri, des soins. Mais elle ne voulait pas
qu'il fût question de ces choses.

« Tu as changé, mon fils », lui dit-elle simplement.

Elle était assise cérémonieusement dans la bibliothèque, vêtue de sa robe brochée de satin gris perle.
Elle avait tenu à recevoir Fengmo dans la grande
pièce où André et elle étaient restés si souvent. Elle
ne parlerait pas du prêtre, mais les souvenirs parle-
raient. Aussi, sitôt finies les réjouissances de l'arrivée, au portail, les pétards et le bruit de la foule un
peu apaisés, quand il ne resta plus que le festin rituel,
elle fit dire à Fengmo qu'elle l'attendait.

Sans qu'elle l'en priât, il s'assit. Il avait enlevé ses
vêtements occidentaux et remis une de ses robes. Il
avait même remplacé ses souliers de là-bas par les
siens, en velours noir. Personne ne lui avait parlé de
Tsemo, car il est de mauvais augure de parler d'un
mort à un vivant qui rentre chez lui, mais Fengmo commença :

« Mon second frère me manque ! », dit-il.

Madame Wu s'essuya discrètement les yeux. Lorsque Tsemo vivait encore, il ne lui manquait pas énormément dans ses absences, mais, à présent, elle le
regrettait beaucoup et pensait souvent à lui. Elle ne
regrettait pas tant ce qu'elle connaissait de lui, mais
surtout ce qui lui demeurait inconnu. Elle se faisait
des reproches d'avoir permis à un fils de grandir dans
sa maison sans réellement découvrir ce qu'il était. Elle
le connaissait comme son fils, issu de sa chair, mais elle
ne l'avait jamais vraiment compris.

« J'ignorais les mérites qu'il possédait et ne le saurai jamais », se disait-elle souvent.

« Comment va ma seconde belle-sœur ? demanda
ensuite Fengmo.

— Rulan ne dit rien, dit Madame Wu. Lorsque

j'en aurai le temps, je tâcherai de trouver une manière de vivre qui lui convienne. Elle est trop jeune pour
devenir nonne.

— Bien entendu, elle ne se remariera pas, demanda
Fengmo.

— Si elle le désire, je lui viendrai en aide », répondit Madame Wu.

Ces paroles surprirent beaucoup Fengmo. Il n'aurait jamais cru que sa mère pût placer la femme au-
dessus de la famille.

Voyant sa surprise, Madame Wu continua de sa
douce voix :

« Je m'instruis avec l'âge, dit-elle. La vie n'est pas
bonne lorsque les sources intérieures ne sont pas limpides. Et je sais à présent qu'il existe une dette envers
toutes les âmes : le droit de chacun à son propre
bonheur.

— C'est ce que disait Frère André », répondit
Fengmo tout à coup.

A ces mots, la mère et le fils se sentirent rappro-
chés par une puissance ou une présence invisible.

« Mère, vous rappelez-vous Frère André ? », lui
demanda Fengmo.

Madame Wu hésita. Que pouvait-elle dire ? jusqu'où s'avancer ? Son ancienne prudence reprit le
dessus. Le silence entre les générations ne devait pas
être complètement rompu. La vie elle-même avait
créé ces différences, le temps lui-même avait jeté ce
voile. Ce n'était pas à elle de changer l'ordre éternel.
Elle et André se trouvaient d'un côté, Fengmo de
l'autre.

« Je me souviens de lui », dit-elle seulement.

Si Fengmo sentit ce qui les séparait, il n'en montra rien.

« Mère, il m'a transformé... dit-il d'une voix basse.

en regardant la chaise vide. Il m'a fait comprendre le
véritable bonheur, il m'a dévoilé mon âme. Et voilà
pourquoi je suis revenu. »

Madame Wu ne répondit pas. Elle sentait dans la
voix de son fils un frémissement et comprit qu'une
réponse d'elle lui causerait trop d'émotion. Elle sourit
de son délicieux sourire, joignit les mains sur ses genoux et attendit, se montrant ainsi prête à écouter.

« Personne ne comprendra pourquoi je suis revenu
si brusquement, dit-il. On me posera des questions
et je ne pourrai pas répondre. Mais je veux vous le
dire à vous, Mère. Car c'est vous qui avez amené Frère André dans cette maison ! »

Elle n'osait parler, tant elle avait la certitude de
la présence d'André. Ce n'était peut-être qu'un souvenir — mais non, elle le sentait là, car elle l'aimait.

« Mère ! », cria Fengmo.

Il leva la tête et se força à parler très vite, à préci-
piter les mots pour en avoir plus tôt fini.

« Je suis revenu parce que je me suis mis à aimer
une étrangère, elle aussi m'aimait et nous nous sommes séparés. »

Madame Wu, autrefois, se serait récriée d'indignation. Mais à présent elle répondit avec douceur :

« Quel chagrin ! mon fils. »

Oui, elle connaissait ce chagrin.

« Vous me comprenez donc ? »

Fengmo était stupéfait, car l'âge mûr étonne la
jeunesse.

Il avait beaucoup grandi, de plusieurs centimètres.
Il était mince et droit, comme Vieux-Monsieur. Madame Wu s'aperçut pour la première fois que Fengmo ne ressemblait pas du tout à son père, mais beaucoup à son grand-père. Ses traits avaient la même
sévérité, la même gravité brillait dans son regard. Il

était beau, mais digne. On ne retrouvait en lui ni la beauté placide de Liangmo ni celle, plus hardie, de Tsemo. Fengmo ressemblait à un jeune savant.

« Je m'instruis avec l'âge, répéta Madame Wu.

— Oh! Mère! »

Fengmo soupira.

« Je me demandais si, dans cette maison, je trouverais quelqu'un pour me comprendre. »

A présent, mis en confiance, il débita toute son histoire.

« Elle était étudiante comme moi. Là-bas, hommes et femmes travaillent ensemble. Elle était tout illuminée de curiosité et d'émerveillement. Elle me recherchait, oh! sans hardiesse, mère, vous savez, mais parce qu'elle prétendait n'avoir jamais rencontré personne comme moi. Elle me posait des tas de questions sur nous, notre pays, notre maison, et je lui parlais de tout, de moi-même aussi. Elle me racontait sa vie. Nous nous connaissions si bien — et si vite!

— Et à la fin, tu as dû lui parler de Linyi », fit doucement Madame Wu.

Une ombre passa entre lui et le soleil. Ses épaules s'affaissèrent, il détourna la tête :

« Il a bien fallu que je lui en parle, fit-il simplement, et après j'ai dû partir.

— Pour mettre l'Océan entre vous, répondit Madame Wu sur le même ton.

— Pour mettre tout entre nous. »

Elle conservait cette impassibilité qui lui était habituelle. André avait enrichi l'âme de son fils, l'avait rendue excessivement délicate et prompte à se tourner au bien. Les femmes ne lui donneraient pas le bonheur, pas plus que son propre corps. Lorsque

Madame Wu avait demandé à André de lui servir
de précepteur, elle avait agi en aveugle, elle ne
voyait guère devant elle. Elle avait touché une serrure, tourné à demi la clé, et voilà qu'une grande porte
s'était ouverte, que son fils avait passée pour aller
par le nouveau monde.

Etait-il revenu chez lui pour fermer la porte derrière lui, tourner la clé et verrouiller la serrure ?

« Et maintenant, mon fils, que vas-tu faire ?

— Je suis revenu, dit-il. Je ne partirai pas. De
toute façon, je ferai ma vie ici. »

Ils restèrent assis en silence, dans le long silence
de deux êtres qui se comprennent.

« Il faudra que tu aides Linyi, mon fils, lui dit-elle.

— Je le sais. J'ai beaucoup pensé à elle. Je lui
dois énormément.

— Il faut que tu t'arranges pour avoir besoin d'elle,
lui demander son aide pour les petites choses, le soin
de tes affaires, le rangement de tes livres, pour ton
thé. Ne fais rien toi-même, mon fils, quand elle peut
te remplacer, afin qu'elle soit occupée, sans chercher
plus loin.

— Je vous le promets. »

Longtemps encore ils seraient restés ainsi tous les
deux, tant ils éprouvaient de réconfort, mère et fils,
à être ensemble, si Ch'iuming n'avait pas choisi cet
instant pour soumettre à Madame Wu une requête
qu'elle avait dans la tête depuis longtemps.

Pendant ces longs mois, elle avait vécu avec Rulan,
écoutant les tristes discours de la jeune veuve et son
amour pour le défunt. Plus elle l'écoutait, plus ses
pensées se tournaient vers Fengmo, mieux elle sentait qu'il lui faudrait quitter la maison, s'en aller avec
sa fille. Mais où aller ?

Une nuit que Rulan ne pouvait dormir et qu'elle

avait causé longuement avec Ch'iuming des choses
qui dorment au plus profond du cœur des femmes.
Ch'iuming rompit son vœu de silence et avoua son
amour pour Fengmo.

« Je suis une mauvaise fille, dit-elle à Rulan. Je
me permets de penser à lui. »

Rulan avait écouté avec une brûlante attention.
Elle secoua ses cheveux sur ses épaules.

« Oh ! que je voudrais que nous puissions sortir
ensemble de cette maison ! s'était-elle écriée. Ici nous
sommes emprisonnées derrière ces grands murs. La
famille s'espionne. Nous aimons ce que nous ne devrions pas aimer, et nous haïssons là où il ne faudrait pas haïr. Nous sommes trop serrés les uns contre les autres, et quand nous aimons, et quand nous
haïssons.

— Mais, derrière ces murs, ne sommes-nous pas à
l'abri ? », avait demandé Ch'iuming.

Elle restait un peu timide devant Rulan, l'admirant tout en redoutant sa hardiesse.

« Pas à l'abri les uns des autres », avait rétorqué
Rulan.

C'est à ce moment-là qu'une même pensée leur
était venue. Elles se regardèrent dans les yeux.

« Pourquoi resterions-nous ici ? demandait Rulan.

— Comment oserions-nous partir ? »

Et elles se mirent à ourdir un complot. Ch'iuming
obtiendrait la première la permission d'habiter dans
le village des ancêtres. Elle ne pouvait retourner
dans le village de son enfance, car on dirait que la
famille Wu l'avait chassée ; du reste, Madame Wu
elle-même ne permettrait pas. Ch'iuming demanderait donc d'aller dans un village des Wu, et, comme
la Première Epouse dirait sans doute qu'une jeune
femme ne peut habiter seule un village de paysans,

alors Ch'iuming réclamerait Rulan. Et Rulan, de son
côté, n'aurait qu'à dire qu'elle voulait installer dans
le village une école pour les enfants, bonne œuvre
pour un veuvage. Après plusieurs entretiens, elles
arrivèrent à cette conclusion ; Rulan voulait immédiatement en faire part à sa belle-mère. Ch'iuming
lui montra la discourtoisie de cette démarche, car, si
Madame Wu s'avisait de refuser, elle serait très gênée d'avoir à le faire en face de sa bru. Mieux valait
laisser Ch'iuming prendre les devants et soutenir
le choc d'un refus possible, ce qui évitait des heurts
entre belle-mère et belle-fille.

Rulan se récria que tout cela était bien démodé,
mais Ch'iuming y voyait une simple question de politesse, et elles se décidèrent donc.

Ch'iuming savait parfaitement où était Fengmo,
mais elle avait résolu d'aller trouver Madame Wu
pendant qu'il était là et de ne parler au jeune homme qu'en sa présence. Elle mit donc à sa fille une
robe rouge très propre, lui lava les mains et la figure, peignit un point rouge entre ses sourcils, lui
tressa les cheveux, en noua les bouts avec du coton
rouge tout neuf, puis, accompagnée de l'enfant, qui
était devenue une belle fillette rebondie, elle parut
sans être annoncée.

Madame Wu tourna la tête vers la porte et aperçut Ch'iuming. Il était déjà tard dans l'après-midi :
Fengmo était arrivé ce matin-là. Le soleil avait disparu de la cour, encore emplie d'une douce clarté, et
Ch'iuming se trouvait dans cette lumière, son enfant
dans les bras. Elle semblait presque belle, ce qui
consterna Madame Wu. L'amour de Ch'iuming, si
secret et non partagé, l'avait rendue douce et vivante.
Madame Wu lança un rapide regard vers son fils, se
demandant ce qu'il en pensait. Mais il ne prêtait

aucune attention au spectacle. Ch'iuming salua Fengmo avec circonspection.

« Ah ! notre Troisième Monsieur, vous voici de
retour. »

Fengmo répondit simplement :

« Oui, oui, vous allez bien ?

— Je vais bien », dit Ch'iuming.

Elle ne le regarda qu'une fois et se tourna vers
Madame Wu.

« Notre Dame, puis-je vous demander une faveur,
même à présent, et ne pas être jugée trop mal élevée
si je vous dérange ? »

Madame Wu comprit que Ch'iuming, pour venir
à cette heure-là, devait avoir un but, et elle hocha
la tête en disant :

« Asseyez-vous, laissez ce gros enfant se tenir
sur ses pieds. »

Ch'iuming obéit en rougissant très fort. Elle exprima sa requête et Madame Wu écouta :

« Très bien, dit-elle, très bien. »

Elle comprit aussitôt l'intention de Ch'iuming. En
venant là, Ch'iuming désirait prouver à Madame
Wu son désir de quitter la maison, car Fengmo était
de retour ; elle voulait donc éviter toute cause de
trouble dans la famille. Madame Wu lui sut gré de
cette bonne intention.

Lorsque Ch'iuming eut obtenu la permission de
partir, elle intercéda pour Rulan.

« Puisque le deuil de famille est terminé et que
son deuil à elle ne prendra jamais fin, Rulan voudrait soulager son chagrin par une bonne œuvre,
dit Ch'iuming. Elle voudrait monter une école pour
les enfants. »

A ces mots, Fengmo, qui regardait fixement le sol,
leva les yeux, surpris :

« Voilà justement ce que je comptais faire à mon retour », dit-il.

Quelle confusion ! Ch'iuming fut atterrée et Madame Wu très troublée.

« Tu ne m'en avais rien dit, mon fils ! dit-elle, la voix cristalline et incisive.

— Je n'étais pas encore arrivé à ce sujet, dit Fengmo. Après ce qui s'est passé, il fallait que je cherche un travail à faire. »

Madame Wu leva une main menue.

« Attends », lui dit-elle et, se tournant vers Ch'iuming, elle ajouta :

« Avez-vous une autre demande à me soumettre ? demanda-t-elle avec bonté.

— Aucune, répondit Ch'iuming.

— Alors vous avez la permission de quitter la maison, vous et Rulan aussi. Dans quelques jours, je ferai venir l'intendant et je lui demanderai de vous trouver des locaux convenables pour loger et installer une école. Après quoi, vous irez là-bas quand vous voudrez. Mais vous aurez besoin de meubles meilleurs que ceux que l'on trouve dans une ferme, et de bien d'autres objets. Réfléchissez à ce qu'il vous faudra et je dirai à Ying d'y pourvoir. On devra songer à trouver deux servantes et un cuisinier. Le chef-cuisinier pourra vous donner un de ses aides. »

Fengmo intervint de nouveau :

« Si elles habitent le village, elles ne devront pas avoir un train de vie trop au-dessus des autres ; sans quoi elles resteront isolées. »

Ch'iuming lui lança sans rien dire un regard rapide. Elle était étonnée qu'il eût saisi ce détail, lui qui avait passé toute sa vie dans une maison riche. Comment connaissait-il les pensées des gens de peu ?

Puis elle écarta la question. Elle ne devrait jamais s'interroger sur lui.

Elle se leva, souleva l'enfant, remercia Madame Wu et se retira. Rulan l'attendait et, dès qu'elle apprit le résultat de la démarche, toutes les deux se lancèrent dans des projets sur leur nouvelle existence, avec plus de joie qu'elles ne l'auraient cru possible la veille encore.

Dans la pièce que Ch'iuming venait de quitter, Madame Wu s'adressait à son fils :

« Explique-moi ce que tu as dans le cœur. »

Il se leva, en proie à une vive agitation, s'avança jusqu'à la porte ouverte et regarda au-dehors. La quiétude du crépuscule régnait entre ces murs. Les saisons se succédaient ici, comme dans le monde entier.

« Il me faut absolument me dévouer à une cause. Cela, Frère André me l'a appris. Si ce n'est pas une chose, ce sera l'autre. Après mon départ d'ici, j'ai cherché à me dévouer. La religion n'est pas de mon ressort, Mère. Je ne suis pas un prêtre. Je suis conduit, par l'enseignement de Frère André, dans les limites de ce qu'un homme peut accomplir, mais pas au-delà.

— Bien, mon fils », dit Madame Wu, et elle attendait.

Il s'assit de nouveau.

« La voie m'a été indiquée tout à fait par hasard », poursuivit Fengmo. Il tira de sa poche du tabac, une courte pipe étrangère. Madame Wu n'avait jamais eu l'occasion d'en voir de semblable, mais elle se garda d'interrompre son fils par sa curiosité.

« Dans la ville que j'habitais, là-bas, se trouvait un blanchisseur de ma race, je lui apportais mon linge à laver de temps à autre. »

Madame Wu sembla surprise :

« Lavait-il aussi pour d'autres ?

— Pour un grand nombre. C'était son métier.

— Vas-tu me dire qu'il blanchissait le linge des étrangers ? », dit Madame Wu avec une certaine indignation.

Fengmo se mit à rire.

« Il faut bien que quelqu'un le lave. »

Mais Madame Wu ne riait pas.

« Nos gens ne devraient jamais nettoyer les vêtements souillés des étrangers », dit-elle.

Elle était vexée et ne songeait plus à ce que Fengmo lui disait.

Il s'efforça de la calmer.

« Bon... bon... »

Puis il continua :

« L'homme ne venait pas de nos provinces, mais du Sud. Un jour que j'allais chercher mes affaires...

— Chercher tes affaires ! répéta Madame Wu. N'avais-tu donc pas un serviteur ?

— Non, Mère, là-bas, personne de nous n'en avait. »

Elle retint de nouveau sa curiosité.

« Je vois que c'est un étrange pays, il faudra que tu m'en dises davantage un jour. A présent, continue...

— J'ai donc été chercher mes affaires, et l'homme m'a apporté une lettre de chez lui. Mère, il était absent de son pays depuis vingt ans et il n'avait pu lire une seule des lettres qu'il recevait. Il ne savait pas non plus écrire. Je lui lisais donc ses lettres et j'y répondais pour lui ; il m'avait raconté que, dans son village, personne ne lisait ni n'écrivait, il leur fallait aller à la ville chercher un scribe. Je n'avais jamais compris le côté pitoyable de tout cela avant de connaître ce blanchisseur. C'était un brave homme, Mère, pas bête, très intelligent même. « Si je pouvais seulement lire et écrire, me disait-il, mais c'est comme si j'étais aveugle. » Je revins dans ma chambre et regardai par ma fenêtre les énormes bâtiments du collège et les milliers d'étudiants qui entraient, qui sortaient, qui apprenaient tant de choses, et je songeais à ce pauvre homme, incapable de lire les lettres de chez lui. Je me suis rappelé que c'était la même chose dans nos villages. Aucun de ceux qui vivent sur nos terres ne sait lire ni écrire.

— Mais à quoi bon ? dit Madame Wu. Ils ne vont pas plus loin, ils se contentent de cultiver les champs.

— Voyons, Mère, Mère ! s'écria Fengmo. Savoir lire, c'est allumer une lampe dans l'esprit, relâcher l'âme de sa prison, ouvrir une porte sur l'univers. »

Ces mots atteignirent les oreilles de Madame Wu et lui congelèrent le cœur.

« Ah ! dit-elle, ce sont là les paroles de celui qui t'instruisit.

— Je ne les ai pas oubliées », dit-il.

Après cela, comment pouvait-elle retenir Fengmo, comment lui dire qu'il ne devait pas habiter hors de la maison ?

« Rulan saura très bien m'aider, dit-il avec ardeur. Je n'avais pas songé à elle. Linyi m'aidera aussi et nous ne penserons plus à nous-mêmes. »

De nouveau il était debout :

« Vous savez, Mère, si je réussis chez nous, dans nos villages, cela pourrait s'étendre partout. Quelle belle et grande chose ce serait... »

Elle vit le jeune et maigre visage s'éclairer d'une lueur qui ressemblait à celle qui brillait éternellement dans le regard d'André. Elle ne voulut pas l'éteindre.

« Mon fils, fais ce que tu jugeras bon. »

C'est ainsi qu'elle lui répondit. Oui, telle fut sa réplique.

*

* *

Madame Wu resta éveillée dans son lit, ce qui, à présent, lui arrivait souvent. Ces insomnies ne l'inquiétaient ni ne lui déplaisaient. Les jeunes doivent dormir, car ils ont du travail et une longue vie devant eux. Mais les vieux n'ont aucun besoin de sommeil. Le corps, sachant que l'éternel repos n'est pas éloigné, reste éveillé tant qu'il peut.

Madame Wu avait l'impression que la maison vivait la nuit tout différemment du jour. Elle laissa errer son esprit de cour en cour. De vieux cousins habitaient dans les pavillons éloignés ou extérieurs ; des cousins plus jeunes, au second et au troisième degré, se trouvaient là, de passage, n'ayant pas d'autre asile pour l'instant, et ces toits étaient assez vastes pour les abriter, eux aussi, quelque temps. Madame Wu détourna attentivement son attention des pavillons qu'habitait Jasmin avec Mr. Wu. Elle connaissait leur vie, ne la jugeait pas, n'en éprouvait qu'un sentiment découragé. Le corps du vieil homme continuait à vivre, bien nourri, bien repu, et la jeune femme engraissait, paresseuse et toujours somnolente, le jour aussi bien que la nuit. Jasmin n'apportait aucun désagrément à la maison. Elle était stérile. Aucun enfant n'avait été conçu, ce dont Madame Wu était assez satisfaite. Le sang de Jasmin était un sang sauvage, il valait autant qu'il restât dans ses veines. Elle faisait son devoir envers Mr. Wu et, ayant goûté des plaisirs autrefois, elle était heureuse de contenter ce vieux qui lui donnait des bijoux, des soieries, des nourritures délicates, la taquinait et la caressait. Toute sa vie, Jasmin n'avait été qu'une fleur des chemins, en proie au vent qui passe. A présent, elle mettait sa joie à songer que derrière ces grands murs aucun vent ne viendrait l'effleurer. Même si Mr. Wu mourait, elle continuerait à vivre en sécurité dans cette maison. De toute sa vie, elle n'aurait plus rien à craindre.

Quant à Mr. Wu, sa jeune concubine achevait maintenant la tâche que sa mère avait commencée dans son enfance. Tout ce que Madame Wu avait pu lui inculquer s'était éteint : ainsi une lumière s'obscurcit quand elle n'est plus alimentée. Il était devenu grossier et lourd, mangeant trop, buvant trop, mais toujours en compagnie de Jasmin. Il n'allait plus dans les maisons de fleurs, car Jasmin lui en offrait tous les raffinements. Il ne recherchait même plus la compagnie de ses amis, qui lui était si nécessaire autrefois, et il n'allait que rarement aux maisons de thé pour écouter les nouvelles et discuter sur les potins de la ville. Jasmin lui racontait tout cela, qu'elle tenait des domestiques.

Là, dans ce pavillon où ils habitaient à peu près seuls, ils menaient une vie dissolue, folâtres, ivrognes et heureux, deux paquets de chair et d'os, contents de leur sort. On ne prononçait que rarement le nom de Mr. Wu, même dans sa propre maison. Parfois, un serviteur le murmurait à un autre avec malice, et voilà tout.

Madame Wu, grâce à sa divination, était au courant de tout cela, et elle ne pénétrait plus jamais dans cette cour qui avait été sa demeure. Jamais Jasmin, de son côté, ne venait chez elle. Toutes les deux vivaient aussi séparées qu'avant l'arrivée de Jasmin.

En faisant ces réflexions, couchée dans ses couvertures de soie, Madame Wu se demanda si elle n'avait pas manqué aux devoirs de son mariage.

Qu'aurait-elle donc pu faire qu'elle eût négligé ?
Elle posa cette question à André et, pour une fois,
elle ne trouva dans son souvenir aucune réponse
toute prête. Mais la figure de Vieux-Monsieur lui
apparut, tranchant sur le velours sombre de son cerveau, aussi nette que jamais, ni vieillie ni rajeunie.
Son visage avait toujours été maigre, sa peau dorée,
tendue, unie, sur la belle ossature. Son crâne, même
à présent, devait être une belle chose dans la tombe,
les traits purifiés et polis par le temps.

« Je crains de n'avoir pas agi comme j'aurais dû
avec votre fils », dit-elle tristement, en elle-même.

En contemplant ce bon et ce bienveillant vieux visage, elle songea que, peut-être, si, à son quarantième anniversaire, elle ne s'était pas séparée de Mr.
Wu, celui-ci ne fût pas tombé aussi bas qu'il était
aujourd'hui. Mais, au fond de ses souvenirs de jeunesse, elle découvrit la réponse de Vieux-Monsieur.

Elle se rappelait bien ce jour-là. Ils avaient fait
une lecture ensemble, car il avait envoyé chercher
sa bru, et elle l'avait trouvé un doigt glissé dans son
livre lorsqu'elle entra. Il lui avait montré les lignes
et elle lut ces mots :

« Elever une âme au-dessus de son niveau naturel
est un acte dangereux. Les âmes, comme les eaux,
ont leur lit naturel, et les forcer à le dépasser, c'est
un acte contre nature et par conséquent dangereux.
Car, lorsque l'âme se voit faire violence, elle cherche à reprendre son propre niveau et elle se disloque,
tiraillée entre les niveaux supérieur et inférieur ; cela
aussi est dangereux. La véritable sagesse est de peser
et de jauger une âme et de la laisser vivre là où elle
a sa propre place. »

Alors, les yeux de Madame Wu et de Vieux-
Monsieur s'étaient rencontrés, comme ils le faisaient

maintenant à travers tant d'années écoulées depuis qu'il n'habitait plus cette maison.

« Si je ne m'étais pas séparée de lui... » Elle médita un instant, mais ne put aller plus loin. Ce qu'elle avait fait était inévitable. Pendant combien d'années avait-elle soumis son être au devoir ? et combien d'années son âme avait-elle attendu, lentement grandie, il est vrai, par l'accomplissement de son devoir, mais développée malgré l'esclavage et l'espoir d'une délivrance ?

Maintenant, chose étrange, au milieu de la nuit, tandis que la maison reposait, silencieuse, elle songeait avec inquiétude à son fils aîné, Liangmo. Pourquoi se tourmentait-elle pour lui qui, de tous, était le plus content ?... Elle devrait apprendre à le connaître, lui aussi, quand elle le pourrait.

Elle ne s'arrêta pas à ce qui se passait dans le pavillon de Fengmo. Fengmo était un homme. Il s'était discipliné lui-même comme seul le peut un être qui a terminé sa croissance. Il n'avait pas livré son âme. Sur cette pensée réconfortante, elle laissa son esprit aller au sommeil comme une barque vide sur une mer éclairée par la lune.

*
* *

« A présent, mes livres anglais », demanda Fengmo.

Linyi courut les sortir de la caisse. Il y en avait deux pleines brassées.

« Ce que tu en as ! s'écria-t-elle.

— Il n'y a que les meilleurs, dit-il, indifférent. J'attends encore des caisses. »

Il s'agenouilla devant les rayons de la bibliothèque fixée au mur et alignait ses livres à mesure que

Linyi les apportait. Calme en apparence, le visage souriant, il était en proie, intérieurement, à un grand tumulte et à une profonde souffrance. Il lui semblait qu'il ne pourrait plus jamais dormir, et il était fébrilement pressé de ranger ses affaires, de les mettre en place, de reléguer hors de vue ses valises, destinées à ne plus jamais servir.

« Faut-il que tu termines tous tes arrangements ce soir ? lui demanda Linyi.

— Oui, il le faut. Je veux m'assurer que je suis rentré chez moi pour de bon. »

Elle était heureuse de ces paroles ; trop jeune, elle ne pouvait se demander pourquoi il les avait prononcées sans la regarder. Il est vrai qu'en disant cela il voyait devant lui un visage bien différent de celui de sa femme. Il voyait celui de Margaret, ses yeux bleus, ses cheveux châtains, et sa peau si blanche et si douce qu'il n'en oublierait jamais le contact. Regretterait-il jamais ce qu'il avait fait ce jour-là de l'autre côté de l'Océan, dans la forêt ? Car, dès qu'il l'eut saisie dans ses bras, il s'était forcé à la lâcher.

« Il faut en finir », avait-il dit.

Elle n'avait rien répondu. Elle était restée debout, ses yeux bleus fixés sur lui... Il y a quelque chose d'étrange et de merveilleux dans les yeux bleus. Ils ne peuvent cacher ce qui se trouve par derrière. Les yeux noirs sont des rideaux baissés, les yeux bleus des fenêtres ouvertes.

« Je suis marié, lui avait-il dit brutalement. Ma femme m'attend à la maison. »

Elle savait un peu comment se faisaient les mariages chinois.

« Etait-elle de votre choix, ou bien votre famille avait-elle tout arrangé ? »

Avant de répondre, il avait attendu un long mo-

ment. Ils étaient assis sous un pin. Ses bras étrei-
gnaient ses genoux et il cacha son front sur les genoux repliés, réfléchissant, cherchant la vérité. Il eût
été facile, et en partie vrai, de dire :

« Je ne l'ai pas choisie. »

Mais, au moment où il allait prononcer ces mots,
le souvenir du Frère André lui revint à l'esprit.

« Mentir est un péché, lui avait-il dit très simplement, mais ce n'est pas tant un péché envers Dieu
qu'envers soi-même. Tout ce qui est construit sur le
mensonge s'effondre. Le mensonge ne trompe personne autant que celui qui le prononce. »

Et Fengmo n'avait pas osé mentir à Margaret par
peur de sentir un jour leur amour crouler entre leurs
mains et cet amour enterré sous les reproches.

« Je n'ai pas été forcé de me marier, fit-il ; disons
que j'ai choisi. »

Après quoi, elle était restée immobile, à écouter,
tandis qu'il cherchait à lui expliquer la signification
du mariage dans sa famille.

« Le mariage, chez nous, n'est pas un devoir
envers l'amour ou envers nous-mêmes, mais pour la
place que nous tenons dans les générations. Je sais
que ma mère n'a jamais aimé mon père, mais elle a
accompli son devoir envers la famille. Elle a été bonne
épouse et bonne mère. A quarante ans, elle s'est retirée de la vie conjugale et a choisi pour mon père une
autre épouse. Cela nous a chagrinés, et pourtant
nous comprenions que c'était juste. A présent, elle
est libre de poursuivre son propre bonheur, toujours
à l'intérieur de la maison, et nous sommes tous
autour d'elle pour la soutenir et lui faire honneur.
Moi aussi, j'ai un devoir à accomplir envers la famille. »

D'une manière étrange et détachée, il avait eu

conscience de blesser Margaret au plus profond de son être.

« Je veux faire un mariage d'amour », avait-elle dit.

S'il s'était senti libre, non seulement envers Linyi, mais envers toutes les générations des Wu, dans les siècles passés, et de toutes celles à venir, il lui aurait répondu :

« Alors, marions-nous, et je renverrai Linyi. »

Mais il n'était pas libre. Les mains de ses ancêtres le retenaient, et les mains de ses enfants et petits-enfants encore à naître lui faisaient signe. Il devait à Margaret encore plus de sincérité.

« Je me connais », poursuivait-il.

Il leva les yeux, non sur elle, mais sur le paysage qui s'étendait devant eux, le fleuve, ses bateaux et son port, et l'arc du vaste pont entre les deux rives.

« Je sais que j'ai été créé non seulement par le ciel, mais aussi par ma famille, dont les racines rejoignent la légende, et je ne veux pas vivre pour moi seul. Mon corps m'a été donné — il ne m'appartient pas. Une chose en moi, il est vrai, m'est personnelle — l'âme, si vous voulez, — et, cette âme étant ma propriété, je veux vous la donner, parce que je vous aime. Mais, si je vous donnais mon corps, qui n'est pas à moi, je frustrerais les générations.

— Vous vous trompez — vous vous trompez ! s'était-elle écriée. L'amour et le mariage peuvent être une seule et même chose.

— Oui, quelquefois, avait-il dit, mais seulement par quelque caprice du ciel. Parfois, même chez nous, il arrive qu'un homme, le soir des noces, levant le voile nuptial de sa femme inconnue, découvre celle qu'il aurait élue parmi toutes les autres, s'il avait été libre de le faire. Mais c'est un hasard céleste. »

Elle insista fièrement :

« Ici, nous nous marions toujours par amour. »

Il avait conscience d'une séparation qui s'élargissait entre eux.

« Non, ce n'est pas vrai ! »

Il dirait la vérité, même si celle-ci devait les tuer l'un et l'autre.

« Vous vous mariez, comme nous le faisons, pour préserver l'espèce, mais vous vous leurrez et appelez cela l'amour. Vous réclamez la réussite idéale, fût-ce en vous décevant vous-mêmes. Vous adorez l'idée de l'amour. Mais nous sommes plus francs. Nous croyons qu'hommes et femmes, tous, doivent se marier. C'est notre devoir devant la vie. Si l'amour vient de surcroît, c'est une grâce accordée par le ciel. Mais l'amour n'est pas nécessaire à la vie.

— Il l'est pour moi », avait-elle dit à voix basse.

Sans répondre, Fengmo avait continué :

« Le contentement est nécessaire, mais le contentement vient lorsque le devoir est accompli, que l'espoir est réalisé — non pas l'espoir personnel de l'amour, mais l'espoir de la famille, des enfants de la maison et de la place qu'on tient dans les générations. »

Il parlait du fond du cœur et il avait le sentiment que Frère André l'approuvait, non pas pour ses paroles mêmes, mais parce qu'elles étaient prononcées dans toute la sincérité de son âme.

Combien dura le silence qui fut entre eux ? Il ne le rompit pas, il lui permit de monter et de s'étaler — un océan par la profondeur et l'étendue.

« Pour nous, c'est donc un adieu, n'est-ce pas ? »

Un long moment, il avait tenu cette main entre les deux siennes.

« Oui, c'est un adieu », avait-il dit, et il l'avait laissée partir.

Le dernier livre était en place, le dernier vêtement plié. Il prit ses valises et les posa dans le couloir où un serviteur les trouverait le lendemain matin. Puis il revint dans leur chambre. Linyi attendait au milieu de la pièce, incertaine. Sans hésiter, il s'avança vers elle et la prit par les épaules.

« Tu vas m'aider, dit-il, j'ai une tâche à remplir sur ma terre à moi, et j'ai besoin de toi ; je ne peux pas y arriver seul. Il faut que tu promettes de m'aider de toutes tes forces. »

Le regard farouche de Fengmo effraya à moitié Linyi. Mais elle trouva cette crainte exquise. Elle aimait avoir peur de lui. Elle avait besoin qu'il la dirigeât.

« Je t'aiderai, murmura-t-elle — je ferais tout ce que tu me diras. »

Dans la maison, Fengmo était comme un brasier et tout lui servait à attiser sa flamme. Il se levait avant l'aube, déjeunait à la lueur de la bougie et, au petit matin, partait à cheval, à travers champs, par d'étroits sentiers, jusqu'au village qu'il avait choisi pour y installer sa première école. Jeunes et vieux, avait-il décrété, devaient s'instruire. Il dressait des plans d'écoles pour les enfants, d'autres pour les hommes, les femmes et même pour les vieux.

Mais les gens âgés qui ne s'étaient jamais souciés de livres ne voyaient aucun besoin de s'y mettre.

« Quand il ne nous reste que quelques années à vivre, disaient-ils, devons-nous nous préoccuper de savoir ce que d'autres hommes ont écrit ? »

Et ils se plaignaient.

« N'avons-nous pas nos propres pensées ? s'écriaient-ils. N'avons-nous pas acquis un peu de sagesse, après tant d'années ? Notre sagesse nous suffit. »

Mais Fengmo était trop jeune pour céder à leurs doléances. A la fin, les vieux fermiers vinrent trouver Madame Wu pour la supplier de dire à son fils de modérer ses exigences. Madame Wu les fit entrer. Elle se montrait toujours très scrupuleuse sur la courtoisie en recevant ses inférieurs. Elle n'avait pas de supérieurs, elle trouvait qu'entre égaux le refus était possible, mais jamais quand il s'agissait de personnes au-dessous d'elle. Elle les reçut donc cérémonieusement dans la grande galerie de la maison ; elle fit venir Mr. Wu pour qu'il prît sa place habituelle à droite de la table centrale, tandis qu'elle s'assoirait à gauche ; la maison se trouverait ainsi honorablement représentée devant les paysans. Mr. Wu entra, plein de dignité. Il portait des robes en satin, d'un rouge vineux, sous une veste sans manches, en velours noir, tout cela très neuf, car il avait trop engraissé pour mettre ses anciens vêtements. Madame Wu était stupéfaite de lui trouver un pareil embonpoint, car, depuis bien du temps, elle ne faisait que l'apercevoir, assis à la table de famille, où, du reste, de plus en plus rarement, il venait. Il mourrait avant l'heure, songea-t-elle, en regardant ses joues, mais mieux valait mourir tôt et heureux que tard et insatisfait. Elle se tut et s'abstint de lui donner des conseils de prudence.

Lorsque les deux maîtres de la famille furent assis, les paysans entrèrent, vêtus de cotonnade bleue et chaussés de sandales en paille neuves. Ils apportaient de petits paquets de gâteaux enveloppés d'un lourd papier brun et attachés avec de la corde de paille, sous laquelle ils avaient glissé des morceaux de papier rouge comme porte-bonheur. Ils présentèrent ces présents, et Mr. Wu, en les recevant, protesta, selon les convenances, qu'ils n'avaient pas besoin de montrer tant de courtoisie.

Alors, humbles devant ces aristocrates, les fermiers exposèrent leurs embarras. Madame Wu écouta, Mr. Wu aussi, mais avec moins d'intérêt. Mr. Wu se montra tout à fait de l'avis des paysans.

« Ces frères ont entièrement raison, dit-il. Mon fils agit comme un fou, je vais lui donner l'ordre de revenir immédiatement dans ma maison et de vous laisser en paix. »

Madame Wu, elle, connaissait la question sous toutes ses faces et elle n'avait garde de permettre à Mr. Wu d'agir en toute ignorance de cause. Elle commença donc par se montrer d'accord avec lui, et puis elle glissa doucement des objections. Elle dit ceci :

« Le Père de mes fils parle avec beaucoup de sagesse et doit être obéi. Vous, bons frères, avez tous dépassé quarante ans. On ne devrait pas vous obliger à étudier malgré vous. Mais il se peut que parmi vous, dans le village, il s'en trouve qui, encore jeunes, désirent bénéficier d'un peu d'instruction — assez, par exemple, pour tenir leurs comptes et s'assurer qu'on ne les trompe pas dans les marchés. »

Elle se tourna vers Mr. Wu et dit de sa voix qui ne faisait que s'adoucir avec l'âge.

« Si nous défendions à notre fils d'instruire ceux qui ont plus de quarante ans, à moins qu'ils ne le demandent, que penseriez-vous ? »

C'était là un heureux compromis, et il en fut ainsi décidé. A partir de ce jour-là, les vieux fermiers obtinrent de Fengmo toute liberté de demeurer illettrés si cela leur plaisait, sans craindre de se trouver

mal vus pour les redevances à payer ou les semences
à recevoir.

Mais Fengmo se mit à rire lorsque sa mère lui
parla de la visite des vieux fermiers.

« J'ai une conquête à faire ! », s'écria-t-il.

Et il se réjouissait des difficultés à vaincre. Ses
efforts eurent un bon résultat, car quelques paysans,
même parmi les plus âgés, désirèrent apprendre en
voyant le profit qu'en tiraient les jeunes, et Fengmo
ne perdit pas l'occasion de faire connaître les avan-
tages qu'un jeune paysan trouve à savoir déchiffrer
une facture et vérifier un compte. Savoir lire finit
par devenir à la mode. D'autres villages réclamèrent
une école et Fengmo devint si occupé que, pendant
des mois, Madame Wu ignora où il en était de son
travail.

Tout cela, bien que parfait pour Fengmo, amena
des bouleversements dans la maison. Ch'iuming et
Rulan allèrent habiter le village, ce qui inquiéta
Madame Wu ; puisque Fengmo avait engagé les
deux jeunes femmes au service de ses écoles, comment Ch'iuming pourrait-elle cacher son amour ?
Madame Wu s'en tourmentait beaucoup, car Fengmo et Ch'iuming avaient beau être de même âge, ils
ressortissaient à des générations différentes, et un
affreux scandale éclaterait sur le nom des Wu si
jamais une ombre planait sur ces deux êtres.

C'est alors que Fengmo vint un soir trouver sa
mère.

Elle le reçut aussitôt, car elle savait que Fengmo
ne perdait pas de temps pour les choses qu'il jugeait sans importance. Elle craignait, en le voyant,
qu'il ne vînt lui annoncer ce qu'elle redoutait sur
Ch'iuming. Il s'agissait d'elle en effet. Fengmo
s'assit carrément sur sa chaise, posa les mains sur

les genoux et, de but en blanc, entama la conversation. Sa voix était assurée, mais son regard triste. Sa mère ne put que l'admirer tandis qu'il parlait. L'air frais du village lui avait donné des couleurs et de la santé ; et le succès de son œuvre, de la hardiesse.

« Mère, fit-il, je ne sais comment vous expliquer ce que j'ai à dire, mais, dans le doute, je commencerai par n'importe quel bout.

— Commence, mon fils », lui dit-elle.

Il frotta de ses mains ses cheveux courts. A son arrivée, ses cheveux étaient bien peignés et lisses, mais, à présent, il les portait aussi courts que ceux d'un paysan quelconque, et ils ressemblaient à une brosse noire.

« Est-ce au sujet de Ch'iuming ? demanda Madame Wu.

— Comment ? vous savez tout ? fit-il, surpris.

— J'ai mes moyens, dit-elle. Maintenant, mon fils, qu'as-tu à me dire ? »

Le sujet était entamé et il parla :

« Vous savez, Mère, qu'aucune femme ne peut me toucher. »

Elle sourit à sa jeunesse, et quelque chose, dans ce frais visage sérieux, l'émut au fond du cœur. Peut-être les coutumes anciennes du mariage et de l'amour étaient-elles néfastes, qui sait ? Elle se pencha un peu :

« Je me rappelle... »

Elle commença, puis s'arrêta. Elle se souvenait du jour où, le matin, pas plus vieille que Fengmo, elle s'était réveillée très tôt et, en regardant la figure de son mari endormi, elle avait compris que jamais elle ne l'aimerait. Cependant son devoir était accompli, la laissant satisfaite, et la vie lui avait accordé un certain genre de bonheur.

Mais la jeunesse du visage de Fengmo l'arrêta. Elle se redressa. Elle ne parlerait pas d'elle-même à son fils.

« Qu'allons-nous faire ? demanda-t-il.

— Cherchons ce qu'il y a de plus raisonnable. »

Il avait déjà tiré ses plans.

« Je vous demande la permission d'emmener Linyi avec moi. Nous aussi habiterons la campagne. »

Madame Wu ne put que reconnaître la sagesse de ces paroles, bien qu'elle s'attristât à la pensée d'un nouveau pavillon vide sous son toit. Puis elle fut heureuse de penser que Fengmo songeait à Linyi comme à une sauvegarde pour lui, et, plus elle y songeait, plus elle se sentait prête à faire selon son désir.

« J'accepte, dit-elle, mais à une condition, c'est que, lorsque Linyi donnera naissance à tes enfants, vous reviendrez ici pour ce moment-là et pour les mois qui suivront. Les petits-enfants doivent naître sous notre toit. »

Fengmo y consentit et, quelques jours plus tard, Fengmo et Linyi fermèrent les portes de leur cour et s'installèrent dans une maison du village aux murs de terre sèche. Madame Wu s'en montra satisfaite. Elle se demanda un moment si elle ne ferait pas venir Ch'iuming, pour lui donner quelques conseils et la consoler à force d'éloges, mais elle y renonça. Comme tout le monde, la jeune femme apprendrait par l'expérience ce qu'elle pouvait obtenir de la vie et ce qui lui serait refusé.

XV.

Telle est l'instruction que reçut Ch'iuming ; mais l'année suivante, lorsque Linyi s'apprêtait à mettre au monde son premier enfant, une étrange circonstance survint. C'était l'année de la grande retraite, lorsque l'ennemi, venant des îles de l'océan de l'Est, s'empara d'un vaste territoire et chassa beaucoup de gens de leurs terres et de leurs demeures. Ces fuyards traversèrent la campagne, les villes et, celle qu'habitait la famille Wu se trouvant dans cette province, beaucoup passèrent en ces parages.

Parmi ceux qui s'attardèrent se trouvait une femme assez âgée, une veuve qui, avec son fils, sa bru et leurs enfants, demeura plus longtemps que les autres à l'auberge. Ce fils était le seul enfant qui lui restait, et il expliqua à l'aubergiste la raison de ce séjour.

« Ma mère a perdu une fille ici, il y a bien des années, dit-il. Existe-t-il un moyen de retrouver les enfants égarés ?

— Elle n'était donc pas morte ? », demanda l'aubergiste.

Ses hôtes étaient assez aisés, ils s'exprimaient avec courtoisie.

« Elle vivait, mais elle a été abandonnée par ma grand-mère qui avait un caractère terrible ; elle était furieuse que ma mère eût trois filles les unes après les autres.

— Comment vous trouviez-vous ici à ce moment-là ? demanda l'aubergiste.

— L'année était mauvaise dans notre région, près de la capitale du Nord, dit l'homme. Les moissons avaient manqué et nous nous sommes dirigés du côté où les vivres se trouvaient plus abondants. Ici, en chemin, ma mère a donné le jour à une fille. »

L'aubergiste réfléchit un instant :

« Cela a dû se passer dans cette auberge même, dit-il, car c'est la seule de la ville, j'y ai passé ma vie, et mon père y était avant moi.

— En effet, ma mère me l'a dit, et voilà pourquoi nous nous attardons ici. Mes deux sœurs sont mortes et ma mère pleure encore celle qui a été abandonnée.

— Je vais en parler à nos Seigneurs, dit l'aubergiste. Si quelqu'un est au courant, c'est bien Madame Wu. »

Un soir, après avoir servi tous ses clients, l'aubergiste mit ses beaux habits et fit demander à Madame Wu de le recevoir parce qu'il avait une question à lui poser.

Elle accepta, car la famille de cet homme avait servi dans la maison Wu. Une heure plus tard, il se tenait devant elle, dans la grande galerie. Mr. Wu ne s'y trouvait pas, il n'aimait pas être dérangé après son dîner, et à cause des clients qui affluaient en cette période de guerre, l'aubergiste n'était libre qu'à cette heure-là.

L'homme fit son récit. Madame Wu écouta, cherchant à rassembler ses souvenirs :

« Cette mère n'a qu'à venir me trouver et tout me raconter, dit-elle seulement.

— C'est ce qu'il y a de mieux à faire », répondit l'homme et il repartit, chargé de la commission.

Le lendemain, le fils amena sa mère. Madame Wu la reçut chez elle, et le fils resta au-dehors dans la grande galerie.

Madame Wu s'attendait à voir une femme d'humble origine, mais celle qui entra, appuyée au bras d'une servante, n'avait rien de vulgaire ; c'était une dame assez âgée.

Madame Wu la salua et lui offrit la place d'honneur. La nouvelle venue protesta, et il fallut insister pour qu'elle consentît à la prendre. Enfin, assises toutes les deux, le thé versé, elles purent causer. Ying et la servante se tenaient trop loin pour écouter, mais un appel leur parviendrait.

Une fois échangées les paroles de courtoisie, la dame commença son récit :

« Nous nous sommes beaucoup écartés de notre chemin vers l'ouest. On est encore en sécurité sans pousser jusqu'ici, mais j'avais mes raisons pour faire ces deux cents milles de plus. »

Elle s'essuya les yeux, l'un après l'autre, avec un mouchoir de soie.

« Racontez-moi ce qu'il vous plaira de me dire », fit Madame Wu avec bonté.

Ainsi encouragée, la dame expliqua l'abandon de l'enfant :

« Je sais qu'elle n'est pas morte. Elle était si vigoureuse — plus qu'aucun des autres. Le père de l'enfant ne voulait pas qu'on la tue, malgré l'ordre de sa mère. C'était un homme bon, qui avait une mauvaise mère et qui, hélas ! est mort avant elle. Mais, contre sa volonté, il n'osait rien dire, même à moi. »

Elle s'interrompit pour pleurer de nouveau :

« Comme nous avons été punis ! Nos enfants sont morts, les uns après les autres ; les garçons aussi bien que les filles. Il ne reste plus que mon dernier fils, et, si je suis venue si loin, c'est pour rechercher la fille que j'ai perdue.

— Vous êtes sûre que l'enfant n'a pas été tuée ?

— J'en suis certaine, car, lorsque j'étais au lit après sa naissance, j'ai entendu le fils qui implorait la mère, et il finit par obtenir la vie de l'enfant à condition qu'on le déposât au pied du mur de la ville.

— Le bébé était-il enveloppé dans une veste en soie rouge ? », demanda Madame Wu.

La visiteuse la regarda fixement et dit, la voix haletante :

« Oui, dans ma vieille veste rouge. Je pensais qu'ainsi on la verrait mieux. »

Madame Wu se leva et alla vers sa commode. Plié parmi ses vêtements se trouvait celui que Ch'iuming avait, depuis longtemps, confié à sa garde.

« Voici la veste », dit-elle.

Le visage de la dame prit la couleur du plomb.

« C'est bien celle-ci, murmura-t-elle, les doigts crispés sur l'étoffe. Mais l'enfant ?

— Vivante », dit Madame Wu.

Et elle raconta l'histoire de Ch'iuming, comment, jeune fille, elle était entrée dans la maison, et la dame écoutait avec des pleurs et une impatience mêlée de crainte. Il était difficile d'expliquer pourquoi Ch'iuming n'avait pas plu à Mr. Wu et pourquoi aussi Madame Wu lui avait permis, tout en ayant de l'estime pour elle, d'aller habiter au village. La dame éprouvait de la reconnaissance, quoiqu'elle blâmât un peu Madame Wu, si bien que celle-ci finit par dire :

« Allons au village pour voir nous-mêmes ce qui

en est et vous constaterez que votre fille n'a pas manqué de soins. »

Elle commanda aussitôt des chaises à porteurs et
les deux dames se rendirent à la campagne.

Depuis longtemps, Madame Wu désirait y aller
pour se rendre compte du travail de Fengmo, mais
l'hiver avait été froid, l'été chaud et, à cause d'une
légère atteinte de malaria, à cause aussi de son amour
pour la solitude et les livres, elle n'arrivait pas à exé-
cuter ce projet. Elle fut stupéfaite de ce qu'elle découvrit. Le village était plus propre et prospère qu'il
n'avait jamais été, et ses habitants plus sains d'apparence. Les enfants avaient le nez propre, les cheveux
brossés, et les villageois montrèrent fièrement du doigt
les nouveaux bâtiments de torchis qui servaient d'école.
Fengmo avait bien parlé de tout cela à sa mère, mais
elle écoutait et répondait :

« Oui, oui, mon fils », sans mesurer tout ce qu'il
avait accompli.

Sa demeure était à côté de l'école, et, un messager
ayant couru annoncer la venue des dames, tout le
monde se tenait prêt à les recevoir. Linyi attendait
un bébé. Madame Wu le savait, mais elle fut surprise de trouver à sa bru cet air de santé. Elle avait
des joues colorées, des lèvres rouges sans fard et, outre sa grossesse, elle avait engraissé. Ses boucles
étaient coupées, ce qui fit grand plaisir à Madame
Wu ; les manières de Linyi la réjouirent encore davantage. La jeune femme se montra respectueuse et
vive, son air de paresse avait disparu.

Elles allèrent s'asseoir chez Fengmo, qu'on envoya
chercher. Il fallut reprendre toute l'histoire, faire demander Ch'iuming et sa fille, que Rulan accompagna.

Lorsque Ch'iuming entra, la mère et la fille se re-

gardèrent et surent aussitôt à quoi s'en tenir. Deux
visages ne pouvaient se ressembler à ce degré sans
avoir été pétris d'une même chair. Ceux qui les entouraient éclatèrent de rire en voyant le dénouement
d'une si étrange histoire, et, si Madame Wu resta
la plus silencieuse, elle fut aussi la plus heureuse.

« Ma Mère ! s'écria Ch'iuming.

— C'est mon enfant », dit la dame.

Toutes deux pleuraient, il fallut embrasser la petite
fille, qui était assez grande pour protester, crier, re-
gimber. Ch'iuming la gifla, la grand-mère s'interposa,
puis bientôt le calme revint. Bien entendu, la mère
voulut emmener sa fille et sa petite-fille et rejoindre
avec elles sa propre famille. Mais Ch'iuming devait
obtenir la permission de Madame Wu.

« Puis-je m'en aller, Sœur Aînée ? », demanda-t-
elle timidement.

Madame Wu remarquait fort bien la mauvaise mine
de Ch'iuming, malgré le bon air du village et la nourriture qu'on mange à la campagne. Ch'iuming était
pâle, avec des yeux creux comme si elle manquait de
sommeil, et elle évitait de regarder Linyi. Il serait
bon pour elle de quitter la maison Wu ; la permission
lui en fut donc donnée.

« S'il s'agissait d'une autre que votre mère, dit
Madame Wu, je ne pourrais vous laisser partir.
Mais, le ciel ayant réuni la mère et la fille, comment
oserais-je les séparer ? Vous vous en irez, mais pas
avant d'avoir reçu des vêtements neufs, l'enfant et
vous, et tout le nécessaire pour le voyage. Il ne faut
pas que vous partiez de la maison les mains vides. »

La mère de Ch'iuming déclara que c'était inutile.
Madame Wu insista. Enfin, après mille remerciements, Ch'iuming et sa fille suivirent leur mère à
l'auberge, pour ne plus se séparer à l'avenir.

Madame Wu ne fit aucune remarque ; mais au dernier moment, elle attira la dame à l'écart et lui dit :

« Ne laissez pas votre fille demeurer seule. Trouvez-lui un bon mari et permettez-lui de recommencer sa vie. »

La mère de Ch'iuming fit cette promesse, et Ch'iuming quitta la maison Wu. Au bout de quelques semaines, les préparatifs terminés, elle s'en alla avec sa famille. Elle évita de venir seule faire ses adieux à Madame Wu, qui en éprouva de la reconnaissance : la jeune femme avait un cœur trop tendre pour qu'elle pût l'accuser d'oubli ou d'ingratitude. Mais Ch'iuming et la mère de Fengmo n'avaient plus rien à se dire et la jeune femme voulait éviter de peiner Madame Wu. Quant à son amour, Ch'iuming l'emportait avec elle, enfoui au plus profond de son être.

De ce moment-là, Madame Wu ne revit plus jamais Ch'iuming. Une fois par an, une lettre lui parvenait, écrite par un scribe et signée par Ch'iuming. Après les formules de salutations, Ch'iuming lui apprenait que tout allait bien, que sa fille grandissait et qu'enfin, la guerre terminée elle avait épousé un veuf, petit commerçant à Péking, qui vendait des marchandises du pays et de l'étranger. Il avait deux jeunes fils que Ch'iuming prit très vite en affection. Sa mère mourut ensuite, puis Ch'iuming eut un fils à elle, une fille et encore deux jumeaux. Sa maison était pleine.

Madame Wu répondait fidèlement, donnant des conseils avec sagesse. Et dans chaque lettre, par bonté d'âme, elle ajoutait des nouvelles de Fengmo et de sa famille.

*
* *

La famille de Fengmo s'accroissait, elle aussi.
Quelle que fût la vie intérieure de Fengmo, sa vie
physique porta des fruits. Linyi eut des enfants, un
fils, une fille et deux fils encore. Elle revenait chaque fois à la maison Wu, mais, lorsque l'enfant avait
un mois, elle retournait au village reprendre sa place
près de Fengmo. Le temps lui manquait pour s'amuser, bouder, se friser ou peindre ses ongles. Fengmo
la traitait avec sévérité, mais justice. Madame Wu
sentait bien qu'il n'aimerait jamais Linyi ; mais il pouvait se passer d'amour. Il avait d'autres feux, dont la
flamme monte plus haut que celle de l'amour. Il brûlait de zèle pour le peuple. Il réclamait des écoles, toujours, encore plus d'écoles, après quoi il rêva d'hôpitaux. Il avait abandonné ses robes de soie. Elles
étaient serrées dans les armoires de famille et il portait une sorte d'uniforme, sans insigne ni décorations.
Son visage trop sérieux rappelait sans cesse à Madame Wu celui d'André, mais il y manquait une note
d'humour. Fengmo, jusqu'au fond de son âme, était
sévère, et de ce fond il se faisait une rigide armure.
Il n'avait jamais écrit à la jeune fille qu'il aimait, de
l'autre côté de l'Océan, ni jamais parlé d'elle. Fengmo
ne faisait rien à moitié. Son zèle le dévorait dans toutes les directions à la fois.

Chacun admirait ce zèle, sauf quand il lui arriva
de porter atteinte à la famille. C'était aller trop loin.
Fengmo ne se contenta pas d'instruire les paysans,
et aussi Yenmo, qui l'aimait beaucoup, mais il s'en
prit à son frère aîné, ce que Liangmo ne put supporter. Fengmo manquait d'instructeurs pour ses écoles
et, en voyant Meng paresser et engraisser, il demanda
un jour à celle-ci de venir aider Linyi et Rulan à donner certaines leçons utiles aux femmes âgées, à les
perfectionner dans la couture et dans la connaissance

des lettres, choses qui leur coûtaient beaucoup d'efforts. Meng ouvrit de grands yeux.

« Moi ? s'écria-t-elle, mais je ne quitte ces murs que pour aller voir ma mère.

— Il le faut, Belle-Sœur. C'est votre devoir. Les nourrices soignent vos enfants, votre fils aîné est entre les mains de son précepteur, et les servantes s'occupent de votre ménage. Vous devriez venir nous aider chaque jour une heure ou deux. »

Meng s'agita :

« Je ne peux pas, Liangmo ne le permettrait pas. »

Fengmo insista :

« Mais on vous a appris à lire et à écrire et, dans notre pays, personne doué d'instruction n'a le droit de la garder pour soi. »

Meng écouta, son visage rond prit une expression d'horreur. Fengmo, à cette époque-là, avait une voix forte et persuasive et, lorsqu'il se mettait à prêcher ses convictions, personne ne pouvait lui tenir tête. Seule, sa bonté sans bornes le sauvait et attirait l'affection de ceux qu'il instruisait.

« Je demanderai à Liangmo », balbutia Meng.

Et Fengmo se retira, convaincu qu'il lui avait touché le cœur.

Mais, lorsque Meng raconta en pleurant ce qu'avait dit Fengmo, Liangmo se mit en colère :

« Je me sentais méchante en l'écoutant », ajouta-t-elle.

Liangmo enleva les lunettes qu'il portait à présent, les replia et les mit dans sa poche. Puis il frappa un coup sur la table :

« Fengmo est par trop insupportable ! s'écria-t-il. Il fourre des idées dans la tête des gens de peu. Ainsi, pas plus tard qu'hier, les principaux fermiers m'ont déclaré que, dorénavant, ils ne voulaient plus d'inter-

médiaire pour les grains, et qu'ils les vendraient directement eux-mêmes. Je leur ai demandé comment ils
s'en tireraient pour tenir leurs comptes, mais il paraît
que Fengmo le leur a appris. Alors comment les inter-
médiaires pourront-ils vivre et nourrir leurs familles ?
Il y a place pour chacun sous le ciel. »

Il fronça le sourcil et déclara :

« Meng, je te défends de parler à mon frère. J'arrangerai cela avec lui. »

Liangmo trouva un moment, malgré ses occupations
aux magasins, pour aller voir Fengmo. Secrètement,
il fut stupéfait de constater la propreté des villages,
car l'œuvre de Fengmo avait pris une grande exten-
sion, mais il se garda d'en rien dire et pinça les lèvres. Au lieu de parler de son admiration, il marmotta
entre ses dents qu'il se demandait d'où venait l'argent. Du reste, les pauvres, avec la vie qu'ils mènent,
ne doivent pas être aussi propres que les riches. Les
hôpitaux sont parfaitement inutiles, à quoi bon s'obs-
tiner à faire vivre les gens lorsqu'ils sont déjà en trop
grand nombre ?

La visite se termina par une grande querelle entre
les deux frères ; la dispute s'envenima à la vue de
Linyi, dont la tenue mit Liangmo hors de lui : il la
jugeait indigne d'une dame de leur famille. Elle était
habillée comme une vulgaire institutrice et paraissait,
dit-il, plus âgée que Meng. A ces paroles, Linyi fail-
lit se trouver à plaindre, mais Rulan fonça dans la
querelle en se mettant du côté de Fengmo, du peuple. Liangmo se sentit d'autant plus vexé qu'il s'aperçut que Rulan était guérie de son chagrin et que toutes ses ardeurs se trouvaient comblées par le travail
au village. Ils se séparèrent tous en colère. Liangmo
alla se plaindre à Madame Wu.

Madame Wu, ces temps-ci, ne sortait jamais de sa

cour si ce n'est pour aller voir les enfants au temple.
Elle n'en avait pas augmenté le nombre, malgré ce
qu'eût désiré André. Elle s'était contentée de donner
de l'argent à un monastère bouddhiste, au côté Sud
de la ville, pour que, chaque matin, à l'aube, on envoyât deux nonnes à la recherche des enfants qui
auraient pu être jetés en dehors des murs, afin de les
ramener et les nourrir. On ne devait pas en faire des
nonnes, avait dit Madame Wu, mais les instruire, les
éduquer, puis les marier à un fermier ou à quelque
brave homme. Madame Wu agissait ainsi en souvenir
d'André.

Mais les filles adoptées par André restaient au temple jusqu'à l'âge de seize ans ; alors elle les fiançait et
ces petites avaient si bonne réputation qu'il se trouvait toujours une liste de candidats à leur main. Chaque fois que l'une d'elles atteignait son seizième anniversaire, Madame Wu la faisait appeler et lui parlait de ces prétendants. Ces nouvelles façons d'agir
attiraient les commentaires en ville, car Madame Wu
ne se contentait pas d'énumérer les noms, âge et qualités de ces garçons, mais elle montrait aussi leurs photographies.

« Pourquoi les hommes seuls verraient-ils l'image
de la femme ? Il est juste que la femme, elle aussi,
puisse se rendre compte de ce qu'est l'homme », disait-
elle à ceux qui marquaient de la surprise.

Personne n'osait critiquer Madame Wu. Les garçons rivalisaient, mettaient un point d'honneur à lui
envoyer leurs photographies, pour permettre aux filles de choisir, et, une fois ce choix fait, Madame Wu
adressait à l'élu la photographie de sa future femme.
Grâce au renom des filles du temple, aucune d'elles
ne fut refusée par l'homme désigné par elle.

Madame Wu avait fini par les considérer comme

ses propres filles ; elle leur enseignait ce qui procure la paix et les bonnes relations conjugales. Toutes se montrèrent des femmes excellentes et, à cet égard, Madame Wu devint célèbre dans la région.

Elle tenait à leur offrir à toutes une belle cérémonie de mariage, où elle prenait la place de la mère. Personne ne comprenait son sourire et son regard lointain. Mais elle n'avait pas besoin d'être comprise. Il lui semblait qu'André lui-même se tenait auprès d'elle, tandis qu'une à une elle envoyait ces enfants trouvées, qui étaient ses enfants à lui, vers des demeures tranquilles et sûres. Car elle ne se contentait pas de préparer les jeunes filles au mariage. Elle ne permettait à aucune d'elles de se marier sans avoir parlé au futur mari et à sa mère, s'il en avait une. Une belle-mère acariâtre suffisait à empêcher le mariage, ce qui arriva trois fois, et, sur les trois cas, il y en eut deux où le jeune homme en fut si désolé qu'il quitta sa mère.

Madame Wu s'en montra navrée, car un fils ne doit pas quitter la maison paternelle. Cependant, ils avaient parlé une fois de la question, André et elle. A mesure qu'elle vieillissait, André lui apparaissait plus clairement que jamais, et elle se rappelait très bien ses paroles ; c'était par un jour d'hiver, après la leçon de Fengmo. La neige était tombée dans la cour, et il n'y avait, sur cette blancheur, que la trace de ses grands pas. Fengmo et Ying étaient passés par la véranda, mais André avait traversé la cour enneigée.

Elle lui avait dit :

« Vos pieds doivent être mouillés ? »

Il avait regardé ses souliers comme s'il ne comprenait pas cette remarque et, sans rien ajouter, il avait déplié ses livres, Fengmo était entré, la leçon avait commencé. Madame Wu était assise à côté, écoutant

sans parler. Mais, après le départ de Fengmo, elle
avait demandé :

« Jusqu'où peut-on permettre à un fils de quitter la
maison paternelle ? »

Car elle prévoyait déjà que ses études décideraient
Fengmo à partir au loin.

« La maison paternelle, c'est son lieu de naissance,
pas plus », avait-il répondu.

Il mettait ses livres en ordre, les empilant dans le
mouchoir de coton qui lui servait à les emporter.

« Est-ce à dire qu'un homme n'a aucun devoir envers ses parents ?

— Il ne faut pas me demander cela à moi. »

Il lança un rapide coup d'œil à Madame Wu, puis
détourna son regard ; un sourire éclaira son visage :

« Voyez jusqu'où j'ai voyagé. Cependant je n'oublie pas que mon enfance s'est passée dans une maison de Venise.

— Venise ? », répétait-elle.

Jamais il ne lui avait dit son lieu de naissance.

« Une ville dans le genre de Soutchov, disait-il,
dont les rues sont des voies d'eau. A la place de chaises à porteurs, nous circulions en bateau. A l'aube et
au coucher du soleil, j'aimais voir l'eau se changer en
or. »

Il s'était arrêté, regardant le mur nu devant lui,
mais elle savait qu'en lui-même il contemplait ces rues
d'or liquide. Puis il s'était ressaisi et il avait emporté
ses livres en disant au revoir.

C'est ainsi qu'il avait fait crouler les murs de l'enceinte dans laquelle elle vivait, si bien qu'à présent elle
se taisait lorsqu'un garçon quittait une mère arrogante et coléreuse. Les jeunes gens doivent vivre, eux
aussi. Tous doivent vivre.

L'effondrement de ces murs la préparèrent à rece-

voir Liangmo quand il arriva, les lèvres pincées, pour
se plaindre de son frère Fengmo. Elle ne voyait pas
ses fils chaque jour, ni même chaque mois, et, quand
ils venaient chez elle, elle ressentait toujours une
impression nouvelle. Liangmo la frappa, cette fois-ci,
comme un type d'homme d'affaires, la future tête d'une
grande famille, un négociant, un faiseur d'argent.

Après les salutations, Liangmo en vint tout droit
au sujet :

« Mon jeune frère devient fanatique, dit-il. Il veut
maintenant que Meng aille faire la classe. Linyi a
l'air d'une institutrice. Elle a coupé ses cheveux, qui
sont devenus châtains au soleil. Rulan ressemble à
une communiste. Cela me déplaît énormément. Est-ce
convenable, dans notre famille ? »

Madame Wu sourit :

« N'as-tu pas trouvé les villages très propres ? »

Mais Liangmo refusait de voir les bons côtés.

« Je pense d'abord à notre famille, dit-il, et pas aux
étrangers ni aux gens de peu. La responsabilité de la
famille reposera sur moi, Mère, lorsque vous et mon
père aurez disparu. »

Les fils de Mr. Wu parlaient rarement de lui. Tous
savaient que la place qu'avait pu tenir leur père était
maintenant à peu près vide. Il était somnolent et satisfait et ne demandait qu'une chose, c'est qu'on le lais-
sât tranquille. Il est vrai que ses petits-enfants l'adoraient. Ils se précipitaient à grands cris dans son pavillon, et il leur donnait des douceurs, riait et s'endormait
au milieu de leurs jeux. Jasmin, se sentant stérile, les
attirait souvent, les traitait comme s'ils étaient les
siens, pour que le vieil homme qui l'entretenait n'aper-
çût pas cette lacune autour de lui. Les vieux ont besoin de la compagnie des enfants, qui les protègent
contre la crainte de la mort.

Mais Liangmo, en sa qualité de fils aîné, se montrait très correct et respectueux pour son père dans toutes les circonstances, du moins en paroles, cachant ses faiblesses. Il continua ce jour-là à se plaindre de Fengmo :

« Et notre plus jeune frère, Yenmo, trouvez-vous bon qu'il n'entre pas dans une école ?

— Yenmo n'a aucune envie d'y aller, fit doucement Madame Wu.

— Est-ce une raison pour qu'on ne l'y oblige pas ? A-t-il l'apparence qui convient au plus jeune fils de notre maison ? Je ne vois aucune différence entre lui et un fils de fermier.

— Voyons, voyons », dit Madame Wu de sa voix la plus douce.

Liangmo comprit qu'elle voulait le faire taire et il apaisa sa colère en buvant longuement du thé. Après quoi, il resta assis, la figure très solennelle.

Madame Wu demeurait silencieuse. Elle connaissait la valeur du silence. C'était un jour de douce grisaille : le ciel gris, les murs gris et, au-dessus du bassin, dans la cour, une brume délicate s'élevait de l'eau froide dans l'air étonnamment chaud pour la saison. Dans les cours, l'odeur de terreau était en suspens.

« Es-tu satisfait de ton appartement, mon fils ? dit enfin Madame Wu.

— Certainement. »

Il posa son bol de thé.

« On m'y obéit. Mes enfants sont sains et intelligents. Savez-vous, Mère, que l'aîné a déjà terminé l'école élémentaire ?

— Est-ce possible ? dit aimablement Madame Wu. Et, en ville, tout va-t-il bien ?

— Pas mal, dit Liangmo. Les marchés sont un peu lourds peut-être, mais pas trop pour la maison. On

construit un nouveau bâtiment pour l'hôpital étranger
et on me dit que d'autres étrangers sont attendus.

— Est-ce une bonne chose ? demanda Madame
Wu.

— Ça plaît à Fengmo, fit sèchement Liangmo.
Quant à moi, je dis que nous avons de la chance.
Meng n'a aucun besoin des médecins occidentaux, et
les enfants ne sont jamais malades.

— Je me rappelle, dit Madame Wu, avoir guéri,
dans la maison Kang, un petit-fils avec notre tisane
d'herbes suivant la recette de la grand-mère, je pense
qu'il est devenu, depuis, un vigoureux garçon... »

Madame Kang était morte l'année précédente et,
en ce moment, Madame Wu se la rappela, couchée
dans son cercueil. Il avait fallu en faire un deux fois
plus large que d'habitude, et, là-dedans, Madame
Kang reposait, vêtue de ses robes de satin, ses grosses mains à ses côtés. Après sa mort, Madame Wu
songeait parfois à elle avec douceur, avec un retour
de son ancienne amitié, vers le temps où Madame
Kang était une jeune fille au teint rose, enjouée et fo-
lâtre, attristée seulement par de petits détails, par
exemple le regret d'avoir des narines trop larges, le
nez trop plat entre les sourcils. Mr. Kang s'était bientôt remarié avec une jeune femme dont les caprices
agitaient continuellement la grande maisonnée, comme fait une cuillère dans une marmite de ragoût. Mais
cela ne regardait en rien Madame Wu : un simple
sujet de bavardage pour Ying, que sa maîtresse, en
se faisant brosser les cheveux, écoutait plus ou moins.

Liangmo attendait encore quelques mots de sa
mère ; elle finit donc par abandonner ses pensées et
elle lui sourit, de son léger et délicieux sourire :

« Eh bien ! mon fils, dit-elle, l'âme de chaque créature doit prendre sa forme naturelle, et personne ne

peut contraindre autrui sans se nuire à soi-même. Vis dans ta demeure, mon fils, et laisse Fengmo vivre dans la sienne.

— Faites comprendre cela à Fengmo, je vous prie, notre Mère, je ne veux pas voir son long bras s'introduire chez moi, dit Liangmo avec colère.

— Entendu », répondit Madame Wu.

Liangmo se retira. Lorsque sa mère vit Fengmo, elle lui parla ainsi :

« Te rappelles-tu, mon fils, qu'un jour ton précepteur t'a dit qu'enseigner c'est inviter l'âme à se diriger vers le ciel, mais jamais l'y contraindre ? »

D'après l'expression de Fengmo, elle vit qu'il se rappelait ces paroles d'André. André, dont l'existence entière avait été une invitation au ciel, un appel merveilleux.

Fengmo baissa la tête et l'enfonça dans ses mains.

« Je sais pourquoi vous me rappelez ces paroles. Je sais pourquoi j'ai besoin qu'on me dise cela. Le feu étouffé chez moi fait parfois irruption, je suis poussé par mes propres flammes et, alors, je pousse les autres. »

Elle le laissa parler, sachant qu'il avait besoin de se confesser ; et à qui donc, sinon à elle ? De nouveau, elle éprouva l'étrange envie de s'entretenir d'André avec ce fils. Ils étaient très proches l'un de l'autre, une mère et un fils qui, seuls, avaient partagé la sagesse apportée par André dans cette demeure. Encore une fois, elle se refusa cet abandon, mais s'accorda un réconfort ; elle dit à Fengmo :

« Souvent je réfléchis à ce que ce prêtre, si grand, a apporté dans notre maison. Nous sommes une famille si ancienne qu'on ne peut pas dire que la sagesse nous fut nécessaire pour vivre. Nous avons continué, en tant que famille, pendant des siècles, et continuons encore. Il ne nous a pas transformés, et cependant nous sommes changés, toi et moi, et c'est nous qui avons amené les transformations dans la maison. Mais quel changement au juste ?

— Nous avons appris de lui le droit à une existence personnelle, répondit Fengmo.

— Comme tu as bien dit cela, et facilement », dit-elle.

D'après le son de sa voix, personne n'eût pu croire qu'elle sentait la présence d'André dans cette pièce, aux côtés de son fils, et les considérait tous les deux avec un amour ineffable. Elle se réchauffait à cette présence. André lui apparaissait souvent, mais seulement quand elle était seule.

« S'il avait vécu, dit-elle, à Fengmo, je crois qu'il aurait approuvé toute ta conduite.

— Vous le croyez vraiment ? », s'écria Fengmo.

Il se redressa et le bonheur qu'il avait éprouvé à ces mots lui donna une nouvelle énergie :

« Mère, je pense à une chose : que diriez-vous si je persuadais les médecins occidentaux de l'hôpital étranger d'instruire nos médecins de campagne, oh ! pas pour les rendre très savants, mais capables de guérir les mille maladies ordinaires ? Nos gens meurent si inutilement ! »

Il continua, la voix convaincue, ardente, pleine de vie, mais elle l'entendait à peine. Elle songeait à André. Elle voyait ses belles grandes mains. L'une d'elles, comme si souvent, serrait la croix sur sa poitrine. Lorsque son chapelet s'était cassé, il l'avait attaché par un cordon. La croix était brisée, elle aussi. Quand les bandits avaient tué André, la croix avait heurté les pierres à l'endroit de sa chute. Madame Wu s'en était aperçue lorsqu'elle s'était penchée sur André dans son cercueil.

« C'est bien, mon fils, très bien, murmura-t-elle, bien, bien. »

Ce ne fut que lorsqu'il se leva pour partir qu'elle se rappela sa promesse à Liangmo. Elle avança la main et retint le bras de Fengmo :

« Rappelle-toi, mon fils, de ne contraindre personne — ni Liangmo, ni Meng.

— Oh ! ces deux-là, s'écria Fengmo, je les ai abandonnés ! »

Il était parti, André avait disparu lui aussi. Elle resta seule, se souriant à elle-même.

*

* *

Les années ont passé sur Madame Wu. Elle ne sort jamais de chez elle. Cependant, elle en sait assez long sur tout ce qui se passe. Elle est renommée pour sa patiente manière d'écouter, son jugement calme, et beaucoup viennent la trouver pour lui demander de les éclairer. C'est elle qui prend les décisions importantes pour la ville et la campagne. Par exemple, elle a décrété ce que l'on devait faire du corps de Petite Sœur Hsia, lorsque celle-ci mourut, une nuit d'hiver, dans sa maison solitaire. Ce pauvre corps émacié fut amené au temple des Wu, et Madame Wu, elle-même, s'occupa du cercueil et de l'enterrement, car Petite Sœur Hsia s'était éloignée de ses compatriotes. Elle s'était querellée avec les étrangers de la ville, venus d'un autre pays ; au moment de sa mort, personne ne se trouvait dans la maison, sauf son vieux cuisinier qui seul la pleura. C'est lui qui vint dire à Madame Wu qu'il avait trouvé sa maîtresse assise, toute droite dans sa chaise, enveloppée dans son couvre-pied usé, son livre sacré sur ses genoux.

Au-dessous des dieux d'argile et du portrait d'An-

dré peint sur l'albâtre, Petite Sœur Hsia reposait dans
son cercueil. Les enfants du temple étaient toutes parties, à l'exception de la jeune fille appelée Amour ;
ce fut elle qui alluma les bougies. Le vieux prêtre, si
âgé à présent qu'il pouvait à peine faire quelques pas,
lui permettait souvent de l'assister dans sa tâche, et
même la vieille femme avait une aide, car il lui était
difficile de marcher.

Madame Wu avait abaissé les yeux sur le visage
décharné de cette femme qui avait quitté les siens et
elle chercha à se souvenir de la prière que Petite Sœur
Hsia récitait si souvent. Elle l'avait oubliée, comme
tout ce qu'elle ne tenait point à se rappeler. Elle ne
put que allumer un bâton d'encens dans l'urne de
bronze, devant les dieux, et demander au ciel d'accepter aussi cette âme étrangère. Le cercueil de Petite
Sœur Hsia fut scellé et déposé dans une niche du
temple pour attendre le jour propice, puis on l'enterra
au flanc d'une colline, en dehors de la ville, et Madame Wu fit poser une pierre sur la tombe avec une
inscription assez détaillée sur elle, en sorte qu'on pût
la trouver, si quelque membre de sa famille se mettait
à sa recherche.

Cela, Madame Wu l'avait cru tout à fait improba-
ble, sans une étrange circonstance.

Après la fin de la guerre, la contrée se trouva dans
une grande confusion, et beaucoup de gens, venus de
l'autre côté de la mer, cherchèrent à intervenir pour y
remédier. Cela ne concernait point la maison de la
famille Wu. Sa ville se trouvait aussi éloignée que
jamais des régions troublées. Mais les étrangers continuaient à passer par là pour des raisons quelconques,
entre autres pour répondre à l'invitation de Fengmo.
Chaque fois qu'il entendait parler d'un Occidental,
Fengmo lui demandait de venir apporter des conseils

sur son travail. On acceptait, car l'œuvre de Fengmo était connue maintenant, et on faisait de lui de grands éloges.

Madame Wu ne recevait pas ces étrangers, car elle ne connaissait pas leur langue et il lui était difficile de s'entretenir avec eux. Et puis elle déclarait :

« Mon existence est complète. Je n'ai pas besoin d'y ajouter une autre vie. »

Mais, un jour, Fengmo lui envoya un message : un homme venu de l'autre côté de l'Océan se trouvait chez lui et il désirait le lui amener, pour une raison particulière. Madame Wu y consentit. Quelques heures plus tard, Fengmo arriva en compagnie d'un homme jeune, grand et très brun, à tel point, du reste, qu'après les salutations échangées Madame Wu se tourna vers Fengmo et lui demanda :

« Est-ce un étranger ? Sa peau est si brune !

— Il est étranger, dit Fengmo, mais ses ancêtres et ses parents viennent d'Italie, qui était le pays natal, Mère, de Frère André. »

Elle se sentit très émue. Elle oublia qu'elle ne pouvait parler aucune langue, hormis la sienne, et, penchée en avant, ses mains posées sur le pommeau d'argent de sa canne, elle demanda au jeune homme :

« Connaissez-vous le prêtre occidental ? »

Fengmo s'avança aussitôt pour servir d'interprète et, grâce à lui, Madame Wu et le jeune étranger purent échanger quelques mots.

« Je ne le connaissais pas, dit-il, mais mon père et ma mère m'ont parlé de lui. C'était mon oncle, Madame.

— Votre oncle ! répéta Madame Wu. Vous êtes de sa chair et de son sang ! »

Elle contempla le jeune homme au teint basané et découvrit une ressemblance avec l'autre. Il avait les yeux noirs d'André, mais moins grands, la forme du crâne d'André et ses mains. Elle regarda les mains, plus fines, mais d'une forme qu'elle connaissait. Tout en celui-ci était à une échelle plus petite, et l'expression des yeux était toute différente de celle d'André. L'âme était autre.

Elle soupira et recula. Non, ce n'était pas la même âme.

« Vous êtes venu ici à la recherche de votre oncle ?

— En effet. Mes parents savaient où il se trouvait, bien que, pendant ces dernières années, il n'écrivît à aucun de nous. Je devais passer près d'ici et j'ai dit que je viendrais voir s'il vivait encore, pour donner des nouvelles à mes parents.

— Il est enseveli sur nos terres, dit Madame Wu. Mon fils vous conduira sur la tombe. »

Ils gardèrent un moment le silence. Madame Wu lutta, en proie à une étrange jalousie. Elle ferma les yeux et aperçut le visage d'André détaché sur le velours noir de son âme.

« Vous, dit-elle à cette ombre, vous n'appartenez qu'à nous. »

Elle ouvrit les yeux et vit le neveu assis en face d'elle. Ah ! André avait une famille, des parents étrangers au-delà des mers.

Le jeune homme sourit :

« Je pense que vous savez, Madame, pourquoi il vivait si loin de nous tous et pourquoi il n'écrivait jamais ? »

Fengmo répondit à la place de sa mère :

« Nous ne l'avons jamais su.

— C'était un hérétique. L'Eglise l'a rejeté comme renégat, sans foyer, sans aide. Depuis lors, nous n'avons jamais eu de ses nouvelles. Il nous a retourné l'argent que nous lui avions envoyé — il a refusé de revenir à la maison.

— Mais il n'avait rien fait de mal ! s'écria Fengmo, saisi d'effroi.

— Ce n'est pas ce qu'il a fait, c'est ce qu'il pensait. Il prétendait que les hommes et les femmes étaient divins. Il semble difficile de considérer cela comme un péché, dans notre génération. Mais, de son temps, c'en était un, et très grand. Il s'est senti obligé de l'écrire à son cardinal. Dans sa dernière lettre à mon père, il a raconté toute l'histoire. Nous ne comprenions pas ce qu'il voulait dire Ma mère s'imaginait qu'il devenait fou, à force de vivre ainsi. »

Fengmo traduisait tout cela à Madame Wu, qui écoutait sans prononcer un seul mot. Ils l'avaient rejeté — sa propre famille.

Elle ferma les yeux :

« Mais nous, nous ne vous avons pas rejeté », lui dit-elle dans son cœur.

Elle garda le silence, un instant, les yeux fermés, et les deux jeunes gens la regardèrent d'un air étonné. Inquiet de la voir conserver si longtemps le silence, Fengmo remua et elle ouvrit les yeux.

« Dis à ce jeune étranger que la tombe est très loin. Dis-lui que la route est rude et étroite. Quand il y sera, il ne verra que la tombe, rien de plus. »

Le jeune homme répondit :

« Si c'est si loin que cela, je ferais mieux d'y renoncer. Il faut que je revienne à temps pour prendre le bateau. Après tout, comme vous le dites, ce n'est qu'une tombe. »

Ils firent leurs adieux et s'en allèrent. Madame Wu était contente de les voir partir. Elle avait besoin d'être seule pour saisir pleinement ce qu'elle venait d'apprendre sur André. Pendant tant d'années, il avait vécu là, solitaire.

« Non, pas solitaire ! songea-t-elle. Il y avait les enfants qu'il a trouvés et les mendiants qu'il a nourris. »

Et elle-même, comment lui avait-elle ouvert les portes et l'avait-elle laissé entrer ? Elle ne le saurait jamais. Il avait été conduit vers elle, elle avait ouvert ses portes et il était entré, lui apportant la vie éternelle.

Oui, à présent, elle croyait que son âme, lorsque son corps mourrait, continuerait à vivre. Elle n'adorait pas les dieux, ne possédait pas la foi, mais elle possédait l'amour, et à jamais. L'amour seul avait éveillé son âme et l'avait rendue immortelle

Elle se savait immortelle.

F I N

DES PRESSES DE GERARD & Cᵒ
65, rue de Limbourg, Verviers (Belgique).

marubout géant

G. 34** LA TOUR DES AMBITIEUX, par Cameron Hawley.
— Le meilleur roman contemporain sur le monde des affaires, publié aux Etats-Unis avec un succès extraordinaire et porté à l'écran par la M. G. M., avec une pléiade de vedettes jamais réunies jusqu'à présent.

G. 35*** L'ENFANT DU DESTIN, par Ina Seidel. — Un puissant roman-fleuve sur l'Europe de l'époque napoléonienne. « des larmes des femmes seront-elles un jour assez puissantes pour éteindre à tout jamais le feu de la guerre ? »

G. 36** LES CHEVALIERS DE LA TABLE RONDE, par René Philippe. — Une fresque somptueuse et colorée, pleine de combats épiques et de fêtes galantes, une des plus émouvantes histoires d'amour de tous les temps, celle de Guenièvre, femme du roi Arthur, et du preux Lancelot, portée à l'écran en cinémascope par la M. G. M., avec Robert Taylor, Ava Gardner et Mel Ferrer.

G. 37*** RHAPSODIE HONGROISE, par Szolt von Harzanyi. — La vie tumultueuse et passionnée de Franz Liszt forme un des plus captivants récits qui se puissent concevoir. Ses amours, toutes les célébrités de l'époque qu'il rencontre et fréquente, le monde fastueux et brillant qui l'entoure, revivent devant nos yeux avec un relief qui fait honneur au talent de l'auteur.

G. 38** RICHARD CŒUR-DE-LION (Le Talisman), par **W. Scott.** — Un nouveau roman passionnant de l'auteur d'« Ivanhoé », porté à l'écran avec Rex Harrison et Virgina Mayo.

G. 39*** BOMBES SUR SHANGHAI, par Vicki Baum. — Une fresque impressionnante de la tragédie de l'Orient qui meurt et du nouveau monde qui s'y trouve en germe.

G. 40***, 41*** LA GUERRE ET LA PAIX, par Léon Tolstoï. — Une œuvre sublime et grandiose... Un des sommets de la littérature mondiale... Le plus grand roman moderne..., tels sont les avis des meilleurs critiques et spécialistes sur cet ouvrage immense que Marabout est fier de mettre enfin à la portée de tous dans une traduction digne en tous points de cet illustre modèle.

G. 42** LE SPHINX ROUGE, par Alexandre Dumas. — Le roman authentique du plus grand adversaire des mousquetaires : le cardinal de Richelieu.

A PARAITRE

G. 44** BONJOUR FANNIE et FANNIE A PARIS, par Raymond Dumay. — En un seul volume, les deux premiers tomes des aventures de celle dont Cecil Saint Laurent a dit : « Caroline aurait chéri cette sœur sauvage et tendre ».